道家文化研究

第十輯

陳鼓應主編

文史哲出版社印行

國家圖書館出版品預行編目資料

道家文化研究 / 陳鼓應主編. -- 校訂一版. -- 臺
　北市: 文史哲, 民 89
　　面　；　公分
　　ISBN 957-549-300-1 (一套：精裝) ISBN 957-549-
301-x (第一輯)ISBN 957-549-302-8 (第二輯)ISBN
957-549-303-6(第三輯)ISBN 957-549-304-4 (第四
輯)ISBN 957-549-305-2 (第五輯) ISBN 957-549-
306-0 (第六輯) ISBN 957-549-307-9 (第七輯) ISBN
957-549-308-7 (第八輯) ISBN 957-549-309-5 (第九
輯) ISBN 957-549-310-9 (第十輯) ISBN 957-549-
311-7 (第十一輯) ISBN 957-549-312-5 (第十二輯)

　　1.道家 - 論文-講詞等　2. 道教 - 論文-講詞等
121.307　　　　　　　　　　　　　　89011271

道家文化研究 第十輯

主 編 者：陳　　　　鼓　　　　應
出 版 者：文　史　哲　出　版　社
登記證字號：行政院新聞局版臺業字五三三七號
發 行 人：彭　　　　正　　　　雄
發 行 所：文　史　哲　出　版　社
印 刷 者：文　史　哲　出　版　社
　　　臺北市羅斯福路一段七十二巷四號
　　　郵政劃撥帳號：一六一八〇一七五
　　　電話 886-2-23511028・傳眞 886-2-23965656

精裝全十二冊售價新臺幣　　　　　　元

中 華 民 國 八 十 九 年 八 月 校 訂 一 版

《道家文化研究》在臺重版序言

　　八十年代以來，在中國大陸陸續創辦了一些學術性的刊物，如《管子學刊》、《孔子研究》等，對推動儒家、管子思想及稷下學的研究，起了積極的作用。在此之前，1979 年創刊的《中國哲學》，它是以書代刊的形式出版，給我留下深刻的印象，為此我和一些研究道家的學者曾多次商議想辦一個專門討論道家思想的專刊，這想法終於得到香港道教學院院長侯寶垣先生和副院長羅智光先生的大力支持。於是，《道家文化研究》第一輯很快就於 1992 年面世了。

　　時光荏苒，轉眼之間，《道家文化研究》已經出版了十八輯，辦刊的過程是艱辛的，但每一輯的出版也都帶來收穫的愉快。特別是它能夠穫得海內外學術界的廣泛關注與好評。

　　眾所周知，《道家文化研究》一直是在大陸印行的。這對於臺灣感興趣的讀者帶來諸多不便。兩年多前，我剛回臺大的時候，就感到了這個問題，也就有了在臺灣重新印行它的念頭。當然，我也知道，這並不是很容易做到的。因為，任何一個出版公司若要出版它，大半是要賠錢的。所以，我非常感謝我的老朋友——文史哲出版社的彭正雄社長，願意幫忙印行《道家文化研究》一到十二輯，目前僅印三百部提供專業學者研究之需。同時，我也要借此機會，向上海古籍出版社和北京三聯書店表示感謝，由於他們的慷慨，得以使本刊在臺重印。

陳　鼓　應
1999 年 8 月

《道家文化研究》臺灣版出版開言

　　《道家文化研究》是道家及道教研究的專業研究性刊物,在知名道家專家陳鼓應教授多年努力耕耘下,今天它已經是國際同行不可或缺的學術園地。世界學人只要想用中文發表有關這個領域的研究成果,莫不努力爭取在這個學術園地刊出。試看《道家文化研究》出版至今共十餘輯,作者群就已經遍佈世界各地了,除了海峽兩岸外,更包括韓國、日本、新加坡、澳洲、加拿大、美國及歐洲等地。而且其中更包括張岱年、柳存仁、王叔岷、湯一介、李學勤、朱伯崑、金谷治、余敦康、許抗生、蒙培元、李豐懋、劉笑敢、陳鼓應等等知名學者。

　　可惜,從前受限於現實情況,海峽兩岸資訊交流不易,臺灣地區的學者專家,並不容易取得這一份刊物的。而且《道家文化研究》從創刊號到今天,已經出版了十八本了,好些早已銷售一空;特別是期數較早的,更是一冊難求。有鑒於此,本社認為需要重印整套《道家文化研究》,以饗讀者。

　　也許關心我們的讀者會替本社擔心成本效益問題,但我們的老客戶都知道本社成立近三十年,始終沒有只以營利為唯一的宗旨。雖然我們還不至於像莊子所說的「舉世而譽之而不加勸,舉世而非之而不加沮」,但是,正如同許多讀者一般,我們欣賞這樣高水準的學術雜誌,我們更希望能讓更多人分享到這許許多多知名學人的學術成就。當然學術性專業期刊的銷路,本身就很有限,所以本社也將限量發售,只印三百套,供有興趣的專家學人們選購,當然更希望學校機關及圖書館能夠購備,以便更多讀者可以讀到這份雜誌。這樣,我們的辛勞就不會白費。

　　最後,我們得感謝陳鼓應教授的信賴,更感謝上海古籍出版社及北京三聯書店的慷慨,使得我們的重印計畫得以實現。

彭 正 雄

文史哲出版社發行人

2000 年 7 月 15 日

《道家文化研究》合刊總目

《道家文化研究》第一輯目錄

《道家文化研究》第二輯　　目錄

《道家文化研究》第三輯　　目錄

《道家文化研究》第五輯　　目錄

《道家文化研究》第六輯　　目錄

《道家文化研究》第七輯　　目錄

《道家文化研究》第八輯　　　目錄

《道家文化研究》第九輯　　目錄

《道家文化研究》第十輯　　目錄

《道家文化研究》第十一輯　　　目錄

《道家文化研究》第十二輯　　目錄

道家文化研究

第十輯

香港道教學院　主辦

陳鼓應　主編

上海古籍出版社

目　　錄

道家學風述要

蕭萐父

內容提要 道家學風的首要特點是以"尊道貴德"爲理論重心,力圖超越可名言世界的局限,探究宇宙萬物的終極本源。道家學風在方法論上的重要貢獻,可概括爲通過相對主義而導向辨證智慧。承認事物普遍的相對性,避免認識上的片面、絕對和獨斷,是道家堅持的慧解。

道家之學,源于柱下,依附隱者,流播民間。

在先秦,雖尚無道家或道德家之名,而論道各家,已蔚爲南北諸流派,旨趣不全相同。但道家諸派,都無例外地祖述老聃,闡揚道論,以其特有的思想風骨和理論趨向,輕物重生,反抗異化,貶斥禮法名教,主張反樸歸真,追求精神自由,從而形成了道家獨特的共同學風。

一

道家學風的首要特點,是以"尊道貴德"爲理論重心,力圖超越可名言世界的局限,探究宇宙萬物的終極本原。道家獨創的形而上學及其精神語言體系中,"道"成爲超乎天地、萬物、五行、陰陽之上,而又與"氣"、"樸"、"大"、"一"等抽象處於不同層次的最高範疇。"道"被規定爲:"自本自根,自古以固存",是"天地之始"、

"天地之根"、"萬物之母"、"萬物之宗",具有終極的根源性;"道通爲一"、"道無終始"、"道未始有封",即具有無限的普存性和永恒性;"道常無名","可傳而不可受,可得而不可見",即"道"屬超名言之域,非通常的理智和感覺所能認知,而只能通過"徇耳目内通而外于心智"的特殊方式去體知。"夫體道,天下之君子所繫焉"。"道"並非不可知,而是"可傳"、"可得"、"可知"的,只是需要人們在特定的實踐中去體知。道家在理論上的一個重要貢獻,就是提出了區别于"認知"(依靠名言)的"體知"(超越名言),並論證了這種"外于心智"、超越名言的對"道"的體知,究竟是一種什麽樣的認識機制。

道家從兩個方面展開它的論證: 一方面,由自然哲學引向社會哲學,從"道法自然"的原則引出社會批判的原則。道家力圖通觀人類社會由原始公社向奴隸制文明社會過渡的二重性,並着重揭露了文明社會所出現的爭奪、禍亂、欺詐、罪惡以及種種違反人性的異化現象,"大道廢,有仁義; 智慧出,有大僞",人們"以仁義易其性","危身棄生以殉物",乃至"與物相刃相靡,其行進如馳而莫之能止,不亦悲夫! 終身役役而不見其成功,苶然疲役而不知其所歸,可不哀邪! 人謂之不死,奚益? 其形化,其心與之然,可不謂大哀乎!"道家認爲人與天地自然本是渾然一體的,人的本性與自然無爲的天道也應是和諧一致的,而文明社會中的現實人類,却由"形(體)"到"心(靈)"都可悲地被異化、被扭曲了,"喪己于物,失性于俗"。因而,人不但不能體道,並且日益迷失本性,與道疏離,背道而馳,陷入了"不知其所歸"的最大悲哀。爲了克服和揚棄這一切倫理的、政治的以及人性的異化現象,道家提出可以從個人修養和社會改革兩方面採取一系列措施,諸如個人修養方面:"見素抱樸"、"少私寡欲"、"專氣致柔"、"滌除玄鑒"等,和社會改革方面:"絶聖棄智"、"絶仁棄義"、"絶巧棄利"、"愛民治國,能爲無爲"等,都旨在否定和消解異化,以求得人性的復歸——"復歸于嬰兒"、"復歸于樸","常德不離,民復孝慈"。道家認爲,不被現實社會的權威、傳統及流行的價值觀所迷惑、所拘限，而能够自覺地超脫出來，按自然無爲的原則處理一切，"孔德之容，惟道是從"，乃是人能體道，自同于道的具體途徑。庖丁解牛，輪扁斫輪等故事，更生動説明"以神遇而不以目視"之類的"體知"，並非虛無縹緲、高不可攀，而是"大道甚夷"，在日常的生活、生產實踐中都可能實現。

　　另一方面，道家以貴己養生爲立論基點，由自然哲學更深入到生命哲學，取得重要研究成果。這些成果，不僅對中國傳統的醫藥學、養生學、氣功學等應用人體科學作出了獨特的貢獻，爲中國道教的教義發展提供了理論指南；而且更重要的是道家對生命的深入探究，並非僅限于人體內部結構與功能的實測與開發，而是旨在同時探究哲學意義上的"真人"與"真知"。道家認爲，通過"致虛極，守靜篤"的特殊途徑，在"微妙玄通"的自我生命體驗中，"收視反聽"、"耳目內通"，可以達到對"道"的體悟。這是道家所獨有的內省方法。道家所謂"真人"與"真知"，即擺脫了異化枷鎖、歸真反樸的人所特有的對人天合和境界的體知。所謂"知天之所爲，知人之所爲"，"不出户，知天下；不窺牖，見天道"，并非神秘直覺，而是經過長期的修煉，逐步地意識到"人"（小宇宙）與"天"（大宇宙）、個體小生命與自然大生命乃是同質同構、互涵互動的，"天地與我并生，萬物與我爲一"，"靜而與陰同德，動而與陽同波"。因而通過個體生命律動的探求，"載營魄抱一"，"心齋"、"坐忘"等內在的體驗自證，可以達到自我淨化，"與天爲徒"，乃至逐步由"外天下"、"外物"、"外生"到"朝徹"、"見獨"、"無古今"而"入于不死不生"的自由境界，也就是人天、物我被整合爲一的悟道、體道、與道冥合的精神境界。

　　道家關于道論體系的建構和對于"道"的體知途徑的探索，可以説觸及到了真正的哲學本體論問題，其所達到的理論深度，對現代人的哲學思考無疑具有啓發性。

二

　　道家學風在方法論上的重要貢獻,似可概括爲通過相對主義而導向辨證智慧,由齊物論、齊是非、齊美醜、齊生死、齊壽夭等破對待的追求,而昂揚一種可貴的超越精神。

　　承認事物普遍的相對性,避免認識上的片面、絕對和獨斷、是道家堅持的慧解。"天下皆知美之爲美,斯惡矣;皆動善之爲善,斯不善矣。故有無相生,難易相成,長短相形,高下相傾,音聲相和,前後相隨,恒也"。堅持矛盾兩分的觀點,並認定作爲矛盾的對立雙方,"如東西之相反而不可以相無"。矛盾互相依存、轉化,乃是恒道。這是道家由相對論導向辨證法而達到的對一般單向度、直線性認識的謬誤的超越。至于道家思想家中,有的因"貴齊"而陷于認識論上的相對主義、折衷主義,則是理論思想顧此失彼的個別教訓。

　　進一步,道家強調"別囿"、"去私","明白四達",破除各種條件造成的思想局限性。"井蛙不可以語于海者,拘于虛也;夏蟲不可以語于冰者,篤于時也;曲士不可以語于道者,束于教也"。"拘于虛","篤于時","束于教",即自陷于狹隘眼界和束縛于僵化教條,是各種思想局限產生的認識根源。故道家主張"貴因","因時爲業","因物與合","捨己而以物爲法",即捨棄"建己之患"、"用知之累",而堅持認識的客觀性;進而強調"貴公","公而不黨,易而無私",即否定黨同伐異的"私心"、"私慮",而堅持"棄知去己而緣不得己,冷汰于物,以爲道理"。這樣"以因循爲用",讓黑白自分,並非消極無爲,而是對師心自用所產生的各種狹隘偏見的積極的超越。

　　再進一層,道家注意到人類的理性能力及認知活動與名言工具等,有其固有的根本局限。所謂"道可道,非常道,名可名,非常名","道"無形無名,不可道,不可名,即非一般理性和感性以及名言工具所能把握和表達的。必須進一步對整個認識的局限有所突破,才能達到“從事于道者,同于道”。道家深刻地揭示:人所面臨的認識對象,既有可道可名的“有”世界(“天地萬物生于有”),又有不可道不可名的“無”即“道”世界(“有生于無”)。這兩個世界,都是作爲認識對象而存在,都是可知的,但兩者的界限在于“有”世界的被認識靠主客兩分,而“無”世界即“道”的被認識靠對主客兩分模式的超越。所謂“心有天游”,在“吾喪我”的“坐忘”中,“墮肢體,黜聰明”;“忘年忘義,振于無竟而寓諸無竟”等,都表明超越了主客兩分的局限,就能够置身于“道”之中,“與道徘徊”,自同于道。道家認爲,經過長期的自我修煉,這是能够實現的一種精神超越。

不自陷于各種片面和局限,而能不斷地開拓視野,不斷地自我超越,這是道家學風的重要特徵,似有助于突破現代哲學的某些困境。

三

道家學風體現在學術史觀與文化心態上,更有一種恢宏氣象。從總體上與儒、墨、法諸家的拘迂、褊狹和專斷相較而言,道家別具一種包容和開放的精神。

早期道家對于“萬物并作”、百家蜂起的學術争鳴局面,並非都很理解和樂觀,甚至担心“百家往而不返,道術將爲天下裂”。但他們基本上抱着寬容、超脱的態度。如老子提出“知常容,容乃公”的原則,主張“和光、同塵、挫鋭、解紛”;宋銒、尹文提出“別囿”,主張“不苟于人,不忮于衆”,“以聏合歡,以調海内”。彭蒙、田駢强調“静因之道”,主張“去智與故”,“與物宛轉”。莊子繼之,提出齊“物論”、去“成心”,更從理論上論證“道隱于小成,言隱于榮華,故有儒墨之是非”,而主張“和之以是非,而休乎天鈞,是之謂兩行”。《秋水》篇等深刻揭示真理的相對性、層次性和人們對真理的認識的不同層次都有的局限性,把人們引向日趨廣闊的視野,引向一種不斷追求、不斷拓展、不斷超越自我局限的精神境界。這是莊子對道家學風的獨特貢獻。儒、法兩家都傾向于把"道"單一化、絕對化、凝固化。故韓非曰:"道無雙,故曰一","明君貴獨道之容"。孔子稱:"朝聞道,夕死可矣。"莊子却説"生也有涯而知也無涯","指窮于爲薪,火傳也不知其盡"。《莊子》上記載顔回對孔子畢恭且敬,稱"夫子步亦步,夫子趨亦趨,夫子奔逸絶塵,則回也瞠乎其後矣!"而莊子却對後學説:"送君者自其涯而返,君自此遠矣!"這顯然是兩種真理觀、兩種學風、兩種文化心態。

司馬談總結先秦學術時,正是從學風的角度讚揚道家能够"因陰陽之大順,採儒墨之善,撮名法之要,與時遷移,應物變化","以虛無爲本,以因循爲用,無成勢、無常形,故能究物之情"。王充所堅持的"雖違儒家之説,但合黄老之義"的學術路綫和學風,也主張要像"海納百川"一樣"胸懷百家之言",才能成爲知今知古的"通人"。唐宋以來的道教理論家,在爲道教的系統理論化建設中,更是依托老、莊學脈,闡發"重玄"之旨,大量地攝取儒、佛各家思想,尤其大乘佛法的理論思辨。諸如"重玄論"之有取于三論宗的"二諦義","坐忘"論之有取于天台宗的"止觀"説,而全真道派更直襲禪宗學風,創始人王喆自稱道教的最高境界也是"語默動静,無時非禪"。馬端臨在《文獻通考》中稱:"道家之術,雜而多端",而《道藏》的編者確也從一個側面顯示出道教理論和學風的宏肆和兼容的性格。總之,無論是前期的道家或是後期的道教的學風及其對異己學術的文化心態,都是較爲寬容、開放而具有廣闊的胸懷的。這在中國傳統文化中是很值得發掘的優秀思想遺産,是具有現代意義的文化基因。

作者簡介　蕭萐父,1924 年生,四川成都人。現任武漢大學哲學系教授、博士生導師,中國哲學史學會副會長。著有《中國哲學史》等。

道家在先秦哲學史上的主幹地位

陳鼓應

内容提要　中國哲學是一門"究天人之際"的學問。中國形上學(無論宇宙論或本體論),乃由道家所創建並完成其體系之建構。道家之爲中國形上學之主幹是無可爭議的,而人生哲學之深邃及其精神境界之高遠則更非倫理型的儒學所能望其項背。以此,本文提出如下幾個重要論點:一、中國"哲學的突破"始于老子,老莊爲中國哲學的開創者,孔孟爲中國倫理學的奠基者;道家開創中國哲學與儒家建立中國倫理學,爲儒道兩家在中國古代思想史上具有無比深遠的貢獻。二、本文從道論、道史獨特思維方式及其"内聖外王"理想等方面來論證先秦哲學"道家主幹説"。三、老子爲中國哲學之父,其哲學思想投影于整個中國哲學史,爲學界所易知,而本文同時論證莊學與黄老之學爲戰國及秦漢間之顯學。莊學在戰國後期已產生巨大影響,它對隋唐及宋明哲學也起着難以估量的作用,而道家的"智識産權"在歷代儒學史上亦觸目可見,這都是值得深入探討的重要課題。

近些年來,我考慮的一個主要問題就是道家在中國哲學史上的地位問題。前些年曾寫過以道儒墨法互補爲基礎的道家主幹説方面的文章,並引起了討論。我發現,有些爭論不完全是看法的不同,而是由于對哲學學科的理解不同引起的。

我是從專業哲學的角度考察中國哲學史的主線及主體思想而

提出道家主幹説。近年來,不少學界朋友將我提出的"哲學主幹説"説成了"文化主幹説"。雖然人們在習慣上常將中國哲學與中國文化混同使用,但在嚴格意義上,兩者研究的對象、性質畢竟有所不同,"文化"的概念過于廣泛,舉凡生活方式、風俗習慣都可納入它的範圍。在中國古籍中,"文化"一詞最早見于漢代劉向《説苑·指武》;晉《文選》束廣微《補亡詩·由儀》云"文化内輯,武功外悠",這裏主要指的是文治教化。若從文治教化的觀點來看文化的主要内涵,則中國文化史當以儒學爲其首要地位。本世紀文化人類學着重在各民族間考察其藝術風格、神話及禮儀類型、親屬關係等文化因素,前者(即藝術風格與神話)其文化因素近于道家,後者(禮儀類型、親屬關係)近于儒家文化。然而,我個人以爲中國文化所以與世界其他各國文化最大的不同,便在于它的"禮制文化"——這從殷周之際便開始建構的一個相當完整的禮制體系及其文化。中國儒學從孔子到朱熹以降,無不堂而皇之地維護禮學的正統性(現世儒者對于儒家禮學避之猶恐不及,甚可怪異),以此從維護禮制文化這一重要特點而言,無疑地儒家是中國文化的主導者。雖然晚近有不少學者認爲: 儒道兩家代表着文化的表層結構與深層結構。

　　我個人以爲儒家不僅在中國文化史上居于主導地位,在倫理學史上更居于主幹地位。倫理學正如邏輯學、美學、宗教學等等,是哲學的一個分支,它研究什麼是道德上的"善"與"惡","是"與"非"。它的任務是分析、評價並發展規範的道德標準,以處理各種道德問題。它在哲學的大廈中,並非主體"建築"。從西方傳統哲學來看,形上學(宇宙論和本體論)是爲主體,從中國傳統哲學來看,則宇宙論和人生哲學爲其主體。從中國哲學的主體部分立論,無疑地,道家居于主幹的地位。至于文學史、美學史、藝術史,則道家思想更具靈魂性的重要地位。本文先就道家在先秦哲學史上的主幹地位作一論證。

一、哲學與中國哲學的特質

"哲學"是一門專業的學科,它是近代從西方翻譯過來的名詞,在我國古代並無這門學科的名稱和特定的研究範圍。因此我們首先需弄清它在西洋學術領域中的本來意義。"哲學"源于古希臘的愛"智"之學,衆所周知,爲知識而求知識,純粹的理智活動,一直成爲它的主要傳統。在西方的哲學傳統中,固有其形態各異的發展,各個哲學家給哲學的定義也並不相同,但就其共通性而言,著名的德國哲學史家文德爾班(W. Windelband)的界說是相當簡明精確的,他說"哲學乃是對宇宙觀、人生觀一般問題的科學論述","哲學史,作爲體現人類對宇宙的觀點和對人生的判斷的基本概念的總和"[1]。一般說來,哲學是對宇宙人生作整體性的思考和根源性的探究,它通過對人與自然之關係、萬物存在之依據、人生之究竟意義等問題的反省,建立起一個系統性的世界觀及人生觀。上述定義基本上也適用于中國哲學。

中國哲學之所以能被稱爲哲學,就表現在它與西方哲學有共同之處。這主要表現在它們所研究的問題、對象及在諸學術中的位置等[2]。從哲學之爲對宇宙人生作整體性思考和根源性探究這一角度來看,先秦哲學唯獨道家担當這一重要角色。哲學當然不等同于倫理學。依此,而將中國哲學視爲"倫理型"的觀點,必然狹義化了中國哲學的原貌。

當我們就哲學的課題是對宇宙人生作整體性思考及根源性探究時,我們也須留意到中國哲學與西方哲學在諸多方面有着顯著的差異。如西方哲學一般從科學的洞見中提供宇宙觀、人生觀的理論基礎,並在形上學中去探索哲學的核心。而中國哲學則更多

---

[1]　文德爾班《哲學史教程》,羅達仁譯,北京商務印書館 1987 年版。

[2]　張岱年《中國哲學大綱》:"中國哲學與西洋哲學在根本態度上未必同;然而在問題及對象上及其在諸學術中的位置上,則與西洋哲學頗爲相當。"

地把宇宙看成人生的背景，主要通過對現實人生的反思，建立一種
系統的人生哲學。當然從形態而言，中國哲學仍以天人之學爲主，
包含形上學的内容。

　　西方哲學自始便與科學緊密結合，而中國哲學自先秦諸子始
無不以人類的處境爲其終極關懷。由于歷史現實及文化背景的特
殊差異，中西哲學便有着十分不同的道路，最顯著的莫過于西方主
流哲學的兩個世界之説及主客體的二分對立。柏拉圖繼承巴門尼
底斯而將世界分爲理念界和現象界，及中世紀，又有超自然與自然
界之對立。尼采出，對于柏拉圖以降兩個世界之説提出了猛烈的
抨擊①，李約瑟提出相似的評論："西方思想總是在兩個世界之間
擺動，一個是被看作自動機的世界，另一個是上帝統治着宇宙的神
學世界。"李約瑟把這稱爲"典型的歐洲痴呆病"。他還比較地指
出："依照在中國占統治地位的哲學概念，宇宙是在自發的諧和之
中，現象的規則性并不是來自外部的當權者。相反，自然、社會和
天國中的這個諧和發源于這些過程中存在的平衡，這些過程是穩
定的，互相依存的，并在非一致的諧和中彼此共鳴。"②在李約瑟心
中，在中國占主導地位的哲學乃是指道家而言。他所描述的中國
哲學認爲宇宙是"在自發的諧和之中"，萬物"互相依存"而又"在非
一致的諧和中彼此共鳴"，這正是對莊子《齊物論》天地人三籟境界
的描繪。

　　當代大哲懷特海對于西方傳統哲學二元論世界觀有着更爲精
闢的批評，他指出把自然割裂爲孤立的兩個部份，導致自然的兩極
化(bifurcation of nature)，懷特海在和賀麟先生的談話中稱其著
作中"含蘊有中國哲學裏極其美妙的天道(Heavenly order)觀

---

　　① 尼采説：超人是大地的意義。這裏"大地"指人間世而言。尼采否定了基督
教"兩個世界"、"來生論"的觀點，針對西方二元論世界觀，提出人間世是唯一的。詳見
拙著《悲劇哲學家尼采》，北京三聯書店出版。
　　② 普里戈金著《從混沌到有序》，引文見英文版第 7、48 頁，中文版第 39、85 頁
(曾慶宏、沈小峰譯，上海譯文出版社出版)。

念"①。他所說的天道觀也就是老莊的天道觀。從他的哲學内容來看,更爲接近莊子的天道觀。

　　從中西哲學的比較中凸現中國哲學特色,當代中國學人中如先師方東美、陳榮捷先生、唐君毅先生等師輩前賢多有論及。方先生自早年作品《科學哲學與人生》到晚年的各種著述、講稿,對西方形上學理論之使宇宙"截然二分",復將整合的人性"惡性兩極化"(vicious bifurcation)頗多批評②.另一方面對中國先哲視人與自然、整個宇宙爲一相依互涵的有機系統極盡讚賞。方先生嘗言:在中國人眼中"人與宇宙關係是'彼是相因'、同情交感的和諧系統",又說:"吾人一旦論及道家,便覺兀自進入另一嶄新天地……莊子將空靈超化之活動歷程推至'重玄',將整個宇宙大全之無限性,化成一'彼是相因'、交攝互融之有機系統……一言以蔽之,莊子之形而上學,將'道'投射到無窮之時空範疇,俾其作用發揮淋漓盡致,成爲精神生命之極詣。"③我聆聽方先生授課多年,他在諸子百家中對莊子的思想境界及藝術精神尤多讚賞。

　　當代大儒熊十力先生亦曾在中西哲學的比較中認爲:"中國人確不曾以解剖術去劈裂宇宙,……惟務體察于宇宙之渾全,合神質、徹始終、通全分、合内外、遺彼是,上達于圓融無礙之境。"熊先生這裏所說的中國哲學"渾全"之宇宙觀,正合于莊子,而與孔儒不相涉。其所使用的"徹始終"、"遺彼是"等概念也均來源于莊子。熊先生又說:"若西學惟心惟物之分,直將心物割裂,如一刀兩斷,不可融通,在中國哲學界中,確無是事。中國人發明辯證法最早,

　　① 賀麟《現代西方哲學講演集》,上海人民出版社出版。以下所引有關懷特海之片段均出自此集。
　　② 見英文本《中國人生觀》,下引同。此書中譯本收在方東美著《中國人生哲學》,黎明文化事業公司1980年版。
　　③ 方師《中國形上學中之宇宙與個人》(The World and the Individual in Chinese)收在 Charles A. Moore 所編《中國人的心靈》(the Chinese Mind)一書中,中譯本由臺北聯經1984年出版。

而畢竟歸本圓融①。"

　　總言之，中西哲學的迥異之處，就在于西方哲學是"超自然形上學"②，而中國哲學則爲"自然宇宙觀"③。

　　在"宇宙觀"的問題上突出"自然"的特性，正是道家的特色。中國的宇宙觀創始于老子，爲莊學與黄老之學等道家各派所發展，而孔孟思想在宇宙觀方面則一無建樹。"宇宙"一詞源出于《莊子·庚桑楚》："有實而乎處者，宇也，有長而無本剽者，宙也。"在這裏，"宇"是指空間上没有止境的上下四方，"宙"是指時間上没有終始的古今往來。在宇宙中，萬物都在不停地生滅變化（"有乎生，有乎死，有乎出，有乎人"），莊子稱這種萬物變化的根源爲"天門"，也即是"自然的總門"。

　　對于宇宙起源的問題，莊子主張"六合之外，聖人存而不論"（《齊物論》），他討論的範圍僅在"四方之内，六合之裏"（《則陽》）。首先，他肯定萬物是由"道"産生的，"道"是萬物的本原，而"道"在創生萬物是無意識、無意志、無目的的，這一觀點否定了"另一世界的造物主"的存在。其次，他認爲"道"的這種"無爲性"導致了它創生萬物後便與萬物合而爲一（《知北游》："物物者與物無際"），便使得我們這個世界具有"道""無爲"而萬物"自爲"的特點，因此，我們所處的這個世界雖然有局限性，但因萬物"自爲"又具有無窮無盡的變化發展（《知北游》："不際之際，際之不際者也"）。莊子還認爲，

────────

　　①　上引兩段論述見于熊先生《論中國文化與中國哲學》，刊劉夢溪主編《中國文化》第三册。

　　②　見方師《原始儒家道家哲學》第一章《中國哲學精神——導論》，黎明文化事業公司 1983 年版。

　　③　唐君毅先生曾作專文《中國哲學中自然宇宙觀之特質》，將這種"自然宇宙觀"細分爲十二個特點：（一）宇宙以虚含實觀；（二）宇宙無二無際觀；（三）萬象以時間爲本質觀；（四）時間螺旋進展觀；（五）時間空間不二觀；（六）時間空間物質不離觀；（七）物質能力同性觀；（八）生命物質無間觀；（九）心靈生命共質觀；（十）心靈周遍萬物觀；（十一）自然即含價值觀；（十二）人與宇宙合一觀。其所申論內容也多以老莊思想作爲依據。唐文收入《唐君毅全集》卷十一《中西哲學思想之比較論文集》，臺灣學生書局 1988 年出版。

宇宙萬象體現出一種不可阻遏的運動變化狀態(《大宗師》:"萬化
而未始有極也"),這種變化是在廣大無際的空間之中,沿着綿長無
終的時間的軸線發生的。在宇宙中,空間是無限延伸的,即《逍遥
游》所形容的"天之蒼蒼,……其遠而無所至極邪?"——這是莊子
借鵬之高飛展開的一個無窮無盡的空間系統(《秋水》所謂"至大不
可圍");時間是無限綿延的(《秋水》所謂"夫物,量無窮,時無止,
……年不可舉,時不可止")。誠如方東美先生所説的:"莊子這種
空間無限擴大的暗示……學術在這樣的時空觀念下,自然有一種
不受局限的精神發展起來了。這一種學術思想不是儒家的經學,
而是道家的子學。這個傳統是爲中國學術開拓了無限廣大局面的
傳統。"①

　　莊子的宇宙觀,是爲其人生哲學而立論的。而中國哲學是"究
天人之際"的一門學問,道家的莊子哲學,則是最具有典範性的代
表。誠如方東美先生所論述的:"道家所講的'天人之際',不像儒
家沾滯于人這一方面。道家的思想在精神上是較爲灑脱的。他們
如果要談人的問題,却並不沾滯在人本身上面,而是務必要把人解
放了以後,在精神方面提升到無窮的空間遠景、無窮的時間的遠景
——然後再回顧人間世。由于距離,便會有許多不可言喻的美景,
無形中把人美化了。……道家的精神就是莊子的一句話:'聖人
者,原天地之美而達萬物之理',由于透過詩意的創造的幻想來看
人性的缺陷,使之美化了,從而寬恕欣賞,這是道家精神特別的地
方。"②莊子上述的哲學觀點對歷代中國哲學產生了巨大的影響,
而孔孟儒學則無一具有如此深刻的思想境界。

―――――――――――――――

①② 方師著《新儒家哲學十八講》,臺灣黎明文化事業公司 1993 年出版。

二、道家的思維方式成爲歷代中國哲學的
主要思維方式

衡量一家一派哲學思想的建立,最重要的在于它的思想的原創性和理論的系統性。文德爾班説:"哲學的每一偉大體系一開始着手解決的都是新提出的問題。"老子哲學正是如此,"一開始着手解決的都是新提出的問題";莊子則不僅在"發展人的理論思維能力"上有無比驚人的高度,而且在提高人的精神境界方面更是舉世罕見的。這裏,讓我們從道家所開創的道論及其思維方式説起。

就哲學而言,思維方式指的是思考自然、人生及其關係等問題的方法和規則。不同的哲學可能有不同的思維方式,如中西哲學就有很大的差異。西方哲學一般把自然和人分別開來處理,而中國哲學則把它們視爲一個整體。就先秦諸子而言,老、孔、墨思考問題的方法並不同,但在戰國中期至秦漢以後,各家却逐漸趨同,這種趨同,是以老子所開創的道家思維方式成爲依歸的。

由老子所開創的道家思維方式,可歸納爲四種: 一是對反的思維方式,二是循環往復的思維方式,三是天道推衍人事的思維方式,四是天地人整體性思考的思維方式。這四種又可歸約爲兩個原則,一是推天道而明人事及天地人一體觀,一是對立及循環觀。

推天道而明人事是道家承繼于史官而來的一種思維方式,其要點在于從自然現象中確定社會、人生的法則。老子在自然道論的基礎上建立起政治人生哲學,就是此種思維方式的一個集中體現。雖然道家各派之間在自然法則的認識上有所不同(如老子强調反、弱,黃老强調陰陽等),但在推天道而明人事這一點上却是一致的。在老子著作中,"推天道以明人事"的思維方式,貫穿于全書。兹舉原著爲證:

　　天地不仁,以萬物爲芻狗;聖人不仁,以百姓爲芻狗。(《老子·
五章》)

　　天之道,利而不害;聖人之道,爲而不争。(《老子·八十一章》)

這正是"推天道以明人事"的思維方式的典型體現。此外在《老子》第七、九、二十三、三十七、五十一、六十六、七十七等章節中,也有這種思維方式的明顯反映。老子這種思維方式直接影響到戰國中期前後的黄老學派,最具有代表性的莫過于馬王堆出土的帛書《黄帝四經》,這種思維方式更加貫穿于帛書《四經》全書之中,如:

　　天地有恒常,萬物有恒事,貴賤有恒立(位)。(《經法·道法》)

　　天地無私,四時不息。天地立(位),聖人故載。(《經法·國次》)

　　因天之生也以養生,胃(謂)之文,因之殺也以伐死,胃(謂)之武。(《經法·君正》)

　　此外,還屢見于《稱》篇及《十大經》中《觀》、《果童》、《正亂》、《兵容》、《三禁》、《前道》、《順道》等篇章,這種的思維方式幾乎可以説在全書每篇每頁都有强烈的體現。自老學至黄老之學,這種"推天道以明人事"思維方式又直接地爲《易傳》所繼承。如:

　　天地交而萬物通也;上下交而其志同也。(《彖·泰》)

　　天地養萬物,聖人養賢以及萬民。(《彖·頤》)

　　天地感,而萬物化生。聖人感人心,而天下和平。(《彖·咸》)

此外,《彖傳》的《否》、《豫》、《觀》、《剥》、《恒》、《革》等卦辭中也都有體現。

　　我們從大量的文獻資料中可以看出,這種"天道推衍人事"的思維方式,從老子開始,到黄老學派直至《易傳》,有一條十分明顯的發展脈絡。反之,這種道家開創的獨特的思維方式,在早期儒家僅局限于人道範圍的著作中並無體現。

　　"天道推衍人事"實際上就是把天地人(自然與人)視爲一個整體,認爲它們遵循一個共同的法則。在《老子》書中最具典型性的觀念莫過于"人法地,地法天,天法道,道法自然"。道家的天地人整體性的思考方式在黄老之學的著作中有着更明顯的體現,如帛書《黄帝四經》中的:

天下大(太)平,正以明德,參之于天地,……有天焉,有人焉,又(有)地焉。參(三)者參用之。(《經法‧六分》)

參之于天地之恒道,乃定祝福死生存亡興壞之所在。(《經法‧論約》)

吾受命于天,定立(位)于地,成名于人。(《十大經‧立命》)

天道已旣,地物乃備。散流相成,聖人之事。聖人不朽,時反是守。優未愛民,與天同道。(《十大經‧觀》)

治國固有前道,上知天時,下知地利,中知人事。(《十大經‧前道》)

天有恒干,地有恒常,與民共事。(《十大經‧行守》)

天制寒暑,地制高下,人制取予。(《稱》篇)

此外又見于《管子‧内業》:

聖人一言之解,上察于天,下極于地。

天主正,地主平,人主安靜。

天出其精,地出其形,合此以爲人。

黃老道家這種天地人一體觀也直接影響了《易傳》。《繫辭》中所謂"三極之道"顯然是道家思維方式的發展,與早期儒家僅局限于人道範圍的思想大不相同。這種思維方式在《易傳》中得到了集中的表現,其云"一陰一陽之謂道",又說"立天之道曰陰與陽,立地之道曰柔與剛,立人之道曰仁與義",實際上是根據天道來解釋地道與人道。《易傳》此特點與早期儒家僅局限于人道範圍內的討論不同,顯然是道家思維方式的表現。另外,戰國後期影響很大的陰陽家學説依天時而確定人事,採用的也是此種思維方式。

對立及循環的思想最早是由老子系統表述的。在老子看來,事物的變化是一個向對立面轉化的過程,一切事物都處在兩兩相對之中,《老子》使用對反的概念、範疇及命題,遍及全書,其對反的概念計有:有無、難易、長短、高下、前後、盈冲、美醜、善惡、曲全、枉直、窪盈、少多、敝新、雄雌、白辱、輕重、靜躁、歙張、弱强、廢興、取與、貴賤、明昧、進退、成缺、巧拙、辯訥、寒熱、禍福、損益等等。老子這種獨特的、富于哲理的思維方式,也可稱之爲對反的思維方式(Opposite thinking pattern)。老子不僅突出事物的對反關係,而且更爲留意事物在對反關係中的相互依存,而由之推展出他那著名的相反相成的哲理,這種轉化的基本模式便是循環。老子認爲宇宙的本原"道"就處在不斷的循環運動之中。老子所謂"反者道之動"(40章)、"萬物並作,吾以觀復"(16章),並指出道"周行而不殆"(25章)。在這些著名的哲學命題中多次出現的"反"、"復"、"周行"的概念都是表述事物依照循環往復的規律而運行。這種循環的思維方式也爲以後的黃老學派及《易傳》學派所接受。如帛書《黃帝四經》的《經法·四度》篇:"極而反,盛而衰,天地之道也,人之李(理)也。"《象傳》:"復,乃天地之心"等都是直接繼承老子的循環觀念的產物。道家這種對立及循環思維模式以及其中的物極必反原則在後世產生了普遍的影響,成爲處理政治及人生問題的一個重要的理論根據。

老子最早系統地提出來的上述思維方式[①],後來廣泛影響其他各家各派,從而成爲先秦哲學史上主要的思維方式。它對後代哲學體系的影響,更是至深且巨,乃至成爲中國思維方式的象徵。

三、從道論看哲學的主幹地位

在諸子百家中,就考慮問題的規模而言,無疑以道家最爲宏大。孔、墨基本上都局限于人類社會之中,而老、莊、黃老則能從一個更廣闊的背景下思考社會、人生之問題。與道家思維方式的泛

[①] 在1993年11月在西安召開的"第二屆老子思想研討會"上,一些專家學者指出:當代西方哲學公認構成哲學理論的四個思維要素,一是經驗(experience)思維,二是理性(reason)思維,三是直覺(intuition)思維,四是洞察思維(inspiration)。老子的思維方式中,四個要素都有。詳見張岱之《老子思想研討的新收穫》,《華夏文化》1994年第1期。

化一致,其他各家特别是儒家也漸漸地擴大其思考的範圍,從人生而進至自然宇宙。從而使中國哲學表現出天人之學的形態。中國哲學的特色就思維方式來看,最重要的莫過于道家老子所開創的"推天道以明人事"與"天地人一體觀"以及"對立"與"循環"的思想法則。就思維内容而言,莫過于道家老子所提出的"道論"。

馮友蘭先生説:"按照中國哲學的傳統,它的功用不在于增加積極的知識,而在于提高心靈的境界——達到超乎現世的境界。《老子》説:'爲學日益,爲道日損'。……中國哲學傳統裏有爲學、爲道的區别。爲學的目的就是我所説的增加積極的知識,爲道的目的就是我所説的提高心靈的境界。哲學屬于爲道的範疇。"[1]馮先生所説中國傳統哲學最重要的在于"爲道",以求提升心靈境界,而哲學乃"屬于爲道的範疇",可見老子提出"爲道"的重要性。

"爲道"是對于"道"的實踐,是道論的一個部份(屬于人生哲學的部份)。而所謂道論,即指關于"道"以及道和萬物關係的理論。老子認爲,道是萬物之本原及依據,道是無形的,但其運動可以表現出一些法則來,爲萬物所效法。道論中有關道體的論述及萬物生成論等部份約相當于西方哲學中的形上學(本體論及宇宙論)。因此,可以説,老子(及道家)開創了中國哲學中的形上學傳統。

老子是中國哲學的開創者,他在中國哲學史上第一個提出道論的主張,其爲道家各派所發展,自戰國中後期爲稷下各學派所普遍接受,而成爲其後千年來中國哲學最核心的部份。然而,長期以來,以老莊爲主的道家深受曲解,近年來學風漸趨正常。晚近張份年先生在《道家文化研究》等刊物上連續發表有關老子哲學論文多篇[2],觀點公允而精確可作爲當前中國學界對老學的具有代表性

---

① 　馮友蘭《中國哲學簡史》。

② 　張先生近期論文計有:《論老子在哲學史上的地位》,刊《道家文化研究》第一輯;《道家玄旨論》,刊《道家文化研究》第四輯;《道家在中國哲學史上的地位》,刊《道家文化研究》第六輯;《老子"道"的觀念的獨創及其傳衍》,收入《老子與中華文明》,陝西人民教育出版社1993年出版;《論老子的本體論》,刊《社會科學戰綫》1994年第1期。

的見解。茲引述其主要論點：(1)老子是中國古代哲學本體論和宇宙論的創始者。張先生説："中國古典哲學的最高範疇是'道'，而'道'的觀念是老子首先提出的。"又説："老子在思想史上第一次提出天地起源的問題……老子提出天地起源問題，以'道'爲天地萬物的本體，這是理論思維的一次巨大的躍進。"(2)關于中國"哲學的突破"這個問題，張先生有着近似的觀點："孔子自稱'述而不作'，孔子所講的道德觀念大都前有所承。老子則提出了一些獨創性的思想觀念。"在中國哲學史上，"孔子所講的道德觀念大都前有所承"，而老子這種前無所承的"獨創性"思想，這正是中國"哲學的突破"始于老子并以老子爲中國哲學之父的根本理由。張先生還説："中國傳統哲學中影響最大的學派有二，一是儒家，二是道家。儒家的創始人是孔子，道家的創始人是老子。孔子奠定了中國傳統倫理道德的基礎；老子開創了關于本體論的玄想。"這正是我在拙著《老莊新論》中所説的："孔子是中國第一位倫理家，老子是中國第一位哲學家(《老子與孔子思想比較研究》)。"(3)老子道論爲中國哲學之縮影。張先生多次提到老子道論對後代哲學史的影響："老子提出了'道'的觀念，在戰國時代發生了廣泛的影響。《管子》、莊子、《易傳》、韓非，都接受了'道'的觀念，而各自加以推衍……張載、程顥、程頤都以'道'爲最高範疇。""從戰國前期直至清代，'道'都是中國哲學的最高範疇。而'道'這個最高範疇是老子所提出的。應該肯定，老聃在中國哲學史上具有崇高的歷史地位。"老子的道論，不僅爲歷代道家各派所發展，也爲歷代儒家人物所繼承，張先生明確指出："道家以'道'爲本體論的最高範疇，後來亦被儒家所接受。""理學的本體論是在道家本體論的影響下建立起來的。"準此以觀，可證道家的道論在中國哲學史上的主體地位。老子的道論開創了中國哲學史的形上學傳統，其後，黃老及莊子等進一步發展了這一傳統，并提出氣論來補充道論之不足。

　　氣化論的提出主要是爲了便于説明道化生萬物的過程，以及萬物之間的統一性。因此，氣一般是作爲道和萬物之間的中間環節。《莊子・至樂》説："察其始而本無生,非徒無生也,而本無形,非徒無形也,而本無氣。雜乎茫蕩之間,變而有氣,氣變而有形,形變而有生。""本無氣"的階段即道,道生出氣,氣化感萬物。莊子還認爲天地萬物都統一于氣,《大宗師》講"游乎天地之一氣",《知北游》認爲"通天下一氣耳"。這是以氣作爲構成萬物的關鍵。與此同時,稷下道家提出精氣學説,以精氣來解釋道,認爲精氣是萬物、人及智慧等的來源。可以説,莊子在道論上最大的貢獻在于提出"氣化流行"的概念並且將道推展而爲一種主體的精神境界。

戰國後期,易學學派對道論的發展提出太極説。《繫辭》在解釋《周易》筮法時,融進了道家的宇宙論,提出"太極生兩儀,兩儀生四象,四象生八卦"的命題。這一方面是講筮法,另一方面也是對宇宙形成過程的一種描述。太極相當于道,作爲概念,它來源于《莊子・大宗師》。《繫辭》還説:"形而上者謂之道,形而下者謂之器",形而上即無形,形而下即有形。這種認識,與老子對道和萬物特點的認識是一致的。

一種流行的觀點以爲,道家偏重天道觀,實際情況正相反。道家雖在宇宙的背景中思考,却仍舊落實到人生中來。就像做逍遙游的大鵬要回到人間一樣。道家有着豐富的關于人生的哲理性思想,其內容要超過其他各家,並對後者發生影響。

就道家對人生的思考而言,大體包括三個方面。一是社會政治哲學,二是養生理論,三是精神境界理論。

"治國"與"治身"是道家兩個重要的組成部分①,其政治哲學是屬于"治國"的範疇,其養生、精神理論是屬于"治身"的範圍,而其"治身"特重"治心"。

社會政治哲學可以説是老子思想的中心,也是整個道家思想

①　"唐司馬貞《史記・儒林轅固生傳》索隱云:老子《道德篇》……理國理身而已。理國理身,即治國治身。避唐高宗諱,故以理代治。""宋羅處約作《黃老先六經論》云:老聃的'與經皆足以治國治身。'"以上見于王師叔岷《先秦道家思想講稿》第40、368頁。臺灣中央研究院文哲所文哲專刊,1992年版。

的一個重心。它是關于統治方法的探索。老子從道論出發,提出
了無名、無欲、無爲等原則,後來黃老學派又進一步發展,提出系統
的君無爲而臣有爲、綜合刑名等原則,對法家發生了重大影響。道
家、法家都强調君主應以一客觀的原則治國,反對儒家的人治主張。

養生理論是道家思想的一個極富特色的部份,它肇始于老子,
後被黃老學派所發展,通過對人的身體的認識,道家强調形神、魂
魄的和諧配合,以保持生命之長久。它所提出的養生原則如虛心、
寡欲等,同時也是治國的原則。

精神境界理論是中國哲學的一個特色内容,它涉及的是人心
中對世界的態度及由此而達到的某種心理狀態。在先秦,精神境
界的問題最早是由道家系統提出的。老子多處講到得道者的狀態,
用混、沌來形容,莊子更進一步把它概括爲"天地與我並生,萬物與
我爲一"。這種境界的達到可以通過心去除私見,與道合一而達到。
老莊的這些原則對以孟子、荀子及中庸等爲代表的儒家學派關于
精神境界的描述,發生了重大的影響。

四、先秦道家各派的内聖外王之道

道家的道論不僅開創了中國形上學傳統,也開啓了中國特殊
形態的人生哲學。這個人生哲學的一個方面,便是成就"内聖外王"
的理想,首先提出這個内聖外王理想的正是道家。道家這一理想
人格,也即上文提到的"治國"與"治身"的結合。馮友蘭先生在《新
原道》(一名《中國哲學之精神》)中以"極高明而道中庸"爲準則來
對各家的"内聖外王"理想進行評價。他評論孔孟時認爲:"他們于
高明方面,尚未達到最高標準。"在評論老莊時認爲其哲學"極高明"
(稱許道家聖人的境界是天地境界),然于"道中庸"則不足。這種
評價頗有見地。誠然,孔孟思想特點乃在于"道中庸",而老莊思想
則的確已達于"極高明"之境。

韓非子說:"孔墨之後,儒分爲八,墨離爲三。"(《顯學》篇)事實

上,老子之後,道家的發展其派別可能更多,除了關尹、楊朱、列子、莊子各派爲衆所周知外,還有戰國中期的衆多著名的"稷下先生",如環淵、接子、季真、彭蒙、田駢、慎到、宋鈃、尹文等黄老學派,以及戰國後期《鶡冠子》(而文子及《文子》書則較難確定)。在如此之多的道家人物派別之中,彼此的思想雖然頗爲分歧,但都共同地推崇作爲萬物本原的"道"以及主張"自然無爲"之説[①]。由于道家人物彼此有着巨大的思想差異,所以雖在共同的主張下,也都具有相對獨立的思想内容。如先秦道家影響最大的三大派別: 老子、莊子及稷下黄老道家,在"内聖外王"的理想上,便有着不同方向的發展。

在社會人生的課題上,老子的學説偏重在"外王"之學,即傳統稱爲"人君南面之術",也略及"内聖"之道;莊子則偏重于"内聖"之學;黄老不僅在"外王"上有較大的發展,也兼及"内聖"之學,下面將分别加以論述。

(一) 老子的"内聖外王"之説

陳榮捷先生曾説:"老莊的理想人物是聖人,而聖人並不是從人世隱退的人物。聖人無爲,依郭象的解釋: '無爲者,非拱默之謂也。' ……其理想爲道家人物所宣稱的内聖外王,這一理想後來也被儒家所接受。"[②]陳先生所説甚是。這裏先説老子的"内聖外王"之道。

《老子》10章:"載營魄抱一,能無離乎? 專氣致柔,能如嬰兒乎? 滌除玄鑒,能無疵乎? 愛民治國,能無爲乎?"這説的正是"内聖外王"的基本内涵。在"愛民治國"的課題上,老子提出"無爲"的原則,在"身心合一"(或"營魄抱一")的課題上,老子提出"專氣致柔"與"滌除玄鑒"的重要方法——前者在于"養生",後者在于"治心"。"致

---

① 胡適在《中國中古思想小史》論述戰國晚期《吕氏春秋》到司馬談《論六家要旨》及《淮南子》這一時期的道家特色時説:"道家雖雜採各家的思想,但他的中心思想是:(一)自然變化的宇宙觀,(二)善生保真的人生觀,(三)放任無爲的政治觀。"這也可概括早期道家的中心思想。

② 陳榮捷《中國哲學的理論與實際》,收在穆爾所編《中國人的心靈》書中首篇。

虛守靜"(《老子》16 章)當是"專氣致柔"與"滌除玄鑒"的重要法門。10 章所說的"天門開闔,能爲雌乎?"說的是生命活動要在"守雌"。"守雌"包括見素抱樸、重嗇知足、少私寡欲、後身守和。"專氣"即"集氣",也就是稷下道家所說的"摶氣"(《内業》篇)。一個人通過"摶氣"的修煉功夫,可以達到如《老子》55 章所說的"骨弱筋柔"、"精之至"、"和之至"的體能狀態。生命能量的培蓄("重積德"、"含德之厚")是"摶氣"的重要功能。

修身養性只是老子"内聖"的一個方面,而摒除成見、洗滌貪欲("滌除玄鑒")則是老子"内聖"的另一個重要方面。老子認爲,心靈如一面鏡子,他稱之爲"玄鑒"("鑒"通行本作"覽",據帛書乙本改),老子以"玄鑒"喻心靈深處明澈如鏡("玄"形容人心的深邃靈妙),"玄鑒"之說不僅成爲認識論上的一種靜觀,也成爲後代形上學的一個重要的範疇。"玄鑒"說由莊子的"心齋坐忘"而得到深化。其後禪宗著名的"心如明鏡臺"之說以及宋明道學的"心學"都是老莊這一"内聖"之學的延伸。

老子在"内聖"方面雖然着筆不多,但對後世道家、道教以及佛禪和理學卻具深遠的影響。《老子》五千言多談"治道",老學的目的卻在"外王"之道。

《老子》54 章表述了一則對後世產生了巨大影響的"内聖外王"的架構:"修之于身,其德乃真;修之于家,其德乃餘;修之于鄉,其德乃長;修之于邦,其德乃豐;修之于天下,其德乃普。故以身觀身,以家觀家,以鄉觀鄉,以邦觀邦,以天下觀天下。"這是老子由"身"開始,而"家"、"鄉"、"邦"以至"天下",一層層推展開來,這層序性地由"内聖"到"外王"的發展途徑爲後代儒家的"修齊治平"所本。

在那戰禍綿延不息的東周時代,各個統治群無不猛獸般貪婪地吞併他人的領地,老子這種"無爲"的主張正是針對這種權力擴張的現實而言的一種不干涉的原則。

在"外王"方面,《老子》一書寫下了許許多多至理名言,如:"治大國,若烹小鮮"(60 章)、"其政悶悶,其民淳淳,其政察察,其民缺缺”(58 章)、“大者宜爲下”(61 章)、“清静爲天下正”(45 章)、“以正治國,以奇用兵”(57 章)、“飄風不終朝,驟雨不終日”(23 章)、“柔弱勝剛强”(36 章)、“功遂身退”(9 章)、“功成而不有,衣養萬物而不爲主”(34 章),這些智慧之言都成爲流行千古的警句。

　　“無爲”是老子政治主張的最基本的原則,而“無爲”的主張在于消解治者的專權與濫權,給予人民有較多的活動空間。由道的無爲(37 章:“道常無爲而無不爲”)落實到人生政治的層面,老子提出“我無爲而民自化”的主張,一方面用無爲、無事、無欲來限制統治者的權力欲望,另一方面主張自化、自正、自富、自樸,給予人民一個較爲寬鬆的生存空間,57 章:“我無爲而民自化,我好静而民自正,我無事而民自富,我無欲而民自樸”是最具代表性的例子。老子還提出:“聖人常無心,以百姓心爲心”(49 章),以百姓的意見爲意見的政治主張以及“自化”、“自正”這種遵從民衆意願、維護人民自然性、自由性、自主性、自在性的理念,使得道家的學説在諸子中代表着古代自由民主的精神需求。由道的自然性、自在性、自發性而向下落實到人生政治的層面的這種代表了人民自主性和自由性的要求,是建立道家在中國文化中的一個極其特殊的性格,這種性格表現出與儒家之“隆君”和不容異端的態度的迥異。儒道論政的顯著的差異在于: 其一,儒家將治國以家庭倫理化;其二,孔孟僅爲經驗性的,缺乏形上學或宇宙論的理論爲基礎而道家“外王”之道是以其形上學爲基礎,有其整體的哲學理論爲依據的。除了這種基本的差異之外,就異中之同來看,儒道兩家在“外王”方面也有許多相同之處,例如: 老、孔都很關懷民瘼,注意到社會分配的不公,也都强調智者的道德行爲(老子重“信”、“三寶”、“報怨以德”,同時也重視人際關係的仁愛相處——如《老子》8 章云:“與善仁”),此外老、孔都投射其政治理想于“聖人之治”,然而其流弊在重人治而輕法治。“聖人之治”,説得再好也只能寄望于“王聖”的一人之治,治理一個複雜的國家決非一人之力可以達成。“聖人之治”若無法治爲基礎則勢難運作,老、孔兩家的這一嚴重缺陷,爲戰國中期的稷下道家加以補救。

(二) 黃老之學的"內聖外王"之道

《老子》五千言在在談治道,老子思想本是經世治用之學,所謂道家消極之説,乃是不明深義者的浮面認識。老子的"道"便是個動體——40章説"反者道之動","道之動"即是説道體是不斷運動着的,它是周而復始、更新再始地運動着的(25章:"周行而不殆")。老子又以"虛"、"無"作爲道體之寫狀,而這個"虛"狀"無"形的道體却是個綿延不息的創生體(5章:"虛而不屈,動而愈出")。老子還説"廣德若不足,建德若偷(41章:"若偷"、"若不足"乃是道體幽隱的形容,也是人物內斂含藏的描述)"、"敦兮其若樸,曠兮其若谷"(15章),可以見出道家人格氣象的渾厚開擴。老子崇尚建德(俞樾《諸子平議》"建當讀爲'健'……言剛健之德,反若偷惰也"),可以見出他哲學思想中剛健精神的一面(其後《易傳》所謂"天行健,君子以自強不息",即承老學這一健德的精神而來)。老子主張有無相生、虛實相涵、動靜相養,他的思想的特點之一便是他觀察事物不只着眼于一端,他的辯證思維叫人要從表象的層面透視深層的結構,如他説"知雄守雌"(28章),嚴復的解釋很精到:"今之用老者,只知有後一句,不知其命脈在前一句也。"老子固然強調主靜守雌的一面,但其目的仍在于柔弱勝剛強,羅素曾讚賞《老子》2章所云"生而不有,爲而不恃,長而不宰,功成而不居"。借用羅素的話:"功成"、"生"、"爲",就是要發揮人的創造意志,"不有"、"不恃"、"不宰",就是要收斂人的占有衝動。老子有着"常善救人,故無棄人,常善救物,故無棄物"的胸懷,並要人發揮"既以爲人"、"既以與人"(81章)的精神,這正是尼采所闡揚的給予的道德。凡此足證老子哲學思想的積極性,這些積極進取的精神爲稷下黃老學者所全盤繼承。

戰國時代老子思想由楚入齊之後,在百家爭鳴中占據了主導地位,而齊道家因應時勢,乃援法入道。當其時,齊在戰國列強中以其優越的地理條件和開擴的施政氣派躍居列強之首,在威宣之際,齊國政治改革達于鼎盛時期,當局在國都稷門之下設稷下學宫,邀集天下學士(《史記·田完世家》記載,稷下先生有76人之多,學士千百人)群集齊都。爲首的一群"稷下先生"如環淵、慎到、田駢、接子、季真,皆學"黄老道德之術",他們以老子哲學爲基礎,依托于黄帝之言,而進行齊國政治社會的改革運動,這便是著名的黄老學派。他們的著作雖多散失,但從《管子》四篇、《慎子》、《尹文子》及馬王堆帛書《黄帝四經》可以看出他們的思想概況,稷下黄老學派在"外王"思想上有這幾方面的特點:

(1) 援法入道　戰國中期,由人治主導的宗法分封的政局已趨瓦解,官僚體制的設置勢所必然,因此法制的建立遂成爲時代的重要任務,齊法家長久以來就有着優良的傳統,因此"援法入道"就成爲稷下道家的一個顯著的思想特色。稷下道家的代表作之一的《心術》篇明確提出:"事督乎法,法出乎權,權出乎道。"帛書《黄帝四經》更是開宗明義地宣稱:"道生法。"老子的道,正如前所説,本來藴含着古代民主自由的精神,道法的結合,就意味着民主自由與法制的結合,這一結合,如虎添翼,推動了古代道家的現代化。

(2) 採各家之長　司馬談《論六家要旨》在綜述各家思想的特點時,特別稱讚黄老道家能够吸取各家所長。稷下黄老道家除了援法入道的特點外,同時也吸收了儒家的"禮制"文化。《内業》云:"止怒莫若詩,去憂莫若樂,節樂莫若禮,守禮莫若敬,守敬莫若静。内静外敬,能反其性,性將大定。"黄老的"援儒入道"也將儒家的"禮制"給予情理化,《心術》有言:"禮者,因人之情,緣義之理,……故禮者,謂有理也。"儒家所拘守的"禮"已成"先王之芻狗",不止是守舊過時,而且悖理背情,稷下道家在周禮的僵體中注入了情與理的成素。

黄老道家在道法結合的同時又強調刑名,並且援儒入道,給"禮"以"因人之情"、"因時制宜"的新内涵,正是體現了司馬談所稱讚的"道家使人精神專一……因陰陽之大順,採儒墨之善,撮名法之要",又將儒家限于血緣之親的"仁義"通過墨家"兼愛"的精神擴大到整個社會各個層次。

（3）因時制宜　司馬談還說黃老道家善于“與時遷移，應物變化”。貴“時”正是黃老道家的一大特點。《白心》强調“以時爲寶”、“知時以爲度”，帛書《黃帝四經》也有“聖人不朽，時反是守”、“聖人之功，時爲之庸（用）”等言（黃老道家的貴“時”，對《易傳》產生了深遠的影響）。由于黃老强調“因時制宜”，主張一切的禮儀法制都應“應時而變”（帛書《黃帝四經》：“我不藏故，不挾陳，向者已去，至者乃新”、《莊子·天運》：“禮儀法度，應時而變”），黃老這種革新的態度，最能把握時代的脈動，是成功地完成古代道家現代化的一個重要因素，使之在改革的浪潮中取得主導地位。因此，從戰國中期到漢初，數百年間，黃老道家成爲百家中的顯學。誠如蒙文通先生所論：“黃老獨盛，壓倒百家。”[1]到了漢初，經過百多年的醞釀，其外王之道得到了實施的機會，休養生息的政策，使得中國歷史上出現了“文景之治”的輝煌時期。

黃老道家的“外王”之道也有其“內聖”之學作爲基礎。《心術下》云：“心安是國安，心治是國治。治也者心也，安也者心也。治心在于中，治言出于口，治事加于民，故功作而民從，則百姓治矣。”“國安”、“國治”是外王的理想，“心安”、“心治”是內聖的追求。唐君毅先生曾說：“《管子·內業》、《白心》諸篇，則蓋晚周道家微言之所萃。”[2]下面就從《管子·內業》等篇入手，探討稷下黃老的心學與氣論。

作爲“內聖”之學的兩個重要內核，心學和氣論分別有以下幾方面的特點：

1. 黃老道家心學的特點

① 道與心的結合

① 蒙文通《略論黃老學》，見《蒙文通文集》第一卷《古學甄微》，巴蜀書社1987年版。

② 唐君毅《孟墨莊荀之言心申義》，1955年《新亞學報》一卷二期。該文收在《中國哲學原論》第三、四章，香港人生出版社1966年版。

　　形上之道由客觀形態落向人的主體心靈,這是由春秋末老子之道到戰國中期稷下黃老及莊子之道的一個重要發展。南北道家哲學中"道"與"心"的結合,也深遠地影響着宋明理學的"道"、"心"的結合。《内業》説:"道滿天下,普在民所。"《心術上》也説"道,不遠……與人並處",這與《莊子·知北游》東郭子問道之"惡乎在",莊子答稱"無所不在"一樣,是"玄之又玄"的道之向下落實而遍及萬物之中的一種表述。《管子·樞言》云:"道之在天下者,日也;其在人者,心也。故曰:有氣則生,無氣則死,生者以其氣。"可見稷下黃老認爲"道"就是"氣"。《内業》篇中更明確地説"道"就是"精氣",這精氣"流于天地之間","藏于胸中"。

　　② 修心而正形

　　《管子·内業》説:"道也者,所以修心而正形也。"稷下黃老在重視"修心"的同時,也很重視"充形",《内業》云:"夫道者,所以充形也。"這就是説人體内也充滿着道。這個"道"其實就是指"精氣",他們認爲精氣使人"耳目聰明,四肢堅固",一個人體内儲藏的精氣越多,生命力就越强,人的智慧也就越高。《内業》談"精氣"、"雲氣(即"運氣")",即通過體魄的氣功鍛鍊,就能"皮膚裕寬,耳目聰明,筋信而骨强"。《内業》篇描述這樣的人"乃能戴大圜,而履大方",展現了一幅體魄强健、頂天立地的有道者的人格形象。《内業》還説,"形不正,德不來;中不静,心不治。正形攝德",又説,"四體既正,血氣既静,一意摶心",這都是"形"、"心"並重互養的説明。

　　稷下道家認爲"心全"和"形全"都很重要("心全于中,形全于外"),但側重强調"心全"。他們宣稱"心之在體,君之位也"(《心術上》),認爲在身體中,心是處于極端重要的"君之位"即居于主宰的地位。稷下道家之重視心的作用,可以由《管子》四篇的篇名看出:《心術》指心之功能;《白心》指白潔之心;《内業》指内功的修養,都强調了"心全于中"的重要性。

　　③ 心的"定静"與"攝德"

　　通過安寧静定的途徑修養内心,使之能够進行道德力量的積聚和擴充。《内業》云,"彼心之静,利安以寧"、"能正能静,然後能定,定心在中",講的就是這個過程。稷下黄老的"養心"更重視通過内心的修煉,達到道德的自我完善。只有通過這樣的程序達到"内静",才能進行品德的培養,即所謂"攝德",才會有道德完善的"内聚",才可以擴展出"天仁地義"的外部行爲。

稷下黄老談"心"特重"道德心",這一特點對《孟》《荀》《學》《庸》乃至宋明理學的"道德心"都産生了深遠的影響。

2. 黄老道家氣論的特點

① "化不易氣"

心與氣密切相連。稷下道家嘗言"大心而放,寬氣而廣"(《内業》),甚至説,"氣意得而天下服,心意定而天下聽",這裏極端誇大"心"、"氣"的作用。

論及人的生命來源時,稷下道家認爲,"凡人之生也,天出其精,地出其形,合此以爲人"(《内業》),這是説生命出于天地交合,而生命中的精神部分源于天(當指天之氣),形體部分源于地。這裏的"精"和"形",明確地指人的精神和形體。不過到了《吕氏春秋》,便出現了"精氣"和"形氣"的説法(《盡數》篇"萬物皆有精氣,有形氣")。

《内業》云:"氣道乃生,生乃思,思乃知,知乃止。"這是説:氣暢通才有生命,人有生命才有思想,有思想才能有知識,有知識才能心地充實[1]。這種"形然後思,思然後知"的思想,其後成爲荀子"形具而神生"的命題之依據。

稷下道家所説的氣,是指運動着的細微的物質。他們認爲,宇宙間萬事萬物常在變化之中,但總離不開這種"氣"。以此,稷下道家提出"化不易氣"(《内業》)的主張。"化不易氣"的命題中包含着物質不滅的思想的萌芽,這對後世氣論哲學有着重要的影響。如《淮南子》、張載、王夫之的氣論中都可見這一思想線索的發

---

① 參看張秉楠《稷下鈎沉》39 頁《内業》注文,上海古籍出版社,1991 年版。

展[1]。

　　② 精氣説

　　稷下道家因提出"精氣"説而著稱于中國哲學史。老莊言"氣",也有"精",但"精"、"氣"未及連言。"精氣"連言而成爲一個獨立的概念,則始于稷下道家。

　　《内業》篇説:"精也者,氣之精者也。"這"精氣"是氣中最爲細微的原質。《内業》認爲,所謂鬼神就是精氣之流于天地間者,所謂聖人就是胸中藏有很多精氣的人。一個人的形體是精氣的廬舍,打掃清潔了,流于宇宙間的精氣就會匯聚進來[2]。精氣的匯聚持住,是"不可止以力,而可安以德"的(《内業》)。培養精氣的方法最重要的是"止怒去柔"、"平正擅匈"、"嚴容畏敬"、"正心在中",總而言之,就是"正形心静"。反之,則是"形不正,德不來;中不静,心不治"。精氣儲存在體内,可以使一個人外貌安閑而容光煥發("精存自生,其外安榮")。精氣内聚于心,可以使生命活力如不竭的泉源(《内業》:"内藏以爲泉源")。《内業》篇描繪精氣内聚則"浩然和平,以爲氣淵",向外投射則"能窮天地,被四海"——這是形容浩然之氣放發的一種開闊的氣象。而浩然之氣的放發,不止是生命力的展現,它更是一種道德能量的擴充,用《内業》的話説,就是"正形攝德,天仁地義"。"攝德"是道德能量向内的儲聚,"天仁地義"是道德力量的向外擴充。因此有的學者認爲,稷下道家"賦予了'氣'以人文的意義"[3]。這是稷下黄老道家氣論的一大特點,這個特點爲孟子所繼承。

　　(三) 莊子的"内聖外王"之道

　　内聖外王的理想是由莊子首先提出來的(見《莊子·天下》

　　① 李存山《中國氣論探源與發微》第164頁,中國社會科學出版社1990年版。
　　② 有關稷下道家的精氣説可參看馮友蘭先生《中國哲學史論文初集·先秦道家所謂道底物質性》一文(上海人民出版社1958年版)以及《中國哲學史新編》第十七章《稷下黄老之學的精氣説》。
　　③ 劉長林《〈管子〉論攝生和道德自我超越》,《道家文化研究》第五輯。

篇)。《莊子》一書開篇《逍遥游》首段的"鯤鵬"寓言就是内聖外王理念的一種象徵。巨鯤之潛藏溟海，深蓄厚養，乃是内聖之功的隱喻；大鵬之奮翼飛揚，乃是外王之治的寫照。莊周未嘗没有濟事的心懷，然而處于戰國時代那種昏上亂相之間(《山木》："今處昏上亂相之間，而欲無僇，奚可得邪?")，不僅"處事不便，未足以逞其能"，而且動輒"中于機辟，死于罔罟"(《逍遥游》)，外王之道，實難伸張。

　　《天下》篇在論述莊子的人格風貌時，一方面描繪莊子精神上達之境："以天下爲沈濁，不可與莊語……獨與天地精神往來"，但另一方面也透露出他的淑世心情："不敖睨于萬物，不譴是非以與世俗處。"這裏可以看出莊子在超越精神中所懷抱的"人間世"的情懷。然而作爲一個異議分子，莊子敏鋭地觀察到知識群在一個極端動盪的時局中；《人間世》借楚狂接輿道出了知識分子的處于"極限情境"的艱辛處境："方今之時，僅免刑焉，……殆乎殆乎，畫地而趨，却曲却曲，無傷吾足!"《人間世》全篇都在描述知識分子與統治者的緊張關係，"此以其能苦其生"、"不終其天年而中道夭"，正是歷代知識分子悲劇命運的寫照。《德充符》也發出相同的慨嘆："游于羿之彀中，中央者，中地也；然而不中者，命也。"在那權力横行的時代，莊子只能投寄理想于"應帝王"——理想的外王之道，是將治者的權力消解到零與無的地步；《應帝王》的中心思想是爲政之道勿庸干涉，當順應民心，順應人性之自然，而給予人民享有充分的自由性與自主性。然而在長夜漫漫的唯權勢是上的現實中，外王之道是"鬱而不發"，莊子的心思乃轉向内聖之學。

　　莊子的内聖之學極其豐富，這裏僅舉其大者：其一爲心學；其二爲氣論，其三爲天人合一的境界。

1. 莊子的心學

　　一般而言，中國心學可謂始于孟、莊。孟子將心學以倫理化，莊子將心學以哲學化。

　　《論語》言心，凡六見，皆常識意義，無深意；《老子》言心，凡十見,如"虛其心"、"混其心"、"心善淵"、"心使氣曰强"等已含有哲學意味。《孟子》言心,約120見,常識意義幾半,餘則爲倫理意義,孟子思想于稷下道家淵源關係至深,其道德心之觀念尤爲明顯。嚴格地説,從哲學意義來談"心",始于莊子。

《莊子》言心,凡180見,心論成爲莊學的一大特點。

心論成爲莊學的一大特點。唐君毅先生説:"中國思想之核心,當在其人心觀……道家莊子一派……其言人心者尤多。"又説"吾人生于今世,尤更易覺到莊子所言人心之狀,遠較孟子、墨子所言人心之狀,對吾人爲親切有味"[1]。誠然,莊子對心,有着精闢的描寫,例如《列御寇》描述人心的深邃與複雜性:"凡人心險于山川,難于知天;天猶有春秋冬夏旦暮之期,人者厚貌深情。"又如《在宥》在描述"心"的可動性與可塑性時説:"人心排下而進上,上下囚殺,綽約柔乎則剛强。廉劌雕琢,其熱焦火,其寒凝冰。其疾俯仰之間而再撫四海之外,其居也淵而静,其動也懸而天。"這段話的意思是説"人心,壓抑它就消沉,推進它就高舉,心志的消沉和高舉之間,猶如被拘囚、傷殺,柔美的心志表現可以柔化剛强。一個人飽受折磨時,心境便急躁如烈火,憂恐如寒冰。變化的迅速,頃刻之間像往來于四海之外,人心安穩時深沉而寂静,躍動時懸騰而高飛。"確實十分生動而"親切"。

《莊子》全書談及"心"可分三類:一爲客觀描述,如前引《在宥篇》與《列御寇》言心即是;二爲負面分析,如"機心"、"賊心"、"成心"等皆是;三爲正面提升,如"心齋"等即是。這三類中,以後者最爲重要。總的來説,破除"成心",培養"以明"、"心齋"、"坐忘"的境界,是莊子心學中最爲關鍵的一環。

從認識上而言,人的故步自封、視野之短淺狹窄或拘泥于眼前蠅頭小利,皆由于認知心的茅塞不通。《逍遥游》稱之爲"蓬之心",《庚桑楚》分析人的認識機能受到二十四種因素的束縛,使人認識

----

① 唐君毅《孟墨莊荀之言心申義》,1955年《新亞學報》一卷2期,該文收在《中國哲學原論》書中,個别字句略有增删。

不清明,如何解開心靈的束縛("解心之謬"),成爲莊學關注的一大課題。心之囚牢莫過于意識形態的紛爭糾結,"日以心斗"(《齊物論》),從而産生武斷與排他的種種言行。這都由于自我中心的偏見所局限。《齊物論》上,莊子稱之爲"成心"。要突破自我偏見的局限性,首要的工作在于培養一個開放的心靈,並以開放心靈觀照事物——這就是莊子所説的"以明":以空明靈覺之心觀照事物。方東美先生對此評論道:"所謂'莫若以明',就是指一切哲學真理的訴説,都是相對的系統。在相對系統裏,你不能够拿'此'來否定'彼',也不能拿'彼'來否定'此',却必須容忍、容納、承認別人對于這一個問題,也同樣的有權利和自由去表達,去形成一個理論。"[1]莊子《齊物論》的"兩行"説,認識到萬物皆"有所可、有所不可","人"與"我"、"彼"與"此"皆相對而立,相異而存,兩端都有各自的觀點、各自獨特的意涵。"兩行"——不同的觀點都加以審察、觀照,以寬容之心容納他人的立場與見解,而後把一切思想的對立與差異匯集到一個共同的焦點上,這種方法莊子又稱之爲"道樞"。要達到"兩行"與"道樞"的認識高度,莊子以爲歸根結蒂要培養一個開放的心靈,用《齊物論》的話説,就是"莫若以明"。所謂"以明",乃透過虛靜之功,以恢復心的"本然之明"。"以明"有如老子所説的"滌除玄鑒",使人保持一個空明靈覺之心,"像一面鏡子,如實地反映多彩的世界"[2]。

　　"心齋"(《人間世》)與"坐忘"(《大宗師》)是莊子心學中最爲稱著的兩種精神修養境界。"心齋"是一種養心、養氣的方法,首先要"心志專一"("若一志"),司馬談曾云:"道家使人精神專一"(《論六家要旨》),就是指這種精神凝聚的狀態;精神凝聚達到《達生》篇所説的"神全"的境地,這樣心的作用可以從感官活動中提升出來,即所謂"無聽之于耳而聽之于心"。一如《養生主》所云:"以神遇而不

---

　　① 方師《原始儒家道家哲學》,黎明文化出版社,1983年版。下文"兩行"、"道樞"的解釋,參看同書。

　　② 宗白華《美學散步》。

以目視,官知止而神欲行",“神遇"、“神行"指主體的心神活動達于揮灑自如的意境。“心齋"最後説到養氣:“無聽之以心,而聽之以氣……氣也者,虛而待物者也。"“虛而待物"的“虛",即喻指心達于空明之境。蘇東坡所説的:“静故了群動,空故納萬境",便是“虛而待物"之義。而這裏所説的“氣"則爲流動的生機,在“心"的上位;莊子將心靈活動達于極其純静的境地,稱爲“氣"。事實上,“氣"即是高度修養境界的空明靈覺之心。這種心境所持着的純和之氣(《達生》篇:“純氣之守")正是藝術心靈所涵含的“氣韵生動"的創作精神狀態。

　　“心齋"着重在描述培養一個最具靈妙作用的心之機能,“坐忘"則更進一步地提示空明靈覺之心所展現的境界。達到“坐忘"的境界能和天地同體而無偏私,和萬物融合而不偏執——“同則無好也,化則無常也",這種“同于大通"的境界,也可以説是一種天人合一的境界[1]。

　　莊子還説到“静心",這是描述藝術創作的心境。《達生》篇的一則寓言“梓慶削木爲鐻",描述一個技藝者在製鐻之前凝聚心神、培養創造心能的過程:首先要作到不“耗氣",然後“齋以静心",其進程爲:“齋三日,而不敢懷慶賞爵禄;齋五日,不敢懷非譽巧拙;齋七日,輒然忘吾有四肢形體",這也就是《人間世》的“心齋"的功夫,一個人經常會被功名利禄種種欲望所牽引、拘着,因此,首先要排除一要計較的心念,從利害、得失、物我之别的糾纏中挣脱出來,達到美學上所説的“超功利"的心境。所謂“澄心以凝思"(陸機《文賦》)。一個藝術的創造者,心無旁鶩,而後“神凝意聚",以儲蓄創造的心能。故而梓慶製鐻,在排除種種的外務紛擾之後,使心思凝聚,然後入山林,尋找創造品的素材,當他的創造精神高度會聚時,他所要製作的鐻的形象,便藴含在他的創造心靈中了。可見莊子這裏所説的“齋以静心",正是培養審美心胸、静以觀物,,從而使合

　　① 有關“心齋"、“坐忘"的解説參看陳鼓應《老莊新論》第154、176、216—217頁,上海古籍出版社,1992年版。

作心靈達到如美學家所説的：“深沉的静照是飛動的活動的源泉。”①

　　莊子的心學，的確豐富而多彩，《齊物論》的“以明”之説，側重在認識論方面而言；《人間世》的“心齋”則在于主體心境修養之描述；《大宗師》的“坐忘”，乃是申説精神境界的展現；《達生》篇的“静心”，描繪了藝術心靈孕育的過程。宗白華先生説：“空明的覺心，容納着萬境，萬境浸入人的生命，染上了人的性靈。”②是則從美學眼光來看，“以明”也可説是一種藝術的心境。依徐復觀先生之見：“心齋、坐忘，正是美地觀照得以成立的精神主體，也是藝術得以成立的最後根據。”③是則，無論“心齋”或“坐忘”，也一如“静心”，均爲“藝術精神主體之呈現”。要之，中國藝術意境的創成，“須得莊子的超曠空靈”，宗白華先生所言，爲不移之論。

　　綜覽全書，莊子思想之靈魂部分，莫過于“遊心”之説。

　　莊子極言“遊”，《莊》書開篇便是《逍遥遊》，提到“逍遥游”，總會使我們想起康德《判斷力批判》中所説的“自由遊戲”，而席勒視“遊戲衝動”爲藝術衝動，斯賓賽認爲審美活動實質上是一種遊戲，這些論題都受到莊學研究者的密切關注。康德的美學論説固然精闢，較之莊子總感到過分滯于概念化而未及莊子之生動感人，更不及莊子之透徹。“逍遥游”，顧名思義，固然自由自在，然而卒讀之，未嘗無“沉痛”、“悠閑”之感。讀莊文深感他生命底層的激憤之情波濤洶涌、對苦難現實的牽掛，字裏行間莫不流溢着濃烈的血肉感。培養隔離的智慧，爲莊子“無用”説之底藴，“無用之用”是隱含着他對知識分子如何不悲劇命運中不淪于工具價值、不囿于市場價值的憂懷；讀其文，也深感一股濃烈的“鬱結情懷”，黑格爾在《美學》中指明：“人有存在是被限制、有限的東西。人是被安放在缺乏、不安、痛苦的狀態，而常陷于矛盾之中。美或藝術，作爲從壓

────────────

①② 宗白華《美學散步》。

③ 徐復觀《中國藝術精神》第72頁。

迫、危機中回復人的生命力。"這正是莊子美學的出發點。莊子所謂的"心之適"(《達生》)便是要使人如何從緊張的情緒中獲得靈魂的舒鬆,從悲憂的情懷中獲得精神的提升。而莊子的游心更是要使人從現實的困頓中提升出來,以一種超功利的藝術眼光來觀照萬事萬物。《莊子·德充符》云"與物爲春"——在審美心靈的觀照下,宇宙盎然有春意,人間無時不春日,世間處處是美景。《莊子·知北遊》云"天地有大美"——在藝術的眼光中,游目騁懷,無處不見美的蹤迹。以此,莊子的"游心",不僅用以表現人的主體的自由情境,更是藝術精神在人生中的展現①。

莊子喜言"游心",如《應帝王》"游心以蕩"——游蕩之境,爲一種超功利的美的鑒賞;《德充符》"游心乎德之和"——心靈游放於人生和諧之美的境界;《田子方》云"游心于物之初"——神游於萬物共同的根源;《人間世》"乘物以游心"——凡物都有其内在生命、"體物而得神",覽觀萬物,"得其美而游乎至樂";《則陽》"游心于無窮"——在無窮的時空中,人精神作無限的舒展,宇宙爲一生生不息的大生命,個體生命融入宇宙大生命中。可見莊子的"游心"是爲藝術人格的表現。

莊子言"心"雖有多重意義,但以培養審美心靈,提升人生意境爲最要。

2. 莊子的氣論

在莊子哲學中,心學與氣論也是緊密相聯的。一般來説,莊子談氣有兩種: 一種是就養生論而言,一種是就宇宙論而言,就前者來説,集氣、養氣是由主體之心來體現的,就後者而言,乃是指萬物構成的一種最基本的原質或元素。談到道家的氣論時,福永光司教授説:"儒家的思想完全把現實的人類世界作爲問題;與此相反,道家的思想則把人類世界之始,不,把世界之始作爲問題吧!

① 徐復觀先生説得好:"莊子所把握的心,正是藝術精神的主體。莊子本無意于今日之所謂藝術;但順莊子之心所流露而出者,自然是藝術精神,自然成就其藝術地人生;也由此而可以成就最高藝術。"(《中國藝術精神》)

……道家思想的主要特徵是有着對自己以及世界之'始'的敏銳的
問題意識。……道家的氣論也是以這種自我和世界的始元作爲問
題，以講究'游心'、'反真'的道家'道'的哲學爲基礎來展開其思想
的。"① 福永光司先生並將先秦道家的氣論分成宇宙生成論的氣論
和養性論的氣論加以論述。的確，莊子的氣論不止是作爲養生
(性)論的課題而發揚出來，而且作爲宇宙生成論的課題見重于中
國哲學史。從老子開始，這種傾向已可見其端倪，老子提出的"專
氣致柔"的修養方法，乃是屬于養生(性)論的範圍，他所提出的"道
生萬物，萬物負陰而抱陽，冲氣以爲和"的理論，則屬于宇宙生成論
的範疇。及于莊子，不僅使道家的氣論哲學成爲中國哲學中宇宙
生成論的創建者與奠基者，也使道家的氣論在藝術創作和美學鑒
賞中占有重要的一席。

　　上文我曾認爲從哲學的角度來看，中國的心學始于莊子，從倫
理學的角度來看，中國的心學始于孟子。同理，氣論也復如是觀。
在中國哲學史上，首先將"氣"予以哲學化的是莊子，而將"氣"予以
倫理化的是孟子②。而莊子論氣除了"形上"範疇之外，更將氣論
提升到人生藝術的境界，因此莊子的氣論較之孟子的氣論更爲豐
富多彩。孟子論氣固然有少許哲學意味，但僅流于片語隻字，並無
系統性的論述，而其氣論乃由稷下道家脫變而來。

　　莊子與稷下道家在氣論上融合心學方面有相同與相通之處，
最突出的一爲"心集氣"(心養氣)，一爲"貴精"。《莊子·刻意》：
"聖人貴精。"莊子雖未言"精氣"(但這裏的"精"當即指"精氣"而
言)，然而莊子的氣論較稷下道家有着更多樣化的意義。莊子以生

　　① 小野澤精一等編《氣的思想》，李慶譯，上海人民出版社 1990 年出版。
　　② 劉若愚《中國文學理論》，第 58、59 頁。劉若愚教授曾説："《莊子》對中國人的
藝術感受性的影響，比其他任何一本書都更深遠，這種説法絕非誇大。此説雖然不是
關于藝術或文學，而是關于哲學，可是啓示了多少世紀的詩人、藝術家和批評家，從靜
觀自然而達到與道合一的忘我境界這種觀念中獲得靈感。"劉若愚先生將莊子的"氣"
的概念歸于形上學，將孟子的"氣"歸于倫理學，是很確當的。

命之原爲"氣",《至樂》寫莊子妻死,謂"察其始而本無生,非徒無生也而本無形,非徒無形也而本無氣。雜乎芒芴之間,變而有氣,氣變而有形,形變而有生",將形體與生命源于氣的凝聚,將生死視爲氣的聚散。《大宗師》還說到人是由"陰陽之氣"生成的,"陰陽于人,不翅于父母",認爲不僅人是禀賦陰陽之氣而生,萬物也都由同一原質構成的,如《田子方》所說:"至陰肅肅,至陽赫赫,肅肅出乎天,赫赫發乎地,兩者交通成和而物生焉。""肅肅"是形容陰氣之寒,"赫赫"是形容陽氣之熱,"肅肅"、"赫赫"是說陰氣自天而降,陽氣自地而升,"近陰中之陽,陽中之陰,言其交泰也"(成《疏》),這裏可見《易傳》"陰陽交泰,天地感而萬物生"的思想與《莊子》全然一致。有的學者還指出《易傳》的"天地絪縕,……萬物化生",也是對《老子》"萬物負陰而抱陽,冲氣以爲和"思想的繼承和發揮[1]。

　　莊子的"氣化論"還提到"聚散"的概念,《知北游》:"人之生,氣之聚也;聚則爲生,散則爲死。"《則陽》也說:"陰陽相照相蓋相治,聚散以成。"李存山認爲:"'聚散'的概念不僅是'對于不同密度的表示',而且更重要的它是形而上下(無形之氣與有形之氣)相互轉化的關節點:氣聚則成形,形散而爲氣。"[2]《知北游》除提到氣的"聚散"的概念,還提到另一個"一氣"的重要概念:"通天下一氣耳。"關于莊子"一氣"概念在中國哲學史上的重要地位,李存山有着這樣一段重要的評價:

　　《老子》"一生二,二生三,三生萬物"的思想將天地合爲一體,將陰陽作爲化生萬物的元素,這就使"一氣"概念的出現成爲必然。"一氣"實際上是《老子》之"一"和《易傳》之"太極"意義的明確化。"一氣"概念已經深入到具體事物的"背後",認識到世界萬物的"底層相同";它已經不帶有感性的色彩,而是被作爲"終極的原因——物質及其固有的運動"。

　　……中國哲學的"氣"概念雖有各種發展變化,但"一氣"的含

---

① 李存山《中國氣論探源與發微》第 118 頁。
② 同上書第 123 頁。

義一直貫徹其中,而且"一氣"的概念也一直被沿用。如《淮南子·本經訓》云:"天地之合和,陰陽之陶化,萬物皆乘一氣者也。"董仲舒說:"陰陽雖異,而所資一氣也。"(《董子文集·雨雹對》)張湛說:"夫混然未判,則天地一氣,萬物一形。"(《列子·天瑞》篇注)張載說:"一物兩體,氣也。……兩體者,虛實也,動靜也,聚散也,清濁也,其究一[氣]而已。""天惟運動一氣,鼓萬物而生,無心以恤今,無非一氣而已。"(《困知記》)王夫之說:"天人之蘊,一氣而已。"(《讀四書大全說·告子上篇》)如前所述,"一氣"的含義之一是世界爲一連續統一的整體,含義之二是世界萬物的"底層相同",都是"氣"所産生。這是中國氣論哲學最基本的思想。這一基本思想在戰國時期形成,並且貫徹到氣論哲學的終了。我們今天所言之"氣論"主要說的就是"一氣論",或者說"氣一元論"[1]。

的確,我們可以從上至宋代理學家張載的氣論、下到清代王船山哲學思想中看到莊子思想的影子,可見莊子氣論在中國哲學史上的重要性。

3　莊子的"天人合一"之境

莊子心學、氣論、天人合一境界三者間有其相關性。"通天下一氣"——這是氣的宇宙整體觀,這一宇宙觀與天人合一是相應的。莊子"心有天游"(《外物》)之說,其天人之境是由其審美主體之心開展出來的。這裏先說"天人合一"的概念,再說"天人合一"的境界。

關于天人合一的概念,當代不少著名學者曾加討論。唐君毅先生在《如何了解中國哲學上天人合一之根本觀念》一文中說[2],"天人合一是中國哲學上的中心觀念——這一觀念直接支配中國哲學之發展……中國哲人就心體本虛以引出天人合一的理論","莊子在一方面說人心本體以虛爲性,一方即說天人合一,……除莊子以外,張橫渠亦最好論天人合一者,他同時亦正是力主心之本

---

[1]　李存山《中國氣論探源與發微》第 121、122 頁。

[2]　唐文收入《中西哲學思想之比較論文集》中,臺灣學生書局 1988 年出版。

體爲虚者。"唐君毅先生這裏强調了天人合一是由虚靈之心所引出的,在這篇文章中,他不僅將莊子視爲"天人合一"論的開創者,而且認爲莊子的這一思想一直貫穿到宋明理學的代表人物張載。

陳榮捷先生説:"天人合一之觀念,實際上貫穿整個中國哲學史,就道家而言,與自然之合一恒被視爲理想。"①若從"與自然合一"的觀點來看,可以説"天人合一"的觀念乃是發端于老子,到了莊子,進而發展成爲一種境界。

張岱年先生説:"關于天人關係或人在宇宙中之地位,中國哲學家論之較簡,然有一特殊觀點,即'天人合一',乃是中國人生思想的一個根本觀點。中國人生論之立論步驟常是:由宇宙論而講天人關習釉論,再由性論而講人生之最高準則。"②

由宇宙論而講天人關係始于老莊,而孔、孟、荀都沒有這種思考方式。張岱年先生還説:"天人關係論中所謂天人合一,乃謂天人本來合一。關于天人本來合一,有兩説:一,天人相通,二,天人相類。"③天人相類是以莊子氣化論爲基礎,天人相通是莊子的一種獨特的精神境界。如《大宗師》"坐忘"所展示的"同于大通"。

《大宗師》有段話説:"故其好之也一,其弗好之也一。其一也一,其不一也一。"這是中國哲學史上首次出現的天人合一的觀念。莊子認爲,人們的好惡("其好之"、"其弗好之")是個人的主觀價值判斷,而本質上天與人是合一的("一")。所以莊子説:無論人們認爲天與人是合一的或不合一的,實質上天人是合一的("其一也一"、"其不一也一")。這思想可能是由莊子氣化論引申出來的。莊子認爲:天和人是同質的,都是由基本的原質"氣"所組成④。莊子在《大宗師》中還説到"游乎天地之一氣",這乃是達到了天人相通的精神境界的寫照。

莊子在中國哲學史上最爲獨特的不止是提出"天人合一"的概

---

① 　《中國形上學之綜合》,收入《中國人的心靈》。
②③　張岱年《中國哲學大綱》,中國社會科學出版社。
④ 　參看陳鼓應《老莊新論》第169頁。

念,而更在于開展其"天人合一"的境界。

　　"天人合一"的境界的描述在《莊》書中最著名的莫過于"天地與我并生,萬物與我爲一"(《齊物論》)、"獨與天地精神往來"(《天下》),此外《天下》篇説:"易漠無形,變化無常,死與生與,天地并與,神明往與。"這是説宇宙是個生生不息的大生命,個體生命和宇宙大生命同流。《逍遥游》"乘天地之正,而御六氣之辯,以游無窮",是描述個體突破小我的拘束,生命超越時空局限,使主體精神提升到天地的境界。《齊物論》云:"旁日月,挾宇宙……振于無竟",這是浪漫主義風格的體現,人的精神在無窮的時空中任性遨游,自由飛翔。《大宗師》云,"登天游霧,撓挑無極……而游乎天地之一氣"、"安排而去化,乃入于寥天一"。莊子所描述的天人合一的境界也就是道的境界。莊子賦予道以自由性("登天游霧")、無限性("撓挑無極")及整體性("寥天一")。徐復觀先生説得好:"莊子所追求的道,與一個藝術家所呈現出的最高藝術精神,在本質上是完全相同。所不同的是:藝術家由此而成就藝術地作品;而莊子則由此而成就藝術地人生。"[1]方師先生也説:"中國形上學之諸體系……討論世界或宇宙時,不可執着其自然層面而立論,僅視其爲實然狀態,而是要不斷地加以超化……對道家言,超化之,成爲藝術天地。"[2]誠然,無論莊子形上學的超越性或人生哲學上的天人之境,其最高成就是爲藝術精神的展現。

　　莊子哲學是無比獨特的,在許多論題上,爲先秦各家所無。如"齊物"的論點、死生一如觀、得意忘言之説、天人合一之境。從嚴格意義上來説,先秦諸子多政論之作,唯獨《莊子》是一部純哲學的著作。莊學在戰國末已大放異彩(《吕氏春秋》引諸子之説、各家之言以莊子爲最——這一點爲所有學者所忽視[3])。西漢的《淮南子》可反映莊風之至盛,魏晉新道家,雖以老莊並稱,事實上,其思

　①　徐復觀《中國藝術精神》第 156 頁。
　②　方師《中國形上學中之宇宙與個人》,收入《中國人的心靈》。
　③　王範之《吕氏春秋研究》,内蒙古大學出版社 1993 年出版。

想之解放、精神之豁達,主要是得莊學之助。莊禪相通爲世人所共知,宋明理氣説其議題多承莊子道氣論而來。

外王之道無論儒道都難以伸展,故而在中國哲學史上内聖之學獨盛。由莊子開端,整個中國哲學的方向可以説是沿着莊子内聖之學而發展的。

縱觀中國哲學史,除先秦之外,有四個思想發展的高峰,一爲先秦之老莊;二爲魏晉之玄學;三爲隋唐之華嚴與禪宗;四爲宋明之理學。在不同的歷史時期,莊子哲學始終居于主幹、主流、主導及主根的地位。

玄學、禪宗之于莊的發展脈絡是衆所周知的,而莊學對宋明理學的影響却爲學界所忽略,就儒道關係而論,晚期儒家受到莊子的影響至爲深遠,而早期儒家則明顯受到道家黄老學派的影響,這一點在《孟》、《荀》、《學》、《庸》中可以看出較顯著的思想烙痕。

五、早期儒家的道家化

儒家的道家化和道家的儒家化是中國哲學史上的一個值得探討的新課題。

儒道兩家從他們的創始人開始,便有着思想上的對話。戰國中期以後,在百家争鳴的學術環境裏,稷下道家在倫理思想上吸收儒家的仁義學説及禮制文化;儒家的孟、荀在哲學上接受道家的宇宙論、自然觀。因此我們可以説所謂先秦儒家的道家化乃是指儒家在哲學上的道家化,而所謂稷下道家的儒家化,乃是指稷下道家在倫理學上的儒學化。

齊文化傳統自管仲時代開始就已很重視"修德進賢",强調"忠信可結于百姓"、"制禮儀可法于四方"(《國語‧齊語》),這種先于儒家的"德治"思想爲稷下道家後來接受儒家倫理思想提供了一種淵源條件,這是它有别于老莊思想影響深重的楚文化的歷史環境。稷下道家(或稱黄老道家)一方面接受"貴賤有等,親疏之體"(《心術上》)的禮制文化,另一方面賦予儒家的"禮學"以"因時制宜"、"因人之情"(《心術上》:"禮者因人之情"、"禮者謂有禮也,因乎宜者也")的特點,將流于形式化、僵固的禮制文化注入了"人情"、"時宜"的新鮮血液。而儒家在接受道家的哲學思想時,也是將其納入自己的思想體系中,作爲建構倫理學思想的理論依據。

孔子問禮于老子,他向老子請益的僅限于倫理政治的範圍,對于宇宙人生的究竟意義並不感興趣。這從《論語》一書可以爲證。方師曾評論説:"《論語》這部書,就學問的分類而言,它既不是談宇宙發生論或宇宙論的問題,又不談本體論的純理問題,也不談超本體論的最後根本問題;而在價值方面也不談包括道德價值、藝術價值、宗教價值等各種價值在内的普遍價值論。那麼《論語》就不能歸類到任何'純理哲學'的部門。它究竟算是什麼學問呢? 就是根據實際人生的體驗,用簡短的語言把它表達出來——所謂'格言'! 這樣學問稱爲'格言學'。"① 方先生認爲《論語》並不能作爲哲學的一個代表。

早期儒家對哲學問題發生關注是始于戰國中期之後,這從孟子的著作中可見片段的反映。

(一) 孟子所受稷下道家的影響

老學在戰國百家爭鳴中已取得主導性的地位,我們從現存的戰國中後期的哲學著作(包括出土的典籍)中可以看到,當時的各家各派幾乎沒有不受到老子思想影響的。從孟子的著作中也可見老子思想影響的痕迹。例如:寡欲、"無爲"(莫之爲而爲)、"赤子之心"、"返歸本心"等思想皆源于老子,但在哲學上對他影響較大的當屬齊道家——稷下道家。

孟子思想有兩個重要的淵源,即在倫理思想上繼承魯學的孔子、在哲學思想上接納齊學的稷下道家。稷下道家對孟子的影響是多方面的。如孟子"乘勢"(《公孫丑》)、"定分"(《盡心上》)明顯

---

① 方師著《新儒家哲學十八講》,台灣黎明文化事業股份有限公司1993年出版。

受慎到等人的影響,但其中受到稷下道家影響最大的當屬心氣論。

《孟子》這本書主要是關于論政的主張與對話,和哲學有關的議題僅僅在書的後半部《公孫丑》、《告子》等篇中略有涉及,而且這些議題都是由稷下道家告子所引發的。其思想淵源于稷下道家,也由《内業》等篇可以爲證。

《公孫丑》篇討論到孟子心氣的觀念時有着如下幾個要點:

(1) 孟子論"不動心"是受告子的影響。告子是稷下道家人物①。孟子在談到"不動心"時,首先承認"告子先我不動心"。關于"不動心",有不同的層次,計爲"養勇"、"守氣"、"守約",他認爲"守約"是一種最高的境界。孟子標榜的這一境界,正是道家修養的一種方式。

(2) 孟子所謂"氣體之充"襲自稷下道家。孟子討論"志"、"氣"的關聯時曾云,"夫志,氣之帥也,氣,體之充也……志壹則動氣,氣壹則動志",這段話表達的基本觀念是本于道家的。孟子所說的"氣,體之充也",見于《管子·心術下》,"意氣定,然後反正,氣者,身之充也",文、義全然相同。

志氣專一的修養心境也全取之于道家:老子云"專氣致柔","專氣"即《内業》所說的"摶氣",《内業》等篇強調氣的"内聚"、心意的專一("專于意,一于心"),同樣,莊子也強調"集氣"(如"唯道集虛",是"心齋"的最高境界)以及心志的凝聚(《達生》:"用志不分,乃凝于神。")。

(3) "浩然之氣"的思想源于稷下道家。孟子説,"我善養吾浩然之氣……塞于天地之間,其爲氣也,配義于道",青年學者白奚説:"孟子的心氣論不是上承孔子,而是受到他久居的齊地的學術空氣的影響。"②孟子"浩然之氣"説之源于稷下道家,學界已有多

---

① 告子是齊人,梁启超在《墨子年代考》中認爲是孟子前輩。告子有言:"不得于言,勿求于心;不得于心,勿求于氣。"這和稷下道家代表作《内業》篇的論點一致,《内業》也談到"治心"、"治言",論氣則更是它的主題。再則,告子"仁内義外"之説與《管子·戒》篇"仁由中出,義由外作"全然一致。

② 白奚《〈管子〉心氣論對孟子思想的影響》,載《道家文化研究》第六輯。

人論及,如馬非白説:"孟子'浩然之氣'乃可能源于《内業》中的'靈氣'與'浩然和平,以爲氣淵'之説。"①劉長林教授也説:"孟子的'浩然之氣'與《管子》的'浩然和平'之氣實爲一氣。"②

在此,我要進一步地提出兩個重要觀點: 其一,孟子將氣予以倫理化乃源于稷下道家。稷下道家論氣時着重"攝德",《内業》云,"正形攝德,天仁地義","攝德"是氣的"内聚","天仁地義"是氣的外充。稷下道家並將這種擴充誇大到"窮天地、被四海"的程度。《内業》這種恢宏的氣勢也在《孟子》中體現出來。其二,氣論的這種思維方式——内聚而後外發——是稷下道家氣論的特點。如《内業》"意氣得而天下服,心意定而天下聽"、"凡物之精……藏于胸中,謂之聖人。是故此氣,杲乎如登于天,杳乎如入于淵,淖乎如在于海",這種思維方式表現在稷下道家的代表作《管子》四篇中是一貫的、系統性的,在《孟子》中則是片段的。

此外,《盡心》開篇云:"盡其心者知其性也。知其性,則知天矣。存其心,養其性,所以事天也。"這段話被宋儒反復申説,並將其提升到宇宙論和本體論的高度。事實上,這裏所説的"心"、"性"都只是倫理意義上的。"心"指"善心","性"指"本性"。孟子認爲:保存人的善心,培養人的本性,是"事天"的最佳方式。與孟同時代的莊子也談到"性"的概念,但莊子的性論則屬于宇宙論的範疇。再則,《盡心》記載孟子曰,"萬物皆備于我",《内業》篇中也有同樣的語句:"搏氣如神,萬物備存。"凡此皆可見出《孟子》書中具有哲學意味的觀念多與稷下道家有密切的關聯。

如前所説,心學和氣論是道家哲學思想的兩重要核心,心志的專一和氣的凝集是道家特有的一種修養方式,這是先秦道家學派中無分地域和時期都共有的特點。在孟子整個的思想系統中,只是偶發地、片段地體現了這種思想觀點,但這已足證孟子在當時的學術環境下,不可避免地受到了道家思想的影響。

---

① 馬非白《管子・内業集注》,載《管子學刊》1990 年 1 期。
② 劉長林《〈管子〉論攝生和道德自我超越》,載《道家文化研究》第五輯。

（二）《大學》“內聖外王”架構受老學及黃老之學影響

《大學》、《中庸》的內容十分混雜，我們暫且撇開這一點來考察它們的思想内容，就會發現它們無論在思想的原創性還是理論結構的嚴謹性上，都遠不及《論》、《孟》、《荀》。然而宋儒推崇孟子、排斥荀子，並刻意將《大學》、《中庸》從《禮記》中抽離出來，升格而與《論》、《孟》並列，稱爲《四書》。之後成爲封建統治階級的工具，並且列爲科舉考試的必讀典籍。

《大學》全文 1754 字，《中庸》3469 字，其作者已不可考。舊説“子思作《中庸》”，朱熹又編造《大學》爲曾子所作，然觀其時代特徵，二者當屬西漢初年作品[①]。目前學界流行的一種説法以爲《中庸》屬孟學、《大學》屬荀學，但也有人對此提出異議。晚近更有學者從馬王堆漢墓出土的帛書中指證它們所受黃老思想的滲透。《大學》、《中庸》無疑是儒家一派的作品，但其中也的確混合了不少黃老道家的思想，更確切地説，《大學》、《中庸》的倫理思想是屬于儒家體系的，而其哲學思想則本于道家。理清其思想發展的淵源關係，有助於對儒家道家化這一課題的了解。

《大學》是“論述封建宗法主義政治哲學”的作品[②]。事實上，它是一篇哲學意味十分欠缺的倫理政治作品。其所謂“三綱八條目”的内聖外王之道，乃源于黃老道家。《大學》開篇一段便説：“大學之道，在明明德，在親民，在止于至善。知止而後有定，定而後能靜，靜而後能安，安而後能慮，慮而後能得。……心正而後身修，身修而後家齊，家齊而後國治，國治而後天下平。”這段文字，多爲承襲黃老道家而來。

《老子》54 章關於由修身而至家、鄉、邦以至天下的層序性的推展已具有《莊子·天下》篇所説的“内聖外王”的雛形，而稷下道

---

① 參看馮友蘭《中國哲學史新編》第三册，任繼愈主編《中國哲學發展史》秦漢卷及勞思光《中國哲學史》第二卷。其中勞思光就《中庸》的文體、詞句、思想特色等各個方面詳細論證了《中庸》爲漢初作品。

② 任繼愈主編《中國哲學發展史》

家更加强調這種由"心安"到"國治"的過程(《管子·心術下》:"心安是國安也,心治是國治也。"《内業》云:"心意定而天下聽")。《大學》的修、齊、治、平直接因襲了黄老道家的由心修而至國家安、天下定的思維方式。這還由如下其他重要概念爲證:

(1) "明德"概念源于帛書《黄帝四經》。

莊萬壽教授説:"孔子孟子皆不言'明德',一般認爲《大學》中有《康誥》曰:'克明德。'就是明明德的由來,而事實古書引證,常是斷章取'字'而已,……《尚書·康誥》'顯考文王,克明德,慎罰,不敢侮鰥寡'是指文王能够以好的德行,謹慎用刑罰,不敢欺侮鰥寡等弱者,明德目的是要明鑒刑罰,因此就有學者以爲大學明德而引'克明德'是斷章截句,有失原旨。""平天下即明德的説法,正又出現于七十年代馬王堆出土的帛書上,《黄帝四經·經法》……""至于明德的明,及《中庸》'自誠有,自明誠'的'明',並不是《論語》中子張'問明'的明,也不是《孟子》的明。《大學》的'明明德'是全文的主旨,明是内在的觀照,這樣可能還是比較接近《老子》的'明','明'在道家黄老中的地位遠比儒家要深刻和重要。"①莊説甚是。《黄帝四經》云,"天下太平,正明以德"(《經法·六分》)、"化則能明德除害"(《經法·論》)、《大學》之"明德"正承帛書《四經》而來。《大學》之"自明明德"又可省略爲"自明","自明"實際是指修身過程中的自我觀照、内省,《老子》的"自知日明"、"見小日明"、"知常日明",都與此"自明"相同。

(2) "定"、"静"的概念襲自道家。

《大學》的"自明"是通過"定"、"静"、"安"、"慮"、"得"這樣一個自我觀照的過程來實現的。這恰與道家之説相通。

"静"、"定"觀念首見于老子。《老子》37章:"不欲以静,天下將治定。"其後道家各派都重視静定的修養,如:

正則静,静則明。(《莊子·庚桑楚》)

_____

① 莊萬壽《〈大學〉、〈中庸〉與儒家黄老關係之初探》、《道家文化研究》第2輯。

至正者静,至静者聖。(《黄帝四經·經法·道法》)

静則安。(《經法·四度》)

正生静,静則平,平則寧,寧則素,素則精,精則神。(經法·論》)

形恒自定,是我愈静。(《黄帝四經·十大經·名形》)

安徐正静,柔節先定。(《黄帝四經·稱》)

能正能静,然後能定。(《管子·内業》)

由上引可知:(一) 定、静、安等字樣是道家論述修習"内德"以求"自明"時所常常使用的; (二) 定、静、安是"明"的前提; (三) "得"字也是道家經常使用的一個概念,如《莊子》、《管子》便經常使用"自得"一詞,這個"得"便是《大學》的"自明",也是《莊子》"得道"及《管子》"道乃可得"的"得"。因此,從思想淵源來看,《大學》静、定的内在修持是直接稟承黄老道家的。

從哲學觀念看,《大學》並無深意,而它之所以在宋以後受到歷代封建統治者的推崇,主要是因爲它所提出的"内聖外王"之道。《大學》之作,儒家雖整體移植了道家的"内聖"之學,但在"外王"之道上却有着極大的差别。黄老道家崇尚無爲之治,而儒家則是想建立一種等級森嚴的統治秩序。落實到現實中,黄老道家的理想曾在漢初"修養生息"的政策下,呈現"文景之治"的治世,而儒家的"内聖"與"外王"之間産生了根本性的矛盾,因而不可能得到實施,自董仲舒"罷黜百家"的主張獲得推行之後,遂使儒學淪落爲文化專制主義的不幸結局。之後千餘年間儒學一直在權勢階級的庇佑下發展,宋之後成爲官方哲學,與專制政體相互依存,大大地禁錮着世人的思想。

(三)《中庸》的哲學思想源于稷下道家

傳統咸以爲《中庸》爲純儒之作,目前學界已逐漸注意到它與孔孟思想的歧義[1]。

(1)《中庸》思想之展開

---

[1]《中庸》與孔孟思想之歧義,請參看勞思光《中國哲學史》第二卷第53、65 頁及任繼愈主編《中國哲學發展史》秦漢卷第242 頁。

　　“中庸”是取首章“中也者天下之大本也,和也者天下之達道也”的“中和”二字之義名篇的。“中和”即“中庸”。《廣雅·釋詁三》:“庸,和也。”《中庸》一篇講的就是中和之道,講自然及人所本然具有和外化的中和之道。而“中和”之說極近于道家,因此,對《中庸》的哲學思想的歸屬問題就不能不重新作出評價。

　　《中庸》前半部講“中和”,偏重于修身;後半部講“誠”,偏重于修心。

　　《中庸》開篇便提出了“天命之謂性,率性之謂道”的界說。“性”與“道”分別是自然(天)與人的整合。“性”謂自然之性及人的本性,即下文的“中”;“道”謂自然之性和人的本性之具現和外化,即自然規律和人事規律,也即下文的“和”。因此,“中和”或曰“中庸”是“性”與“道”所領屬的第一個子題,其後的過或不及、用其中于民、南方北方之强、費而隱、達道達德等等均是“中和”或曰“中庸”的具體展開。

　　“誠”則是“性”與“道”所領屬的第二個子題,與“中和”(中庸)處于同一個層面,也同樣是論述“性”與“道”的。這有兩個突出的證據;其一,“唯天下至誠爲能盡其性”、“誠者,天之道也”。可見“誠”與“性”、“道”的關係。其二,“唯天下至誠爲能經綸天下之大經,立天下之大本,知天地之化育”、“可以贊天地之化育,則可與天地參矣”。這與前文對“中和”的表述完全接近。其後的“從容中道”、“時措之宜”、“知微之顯”及厚、高、明、悠、久等等,都是對“誠”的展開和描述。

　　“誠”既包含天道,也包含天道的具現——人道。所以我們有理由認爲“誠”與“中和”(中庸)是對“性”與“道”的不同表述方式,大致是接近的。“中和”偏重于人的言、行、事的修習,“誠”則偏重于“心”的修習。

　　《中庸》中最關鍵的概念當屬“中和”和“誠”,若從道家觀點來看,都可歸屬于“道”論的範圍。現在將這幾個概念依次論述如下。

　　1.“中和”的哲學觀念乃承道家而來

"中和"一詞，乃由"中"與"和"的概念發展而來。因而，這裏先講早期儒道兩家對這一概念的不同意涵，以見出《中庸》所言"中和"乃承道家思想而來。

《論語》"中"25見，多爲常識意義(如："禄在其中"、"樂亦在其中"、"言必有中"、"刑罰不中"等)。僅"中庸之爲德"(《雍也》)之"中"，與倫理有關。楊伯峻先生說："'中'，折中，無過也無不及，調和；'庸'，平常。孔子拈出這兩個字，就表示他的最高道德標準，其實就是折中和平常的東西。"[①]可見，一、這裏的"中"的概念屬于倫理學範圍，二、此"中庸"與《中庸》之"中庸"，雖字面相同，含義却不相同。《中庸》因受道家影響，"中庸"一詞已有中和之義。

《孟子》言"中"約45見，亦多爲常識意義(如"爲阱于國中"、"水火之中"、"國中無僞"、"中天下而立"、"中道而立"等等)，幾無任何哲學意涵，其中"執中"一詞，與《論語》同義。

中國哲學史上言"中"而具哲學意涵者始于老子。如"守中"(5章)、"其中有物"、"其中有精"(21章)等。這裏的"中"乃指形上之道而言。

《莊子》言"中"約100見，有些已具有深刻的哲學義涵，如"環中"、"養中"、"中德"、"中和"等。而其中《齊物論》之"環中"，尤爲莊子認識論上的一個重要範疇。

《論語》一書孔子言"和"凡7見，多就人際關係而立論。《孟子》僅3見，一次盛讚柳下惠爲"聖之和"，另兩次是談到"人和"。而"人和"的概念最早見于范蠡之言(《國語·越語下》)，其後又爲管子學派及黄老道家所樂道(將其與天時、地利並稱，屢見于帛書《黄帝四經》和《管子》)。

如前所說，孔孟言"和"僅就人際關係而言，而老子已由人際關係擴及認識論和萬物生成論，莊子則更進一步地由人與自然的關係(自宇宙論而立論)提升到人生哲學的意境。

---

　①　楊伯峻《論語譯注》。

《老子》言"和"凡 8 見,"六親不和"(8 章)、"和大怨必有餘怨"(79 章)乃就人際關係而立論;"冲氣以爲和"(42 章)乃就萬物生成論而言;"知和曰常,知常曰明"(55 章)是就認識論而言;"和其光、同其塵"(4 章、56 章)是對一種人生意境的形容;而"和之至"則是表示一種生理狀態,屬于養生學的範疇。

《莊子》言"和"約 50 見,他對"和"的重視超過諸子,而他的"和"的概念具有高度的哲學意涵。如"和之以天倪"(《齊物論》)、"心莫若和"、"心和而出"(《人間世》)、"游心乎德之和"(《德充符》)、"陰陽和靜"、"和理出其性"(《繕性》)、"以和爲量"(《山木》)、"天地之委和"(《知北游》)等,這些都已具豐富的哲學意涵,它們有的屬于萬物生成論範疇(如《田子方》"至陰肅肅,至陽赫赫……兩者交通成和而物生焉"),有的屬于認識論範疇(如"和之以天倪")。而更重要的是莊子之"和"表達了主體意識通過修養達到的一種藝術的境界——如"游心乎德之和"、"使之和豫通而不失于兑"、"太和萬物"等。尤其重要的是,莊子"心和"、"天和"的概念與後來的《中庸》有着密切的關係。

稷下道家也非常重視"中"、"和"。如《白心》"和以反中,形性相葆",相比之下,他們對"和"的概念更爲重視(見《内業》、《白心》等篇)。

"中"與"和"在先秦道家各派的典籍中都是單詞,直到荀子才出現"中和"的複合詞。《荀子》書中"中和"一詞出現一次,乃是指"樂之中和",並無特殊意義。而《中庸》裏强調的"中和"從意義上來分析更近于莊學和稷下道家。

2.《中庸》之"誠"的道家意涵

"誠"在《中庸》中有二義,其一指天道,謂天道恒久信實的運作規律。其二指人道,謂人的專一和諧的心靈境界。張岱年先生也説:"誠是君子養心之道,誠又是天地四時的表現。天地四時的誠就在于'有常',亦即具有一定的規律性。"[1]這可以從《中庸》本身

---

① 張岱年《中國古典哲學概念範疇要論》。

得到證明。首云"誠者,天之道也;誠之者,人之道也"。一言天道,一言人道。"誠之"的意思是說信實的天道是靠人道去體現。接着説"誠者,不勉而中,不思而得,從容中道"。此言"誠"的神妙境界,雙關天道與人道。又云至誠可以盡人性、贊天地之化育,也是雙關天道與人道。

　　"誠"這個概念,見于《孟子》和《莊子》。《孟子·離婁上》"是故誠者天之道也,誠之者人之道也,至誠而不動者未之有也,不誠未有能動者也"。孟子之"誠"或本于稷下道家,《九守》云:"誠暢乎天地,通乎神明。"而《中庸》之"誠",與孟子所論之"誠"不同,唐君毅先生已經指出,他説:"孟子又云'誠'者天之道也,思誠者人之道也'。仁義禮智之四端之心,皆'天之所以與我'……此中只以思誠繼誠,便全幅是直道的正面工夫。流露之四端上,識取。此與大學中庸之工夫之言去自欺以存誠,對'不誠'而'誠之',言致曲能有誠,與宋明理學之重內心中省察,去心中賊者,實有異。"[1]而《中庸》論"誠"指的是由誠而明的自然之性以及由明而誠的修教之道,則非常接近《莊子》論"誠"。如:《莊子·徐無鬼》:"吾與之乘天地之誠,而不以物與之相攖。"此論"誠"的自然之性,即自然規律及天道的神妙作用。又《徐無鬼》云:"修胸中之誠,以應天地之性而勿攖。"此"修誠"即《中庸》之"明誠"。又《列禦寇》云"夫内誠不解",此"内誠"同于《中庸》"自成"之"誠"。《漁父》篇"真者,精誠之至,不精不誠",此"精誠之至"即《中庸》的"至誠"。《庚桑楚》云:"不見其誠而已發,每發而不當。"在心爲"中"爲"誠",已發爲"和"爲"明",這與《中庸》"喜哀樂之未發爲中,發而皆中節爲和"及"自誠明謂之性,自明誠謂之教"頗爲相近。然而《九守》云,"誠暢乎天地,通乎神明",將"誠"由人道擴展到天道的範疇,于此,《中庸》之"誠"受稷下道家的影響更加直接和明顯。

　　3.《中庸》之"道"因襲道家的道論

---

[1]　唐君毅先生《中國哲學原論》第三章:原心上·孟子之性情心與墨家之知識心。

（一）《中庸》開篇述說，"率性之謂道"，並說"道也者，不可須臾離也，可離非道也"，因此要"戒慎乎其所不睹……不聞"，"莫見乎隱，莫顯乎微"。《中庸》這裏所描述的"道"絕非孔孟之道，乃述老莊及黃老道家之道。

道家認爲，率性是最合乎自然的行爲，這一點莊子學派表現得尤爲突出。《莊子·庚桑楚》云，"性者，生之質也"，莊學尤其強調"任其性命之情"（《駢拇》）。由此可見，《中庸》所謂"順性乃和于道"，乃是道家老莊一系的基本主張，而《中庸》所謂"率性之謂道"似乎更合于莊子的觀點。

至于《中庸》所說道之"隱"、"微"、"不睹"、"不聞"，對照《老》書所描述的"道隱無明"（41章）、"視之不見，聽之不聞"（14章），可見《中庸》這裏是抄自老子。《老子》1章云，"可道非道"，《中庸》則套用《老子》文句曰"可離非道"。

稷下道家將老子"玄之又玄"的"道"落實到人間，故而《内業》說："彼道不遠，民得以產，彼道不離，民因以知"。《心術上》也說："道……不遠，與人並處"，可見《中庸》此處所云"可離非道"及其後文所說"道不遠人"，文句文義都因襲稷下道家的作品。

（二）"君子之道，費而隱……故君子語大，天下莫能載焉；語小，天下莫能破焉，……言其上下察也……察乎天地"。這一段談道，和黃老之學關係最爲密切。"君子之道費而隱"（朱熹注："費，用之廣也；隱，體之微也。"），這是說"道"既隱晦又昭顯，既精微又廣大；隱晦精微說其體，昭顯廣大言其用。這是典型的黃老關於"道"的體用說。如帛書《黃帝四經·道原》已說"道"既"精微"又"顯明"，又說"廣大弗務及也，深微弗索得也"。"廣大"即用之"費"，"深微"即體之"隱"（《中庸》之"費而隱"亦見于《老子》。如34章"大道氾兮"說其"費"，41章"道隱無名"說其"隱"）。《管子·心術》云，"其大無外，其小無内"，《黃帝四經·道原》也說，"天弗能覆，地弗能載，小以成小，大以成大……精微之所不能至，稽極之所不能過"，此乃《中庸》"故君子語大，天下莫能載焉；語小，天下莫能破焉”之所本。而《中庸》所謂“上下察……察乎天地”，文義亦見于黄老作品。《黄帝四經・十大經》云，“吾聞天下成法，故曰不多，一言而止，一之解，察于天地，一之理，施于四海”，《管子・内業》也説，“一言之解，上察于天，下極于地”，此爲《中庸》受黄老道家影響之明證。

《中庸》云：“贊天地之化育，則可與天地參矣。”馮友蘭先生説：“道家常説，‘物物而不物于物’，《中庸》所説的‘贊天地之化育，則可與天地參矣’，與道家的意思有相同之處。爲天地所化育者，就‘物于物’。贊天地之化育者，則能‘物物而不物于物’。”① 而《中庸》“參天地”之説乃襲自《黄帝四經》，《經法・六分》，“正以明德，參之于天地”，《四度》：“動静參于天地。”

《中庸》一書内容相當雜亂，“子曰”、“詩云”的篇章占了一大半，文義彼此不相聯繫。按照朱熹的分章，則 33 章中有 18 章都以“子曰”發端。馮友蘭先生曾指出：“在漢朝人的著作中，稱引‘子曰’的地方太多了，大概都是依托。《中庸》所稱引的‘子曰’也是依托。”② 孔子提出的“述而不作”的學術傳統，對後世儒家學派的影響頗大，張豈之先生也指出：“漢代的儒家著述一般都大量引述先代聖賢議論和歷史文獻，以至臆造出許多孔子的話來，借以表述自己的思想。”③ 這種以“子曰”爲主要模式的依托和臆造，使文章顯得凌亂、文義不能連貫。秦漢間儒家的具哲學思考性質的著作十分薄弱，朱熹不得不從《禮記》中抽取一些片段集而爲《中庸》，又因《中庸》中有着後來學者所常説的“天人合一”的觀點，故將其抬升到一個哲學上的高度。而事實上，“天人合一”的觀點乃淵于道家，因此錢穆先生在《中庸新義申釋》一文中説道，“中庸本義，正吃重在發揮天人合一，此一義亦道家所重視”，又説“若論中庸原書本義……若謂其借用莊子義説中庸，則《中庸》本書，據鄙見窺測，本是

---

①　馮友蘭《中國哲學史新編》第三册。

②　馮友蘭《中國哲學史新編》第三册。

③　張豈之主編《中國儒學思想史》，陝西人民出版社 1990 年 4 月出版。

匯通莊書而立説"①。錢先生指出《中庸》乃"匯通莊書而立説",這種看法在儒派内部曾引起頗大争議,但此説並非没有道理。個人以爲,不僅《中庸》"天人合一"的觀點源于莊子,其"萬物並育而不相害,並行而不悖"的主張也是受到了莊子"十日並出"的開闊胸懷的影響,關于這一點,莊萬壽教授指出:"孔孟對'萬物並育'並不熱中……孔孟之言自己所肯定的'道'是單一而無雙的,孔子説:'道不同,不相爲謀'……而孟子引孔子説:'道二,仁、不仁而已',絶没有可能讓不同的異端的道,可以並行。"②此外,《中庸》還出現反對復古的言論,這也是受了莊學和黄老之學的影響。《中庸》有言,"愚而好自用,賤而好自專,生乎今之世,反古之道,如此者,災及其身者也",勞思光先生曾就此指出:"此乃力反'復古'之言。孔子及其門人,包括後代之孟子在内,皆喜言尊古;與此段主張相反。"③反對復古的言論,屢見于道家著作中,除《莊子·天運》篇明確提出過"應時而變"的主張外,在黄老作品中,這種論點也是十分鮮明的,如《黄帝四經》,"憲古章物不實者死"(《十大經·三禁》),很明白地指出:泥古、華而不實,就會遭到敗亡的命運;又如《十大經》末節"我不臧故,不挾陳,鄉者已去,至者乃新",明確地表示了棄舊迎新的决心。

　　縱觀《中庸》一書,是爲漢初儒道混合之作。勞思光先生説:"案淮南王書,向稱雜家,其中儒道墨法之言併陳。然固以道家之言爲主。而儒道之争,在先秦末期(如荀子著書之時),尚無緩和之象。儒道之説相混相容,亦在漢初。今中庸持説乃多與淮南相近,則其思想亦當屬于此一儒道混合之階段。"④《中庸》一書,多有盛讚道家之辭,如"寬柔以教……南方之强也"、"遯世不見知而不悔,唯聖者能之"等,前者是對老子治世方式的溢美,後者是對莊派生

　　① 錢穆先生《中庸新義申釋》一文原載香港《民主評論》7卷1期,後收入《中國學術思想史論叢》一書。

　　② 莊萬壽《〈大學〉、〈中庸〉與黄老思想》,載《道家文化研究》第一輯。

　　③④ 勞思光《中國哲學史》第二卷,香港友聯出版社1981年出版。

活態度的肯定。然而就總體來說,《中庸》傳自稷下道家的成份最
大,這一點是由于戰國中後期出現了"百家争鳴,黄老獨盛"的局
面,稷下道家作爲顯學,成爲時代的主要思潮所導致的。總之,從
哲學的角度來説,早期儒家的道家化是由于受到稷下黄老道家的
影響,而後期的儒家則更多地受到老莊哲學的影響。在歷史上,黄
老道家對儒家的影響雖因漢代董仲舒"獨尊儒術"而中斷,但其倫
理性的"心氣論"的觀點,在宋明理學的道家化過程中仍有着絲縷
不絶的餘音回響。

六、從哲學典籍文獻看道家主幹説

(一) 道家人物著作爲諸子之冠

(1)《莊子·天下》篇爲先秦最早的道家主幹説作品

《天下》篇開首便標示着最高學問乃是探討宇宙人生本原的學
問("道術"),並提示内聖外王的理想人格形態。所謂"道術",就是
對宇宙人生作整體性的把握的學問,其理想人物所謂"天人"、"神
人"、"至人"、"聖人"就是能對宇宙人生的變化及其根源意義作整
體性體認的人。《天下》篇隱喻老莊爲體道之士,而"君子"、"鄒魯
之士"則只是得道之餘緒。《天下》篇對于"述而不作"的儒家僅一
筆帶過,文中專論了六個學派:①墨家;②宋鈃、尹文;③彭蒙、
田駢、慎到;④老聃、關尹;⑤莊周;⑥惠施。在其論述各個學派
中除墨派、名家之外,其餘都屬道家學派。在道家各派中推崇關
尹、老聃爲"古之博大真人",闡揚莊周"獨與天地精神往來"的人生
最高境界。《天下》篇以老、莊爲圭臬,並對稷下道家也給予了充分
的重視。可以説,它是中國哲學史上第一篇以道家爲哲學主幹的
論文。

(2) 司馬談《論六家要旨》是兩漢最早的道家主幹説之作

司馬談《論六家要旨》代表着漢代思想界對先秦百家之學的總
結觀點。文中將先秦各種學説中最主要的六家即陰陽、儒、墨、名、

法、道德。他推崇"道家使人精神專一,動合無形,瞻足萬物,其爲
術也,因陰陽之大順,採儒墨之善,撮名法之要"。文中在陳述儒、
法等各家的缺失的同時又一再肯定"道家無爲,又曰無不爲,……
其術以虛無爲本,以因循爲用"①。司馬談心中的道家事實上指的
是黃老道家,這由他所強調的"與時遷移,應物變化"等主張可以爲
證。黃老道家援法入道,除了"撮名法之要"外,特別強調"因時"及
"變化"的思想,所謂"因"("因循爲用"、"因時爲業"、"因物與合")
要在"因人之情"(《管子·心術上》)即順應民情;強調"時"("與時
遷移"、"時變是守")要在因時制宜,掌握時機;而其主"變"乃是反
對拘泥舊制,促進革新的理論基礎。黃老的因時制宜的理論,不僅
順應時代的變化,而且推動了時代的變革,因此徐復觀先生在《兩
漢思想史》中論及秦漢道家時說:"道家思想在四百年中,一直是一
支巨流。"而觀黃老之學從戰國中後期直到漢初在政治制度和學術
思想上所產生的巨大影響,都足以證明它是當時時代的主流思潮。

(3) 典籍記載"道家獨盛"的狀況

作爲先秦思想總結的《呂氏春秋》在敘說先秦名家特點時謂:
"老聃貴柔,孔子貴仁,墨翟貴廉,關尹貴清,子列子貴虛,陳駢貴
齊,陽生貴己,孫臏貴勢,王廖貴先,倪良貴後。"(《呂氏春秋·不二
篇》)十家中有五家是道家。

《漢書·藝文志》列舉各家各派的著作書目,所列道家文獻著
錄 37 家、993 篇,爲諸子之冠。

《漢書·藝文志》的分類目錄中,有一些著名的道家學者的著
作被放置到他派,如:《宋子》18 篇列入小說家,而班固注云"其言
黃老意";《尹文子》列入名家,由現存《尹文子》殘簡來看,也應列

_____

①　這段話很易令人產生誤解。馮友蘭先生對這裏所說的道家"無爲"、"無不爲"
及"因循"等概念有簡要而明確的解釋,他說:"有爲,是說他們都要做他們自認爲有利
的事,既然都做事,那就是有爲。可是,他們做的這些事都是出於自願,並不是出於勉
強,所以也可以說是無爲。照黃老之學的說法,讓老百姓都做他們自認爲是有利的事
情,這就叫'因循'或'因'。"見馮友蘭《中國哲學史新編》第三册第 14 頁。

入黃老之作；《呂氏春秋》這部以道家爲主體的重要著作竟被誤置
于雜家；《慎子》42篇列入法家（按照《天下》篇的分類法，慎子屬
于道家；按《荀子·解蔽》則應列入法家，因此一些學者認爲他是
一位過渡人物。但由現存《慎子》殘簡來看，歸入黃老之學較爲恰
切，正如司馬遷《史記》所説"其言黃老義"）。

　　《漢書·藝文志》所記載的托爲黃帝之書的書目合計多達450
篇（卷），其中以道家作品數量最多。哲學史家指出："黃帝之書中
學術理論著作以道家居多。"①

（二）哲學經典"三玄"屬道家系統之作

　　中國哲學的經典著作《易》、《老》、《莊》被稱爲"三玄"。"三玄"
之中，《老》、《莊》都是道家的正宗典籍，而傳統把《易》與老莊聯繫
乃是始于漢魏之後，是漢魏學者將易學予以道家化的結果。不過，
自漢代"罷黜百家，獨尊儒術"並置五經博士以來，在文化專制的背
景下，逐漸將早于孔老的《易經》劃歸儒學範疇。又由于尊孔的司
馬遷的誤導，千餘年來遂視《周易》爲儒家典籍。但這種説法是典
型的人云亦云，關于《周易》的學派歸屬問題在當時是沒有經過任
何論證的。

　　討論《周易》必須要區分《經》和《傳》，因爲這二者在成書時間
上相差數百年。《易經》只是一部占卜之書，它的卦爻辭中有些許
哲理性的素材，例如泰卦卦辭："小往大來"，否卦卦辭："大往小
來"，乾卦爻辭中"潛龍勿用"、"亢龍有悔"等語句，蘊含了對立轉換
的辯證思想的萌芽。但是，關于"對立事物的相互轉化"的系統性
的辯證法思想是老子之後才建立和逐步完善的。《易傳》形成于戰
國中後期，它必然地受到了當時在哲學思想上占主導地位的道家
思想的影響。朱伯崑教授在《易學哲學史》一書中指出：《周易》本
有兩套語言，一爲筮法語言，一爲哲學語言，《周易》原屬史巫系統
的執掌範圍，因此《易傳》中包含着大量的筮法語言——如果從史

---

① 任繼愈主編《中國哲學發展史》第99頁。

巫系統來分析, 實爲一獨特的學派, 不屬儒道任何一途。我們現在在筮法語言之外來討論它的哲學内涵, 就產生了學派性質歸屬的問題, 因此我們認爲《易傳》主要是道家的作品。在這方面, 我在近作《易傳與道家思想》①一書中作了詳細的論證, 可供參考。

（三）百家争鳴總匯的《管子》及先秦時代總結的《吕氏春秋》均以道家思想爲主體

《管子》一書,《漢書·藝文志》將其列入道家類是很確當的。《管子》匯集了不同時代、不同學派的作品而成書, 記載了管子的遺說和戰國中後期以道、法、陰陽等學派爲主的論著, 也間雜了農、名、儒、墨各家思想。由于它是戰國中後期稷下學宫"百家争鳴"言論的匯編, 因而反映出各家思想的特色, 但其核心却是以老子的道論及其自然無爲學説爲主體的。晚近專家學者對《管子》一書的性質有着相似的看法。顧頡剛先生認爲,《管子》是稷下先生遺留的作品的匯集, 可稱之爲《稷下叢書》②。馮友蘭先生認爲:"《管子》這部書, 就是稷下學術中心的一部論文總集。……這部書中, 各家各派的論文都有, 但中心是黄老之學的論文。這部書還是稷下學術中心情况的反映。"③張岱年先生認爲:"《管子》一書是一部重要的學術著作。《管子》與管仲有聯繫, 但其大部份是戰國時的著作。……《管子》的《心術》上下等篇, 雖非宋尹或慎到的著作, 但其年代却可謂與宋尹與慎到同時, 當在《老子》以後, 荀子以前。《心術》等篇中談道説德, 是受老子的影響; 而荀子所謂虚一而静演説又是來源于《心術》等篇。"④劉蔚華先生認爲:"在哲學思想中,《管子》把天理解爲自然之天; 實即天道。還提出'水'爲萬物本原和'精氣'的思想, 實際上都是'道'的體現。正如《老子》中以水喻道, 又把道説成中陰陽冲和之氣一樣,《管子》中的道、水和精氣也是互通

---

① 陳鼓應《易傳與道家思想》, 臺北商務出版。
② 見《周公制禮的傳説和〈周官〉一書的出現》, 北京中華書局《文史》第六輯。
③ 馮友蘭《中國哲學史新編》。
④ 《中國哲學史史料學》, 三聯書店 1982 年版。

的。……'道論'是《管子》宇宙觀的核心。"①李居洋先生説:"統觀《管子》全書,雖涉及儒、墨、道、法、名、兵、農、陰陽等諸家思想,但以論'道'爲最多、爲核心。現存 76 篇中言道論道者有 65 篇,凡出現'道'字 486 處。"②李學勤先生認爲:"齊國追隨于管子之後的學者,在不同時期受了一些學派的影響,特別是黄老道家一派的作用甚大,致使《管子》在《漢書・藝文志》列入道家。經世之法與黄老道術的結合,成爲管子之後這一流派的顯著特點。"③上述專家學者的評介都説明了《管子》是以道家思想爲主體的。

自郭沫若等學者指出《管子》四篇(《内業》、《心術》上下及《白心》)爲稷下道家代表作品之後,越來越受到學界的重視,事實上,《管子》書中所保存稷下道家的作品不止是《管子》四篇,還有《水地》、《樞言》、《宙合》、《形勢》、《勢》、《正》、《九守》、《四時》、《五行》等篇均屬稷下道家的作品(這些作品或推崇老子作爲宇宙萬物本原的道,或闡揚老子自然無爲的觀念)。從《内業》等篇不僅可以看出它們直接繼承了老子的哲學觀點,還反映了稷下道家與莊子學派在心學、氣論等方面有着許多共同之處,並且由《内業》等篇可以看到後來對《孟》、《荀》、《學》、《庸》等著作産生了巨大影響的道家哲學思想。

作爲百家争鳴言論總匯的《管子》,與另一部作爲先秦時代總結的《吕氏春秋》之間也有着許多思想上的内在聯繫。

《吕氏春秋》過去曾被視爲雜家,但這種觀點是由于没有認識到該書的中心思想所導致的。事實上,早在東漢高誘所作的書序中就已指出:"此書所尚,以道德爲標的,以無爲爲綱紀。"當代學者牟鍾鑒教授強調了《吕氏春秋》和漢代道家代表作《淮南子》之間的内在關係,"兩書的基本思想傾向一致,都推崇老莊哲學,並以其爲主幹,融合、貫串各家學説"、"兩書的宇宙觀和認識論,主要是繼承

① 《管子研究》第一輯。

② 載《管子與齊文化》,《管子學刊》編輯部編。

③ 《多彩的古代地區文化》,《文史知識》1989 年第 3 期。

和發展了先秦以老莊爲代表的道家哲學"、"兩書作者對老莊學派的評價高于其他諸子"①。其他學者如熊鐵基、吳光等則指出《呂氏春秋》與道家黄老之學的關係②。最近出版的王範之先生遺著《呂氏春秋研究》，以詳盡的史料爲依據，論證該書是以道家思想爲主體而兼合各家之説。王範之先生並説："道家，在《呂氏春秋》裏保存他的學説是最多的。從書中稱引關于老莊書的文字的特別多這點來看，也就可以想見了。書中稱引老莊書文，統統都没有指出他的出處。其中以引《莊子》書文的爲最多，可以設想，呂氏門下道家定然是占有最大的勢力，而且大概是以莊子的門徒爲多。"③王先生指出了向爲學界忽略的一點：他將《呂氏春秋》中稱引的諸子言論一一羅列後，發現莊子的條目數量最多，即早在《淮南子》之前，莊子思想就已經産生了巨大的影響力。

不久前，我有幸得到王師叔岷先生四五十年前的未刊手稿多篇，文中對先秦諸子著作中引用《莊子》之處逐一列舉，其中《呂氏春秋》中引用《莊子》之處多達55條，爲諸子之冠。由此可見《莊子》在戰國晚期最大學術活動中心《呂氏春秋》學派中的巨大影響。王師手稿中還列舉了《管子》、《荀子》、《慎子》、《尹文子》、《鶡冠子》等先秦典籍中引用《莊子》之處，可見莊學絶非朱熹所説的"在冷僻處自説自話"，早在戰國晚期之前，便已成爲顯學。

《管子》、《呂氏春秋》、《淮南子》有着一個共同的特點，即綜合了各家各派之作，反映了不同的歷史時期各個學派的群體性的學術活動，而這種群體性的學術活動都是以道家思想爲主導的。由此可證道家思想在古代哲學領域中的主幹地位。

（四）從出土文獻看道家思想的主導地位

近數十年來，地下出土了衆多的文獻，可以説從某種意義上補

① 牟鍾鑒《〈呂氏春秋〉與〈淮南子〉思想研究》，齊魯書社1987年9月版。
② 熊鐵基《秦漢新道家略論稿》，上海人民出版社1984年3月版。吳光《黄老之學通論》，浙江人民出版社1986年6月版。
③ 王範之《呂氏春秋研究》，内蒙古大學出版社1993年10月版。

充和改寫了中國古代思想史。從哲學思想的角度來看,道家文獻的出土最令學界矚目。1973 年,河北定縣 40 號漢墓出土了黃老作品《文子》①,1984 年湖北江陵張家山出土了《盜跖》②(阜陽漢墓還出土了《莊子》的《則陽》、《外物》、《讓王》等篇竹簡)。在各處出土的文獻中,尤以馬王堆漢墓帛書最爲引人注目: 帛書《老子》甲乙本的出土,在中外學界都引起了震動; 帛書《黃帝四經》在學術史上的地位最值得我們重視,關于此書我曾做了詳細考訂,發表長文論證此書成書于戰國中後期,並對全書做了注譯及研究③。我個人認爲,這部佚失兩千年之久的古佚書在以下幾個方面值得我們特別關注:

　　(一)該書引用《老子》的詞、字、概念多達 170 餘處,老子思想遍見于書中,爲《老子》成書早期説提供了有力的新證,也可見老學在戰國早中期的影響; (二)該書引用《國語·越語下》所記載范蠡言論約二十條,可見范蠡乃老學到黃老之學發展過程中的重要人物; (三)《管子》一書引用帛書《黃帝四經》多達二三十處,兩者的内在聯繫至爲鮮明; (四)《黃帝四經》作爲黃老學説的代表作,不僅印證了《管子》書爲黃老作品,更證實了司馬遷所説的環淵、田駢、慎到、接子"皆學黃老道德之術"之説乃不疑的事實; (五)該書是現存最早的系統性的黃老著作,從《黃帝四經》開始,我們沿着《黃帝四經》——《管子》四篇——《尹文子》——《慎子》——《鶡冠子》及《文子》這樣一條線索,可以清楚地看到黃老之學發展的脈絡以及它在戰國中後期之爲顯學的地位; (六)《易傳·繫辭》曾有多處稱引《黃帝四經》中的文句,足證黃老作品對《易傳》的影響(以上各論點詳見拙著《黃帝四經今注今譯》)。

---

　　①　《定縣 40 號漢墓出土竹簡簡介》,載《文物》1981 年 8 期。
　　②　《江陵張家山兩座漢墓出土大批竹簡》,載《文物》1992 年 9 期。
　　③　唐蘭《關于帛書〈黃帝四經〉成書年代等問題的研究》一文,收在湯一介編《國故新知: 中國傳統文化的再詮釋》中,北京大學出版社 1993 年版。陳鼓應《黃帝四經今注今譯》,臺灣商務書館排印中。

　　馬王堆出土的文獻中,除帛書外,年前最新公布的帛書《繫辭》也是一篇十分珍貴的歷史文獻。帛書《繫辭》全文共 2900 餘字,與今本對照,今本增加了近千字,而這近千字的內容都是較具儒家色彩的,如文王與易的關係以及"三陳九德"、"顏氏之子"等段落。我個人認爲,今本《繫辭》即是以道家爲主體、摻雜了儒、墨、陰陽等家思想的作品,而出土的帛書本《繫辭》更具道家特色(我曾論證它是現存最早的道家傳本,文名《馬王堆漢墓出土帛書〈繫辭〉是現存最早的道家傳本》,收入《易傳與道家思想》)。

　　總之,帛書《老子》、帛書《黃帝四經》、帛書《繫辭》等多種道家作品的出土都證實了先秦道家在哲學思想上的主幹地位。

　　綜上所述,我們可以得出以下的結論:

　　1. 作爲中國哲學之父的老聃是本體論、宇宙論的第一位建構者,老子所提出的道論不僅僅是道家各派的最高哲學範疇,也成爲整個中國哲學史各家最主要的範疇。由老子系統性地建立的辯證法思想體系成爲中國傳統哲學的基本思考模式,由人事以鑒天道以及托天道以明人事的一隱一顯的雙回向的思考方式也是由老聃開創的。此外,老哲學中提出的概念如:"道"和"德";"無"和"有";"虛"和"實";"動"和"靜";"常"和"變";"損"和"益"與"自然"、"無爲"、"陰陽"、"無極"、"抱一"、"混樸"、"恍惚微明"以及"玄"、"妙"、"一"、"同"、"象"、"精"、"觀"、"復"、"明"、"隱"、"和"、"冲"等,都成爲歷代中國形上學、自然哲學的重要範疇。

　　2. 莊子將老聃開創之道賦予無限性、自由性與整全性,並溶入其人生哲學的系統中。他將宇宙視爲一生生不息的大生命,將個體生命放置于廣大宇宙的生存背景之下。莊周那種"芒芴恣肆"的浪漫風格、那種藝術化的生命情懷、那種"極高明"的精神境界,都是空前絕後的。莊子所開創的內聖之學決定了整個中國哲學的主要性質和方向,成爲中國哲學的主要內涵,他的心學、氣論和天人之學爲歷代哲學所繼承和發展。漢代最具代表性的道家作品《淮南子》可以說是莊子思想風格的再現;魏晉玄風將莊學思想放達的一面發展到了極致；禪宗可以說是莊學化的佛學。

3．由先秦至魏晉，道家在哲學上的主導地位是明顯的，其影響一直延伸到宋明，在宋明理學中可見老莊思想的投影。宋明的理學(或道學)，從理論系統的建構到哲學思想的内核，都未脱老莊的窠臼。理學之"理"或道學之"道"正是作爲萬物本原的老莊之"道"。理學所討論的重要範疇如"道"、"無極"、"太極"、"陰陽"、"動静"、"性命"、"主静"、"順化"等，都與道家、道教密不可分。理學的開山祖師周敦頤實爲道家、道教思想之擁躉，其"無極而太極"之説乃老子"無有"之變文，其倡言無欲、主静，更是老學的回聲；張載"太虚集氣"正是對莊子道、氣學説的"照着講"或"接着講"(馮友蘭語)；二程"萬理出于一理"之説乃莊子"萬物殊理"、"道爲公"(《則陽》)主張之變文；朱熹的"道難窮而知無涯"，文義乃襲自莊子《秋水》篇和《養生主》。因此張岱年先生一再説，"伊川的理之觀念，實是古代道家之道的觀念之變形"、"伊川的理之觀念，本是道的觀念之變化，而朱子所謂太極，比理更接近于道了"①。陸王心學則更近于莊學。總之宋明關于形上學或宇宙論的哲學議題，乃是將道家的議題移花接木，其枝葉處出現儒家仁義禮智之説，但其根幹則屬道家。

作者簡介 陳鼓應，1935 年生，福建長汀人。曾任臺灣大學哲學系副教授。現任美國加州大學研究員，北京大學哲學系教授。著有《悲劇哲學家尼采》、《老子注譯及評介》、《莊子今注今譯》、《老莊新論》等。

---

① 張岱年《中國哲學大綱》。

道家學説及其對先秦儒學的影響

胡家聰

內容提要 本文從三個方面論述道家學説對先秦儒學的影響：孔子説"無爲"來自老子；儒家的"修、齊、治、平"淵源于道家；老子的"崇善論"對孟子的影響等。

先秦道家著作傳世多于儒家，諸如《老子》、《列子》、《莊子》、《管子》、《慎子》、《尹文子》、《鶡冠子》、帛書《黄帝四經》、《文子》、韓非《解老》《喻老》以及《吕氏春秋》中的道家篇章，過去多被冷落，既缺少微觀的縝密探索，更缺少宏觀的系統考察，這有待學術界同仁之共同努力。

本文僅就積極開掘道家哲學文化這一課題，提出一些探研中的見解。

一、孔子説"無爲"來自老子

《論語·衛靈公》記述孔子曰："'無爲'而治者，其舜也與？夫何爲哉？恭己正南面而已矣。"孔子曾問禮于老子，老學先于孔學①，因而孔子對老子倡導的"無爲"而治有所吸收。孔子向往的

①　老學確實先于孔學，參考陳鼓應先生：《老莊新論》第一部分，上海古籍出版社 1992 年版第 43 頁。

是“郁郁乎文哉”的周公“敬天保民”的禮治,而老子向往的則是更
爲原始“小國寡民”式的“無爲”之治。

老子自然型哲學多處論“無爲”而治,包含着原始民主的精華。
今擧其要如次:

(1)“聖人無常心,以百姓心爲心。”(49章)意思是,體道“無
爲”的領導者(即“聖人”),全心全意地想人民之所想,急人民之所
急,“無常心”意即沒有個人私利的小算盤,只有爲着大衆利益的心
思意念。正因如此,第二章寫道:“聖人處無爲之事,行不言之教,
萬物作焉而不爲始,生而不有,爲而不恃,功成而不居。”這樣體道
的領導者和大衆打成一片,按人民意志決策,自己“處無爲之事,行
不言之教”,事情是大家辦成功的,生養萬物而個人不占有,推動萬
物而不恃己力,功成更不居功自傲。這裏體現着“無爲”而治的領
導者與人民群衆之間和諧、民主,因而無壓迫、不占有的社會關係。

(2)“聖人欲上民(爲人民之領導),必以言下之(謙下之意);
欲先民(爲人民之表率),必以身後之(自身利益放在人民後面)。
是以聖人處上(居上位)而民不重(人民不感到重負),處前(作表
率)而民不害(不感到受損害)。是以天下樂推而不厭。”(第66章)
文義甚明,其中“樂推”一詞特重要,是指人民樂意推戴或推擧,體
現着原始民主的精神。那種“小國寡民”式的社會,在春秋末葉可
能在大國爭奪的夾縫中還存在着,何況楚、越等邊疆之地尚未開
發,諸多小國或部族仍廣泛存在,那種原始性的“小國寡民”等實
況,作爲周天子王朝史官的老子不會不知道。

(3)“希言自然。”(23章)“悠兮其貴言,功成事遂,百姓皆謂
‘我自然’。”(17章)實質上,“希言”、“貴言”指領導人多多聽取群
衆意見,慎重決策,很少發號施令。由于領導人“以百姓心爲心”,
擧措還得人民來實現,所以“功成事遂,百姓皆謂‘我自然’”。

(4)“聖人常善救人,故無棄人;常善救物,故無棄物。……善
人者,不善人之師;不善人者,善人之資(借鑒之意)。”(27章)又
説:“人之不善,何棄之有?”(62章)老百姓並不一般齊,便有善人

與不善人的差別。聖明的領導者是人道主義的，對待百姓一視同仁；唯因有善人、不善人的差別，便以善人作示範，使之成爲不善人學習之對象；而個別不善人做的惡事，以之作爲批評對象(反面教材)，成爲多數善人行事的借鑒。這就是"善救人"之義；"善救人"，人有能動性，因而也就"善救物"，使人無棄人，物無棄物。這個含義，爲《管子·形勢》所承繼，概括爲："有無棄之言者，參于天地也。"至于"人之不善，何棄之有?"對待不善之人怎能放棄不救呢？救治之法即是那種民主方式的群衆性自我教育，而非"法令滋彰"地施加暴力。這裏也藴含着原始民主精神。

諸如上述，不再多舉，足以説明老子"無爲"而治中藴含着民主性精華，不可低估。尤其應看到，老子以其"無爲"而治與當時宗法君主貴族的有爲、妄爲而治尖鋭對立，展開强烈批評、甚至抨擊。老子抨擊妄爲的君主貴族荒淫無道："朝甚除，田甚蕪，倉甚虚，服文彩，帶利劍，厭飲食，財貨有餘，是謂盜竽！非道也哉！"罵這種奢糜擺闊的君主爲盜魁！對于以"法令滋彰"來壓迫人民的宗法貴族，老子尖鋭提出："民不畏威，則大威至！"(74 章)"民之飢，以其上食税之多是以飢。民之難治，以其上之有爲，是以難治。"(75 章)"天之道，損有餘而補不足；人之道則不然，損不足以奉有餘！"(77 章)這是老子以其"無爲"而治作爲理論依據，强烈批評當權的貴族統治者。

二、"修、齊、治、平"淵源于道家

臺灣莊萬壽教授《〈大學〉、〈中庸〉與黄老思想》文中論及《大學》的"修身、齊家、治國、平天下"名言，説道："一般以爲是儒家學説，而視爲當然。可是在《論語》却找不到這樣由修身到平天下的架構，倒是出現于《老子》。"[1]《老子》第五十四章説：

---

① 莊萬壽先生：《〈大學〉、〈中庸〉與黄老思想》，《道家文化研究》第一輯，上海古籍出版社 1992 年版第 230 頁。

　　……修之于身，其德乃眞；修之于家，其德乃餘；修之于鄉，其
德乃長；修之于國，其德乃豐；修之于天下，其德乃普。故以身觀
身，以家觀家，以鄉觀鄉，以國觀國，以天下觀天下。

　　這是中國哲學史上最早的由修身到治國、觀天下的架構。此
外，"修、齊、治、平"的架構，在《管子》書中見于《牧民》、《形勢》、《權
修》三篇。現列舉前兩者如次：

　　《牧民》説："以家爲鄉（指以家爲本位主義，下同），鄉不可爲
也；以鄉爲國，國不可爲也；以國爲天下，天下不可爲也。以家爲
家，以鄉爲鄉，以國爲國，以天下爲天下。……如地如天，何私何親；
如月如日，唯君之節。"這正是因襲老子道家"修、齊、治、平"的架
構。第一，前所説的是批評家本位主義而治鄉，家、鄉、國的本位都
是"爲私"的擴大；繼之正面强調：公正無私的治道，只能是"以家
爲家"做出示範，進而"以鄉爲鄉，以國爲國，以天下爲天下"。第
二，所謂"如地如天……"落脚于"唯君之節"，指君主應像"天地、日
月"自然運行那樣公正無私，這是君主體道行德的自我節制（意即
修身），在這裏補充了"修之于身，其德乃眞"的義涵。

　　《形勢》説："'道之所言者一也，而用之者異：有聞'道'而好爲
家者（好自爲之，認真治家）。一家之人也（治家之人才）；有聞
'道'而爲鄉者，一鄉之人也；有聞'道'而爲國者，一國之人也；有
聞'道'而好爲天下者，天下之人也。"這亦屬"修、齊、治、平"的架
構。第一。"'道'之所言者一也"及所謂四處的"聞'道'者"，其中的
"道"無疑是指老子自然主義之"道"，非指儒家德治主義的"道"，其
表述的文意甚明。第二，引文後面接着指出："有聞'道'而好定萬
物者，天地之配也。……'道'之所設，身之化也。"這指的君主體道
行德，"好定萬物，天地之配"意通于前引《牧民》之"如地如天，何私
何親；如月如日，唯君之節。"而最後的"'道'之所設，身之化也"，
正是指老子强調的"修之于身，其德乃眞"。

　　《管子》書學術界認爲作于戰國，即作于老子哲學傳播以後，
《牧民》、《形勢》等篇的"身、家、鄉、國、天下"之層層遞進，與《老子》

54 章全同, 這應是"修、齊、治、平"架構的原型。

由此可見,《大學》中"修、齊、治、平"的儒家名言, 實出于老子道家, 經過稷下道家的承繼, 才成爲《大學》所表述的文字。

三、老子的"崇善"及"赤子"哲學

在先秦, 儒家孟軻持"性善"論, 荀況反對"性善"論而作《性惡》篇, 這是衆所周知的。

孟子的"性善"論似不出于孔門, 倒是老子道家是"崇善"的。如"上善若水, 水善利萬物而不爭……居善地, 心善淵, 與善仁, 言善信, 正善治, 事善能, 動善時。"(8 章)"善行, 無轍迹; 善行, 無瑕謫; 善數, 不用籌策; 善閉, 無關楗而不可開; 善結, 無繩約而不可解。是以聖人常善救人, 故無棄人; 常善救物, 故無棄物……"(27 章)"聖人無常心, 以百姓心爲心。善者吾善之, 不善者吾亦善之, 德(訓 '得') 善……"(49 章)"'道' 者, 萬物之奧, 善人之寶, 不善人之所保。"(62 章)"信言不美, 美言不信。善者不辯, 辯者不善。"(81 章)上引多處可以證明, 老子是一位堅持"崇善"論的哲學家。《老子》書到戰國中期已廣泛傳播。孟子這位大學者先後兩次來齊國, 齊國著名的稷下學宮是個學術中心, 孟子在稷下受到老子"崇善"論的影響是很可能的。

老子道家多闡述人性本來善良純樸的"赤子"哲學。諸如: "含德之厚, 比于赤子。"(55 章)"專氣致柔, 能嬰兒乎?"(10 章)"我獨泊兮其未兆, 如嬰兒之未孩(訓咳,《說文》: '咳, 小兒笑也。')。"(20 章)"知其雄, 守其雌, 爲天下溪。爲天下溪, 常德不離, 復歸于嬰兒。"(第 28 章)老子屢屢讚美"赤子"、"嬰兒", 謂其生來本是善良純樸, 故謂之"含德之厚"、"常德不離", 保持其純潔善良的本性, 而未受社會上的精神污染。這種"赤子"哲學, 是與老子的"崇善"論分不開的。

更值得注意的是, 孟子有句名言: "大人者, 不失其赤子之心者也。"(《孟子·離婁下》),這裏的"赤子之心"意指善良純樸之心態,與孟子"道性善"(《滕文公上》)的性善論密切相關,疑是承襲老子道家的"赤子"哲學。

上舉數條,供研究者參考。而道家各派著作甚多,有待同仁協同努力,積極開發其中的精萃思想。

作者簡介　胡家聰,1921 年生,北京人。中國社會科學院政治學所研究員。

道家與中國古代的"現代化"

——重讀先秦諸子的提綱

李 零

内容提要 本文把先秦兩漢之際的歷史大變化比之爲中國古代的"現代化",並以道家與這一變局的關係爲切入點,重新思考先秦兩漢的思想格局,順便對馮友蘭先生奠定的中國哲學史體系也提出了一些不同看法。最後,作者還以整理出土文獻的心得體會,對依據這一角度重新組織史料的有關問題提出了若干建議。

道家在中國古代本來是個影響極大的派別,它對戰國秦漢之際的歷史變革有最直接的推動。但是由于秦亡漢興,對制度和思想有大調整,把儒、道的角色互換,人們的印象往往都帶有"逆溯的誤差"。特別是漢武帝定儒家于一尊,這種正統格局對後來的思想有導向作用。長期以來,人們對道家的印象往往都是根據老、莊,總以爲這個派別太消極也太油滑,無益于治道人倫,不像儒家于保存文化、發展教育、改善道德,對國家社會有更多好處。再加上近來還有一種神話,就是以爲儒家不僅在歷史上曾"救秦之弊",而且在今天也能救資本主義之弊,把"東亞模式"視爲對"西方傳統"的超越,把復興儒家文化當作"後現代"的"普濟方"。所以我想講點不同看法,今列述如下:

一、方法的檢討：逆溯的誤差

俗話説"從小看到老"(即强調"性格形成期"),但歷史學家却習慣于"從老看到小",喜歡從結果反溯原因。人類歷史太長,個人生命太短。歷史學家要超越生命,追踪歷史,必從逆推入手。可是倒着看歷史,常常容易犯的毛病是删夷枝葉,只從主幹往上追,以爲"只有一個精子也能受孕",以爲"成者王侯敗者賊",以爲只開花不結果,花就白開了①。

歷史學家喜歡"撫今追昔"、"鑒往知來",這是一種很古老的傳統。中國古代的史官都是好做預言。這點和占卜有很大關係(史、卜同源)。占卜都是今古未來一條龍。如商代的甲骨卜辭,其格式除命辭(提出問題)、占辭(卜問吉凶),還有驗辭(檢驗結果)。常常要于事前預卜未發生之事,于事後覆驗占卜的結果,看它中與不中。史家記録史事,整理檔案,前思後想,也免不了這樣的考慮。他們往往都是把"事後諸葛亮"當"千年早知道"("史"和"讖"的不解之緣蓋植根于此)。

比如我們讀《左傳》,懿氏卜妻敬仲,預言陳氏之大,"五世其昌,并于政卿; 八世之後,莫之與京"(莊公二十二年)。"五世"二句指"陳桓子始大于齊","八世"二句指"(陳)成子得政"。這是于春秋早期預言春秋末期之事。還有《史記》提到周太史儋見秦獻公,説"始周與秦合而别,别五百載復合,合十七歲而霸王者出焉"(見《周本紀》、《秦本紀》和《老子申韓列傳》),第一句指秦襲周土,第二句指秦滅西周,第三句指始皇稱帝②。這是于戰國中期講東周始末。他們的話就連幾世幾年都講得一清二楚,我想必是倒追其事。

――――――――――

① 　相反,所謂"反事實分析"(counter actual analysis)和虚擬史學則是另一個極端。

② 　關于"十七年",學者有不同理解,參看瀧川資言《史記會注考證》(上海古籍出版社,1986 年)上册 95 頁。

　　現在治先秦思想史,我們都得感謝馮友蘭先生。他的《中國哲學史》創通義例,給大家的討論提供了基礎[1]。過去陳寅恪先生爲這本書寫《審查報告》,對馮書有"取材謹嚴,持論精確"之譽,特別欣賞作者心平氣和,對古人抱"了解之同情"[2]。陳先生強調對古人要抱"同情"之心,就像演員體會角色,必設身處地,萬不可"以今人之心,度古人之腹",我很贊同。不過他說"佛教經典言:'佛爲一大事因緣出現于世。'中國自秦以後,迄于今日,其思想之演變歷程,至繁至久。要之,只爲一大事因緣,即新儒學之産生,及其傳衍而已"[3],這話却不免有"識"的味道。照此推論,一部先秦思想史當然也是爲了安排"儒家獨尊"。

　　關于"儒家獨尊"的原因,馮書有專節討論[4],所述雖有部份道理,但畢竟是一面之辭。他不但不提儒家怎樣向道家借光,靠法家支撐,篡其統而代之,反而說子學時代以儒家始、儒家終是"自然之趨勢",好像"天生我材必有用",原來就有"遺傳優勢"。甚至就連秦代變古,都要歸功于儒家學說,以爲"即其焚書,禁私學,亦未嘗不合儒家同道德、一風俗之主張"。這樣講是有背事實也有欠公允的。

　　我想,如果我們能對道家做重新認識,恐怕對矯正這類錯覺會有好處。它不僅可以調整我們對道家本身的認識,也能調整我們對儒家、乃至整個先秦思想格局的認識,從而對西漢時期的"儒盛道衰",我們也會有一種新的體會。

二、中國古代的"現代化"

　　梁任公先生有言,先秦時代的中國是"中國之中國",秦漢到清

①　馮友蘭《中國哲學史》,中華書局 1961 年。下或省稱"馮書"。
②　馮書下冊卷尾附。《審查報告》分一、二、三。其中一、三爲陳作。
③　見《審查報告》三。
④　馮書上冊 486—489 頁。

代乾隆以前的中國是"亞洲之中國",乾隆以後的中國是"世界之中國"①。他所說的"亞洲之中國",也就是歷時兩千多年,橫跨亞洲大陸,從前也是響噹噹一個"超級大國"的"中華帝國"(越南人說的"中國帝國主義")。現在有學者把戰國以後的中國王朝分爲"三大帝國",秦漢魏晉算"第一帝國",隋唐算"第二帝國",宋元明清算"第三帝國"(後面接着兩個"共和國")②。這裏我們說的中國古代的"現代化",就是指造就"中華帝國"的那套"理性設計"。

"中華帝國"的發明是靠了許多因素的匯聚③,如:

(1) 以郡縣制控制廣大地域,造成統一的民族國家(代替封建制和采邑制);

(2) 以全面法典化的社會控制廣大人群,包括狹義的標準化,如度量衡(代替原只適應狹小人群,後來負荷過重的禮制);

(3) 以科層化的文官制度爲管理階層,包括相應的檔案、統計、監察、選拔、考核和訓練的制度(代替世卿世禄制)。

這些,若以西洋史的眼光看,都是非常"現代"的創設。17 到18 世紀,歐洲傳教士把中國介紹給西方,西方人曾驚嘆不已。其實那時他們對中國這條龍還是只見其尾(明清),未見其首(秦漢)。如果見到龍首,更是非"夷"所思。他們爲什麼會驚訝,就是因爲從中國看到了他們自己的"夢",看到了他們當時想做的事情。

中國對西方的現代化有影響,不僅是精神上,也包括某些實實在在的東西,比如中國的科舉考試和文官制度,其作用並不下於"火藥"、"指南針"等"四大發明"。特別是今天,如果我們能對"現代化"一詞有更寬泛的理解,不是把眼光老是盯着其突飛猛進的技術躍遷,也許我們就會發現,從權力控制的角度,從社會組織的角

---

①　梁啓超:《中國史叙論》,《飲冰室合集・文集》第 1 册。

②　見黃仁宇《赫遜河畔談中國歷史》(三聯書店,1992 年)219—220 頁。

③　這些因素的匯聚,不僅是醞釀于戰國時代,許多問題還可以追到春秋,追到西周,甚至更早。現在考古學家多認爲,中國城市、金屬器和文字的發明可上追到 5000 年前。中國文明的很多特色(如"大一統"),都是從那時就有迹象。

度看,古與今、中與外在許多方面還是可以打通的。所以我故意選擇了這樣看似"悖論"的説法(馮書有類似暗示)①。

　　過去黑格爾在《哲學史講演録》中曾對中國哲學有所評點,按三段論的格式,把孔子、《易經》和道家並列。對孔子,他評價最低,只承認他是"中國人尊重的權威",認爲他的書全是些勸善格言,學不到什麼東西。相反,對道家,他的評價就高得多,覺得《道德經》有思辯意味,才是重要著作。這雖是上一世紀的看法,當時的漢學譯介還很有限,研究水平也很低,但本世紀,這種心理定勢也沒有扳過來。你只要到他們的書店一轉就會明白,那中國部份的架上擺着的盡是《老子》、《周易》。他們喜歡的還是這些東西。

　　1993 年 6 月,美國東部學者邀我到緬因州 Bowdoin College 開"黄老"討論會。聊天中談到"東亞模式"和"新儒家",他們說西方人對中國思想"一見鍾情"的必然是道家,對儒家老是提不起興趣。他們爲什麼會有這種反應? 我想就在于道家與中國古代的"現代化"關係最直接,而中國古代的"現代化"和西方現代的"現代化"在許多方面又有相似性;它所表現出來的東西,無論是對宇宙、生命、社會,還是其他問題的關心,都比較容易同他們的傳統合拍,比較容易同他們的心理溝通②。

三、儒、墨、道"三分天下"

　　《老子》説:"一生二,二生三,三生萬物。""一生二"是形成兩極,"二生三"是打破僵局。中國早期思想史也有類似的"一"、

---

　　① 馮書上册 35 頁説:"此種種大改變發動于春秋,而完成于漢之中葉。此數百年爲中國社會變化之一大過渡期。此時期中人所遇環境之新,所受解放之大,除吾人現在所遇所受者外,在中國已往歷史中,殆無可以比之者。即在世界已往歷史中,除近代人所遇所受者外,亦少可以比之者。故此時期誠中國歷史中一重要時期也。"

　　② 當然,這裏我得説明的是,"現代化"在我看來並無褒貶之義,而只是一種技術描述。我説道家同中國古代的"現代化"有更多親緣關係,也並不是"抑儒揚道",覺得道家更值得學習或應用。

"二"、"三"。

戰國時代的"諸子蜂議"、"道術將爲天下裂",背景是春秋時代的"禮崩樂壞",而春秋時代的"禮崩樂壞"又是由西周晚期夷、厲之交的禮制變化和宗法危機("以家治國"不可行)作更早的準備[1]。這類"禮崩樂壞"在世界史和中國史上都是了不起的大事[2]。因爲居然那麼早,中國的貴族傳統就來了個大崩潰,先是平民化的"士",後是平民化的"將相",再後來就連"皇帝"都可以由造反的農民來當。所以陳勝喊出"王侯將相,寧有種乎"(《史記·陳涉世家》),話雖只有八個字,但後面的背景却很深,等于是給"禮崩樂壞"畫了個句號。

讀戰國晚期文獻,如《莊子·天下》、《荀子·非十二子》、《韓非子·顯學》等篇,我們常常覺得頭緒紛亂。司馬談《六家要旨》把"百家"概括爲"六家",是現在各種哲學史所本。如過去馮先生作《中國哲學史》就是以儒家孔、孟、荀(比之爲中國的蘇格拉底、柏拉圖和亞里士多德)、墨家前後期、道家楊、老、莊爲主體,輔以名、法二家,以及屬于"雜牌軍"的稷下之學,附述陰陽于其中。一九四九年以後的各種教本(包括馮先生的新史),除增收兵家中的《孫子》(這是馮先生原來立下規矩,摒而不收的),幾乎無所增益。

司馬談講的"六家",依我看,主要是三家,即儒、墨、道。這三家是對"禮崩樂壞"的三種反應、類型。儒家在先,對這種"崩壞"最敏感,既有制度的建議("復禮"),也有道德的設計("克己"而"歸仁")。孔丘雖是春秋末期人,但他大概知道,或者至少還能感受到,他所碰到的"崩壞"都是早已有之,積漸而成。所以他的制度榜樣和道德榜樣都是屬于周初(文王、周公之禮)。墨子專門同孔子唱對臺戲,但他師孔子之術,是以孔子的"話語"反對孔子,有很强

---

① 參看羅泰《從有關世系銘文論西周禮制變革的年代》(李零譯,《中央歷史研究院歷史語言研究所集刊》,待刊);又李零《考古發現與神話傳說》(《學人》第 5 輯,江蘇文藝出版社,1994 年,115—150 頁)。

② 李零《俠與武士遺風》,《讀書》1993 年 1 期,17—23 頁。

的對稱性。他對"禮樂"的看法是從孔子之説推衍。在他看來,"禮
樂"之所以"崩壞"實在是因爲世事滋多,繁禮不足以應之(包子皮
越擀越大,也還是包不住餡),事情都壞在一個"文"字。所以他退
而求"質",覺得與其復文王、周公之禮,還不如回到"三代"理想的
開端,即特別勤苦克己的夏禹。道家和這兩派都不同。它對儒墨
兩家"古道熱腸"的救世之説全都不以爲然。從表面上看,這個派
別似乎最消極,但實際上最激進。制度方面,它退得最遠,文王、周
公算什麼,夏禹算什麼,都比不上黃帝君臣。黃帝垂衣而天下治,
什麼都不幹,才是真正的"質"(道家叫"樸")。個人方面,它也不滿
足于"克己",而是把問題追到"人"以外,强調個人的一舉一動都要
順應自然。古人以退爲進,以消極爲積極,有内在的合理性。因爲
只有這樣才能同他們最頭疼的事情拉開距離,避免扭打糾纏,治絲
益棼。西方在其"現代化"的一攬子計劃出籠之前,先有文藝復興,
先要追求"自然人"和"自然法",情況是類似的。

　　所以以大的思想格局而言,儒家是"一",墨家是"二",道家是
"三"。當時的局面也是一種"《三國演義》",僵局的打破和新局面
的開創,主要是靠道家。

四、道家與名、法、陰陽

　　馮先生的《中國哲學史》在 30 年代問世,令人有耳目一新之
感,無論思想還是文筆,都堪稱經典之作。此書以"哲學史"的角度
處理中國思想史是子學西化的結果,這是它成功的地方。但作者
以"哲學"眼光剪裁史料實有很大不便。因爲中國的"子學"往往與
實用之學相出入[①],非要用"哲學"去要求,很多都不够格; 即使偏
重思想的子書,也未必都能合于西洋哲學的尺度或口味。一定要
拿他們的標準取捨,剩下的可能只有道家和名家。

_____

　　① 　先秦子書同數術方技之書和兵書關係很密切,後世同入于子部。

　　中國古代的名家,從表面看好像"很哲學"。但實際上,"名家"本叫"刑名家",原來是出于訟師(相當後世所謂"刑名師爺")。它在當時更主要地還是一種實用之學,就像西方衙門裏的文牘主義(好聽一點叫"法律手續")和學術論文的"洋八股"(好聽一點叫"學術規範"),都是來自法庭辯論或模仿法庭辯論(論文答辯尤其是如此),和"法"有不解之緣。所以古人是以"刑名"(也作"形名")和"法術"並稱。這點,馮先生已有詳論①,可是"名家"並不是什麼哲學家(不僅名家的先驅鄧析是法家,而且惠施也與"制法"有關),他們的"咬文嚼字"、"顛倒黑白"都不是無事生非,而是有很實用的目的。

　　中國的"刑名法術","勢"(權力)是硬件,"法"(規章)是軟件,"術"(治術)是指令系統,乃一設計周密的體系,學者多所論列,不必詳談。這裏我想補充的是,"刑名法術"這套東西,不僅法家講,兵家也講。比如《孫子》中不僅有"曲制、官道、主用"一類"法",還有以"金鼓刑名"為用的"刑名",有"擇(釋)人任勢"、"愚兵投險"的"勢"與"術"(見《計》、《勢》、《軍争》、《九地》)。特別是銀雀山漢簡《奇正》講得更清楚:

　　　　故有刑(形)之徒,莫不可名。有名之徒,莫不可勝。故聖人以
　萬物之勝勝萬物,故其勝不屈。②

它是把"形名"當作一種令"萬物自化"、無為而不為的符號系統。可見"刑名法術"都是用于控制目的的"工具理性"。

　　先秦的陰陽家,現在的理解往往窄了點,好像只有一個"談天衍"(鄒衍),其實陰陽者流和一般的數術之學實有不解之緣,界限很難分清,在初也是帶有很多實用色彩。

　　先秦六家中的名、法、陰陽和前面講的儒、墨、道不太一樣,它們的共同點是比較技術化,帶有較多實用色彩,因而類似作為子書外圍的數術方技之書和兵書,或至少是介于子書和這類書之間。

　　①　見馮書附錄《原名法陰陽道德》第一節《論名家之起源》。
　　②　見銀雀山漢墓竹簡整理小組《孫臏兵法》(文物出版法,1975年)121—124頁。

技術化的東西,古代和今天一樣,是大家談天說地、議論人事的共同背景,並非一家一派之專利,因此和儒、墨、道三家恐怕都有交叉。但是由于道家對儒、墨之爭的化解,主要就是靠"技術化"或"形式化"的東西,而"刑名法術"和"陰陽天道"在當時多屬新知識,距離六藝故籍和儒、墨關心的話題(原來也是"熱門話題")比較遠。所以就總體上看,特別是從戰國中晚期的情況看,他們同道家的關係要比其他各家更密切,在某種程度上,可以視爲道家之附庸。尤其是法家,更明顯是道家的流裔和支庶,是創造秦漢帝國的"開路先鋒"。學者或稱之爲"道法家"。捨"刑名法術"和"陰陽天道"而談道家,是不能得其全貌的。

五、所謂"救秦之弊"

秦併六國,勢如破竹,是靠"釋情任法"、"以力服人"。但只有十六年,這個龐大帝國就土崩瓦解,跟頭也栽在"以力服人"。這件事對漢統治者刺激太大,或比之爲"夏亡于樂"、"殷亡于酒",因此有"救秦之弊"的呼籲。

對秦的短命夭傷,漢儒批評最凶。他們往往把秦政之失歸結爲專任刑法、暴虐煩苛;歸結爲不懂取守異術("馬上得之不可以馬上治之")、軟硬兼施。這種批評在當時很得人心。因爲秦滅六國,剗除其宗廟社稷,不但傷了六國之心,而且它那套理性設計,簡直就像一架絞肉機,也叫天下不勝其苦。漢統治者要從連年征戰中獲取休養生息,不能不改弦更張,這是儒家復興的大好時機。

不過,漢儒說秦"法繁于秋荼,網密于凝脂"(《鹽鐵論》卷十),而"漢興,破觚而爲圜,斲雕而爲樸,綱漏于吞舟之魚"(《史記·酷吏列傳》),却不免誇大。實際上,學者多已指出,漢承秦制(如郡縣制、官制、軍制、爵制、法制、稅制,等等),凡帶制度性的東西,幾乎一如既往;法令之煩,也有過之而無不及。高祖入關,約法三章,

只是"話一句耳"(魯迅《而已集·小雜感》)①。漢不但把秦六律擴
大爲九章律,九章不足還益以"令甲科比",以至前人有"法令之煩,
莫甚于漢"的説法②。張家山漢律也是明證③。可見漢代的改弦更
張不過是"翻毛大衣裏外穿",從前光面朝外,現在則把毛面翻出
來。漢宣帝説"漢家自有制度,本以霸王道雜之"(《漢書·元帝
紀》),公孫弘任丞相,"習文法吏事,而又緣飾以儒術"(《史記·平
津侯主父列傳》),都可反映出漢制只是從"一手"變成"兩手"(逆取
順守、内霸外王、陽儒陰法),骨子裏的東西並没變,基本的"理性設
計"並没變(這是 DNA 式的東西,不變是正常,變了反而是怪事)。

　　漢代的制度既是因襲秦制,即法令煩苛也並未"悉除",反而變
本加厲,爲什麽儒家還要大罵秦法呢? 原因就在于秦的那套"理性
設計"太完美,其"至治之極"正好暴露出古今法制固有的通病,即:
(1)法令是工具("治之具"),再完美也得由人來控制,法令可以把
人變成工具,但人畢竟不是東西; (2)法令因事而設,事繁則轉密,
理所當然,但法網再密,還是不免有漏洞(特別是在社會發育程度
很低的情況下),終有效率極限不可逾越,古今中外都要用不少"非
正式制度"作"潤滑劑"或"出氣孔"。"儒以文亂法,俠以武犯禁",
本來都是"反體制因素",但反多了,反而可以拿過來當"抗菌素",
增加其"免疫功能",就像歷代的農民起義,行動雖暴烈,其實是定
期服用的"補劑"。

　　法制和禮制的關係很有趣。從前禮制之衰是因爲禮繁趕不上
事多,導致"出于禮者入于法"。現在情況倒過來,"出于法者入于
禮","法"和"禮"位置雖互變,但道理相通。

　　過去,馮先生曾就"陰法何以還要陽儒"做解釋,説是秦漢變

---

① 見《魯迅全集》(人民文學出版社,1956 年)399 頁。
② 吕思勉《法令煩苛之弊》,收入《吕思勉讀史札記》(上海古籍出版社,1982 年)
上册 587—588 頁。
③ 張家山漢墓竹簡整理小組《江陵張家山漢簡概述》,《文物》1985 年 1 期 9—15
頁。

古,平民得解放,樂用貴族之禮;帝室即出平民,也仍爲貴族,君臣父子之規,畢竟不廢①。但同樣是"以家治國",何以從前不可行,現在可行,我想並不在于"遺傳優勢",而是在于治國有了治國的辦法,另拿治家輔翼之,美其名爲"治國之本"。前後並不是一回事。儒家的"救秦之弊",其實也可以説是"乘秦之弊",主要功用還是用禮制爲法制收拾殘局,起緩衝器的作用。

六、角色的重新分配

漢代的思想格局,自武帝以後有大變化。儒家平反昭雪,揚眉吐氣,其他各家則走下坡路。這裏發生的變化到底是什麽,很多問題還值得研究,初步印象是:

(一)法家。法家提倡的東西多半是相當聰明的笨辦法。他們因釋情任法,往往"作法自斃",這是法家固有的悲劇。他們不僅個人命運如此,就連造就的制度也因秦帝國的崩潰在漢代抹了黑。儘管其實際貢獻早已溶入漢代的吏治和法律,但形象却不佳,蒙有"刻暴寡恩"的惡名,在司馬遷筆下等同于"酷吏"("清官"的前身)。司馬遷講酷吏,曾引用《老子》"法令滋章,盜賊多有"的名言,説"法令者治之具,而非制治清濁之源也。昔天下之綱嘗密矣,然奸僞萌起,其極也,上下相遁,至于不振。當是之時,吏治若救火揚沸,非武健嚴酷,惡能勝其任而愉快乎"(《史記·酷吏列傳》),不但對法令的功用加以限定,只承認其工具性,而且認爲只有"亂世用重典",這類人才有用武之地。這是法家的歸宿。

(二)名家。漢代只有與"法術"並稱的"刑名"。這種名家和法家是一回事。"法術"退隱,降低爲實用之學,"刑名"亦必相隨。

(三)陰陽家。漢代的陰陽家,廣義是指數術之學,狹義則指

①　馮書上册487—488頁。

“五德終始”、“陰陽災異”一類與曆朔服色有關的“政治氣候學”。這類東西本來是方士的看家本領，但從武帝以後，逐漸成爲儒家的專利。哀、平之後，並發展爲圖讖之學。

（四）道家。秦帝國的理性設計是來源于法家，而法家的理論又來源于道家。這是一條藤上的瓜。秦亡，是其第一道防線被突破。道家以“清静無爲”爲法家正本清源，尚能自圓其説，維持不衰；但一經與法家摘鈎，連第二道防線也崩潰，光剩下“清静無爲”，那也就是真的“無爲”了。這些前沿陣地的喪失是對道家最致命的打擊。它把“國之利器”都讓人偷走了，不衰何待？

（五）墨家。至漢而“絶後”。墨家爲什麼衰落，學者有不同解釋。如郭沫若先生以爲，後期墨家是到秦國去幫忙，秦制一臭，自然也就抬不起頭[1]。但另外一個可能是，墨家在上面提到的“三分格局”中本來就是過渡環節，過渡完了，也就失去作用。再加上墨家自苦，不近人情；組織嚴密，近似黑幫；看重技術，流于匠氣。自身特點也未必能與漢代的政治環境和學術氣氛（鼓吹休養，打擊游俠，推崇人文）相適。

（六）儒家。儒家的復興，似乎應了一句話：薑是老的辣。秦亡之後，大家忽然發現它有一大堆優點，如：平息六國之怨，結束戰時體制，恢復學術教育，銜接古今，溝通禮法。但這一切“復”都不是回到原地，而是于自身求變，盡量利用其典籍中的“親緣成身”，改頭換面，靠攏主流，比如借助儒家中的制度派如孫卿氏之儒講制度；以《周易》、《洪範》、《春秋》講陰陽災異；以《春秋》斷獄，等等[2]。實際上是以借尸還魂、李代桃僵之計，反客爲主，把道家的一套拿了過去。

先秦六家經此變局，名爲“罷黜百家，獨尊儒術”，其實是併六

---

① 郭沫若《墨子的思想》，收入《沫若文集》第 16 卷（人民文學出版社，1962 年）156—180 頁。

② 吕思勉《秦漢法律之學》：“以儒家纂法家之統者，莫如以春秋折獄。”收入《吕思勉讀史札記》583—584 頁。

家爲兩家,把儒、道兩家的角色倒過來①。從此,抱殘守缺、命運坎坷的儒家竟成爲標準的官方意識形態,而道家反倒藏頭遮臉,成了熊經鳥伸、服藥煉丹,靠方術吃飯的民間思想。

七、附論: 史料問題

過去馮先生作《中國哲學史》,史料是經哲學眼光和辨僞學眼光篩選的現存子書。哲學眼光的篩選,上面已談。除這一條,我們遇到的限制還有兩個,一個是真僞問題,一個是存佚問題。

讀馮書,我們不難發現,他很喜歡按"三段論"安排結構。儒家三段是孔、孟、荀,道家三段是楊、老、莊,墨家因頭緒紛亂,只分早晚,這是主體框架。從現存文獻和考古發現看,我覺得這個框架有點太單薄,"三段論"的安排也過于人爲。

要想推進先秦思想史的研究,我覺得除方法問題,史料的問題也很重要,搜集面應更寬一點,開掘度應更深一點。

關于儒家,現在有不少新材料,因爲尚未整理發表,還不便討論,但有些印象可以講一下。我的感覺,現在的哲學史或思想史,眼界被《論語》、《孟子》、《荀子》三書所限,又受宋明理學影響,往往重思想而忽制度(用"理學"代替"禮學"),是嚴重不足。因爲儒家"克己"是要"復禮",它對制度的關心也很重要。這類關心是寄托于六藝之書和他們盛稱的唐虞三代故事。我們不研究這些,就不能懂得什麽叫"禮崩樂壞",孔子等人的議論是緣何而發。另外,孔、孟、荀在儒家中的地位雖很重要,但上述三書從體裁上講是屬于"諸子傳記",和大小戴《記》屬于同一類。更晚一點,還有《説

----

① 文革後期有配合"批林批孔"的"儒法鬥争"研究。爲孤立儒家,法家隊伍越搞越大,不但包括狹義的法家,也包括許多道家,以及其他各派中的"進步人士"。撇開政治背景和其準確性不談,在某種程度上倒是抓住了中國思想史的基本脈絡。只不過毛澤東有意要抬高異端、貶斥正統,就像抑杜揚李、抑韓揚柳,批判宋江一樣,很符合那個時代的"造反精神"。

苑》、《新序》中的一部份，以及《孔叢子》、《孔子家語》(並非偽書)爲
其餘緒。它們是一個整體。這類書雖有早晚之別，但内容多重叠
因襲，不一定能以時間斷限來處理和利用，更不宜妄斷真偽，去此
捨彼。比如現在我們知道，大小戴《記》中的很多篇都是"古文
《記》"，原來也是戰國古書，年代並不一定比上述三書晚多少，如果
放到秦漢的章節去討論就並不一定合適。況且它們涉及的孔門弟
子很多，本來也應與三書並叙。也就是説，只有兼顧學術背景和學
派傳承，人、書並重，都有來龍去脈的整體衔接(參考《仲尼弟子列
傳》和《經典釋文叙録》一類材料)，才能有比較全面的認識。

　　關于道家，也有類似問題。過去大家對道家的印象很多也是
後起，受魏晉道教和玄學，甚至《道藏》影響，眼光只局限于老、莊。
後來加上楊朱和稷下黄老，好像擴大了不少，但驗之著録，可以開
掘的地方還很多。一是"黄帝書"，這是與儒家盛傳的"唐虞三代故
事"相當的一種體裁；二是伊尹、太公、辛甲、鬻子、管仲等賢臣的
"陰謀書"，他們講的"陰謀取天下"或"取威定霸"也與儒家推崇的
周公制禮相當；三是相關的刑名法術之書、數術方技之書和兵書
等實用書[1]，也如同儒家的"六藝"；四是其他道家人物的存書和
佚文，則和《論語》等書、大、小戴《記》也差不多。雖然道家的"弟子
籍"比起儒家來，線索要少得多，頭緒不明，但同樣也要兼顧學術背
景和學派傳承，才能窺其全貌。

　　最後，關于墨家，我覺得現在的研究也很不够，特別是對其中
介作用(既包括它與儒家的異同，也包括它與道家的異同)，以及如
何從前者向後者過渡，值得討論的地方還很多。

　　對于研究古書，現在我有一個體會，就是體裁、題材的問題太
重要。《説文解字》説"書，箸也"(出土竹簡帛書往往假"箸"爲
"書")，意思是寫下來的東西。但同樣是寫下來的東西也有兩種：

————————————

　　① 數術可解陰陽，方技可解養生(道家之本)，兵書也與刑名法術處處相通。特
別是軍隊是"活人"(兵不厭詐)和死法(鐵的紀律)的合成物，對研究中國政治的行爲學
基礎，也有一目了然之效。

一種,書面記録的味道較强,文書檔案是也; 一種,則結合着口語傳統,屬諸子傳記(戰國的思想解放也有類似的"白話運動")和古史傳説。每種都有很多類别①。其中凡屬同一類别的古書,前後因襲都很强,最忌攔腰横截,特别是後一類古書更是如此。我們與其把其中"年代較早"的書當作作者本人或接近作者本人的"自述",而把"年代較晚"的書當作僞書而剔除不録,還不如把它們當一種連續的"轉述"來看待。這不僅可以化解真僞之争,也能擺脱年代困境②,而且更大的好處是有連貫性和整體性。

作者簡介　李零,1948 年生,山西武鄉人。現任北京大學教授,著有《中國方術考》等書。

---

①　《國語·楚語上》申叔時教楚太子的九門課,就是九種古書體裁。其中除"語",很多都是前一類古書的體裁。

②　明明不易確定年代的古書,一定要給出準確年代,失誤更大。

道家思想中的語言問題

〔斯洛文尼亞〕瑪亞

道家是亞洲以精神與肉體的合一作爲基礎的哲學傳統之一。這有別於重理論而輕實踐的希臘哲學,實踐的經驗(日語體驗)被視爲一切理論探索的根據之一。所以對明顯地傾向於任理論與實踐各行其是的歐洲哲學而言,與亞洲哲學的遭遇毋寧意味著一個全新的挑戰,因爲我們在此所面對的思潮不能藉由源於古希臘並且流布於歐洲的範疇系統來圍限或統攝,另一方面它却不會因此而減損它的哲學性。

在道家的哲學裏,理論與實踐雙向的依存關係形成的條件,與歐洲哲學完全不同。道家的"瞑想"——"冥想"這個辭在此多少會產生誤導,因爲在猶太教與基督教的文化框架裏面冥想必然有其對象,在此,冥想所追求的是"空無"的境界,也就是精神上的純粹,或者更確切地説,它是一種自我陶鑄,一種"坐忘"——這種冥想理應帶來一種個體的解放,其中包含了脱離語言文字的束縛。它打開"究竟智慧"或者"超越之知"的領域,而不繫縛於經驗內容。也就是説,預設著主體與客體的分立的經驗知識對它已不能構成束縛。

老子藉由"道"這個字來表達忘我之境裏面所經驗到的、難以言喻的實相。該實相寓於萬有的根源,超越一切殊相又内在於一切殊相。這個常道近於被其他的傳統稱爲"絕對"者,關於這樣的領域,莊子曾有如下的主張:

> 言而足,則終日言而盡道;言而不足,則終日言而盡物。道物之

極, 言默不足以載, 非言非默, 議有其極。(《莊子·則陽》)
一再地有人責難老子(當然多少帶有一點嘲諷), 爲什麽他終究還是寫了五千言的《道德經》來闡述不可捉摸、不落言詮的道呢?《道德經》的一開始是一句名言:

　　　　道可道, 非常道; 名可名, 非常名。

　　我們發現在許多中西古今的譯述裏面, 這部經典即使是在從猶太教與基督教的文化背景中成長出來的哲學傳統之中也引起了與日俱增的重視。這個事實歸根結蒂乃是因爲有一些人在這一部經裏面找到了催化劑, 希望藉此動搖這些傳統裏面已趨僵化的模式和教條。

　　有人認爲老子也負擔著一個"原罪", 因爲他試圖用語言來説出在無盡藏的沉默中誕生的、本質上乃爲空無的"某物", 或者爲這個空無的"某物"賦予一個形式。當然這些人早已忘記, 在亞洲的哲學傳統當中神秘的經驗並非被當作"某物"而加以掌握的, 因爲, 這樣的經驗無可避免地與反省的思維完全背道而馳。然而在亞洲透過豐富的文字與口述保存下來的傳統證實, 我們在其中甚至可以找到一種蘊含許多技巧的哲學辯證, 透過這些技巧我們可以觸及某些直接的、非概念性的或者神秘的特定經驗。這種辯證甚至構成了這個傳統最重要的、不可或缺的一部份。概念的應用第一眼看起來似乎與我們所追求的超越一切思維與表述的智慧完全相左, 但是它如今在這樣的方式之下甚至成了追求某些直接的、非概念性的或者神秘的經驗的過程中不可或缺的要素。

　　或云關於道的龐雜的譯述與研究只會讓我們偏離它的本質, 或云思維與語言隨時可能將它遮蔽障礙, 但這種表面性的矛盾只是告訴我們, 一方面道與其他的絕對者一樣可以用"不可說"來稱述, 另一方面道的世界亦蘊有一個重要的、豐富的傳統, 亦即隨著究竟智慧或者根本實在的探求而發展出來的傳統。

　　完全憑藉概念性的思維來把捉"難以捉摸"的道是一種或早或晚將告失敗的嘗試, 因爲每一個譯述者或解析者到最後都陷入死

巷之中,在一片廢墟裏面不知道下一步該怎麼走。這是因爲我們
的言語没有辦法傳達究竟實相非二元論的、如同開悟的人也經驗
到的那種知識。道家本身乃是許多用語言來展現究竟實相的嘗試
之一。得到智慧的人可以讓自己的精神沉潛在這個實相裏面,從而
加以認識。而道在文字與象徵裏面相當程度的顯現,一方面揭示
了究竟實相的原貌,一方面同時也證明了象徵與文字在中國哲學
當中扮演的角色、蘊含的可能性以及它們的重要性。以下我們介
紹中國古代兩個最重要的哲學派系,亦即道家與儒家的語言理論
時便是以這個事實作爲出發點。在分析過荀子的一段文字以後,
我們將會發現,嚴格地區別不同的流派原來十分荒謬,因爲儒家的
荀子在他的文章裏面流露出來的道家的氣質形成了他最主要的特
色。

　　(a) 儒家對不朽與語言的見解。儒家把所謂的不朽區分成
三種等級:上焉者可藉由道德的完成而到達;中焉者意指現實上
的、政治上的功業;下焉者則以留下發人深省的著作爲條件。在這
個價值體系當中,也就是從內在的立德,倫理性與政治性的立功到
哲學的、文學的與藝術的立言,語言乃是不朽的充分而非必要的條
件。

　　(b) 道家所作的關切則完全環繞著絕對真理的探求,以及真
理的把握與語言對經驗確切的表達能力兩者之間的距離。

　　魏晉兩朝的玄學運動當中,語言與真理之間的關係這個問題
因爲"清談"而被提出來。

　　以道家的立場解釋《易經》而著稱的王弼在文字與意義之外又
引進了第三項要素。他認爲我們應該爲象徵或意象而忘掉文字,
爲充分地體驗真理而忘掉象徵。語言與意象只有工具性的價值,
真理本身則有其內在的、根本的價值。比他早六百年的莊子曾有
一個著名的譬喻,也就是説語言就像漁網,抓到魚之後就可被忘
記,藉此他要求我們在捕捉到確切的意義之際毫不猶豫地把自己
從語言文字中解放出來。

荃者所以在魚,得魚而忘荃。蹄者所以在兎,得兎而忘蹄。言
者所以在意,得意而忘言,吾安得夫忘言之人,而與之言哉?(《莊子
·外物》)

莊子藉"既不言語也不沉默"這個根本的要求打開了方法上的
途徑。這個方法作爲該認知過程不可或缺的要件,同時也訴求了
神秘經驗。有些道家經典的注釋者(例如 Ellen Chen)認爲,這是
藉確切的文字來映現或者捕捉自身所獲得的内在的知識。這樣的
知識不能透過理性來闡明,因爲它的内容乃是預感、感覺。這種掌
握的方式與純粹的論證技術截然不同,因而它的成果自然也無法
滿足科學分析的判準。要理解道家哲學重要的來龍去脈,我們必
須在邏輯的、理性的研究方式之外,也能觀察我們的心理意識表層
之外的運作法則。這一點老子只有抽象的暗示,莊子與列子則明
白地表達出來。

老子雖説"吾言甚易知……"(《道德經》70 章),我們却發現事
實不見得是如此。當然莊子的思想亦遠非簡單明瞭的陳述,其概念
也没有很精確的界定,作者乃是透過隱喻與類比來作暗示性的展
現。只有在我們一遍又一遍地翻過這本書之後,才能領悟它整個
世界觀的背景與脈絡,如此,其中個別的哲學構想才會跟著趨於明
朗。然而,我們却不可妄將這裏所得到的訊息置於系統哲學清晰
明瞭的標準之下來檢驗,因爲在此尋找清晰明瞭無異緣木求魚。
道家所處理的論題有相當大的部份源於冥想,也就是説,它們的根
深植在意識有別於邏輯推理的另一個層面,因而必須説它們特有
的"語言"。這個語言不能直接從字面去翻譯,要了解它只能繞遠路
經過隱喻與類比才有可能。

道家的智者傳達給我們的知識當中,有一種因爲内容的特性
會讓推理式的思考如墜五里霧中之感。它有一個先決條件,亦即
所謂的"聖人"(《道德經》20 章中的"若無所歸"者)洞見了内在於
每一個人的本性。在這樣的方式下這個知識(我們稱之爲"見道")
論其究竟乃是一個"集體創作"。這一點似乎可以從一個看法得到

佐證, 即《莊子》、《列子》等書其實有許多匿名的作者共同的參與, 這些書名並不代表每一本書個別作者的名字。

如果我們要爲每一個中國哲學的概念尋找對應的語彙, 在歐洲的語言當中可以説只能找到平行的語彙套用上去。如果我們從我們的母語當中找出來的字只是意思相近, 却無法涵蓋它應該表現出來的所有義蘊, 那麼這毋寧是一種傷害。比如説我們都知道我們必須動用多少字才能表達老子因爲找不到更好的字而只好稱之爲"道"的東西, 例如 Rafio (理性)、Verstand (理解)、Sinn (意義)、Methode (方法)、Gesetz (法則)、Weg (道路)、Gott (神)、Weltgrund (世界的基礎)、Wort (言語)、de rechte Weg (正道)、Gottheit (神性)、Prinzip (原理)、Leben (生命)……等不勝枚舉的辭彙都有所短缺, 如果不會産生誤導的話。因此我們只好接受一個事實: 某些中國的或印度的語彙(道、德、陰、陽; 般若、識)根本無從翻譯。但正因爲如此, 我們更應該花更多的精神把一個概念的每一個側面都照明出來。中國哲學裏不能翻譯的語彙所構成的概念群有許多不同的範疇。其中"道"不只無從翻譯, 同時也完全無法形容, 無法言説, 而老子也想要避免這個字。

　　……吾不知其名, 字之曰道, 强爲之名曰大。……(《道德經》25章》)

有些概念我們則不必作這麼多保留, 但它們的字義却有源遠流長的文化、歷史背景, 因此其形成在今天已經難以掌握, 也因此難以或者無法翻譯。"心"就是這樣的概念。

爲了提供初步的綫索, 我們在這裏只簡單地説, 這個概念, 或者其他表達這個概念而經常在道家的經典中出現的語彙所蘊含的意義, 可以界定在"Verstand"(理解)和"Geist"(心靈)(英文"reason"和"mind")之間, 但這兩個辭在應用的時候再謹慎也不爲過。在拉丁文裏它相當於"mens", 在斯洛文尼亞文字典中出現的一連串解釋則包括: 精神、理智、理性、意識、心、靈魂; 其他還有: 思考、勇氣、思想、記憶。希臘文裏面的"nous"則指涉的範圍較爲狹隘：理智，客觀理智，精神（靈魂最重要、最活躍的部份）。
很明顯地，我們在此面臨的是概性、語彙的問題，它們的翻譯充分
或不充分對於整個思維的領域有決定性的影響。

在《莊子》當中，"心"有兩個層面：字面的和隱喻的。就其字面
的意義而言心乃是人體的一個器官，也就是胸腔裏面中空的肌肉
組織，其在血液的循環中所扮演的角色一直到十七世紀才由威廉·
哈維爾所發現。對道家而言，心作爲一個"器官"却是一切思維活
動的中心。

　　　　心之與形，吾不知其異也，而狂者不能自得。（《莊子·庚桑
　　楚》）

如果在莊子的時代，心臟在生理學上的功能還没有人瞭解的
話，每一個人還是可以感覺到心臟因歡喜或恐懼的心理狀態，或者
因冥想、神秘的坦境中昇華的感受而產生的反應。因此心在當時
代表了存有與經驗的合一，一直到笛卡爾在十七世紀終於讓"心"
與"物"產生裂痕爲止。值得注意的是，作爲醫學的一支的心理生
理學，因研究深層的情緒波動如何引起病態的官能反應（如氣喘、
血壓上升）而希望重新找到一個途徑，以便回返到心理與生理的合
一。同樣的今天我們也可以看到理智（我們藉著電腦所構成的"人
工智慧"，似乎已趕上它甚至超越它）與精神（在其難以捉摸的抽象
性中）兩者之間的圍墙正在倒塌，同時在西方世界的我們也渴望著
一種如今似乎只能在兒童或者充滿靈感的作家身上找到的特質。

　　　"告訴你我的秘密，一個很簡單的秘密"，狐狸說，"一個人想看
　　的話，就應該用心來看。眼睛看不到事物的本質。"

如何透徹地瞭解這個"心"呢？莊子教導他的弟子"坐忘"（《大
宗師》）。"忘"的意思是把心放空，就像吾人可以藉禁食把胃放空一
般。藉著"忘"，我們可以爲道找到一個空間，"唯道集虚"（《人間
世》）。到目前爲止，我們主要還是把心具體地想像爲一個器官，
接下來道家便漸漸過渡到隱喻。這種想像的重點在於引伸
(pheréin)至他處(metà)：到鏡子上面，"至人之用心若鏡，不將不

逆,應而不藏,故能勝物而不傷。"(《應帝王》7)鏡子接納在前面出現的一切,不作任何解釋或評價,也不提出任何要求。鏡子簡單地反映在前面出現的每一個新的圖像,不透過任何的言詮;它不作任何好與壞的價值判斷;它無所求,不會去追逐影像或者占有它。鏡子不去獲得,沒有好惡,不產生牽掛,也沒有目標。"聖人之心静乎,天地之鑒也,萬物之鏡也。"(《天道》)所謂的"坐忘"在這個隱喻之下意思是拭亮這面鏡子,不讓它沾染任何塵埃。

"虛寂"與"明鏡"這兩個譬喻對於一般的歐洲人而言,似乎不會有什麼鼓舞作用,讓他們走上追求精神上的圓滿的道路。

(c)第三個實例是荀子。因爲他十分重要,故我們將密集地引述他説的話。除了語言學上的討論之外,他也涉及了中日哲學傳統裏面的基本問題。這個傳統透露著冥想性與哲學性的洞見,其智慧同時也是心性的,而不完全是理智的開展。

"人何以知道?曰:心。"那麼何以知心呢?因爲它虛寂,和協,不動。我們的心每天都在積累沉澱,然而我們還是説它是空的?心像奔馬一樣不停地跑,我們却説它是不動的。心一直是善變多面的,我們却説它是和協的"一"。人生而有智性,因爲智性的關係而有記憶;記憶則沉澱在我們的心裏。然而心仍是空的,因爲它所積累的一切並不會對不斷地進入的新印象構成阻礙,我們説心是空的是這個意思。人生而有智性,有智性就會有差別的意識。差別的意識所指的却是人有"多"的理解,有這樣的理解,所謂的"異"也就會跟著產生。然而心還是"一",因爲它不會讓一物的理解影響另一物的理解,在這個意義下它是"一"。心在睡眠中會有夢,在憩息的時候沉溺在沒有必要的幻想裏面,在任何可能的情況之下它會一直產生各式各樣的計劃與聯想,因此我們的心不停地在奔跑,然而心仍然是不動的,因爲這些夢和無邊無際的幻想並不會讓它的理智陷入混亂,在這個意義下它是不動的。對於求道而未得道的人而言,一個適切的勸勉便是以"空"、"一"與平常心作爲線索。想要固守道的人如果得到了"空",便應回返到它的裏面;欲把自己奉獻給道的人如果得到了"一"，便應掌握它；企圖冥想道的人如果得到了平常心，便應去認識它。如果一個人理解了道，認識並顯發它的本然，那麼我們便可以說他成了道的化身（人格化）。"空"、"一"與"静"——這些都是大徹與大悟（所謂的"明"）的特質，對於一個徹悟的人而言，不會有任何造物有了形却不能示現，或者示現了却不能被理解，或者被理解了却不能適得其所。

徹悟之人静坐在自己的房内時也可以透過自己的内在看到四海之内的一切領域；他可以在眼前的片刻裏熟悉遥遠的世代。他的洞見可以透視一切萬有，他明白自己的本然，看遍世紀以來的治亂而掌握其背後的原理。他仰觀天文，俯察地理，駕馭一切物象，通曉大則與宇宙當中所有的可能。如此開闊而有包容性——誰能摸到這種人的邊際？焕發而整全——誰能知道他的德行？隱晦而變幻莫測——誰能認識他的形貌？他的明朗同於日月，他的寬廣遍滿八方，如此而成就了一個巨大的人。這樣的人如何可能爲私欲所擒呢？

這便是巨人的肖像，一個擁有真知的人，同時也是一個正行的大師（在中國哲學的架構裏面所謂的真理指涉的不只是知識，同時也是生活與實踐）。這裏所叙述的是心若要探及清澈的、純粹的知識（"明"）應該如何發用。荀子認爲要達到這個目標有三個條件必須滿足：心（也就是"認識的器官"）必須"虛"、"壹"、"静"。如此心隨時接納新的知識並可以靈活地掌握每一個狀況的實際與真相。這種明朗意謂對於自然與人文涵蓋性的、創造性的理解。醒悟的人或者智者所指的因而是能在生活當中與道保持和諧的人，在道的當中實現自己的人，也就是"道化"的人。

如果超越的道不能通過論證式的思路來掌握的話，那麼道家無的哲學（或者空却認識心的哲學）便揭示了實際上通往它的可能性。也就是說，"無"就是那個途徑。它讓吾人可以與超越的道彼此和諧。

所以到了一定的境界之後，寂静的要求便自然地產生，因爲語

言乃是透過概念的編織而產生。不管是作爲説出來的話語,或者
"潛默"地在思想裏運作它都具有一種强制性,因而不是阻礙我們
與實相的接觸便是扭曲實相。語言(不管是言説的語言或思想的
語言)在這個層次不過是認識上的噪音,一種障礙。它阻斷了我們
切身體驗實相(如其所如的實相)的可能性。到了這個點,語言的
功能便是否定自己,以便淨化意識並揭露實相。

漢生(Hansen)把學習、知識與智慧看作三個不同的層次。
否定性的知識幫助我們瞭解,普通的道並不是常(永恒的、不變的)
道。但因爲神秘的智慧不可言説,所以蘊含著極其細膩的語言理
論的《道德經》便要求我們拋棄普通的知識,到最後的階段甚至拋
棄一切的系統(包括否定性的)。

相對於道家(特別是莊子)對於語言所持的消極與懷疑的立
場,值得一提的是墨家(紀元前三、四世紀的辯證學派)的理論與準
則,因爲它以一種十分典型的方式對抗道家的神秘主義。道家不
願意深入探討差別與價值判斷的問題乃是因爲他們根本上不認爲
這有什麼重要。莊子甚至指名道姓地批評這些辯論家的爭議的荒
謬性,《齊物論》一章引述了一些邏輯上的爭論。莊子與辯論家爭
論的主題爲"辯"這個概念——其哲學著作的第二章(《齊物論》)。
在這裏哲學思想上的衝突被解釋爲似乎只是辯者不同的觀察角度
所造成的結果。莊子藉"無爲"、"無名"駁回社會上的與政治上的
一切差異。語言上的差異使人產生欲求與好惡,接著更誘使我們
有所選擇,然後進一步採取行動。對於莊子而言,"辯"乃是隨著語
言而產生的差異。

莊子作爲一個道家的人物對一切價值判斷的差異存疑,這一
點對於"辯"的意義在於,每一個用言語表達出來的論點(辯)都可
能同樣正確。這個懷疑論的基礎在於對語言根本上的不信任。語
言本身所掌握的工具沒有能力平等地對待一切,因爲語言永遠停
留在俗見的層次。藉著系統性的邏輯分析我們將永遠觸摸不到莊
子思想的核心,因爲它並非透過明確地設計出來的概念性與構想

性的語言網絡而開展出來的,莊子避入隱喻、象徵與類比之中,從來不讓自己跌落到嚴格的定義裏面。

在討論道家思想當中的語言問題時,我們也必須把注意力調入另一個領域。非言說的語言在道家的語言理論裏甚至可以扮演最重要的角色,但在前面提及,引述的討論語言的作品裏都還仍舊一直被忽略。如何讓語言發揮傳達的可能性的問題,在這裏與在禪宗裏面十分近似:那正是沉默的語言這個層次。它作爲重要的、不能放棄的一個傳達方式,本身却不是語言的絕對否定,它只是針對其有限性作出批判性的思考。

> 知者不言,言者不知。塞其兌,閉其門,挫其銳,解其紛,和其光,同其塵,是謂玄同。
>
> 故不可得而親,不可得而疏,不可得而利,不可得而害,不可得而貴,不可得而賤,故爲天下貴。(《道德經》56 章)

如何達到這個目標呢? 莊子給予人的指導爲由"坐忘"與"精神上的禁食"入手。"忘"意謂虛其心,就像通過禁食把胃放空。這樣的"忘"經常被看作是追求智慧的過程中最重要的一個階梯,因爲它意謂著與道合一──一切智慧最終的標的。如此智者便可屈臨"至人之用心若鏡,不將不逆,應而不藏,故能勝物而不傷"的境界。

"坐忘"是一種心的虛寂,可以洗淨心的一切塵垢並暢通通往"道"的道路。如果一個智者成功地把塵世附著在心鏡上的幻垢完全滌淨的話,那麼他便同時已經"忘却"了一切,並讓自己的心遠離人世間所有的利害與飢渴。如此他便實現了智者的理想,沒有期待,沒有大欲,沒有偏見,也沒有私心。道家哲學裏面的鏡喻所要刻畫的同時也是精神最充實、最究竟的境界。

作者簡介　瑪亞,1956 年生,斯洛文尼亞人,Ljubljana 大學亞洲哲學和宗教系副教授。

試析"棄儒從道"

朱越利

内容提要 本文分析了封建士大夫"棄儒從道"的原因和對道教發展的影響。

歷史上有許多儒生、士大夫改弦易轍,轉爲道士。另有許多儒生、士大夫外儒内道。這些行爲與表現可統稱爲"棄儒從道"。需要聲明的是,本文所說"外儒内道"也好,"棄儒從道"也好,"道"字均專指道教。

一

棄儒從道的原因五花八門,因人而異。有的主要由客觀因素所驅使,有的則表現出强烈的主觀色彩。孔子主張"學而優則仕"。大多數儒生、士大夫都牢記孔子的這一訓誨,以入仕和升遷作爲生活坐標。家庭與社會也普遍地視儒生求仕、士大夫求升爲天經地義之事,給予熱切的期盼和讚頌。故而常見的棄儒從道之舉大都圍繞着"仕"字而演出。大致可歸爲兩類:

第一類係主要由客觀因素所驅使者,客觀因素即仕途不順。

一曰科舉不中。如明代陸西星九試不遇,遂棄儒服,冠黄冠(見清張可立修《興化縣志》卷10)。陸西星棄儒服冠黄冠時心中是怎麼想的,今不得而知。但可以推測,科舉不中者棄儒從道,表示抗議者有之,另謀出路者有之,單純圖生計者有之。不過絕大多數還是與唐代吳筠相同。吳筠舉進士不第,"性高潔,不奈流俗,入嵩山依潘師正爲道士"(見《舊唐書》卷192《隱逸傳》)。中國的儒生大都懷抱"達則兼濟天下"的理想,但也作好了"窮則獨善其身"的精神準備。棄儒從道之時,正是他們將這一精神準備付諸實踐之日。

二曰爲封建禮法所阻。如元代林靈真(諱偉夫,字君昭,法諱靈真,自號水南)雖累舉不第,最後還是被授以官職,不巧恰逢喪母,依制無法入仕,遂捨宅爲觀,身爲道士(見《靈寶領教濟度金書》卷前《水南林先生傳》)。林靈真只能自怨命苦,到道教中另尋出路。

三曰起用已晚。如金代王重陽47歲時方試武舉中甲科。他並不像姜太公、朱買臣那樣大有作爲于大器晚成,而是感嘆黃金年齡去而不返,半老時節始起步,已索然無味,遂辭官解印,黜妻棄子,拂衣塵外,效仿楚國狂人的放蕩。日後則創立全真教(見《金蓮正宗記》卷2《重陽王真人傳》)。王重陽棄官時,蓋心灰意冷,心中激蕩着憤懣不平之氣。

四曰身遭變故。如據說北宋張伯端任府吏時,自己冤死了自己的一名婢女。伯端在悔恨自己和反省封建司法制度的激動中,一把火焚燒了全部案卷,因此觸犯了刑律,被遣戍(見清洪若皋等纂修《臨海縣志》卷10)。婢女案卷之事未必可信,但他因事沒入兵籍之變故却有《悟真篇》的序言爲證。他棄儒學而潛心研究內丹術,尋找精神寄托,實爲沒入兵籍、仕途斷絕之功。太史公曰:"昔西伯拘而演《周易》;孔子厄而作《春秋》;屈原放逐,乃賦《離騷》;左丘失明,厥有《國語》;孫子臏脚,兵法修列;不韋遷蜀,世傳《呂覽》;韓非囚秦,《説難》、《孤憤》;《詩》三百篇,大抵賢聖發憤之所爲作也。"(見《史記》卷130《太史公自序》)張伯端遭戍,遂著《悟真篇》。

第二類係表現爲強烈的主觀色彩者,主觀色彩即不願入仕。

一曰不應考,不應薦,青年入道。如晉代葛玄,備覽五經,才術

奇博, 叔父力主他入仕, 他却絕志岩穴, 棲心烟霞, 期與仙人爲友
(見《太極葛仙公傳》引《神仙傳》)。宋代彭耜(字季益, 號鶴林)富
有才學, 權勢者鼓勵他求仕, 又主動提出將他推薦給朝廷, 他却吟
詩曰:

> 買得螺江一葉舟, 功名如蠟阿休休。
> 我無曳尾乞憐態, 早作灰心不仕謀。
> 已學漆園耕白兆, 甘爲關令候青牛。
> 刀圭底事憑誰會? 明月清風爲點頭。(見《歷世真仙體道通鑒》
> 卷49《彭耜傳》)

葛玄和彭耜對封建官場的專制主義深惡痛絕, 珍視自己的人身自
由和人格尊嚴, 故而遁入道教, 逃避入仕。劉宋陸修靜將入道隱遁
亦稱爲"獨善"(見《三洞珠囊》卷2《敕迫召道士品》及《上清道類事
項》卷1《仙觀品》引《道學傳》)。陸修靜隱居廬山瀑布岩下, 蕭梁
陶弘景畫牛明意[1], 均可與葛、彭互相引爲同志。入道避仕的作法
頗有代表性。

　　二曰先儒學, 晚年好道。如葛洪之師、晉代鄭隱"本大儒士也,
晚年好道"(見《抱朴子內篇·遐覽》)。《洞仙傳·鄭思遠傳》介紹他
少爲書生, 晚師葛玄(見《雲笈七籤》卷110)。鄭隱終生未仕, 以治
儒學爲樂趣。他轉向修道, 或許是拓寬治學的領域, 或許是老年心
理使然。因爲有的人步入暮年, 漸生朝露之感, 對生活和世界萬分
留戀, 因而倍加渴望長壽與永生。鄭隱蓋在此情況下, 放下于長壽
和永生無補的儒學, 求助于道教。

　　三曰棄官入道。如唐代薛幽棲于開元中及進士第, 調官陵郡
尉。任期未滿, 萌生隱居林泉之意, 遂拂衣去, 服冠褐, 出入青城、
峨嵋間, 先後棲真于鶴鳴山和南岳(見《歷世真仙體道通鑒》卷39
《薛幽棲傳》)。薛幽棲大概對封建官場的等級森嚴、繁文縟節、虛

---

　　① 陶弘景畫兩牛向梁武帝表示樂于隱居不願出山參政之意。見《華陰隱居先生
本起錄》(《雲笈七籤》卷107)。

僞骯髒極難適應, 所以拂袖而去, 奔向道教, 返還自然, 去享受樸素純真、自由自在的生活。

四曰外儒内道。晉代葛洪年輕時立願精治五經, 著一部子書, 令後世知其爲文儒而已。《抱朴子外篇》問世, 使此願得完。之後又著《抱朴子内篇》, 闡述道教義理。這是一條先儒後道的治學軌迹。在處世方面, 他却是外儒内道。他曾統兵, 受爵關内侯, 又歷任各種文職, 最後求爲句漏令。不能説葛洪宦海飛黄騰達, 但也算得上仕途一帆風順。不過, 葛洪自幼便不慕榮利, 誓不爲官。他多次拒召、棄官, 其爲官乃勢不得已。他出自本心而終生下氣力去做的事乃在道教。晚年求爲句漏令, "非欲爲榮, 以有丹耳"(見《晉書·葛洪傳》)。又如晉許謐(字思玄, 一名穆, 因曾任護軍長史, 故人稱許長史)曾任一系列官職, 但他"雖外混俗務, 而内修真學, 密授教記, 遂行上道"(見《真誥》卷20《真胄世譜》)。許謐外混俗務當亦有不得已而爲之的苦衷。葛、許兩人或受或取儒之形式, 棄儒之内容, 從道方爲實質。

除了上述兩類常見者之外, 還有一些比較特殊的原因, 不勝枚舉, 僅略述一二:

一曰避亂。如三國時期吴國左慈見漢祚將衰, 天下亂起, 乃學道(見《神仙傳》卷5《左慈傳》)。戰亂時節, 兵匪橫行, 玉石俱焚, 左慈保命避難于學道。

二曰避新朝。如宋末鄭思肖(字憶翁, 又字所南)爲太學上舍生, 應博學宏詞科。宋亡後他改名"思肖", 寓思趙懷宋之意, 投身道教, 拒絶仕元。鄭思肖以入道來保持忠臣不事二主的氣節。

三曰被度。如金代馬鈺本爲儒生, 曾補試郡庠。王重陽找上門來, 每旬向馬鈺夫婦出示詩詞各一首, 令和。並賜梨一枚, 令夫婦共食。前後共十次, 誘其入道, 被稱爲"分梨十化"。馬鈺被動地接受了宣傳, 遂出家(見《七真年譜》和《金蓮正宗記》卷3)。

四曰退休。如唐代賀知章長期供職朝廷, 晚年因病恍惚, 乃上疏請度爲道士, 求還鄉里, 捨本鄉宅爲觀。還鄉不久即壽終, 唐肅

宗下詔哀悼,稱之爲"故越州千秋觀道士",並追贈他爲禮部尚書
(見《舊唐書》卷 190 中《賀知章傳》)。賀知章請求度爲道士,實爲
告老還鄉。

　　五曰治學。如唐初孫思邈,7 歲就學,日誦千言。及長,好談
莊老百家之説。周宣帝時,以王家多事,隱于太白山學道、煉氣、養
形,求度世之術。後多次拒絕入仕。盧照鄰稱讚他"道合古今,學
殫數術。高談正一,則古之蒙莊子;深入不二,則今之維摩詰耳。
其推步甲乙,度量乾坤,則洛下閎、安期先生之儔也"(見《舊唐書》
卷 191《孫思邈傳》)。由孫思邈的學習成就可知,他隱居入道不只
是避難,更主要的是爲了研究醫學、治病救人。可以這樣説,道士
生活對于他成爲一位偉大的醫藥學家給予了極大的幫助①。

　　六曰治病。清末陳攖寧鄉試中了秀才,但却患了肺癆,爲治病
他跟叔祖學中醫。一次偶讀《參同契》和《悟真篇》,照着書練功,竟
然治癒了不治之症肺癆。他本來幼年時偷讀過不少道經,從此便
各處參訪,拜師入道②。

　　七曰韜晦。如明初寧獻王朱權爲燕王朱棣所忌憚。朱棣即位
後(爲明成祖),朱權改封南昌,每日韜晦,構精廬一區,鼓琴讀書其
間。明宣宗時,朱權日與文學士相往還,托志衝舉,自號臞仙(見
《明史》卷 117《朱權傳》)。一意求仙的行爲,蓋示人以不問政治,
無問鼎之心。朱權以奉道爲韜晦之計。

　　棄儒從道的原因遠不止這些。

　　每個人棄儒從道的不同行爲與表現之背後,或者反映着封建
社會深刻的社會矛盾,或者反映着人與自然界、與自然規律之間的
普遍矛盾,或者兼而有之。一部份社會矛盾的産生與儒家思想有
直接關係,比如入仕的願望與仕途不順以及儒生士大夫"過剩"之
間的矛盾。另外一部份社會矛盾和人與自然界、與自然規律之間

---

　　①　參閱拙文《論孫思邈的房中術》,見王君、寧潤生主編《中國傳統醫學與文化》,
陝西科學技術出版社 1993 年 11 月第 1 版。

　　②　見余仲珏編著《陳攖寧先生傳略》,第 2—5 頁,上海翼化堂 1988 年 3 月。

的矛盾,是儒家思想無法解決的。道教既是入世的,又是出世的。其出世性格的一面,恰好能爲仕途不順、儒生士大夫"過剩"、不願入仕、避亂、避新朝或韜晦的儒生與士大夫增開一條獨善門徑,有助于緩和社會矛盾。毋庸諱言,棄儒從道也是中國儒生、士大夫軟弱性格的一種表現。道教對長生不死的追求,既能滿足封建統治階級壟斷權力和貪圖享樂的心理,也反映了人類與自然界、與自然規律抗爭的勇力和毅力,反映了人類對自然界及人體本身奧秘的探索。這種抗爭與探索促進了我國古代科學的發展,對棄儒從道的多數儒生、士大夫均有吸引力,對治學、治病者的吸引力更爲直接。當然,人與自然界的矛盾永遠不可能全部地、最終地解決,自然規律也永遠無法抗拒。事實表明,在中國封建社會中,部份儒生、士大夫的棄儒從道行爲與表現有它的必然性和一定的合理性,還帶有一些悲劇性和進取性。

二

　　儒釋道三教既融和又鬥爭,是中國古代哲學史和宗教史的重要内容和特徵。應當説,棄儒從道是三教融和與鬥爭的一項具體内容,一種表現形式。

　　大批儒生、士大夫源源不斷地流入道教陣營,這意味着漢武帝獨尊儒術以來,在中國封建社會中占絕對優勢的儒家教育,爲道教培養和輸送了大量人才。這種人才流動給道教帶來了巨大變化。

　　首先,棄儒從道壯大了道教知識分子的隊伍,棄儒從道的道士與道教教育培養的道士共同構成道教知識分子隊伍的主體,提高了道士隊伍的整體素質。棄儒從道的道士人才輩出,湧現出不少道教學者和教團領袖,促進了道教的發展,擴大了道教的影響。

　　如葛洪著《抱朴子内篇》爲道教理論的系統化作出了貢獻。他繼承左慈、葛玄、鄭隱和馬鳴生、陰長生、鮑靚兩系經法。陸修静"祖述三張,弘衍二葛",整理道典,首倡三洞之説,爲道教教理、科

儀的統一奠定了基礎。陶弘景編《真靈位業圖》,爲南北朝時期的
道教編織了一個完整的神系。他直接繼承了陸修靜和孫游岳的經
學,綜合古三洞經法。唐末五代杜光庭博覽群書,但科舉不中,憤
然出家爲道士。他整理道典,集古代科儀之大成,爲道教領袖,時
人推服。南宋白玉蟾對內丹、雷法皆有闡述、創新。他遍覽群經,
著作等身,琴棋書畫,詩詞歌賦,無所不精。所與交者,盡時髦世
彥,可謂"名滿天下,其從之如毛"(見留元長《海瓊問道集序》)。宋
末雷思齊在宋亡之後,去儒服,稱黃冠,獨居空山之中著《易圖通
變》、《易筮通變》、《老子本義》、《莊子旨義》凡數十卷、《和陶詩》3
卷。與故淳安令曾子良、翰林學士吳澄相友善,四方名士、大夫紛
紛仰慕。袁桷稱讚思齊之書"援據切至,感厲奮發,合神以窮變,盡
變以翼道"(見揭傒斯《空山先生易圖通變序》)。明代陸西星著《方
壺外史》,爲一代巨擘。清代張清夜(初名尊,字子還,號自牧道人)
少爲諸生,後游武當山拜真人余太源爲師。其著《玄門戒白》、《陰
符發秘》,在哲學上有所貢獻。陳攖寧研究道教學術,進行方術實
驗,倡導"仙學",爲近代道教界第一學者。詩云"江山代有人才
出",用于吟咏棄儒從道而來的高道,亦極符合實際。

　　其次,所謂棄儒,一般而言棄掉的僅僅是仕途和"不語亂、力、
怪、神"之訓。榮華富貴和光宗耀祖的世俗追求,建功立業、治國平
天下的政治抱負,修身養性、思齊堯舜的人格理想,這些與仕途相
連的東西當然也棄之不顧。至于儒家哲學思想、治國之道、倫理道
德規範等,仍保留在頭腦之中。即便有所棄,也不會很多,更不會
全棄。這些保留在頭腦中的儒家思想,由棄儒從道的道士帶入道
教,與道教教義相融合。因此,棄儒從道的道士基本上都是援儒入
道者。廣而言之,基本上都是三教合一論者。他們爲道教帶入了
儒家思想。比如葛洪在《抱朴子內篇》中論述"道本儒末",激烈地
抨擊儒者"汲汲于名利"(《明本》),孔子"不免于俗情"(《塞難》)。
同時他又將儒家的倫理道德擺在極端重要的位置,曰:

　　　欲求仙者,要當以忠孝和順仁信爲本。(《對俗》)

葛洪尚且援儒入道,遑論其他。無怪乎陶弘景將以孔子爲首的一
大批儒家著名人物列入道教神仙系譜(見《真靈位業圖》)。

自宋以後,道教進一步走向世俗化,棄儒從道的道士援儒入道
的步伐邁得更大。如王重陽創立全真教,根據《道德經》和儒家經
典制定教義。劉祖謙《重陽仙迹記》曰:

> 終南山重陽祖師,始業儒,卒成道,凡接人初機,必先使讀《孝
> 經》、《道德經》,又教之以孝謹純一,其立說多引六經爲證。在文登、
> 寧海、萊州,嘗率其徒演法建會者五,皆所以明證心誠意、少思寡欲
> 之理,不主一相,不居一教也。

元成宗時第二次興起淨明道的劉玉,原是隱居于西山的儒士。淨
明道高舉"忠孝"二字爲旗幟,並吸收宋元理學和佛教思想,宣稱忠
孝是人的良知良能,人人具此天理,只有去欲正心,淨心守一,才能
作到忠孝。

當然,進行援儒入道工作的還有道教教育培養的道士,成績卓
著者如三十代天師張繼先、五十三代天師張宇初等。

第三,棄儒從道爲道教增加了不少新派別。有些棄儒從道者,
應當更準確地稱爲棄儒創立道派者。一般認爲張道陵是五斗米道
創始人。有的文獻記載他曾爲儒生、士大夫。《神仙傳·張道陵傳》
曰張道陵本大儒生,博綜五經,晚乃學長生之道(見《雲笈七籤》卷
109)。《歷世真仙體道通鑒》卷18《張天師傳》稱張道陵曾入仕,後
棄仕而修煉。但《後漢書·劉焉傳》等沒有談到張道陵棄儒從道之
事。關于張道陵的記載,各書出入很大。他是否棄儒創立道派者,
可暫不論。但在他之後,棄儒創立道派者,却可開列一個長長的名
單。如魏晉左慈、葛玄、鄭隱、鮑靚、葛洪所傳經派,被一些學者稱
爲"葛氏道"。許謐、許翽、楊羲均爲古上清經派的重要創派人。陸
修靜總括三洞。蕭梁陶弘景爲茅山宗實際創始人。金王重陽創立
全真教。南宋白玉蟾創立金丹派南宗教團。元林靈真開靈寶派東
華支派。劉玉再創淨明道。明陸西星創金丹東派。

棄儒從道者似乎喜愛標新立異,自立門派。這大概與他們道

教傳統的約束與負担較輕有關。他們有的人從道時,師承比較鬆散, 甚至于並無師承,只是自己托名。如王重陽甘河遇仙,張伯端成都遇異人等,儘管有不少文獻爲他們作注脚,我們後人仍然很難弄清究竟是怎麼回事。師承鬆散則易于創派。有的人雖師承嚴格,但他們從儒轉來,陳規較少,思想活躍,故敢于創派。

　　作者簡介　朱越利,1944 年生,中國道教文化研究所研究員,中國道教學院教授。主要專著有《道經總論》、《道教要籍概論》、《道教答問》等。

《老子》爲中國哲學主根説

涂又光

内容提要　本文認爲,《老子》是哲學著作,《論語》是教育學著作。《論語》中教的最高境界是《老子》的"不言之教",《老子》是《論語》教育哲學的主根。《老子》是儒家"教育哲學"的主根,又是儒家"哲學"的主根。本文認爲,儒家到作出《易傳》才算有哲學,而《易傳》哲學主根則爲老莊。漢代董仲舒哲學亦以老莊爲主根。兩漢之交,佛教東來與中國文化相綜合,形成東方文化及其哲學,而以朱熹爲代表。朱熹出入佛老,精通道家道教,其學以老莊爲主根。元代以後,在東西方文化的綜合過程中,老莊既爲中國哲學之主根,亦爲嫁接外國哲學之砧木。

中國文化及其哲學的發展,粗略言之,似如下所説:

在先秦,南方文化以楚文化爲代表,其哲學以老子爲代表; 北方文化以周文化爲代表,其哲學以孔子爲代表。然後南北文化綜合爲漢文化,即中國本土文化。其哲學以董仲舒爲代表。然後印度文化,以佛教爲代表,傳入中國,中印文化綜合爲東方文化,其哲學以朱熹爲代表。然後泰西文化傳入中國,東西文化綜合,尚在進行之中,可望形成世界文化及其哲學。以圖示之:

中國南方文化
　　　　　　＞中國文化
中國北方文化　　　　　＞東方文化
　　　　　　印度文化　　　　　　＞世界文化
　　　　　　　　　　泰西文化

這是我, 一個現代中國人, 觀察中國文化及其哲學時, 使用的基本框架。

一

本世紀前期, 中國出現西式的中國哲學史著作, 有兩部影響最大: 一部是胡適之先生的《中國哲學史大綱(卷上)》, 一部是馮芝生先生的《中國哲學史》。胡著從老子講起, 馮著從孔子講起。這個不同, 當時作爲《老子》與《論語》誰早誰晚的問題, 有過激烈的爭論。這個不同, 我現在悟出, 其實是雙方尋根意識的反映: 都在爲中國哲學尋根, 胡先生尋到老子, 馮先生尋到孔子。若真是尋根, 則問題就不在于《老子》與《論語》誰早誰晚, 而在于誰是哲學著作。《老子》是哲學著作,《論語》是教育學著作。若是如此, 則即使《老子》比《論語》晚,《老子》也是中國哲學的主根。何況《老子》早于《論語》! 張季同(岱年)先生三十年代初認爲老子晚于孔子, 八十年代初認爲《論語》有對老子思想的評論(詳見張著《中國哲學發微》第 330 至 333 頁), 是一個有力的佐證。

《論語》是教育學著作, 亦有哲學思想, 表現爲教與學的最高境界。《論語》中, 教的最高境界, 是《老子》的"不言之教"(2 章、43章), 其言曰: "子曰: 予欲無言。子貢曰: 子如不言, 則小子何述焉。子曰: 天何言哉, 四時行焉, 百物生焉, 天何言哉。"(《陽貨》)《論語》中, 學的最高境界, 是曾點的言志, 其言曰: "暮春者, 春服既成, 冠者五六人, 童子六七人, 浴乎沂, 風乎舞雩, 咏而歸。夫子喟然嘆曰: 吾與點也!"(《先進》)完全是《老子》的"自化"(37 章、57章)"自然"(17 章、25 章、51 章)。可見《老子》是《論語》教育哲學的主根。

编入《禮記》的《學記》, 是儒家教育學又一經典, 而且是專著, 比《論語》更專。其全篇結論, 在于最後兩節。其倒數第二節云: "鼓無當于五聲, 五聲弗得不和; 水無當于五色, 五色弗得不章; 學無當于五官, 五官弗得不治; 師無當于五服, 五服弗得不親。"鼓、水、學、師, 分別對于五聲、五色、五官、五服, 都是無, 但正是這些無, 使之發生和、章、治、親的作用。這是講《老子》的"無之以爲用"(11章)。其末節云: "君子大德不官, 大道不器, 大信不齊。"完全是《老子》45章"大成若缺"云云的思想和筆法。此節最後説: "先王之祭川也, 皆先河而後海, 或源也, 或委也, 此之謂務本。"這是發揮《老子》的"上善若水", 以水喻道(8章, 78章)。可見老子是《學記》教育哲學的主根。

《老子》是儒家"教育哲學"的主根, 又是儒家"哲學"的主根。儒家只有到了作出《易傳》, 才算是有"哲學", 而不只是有"教育哲學"。這是儒家的發展。而道家已先有發展, 發展爲楚道家老莊, 以及齊道家黃老。而《易傳》哲學, 主根則爲老莊。

《易傳》是《易經》的注解, 二者合稱《周易》。《易經》由卦辭、爻辭構成, 《易傳》由"十翼"構成。由經到傳, 是一個哲學化過程, 這個過程可用"語言標記(Linguistic indicator)", 如"道"字, 顯示:

["道"字在《周易》中分布表]

	經		傳								共計
	卦辭	爻辭	卦象	爻象	彖辭	系辭	説卦	序卦	雜卦	文言	
出現次數	1	3	1	25	28	31	4	4	2	6	105
作具體名	1	3									4
作抽象名			1	25	28	31	4	4	2	6	101

在卦辭中1見:

　　[覆卦辭]"反覆其道", 高亨注: "道乃道路之道也。"(《周易古經今注》重訂本第230頁

在爻辭中3見:

　　[小畜初九]"覆自道", [履九二]"履道坦坦", 道皆道路之道。

[隨九四]"有孚在道",高亨説是"行罰在路中"(同上書第 212 頁),道亦道路之道。總之在經中 4 見,皆表示道路的具體名詞。

在傳中 101 見,皆表示道理的抽象名詞,惟有兩處宜加討論。一處是:[覆象辭]的"反覆其道"。

[覆卦辭]"覆,亨。出入無疾,朋來無咎。反覆其道,七日來覆,利有攸往。"

[覆象辭]"覆,亨。剛反動而以順行,是以'出入無疾,朋來無咎'。'反覆其道,七日來覆',天行也;'利有攸往',剛長也。覆,其見天地之心乎!"

在卦辭中,道字是表示某一特殊道路的具體名詞,已如上述,但一旦將"反覆其道"引入象辭加以解釋,則由于此象的主旨是"覆,其見天地之心乎",又明説"反覆其道"是"天行也",這個道字就表示"天地之心"和"天行",不再是表示某一特殊道路的具體名詞了。

另一處是:[坤象辭]的"先迷失道,後順得常"。若只有"先迷失道"一句,則此道字可以是表示某一特殊道路的具體名詞。但下文有"後順得常"一句相對,則此道字必與常字詞性相同,也是表示一般道理的抽象名詞了。

從道字看出:在經裏没有哲學意義,在傳裏才有哲學意義。這個界線劃得清清楚楚。

歷來認爲《易經》是卜卦用的書。如果只談哲學,完全可以只談《易傳》,不談《易經》。

爲什麼用道字爲語言標志? 因爲道是《易傳》根本觀念,好比仁是《論語》根本觀念,義是《孟子》根本觀念。

《易傳》的根本是道論,《易傳》道論的標準表述是"形而上者謂之道,形而下者謂之器"(《繫辭》),《易傳》之道的系統是"立天之道,曰陰與陽;立地之道,曰柔與剛;立人之道,曰仁與義"(《説卦》)。這一整套,都是來自老莊,不是來自孔孟,這是《易傳》以老莊爲主根的確鑿證據。這個根本之點,本文若能談清楚就行了,其他枝枝節節就不用談了。

像這樣道器對待, 陰陽相連, 剛柔相連, 乃老莊常談, 而《論語》、《孟子》中都沒有; 仁義相連,《論語》中沒有,《孟子》中才有, 但將仁義嚴格限定在人道之内而納入與天地統一的系統, 則是莊子的安排。試縷述之。

《老子》説:"道常無, 名樸"(32 章),"樸散則爲器"(28 章), 道器對待。《易傳》作"形而上者謂之道, 形而下者謂之器", 亦道器對待。《論語》中道字出現 60 次, 沒有與器對待的; 器字出現 6 次, 沒有與道對待的。《孟子》中道字出現 140 次, 沒有與器對待的; 器字出現 4 次, 沒有與道對待的。

《老子》説:"萬物負陰而抱陽"(42 章), 陰陽相連,《莊子》中"陰陽"一語出現 23 次。《論語》有"高宗諒陰"一語, 與陽無涉; 又有五個陽字, 皆作人名地名, 與陰無涉。《孟子》陰字二見, 與陽無涉; 陽字七見, 與陰無涉。

《老子》説:"柔弱勝剛强"(36 章),"柔之勝剛, 天下莫不知, 莫能行"(78 章)。《莊子》説:"能柔能剛"(《天運》),"綽約柔乎剛强"(《在宥》)。皆剛柔相連。《論語》中剛字五見, 與柔無涉; 有"友善柔"(《季氏》)一語, 爲"損者三友"之一, 亦與剛無涉。《孟子》只言浩然之氣"至大至剛", 而全書無柔字。

將仁義限定在天道地道之後的人道内, 雖是莊子式的安排, 但畢竟不是先否定之而後包含之, 所以《易傳》雖以老莊爲主根, 還是儒家。

二

隨着秦漢軍事政治的統一, 實現了中國南北文化及其哲學的綜合, 形成中國本土文化及其哲學, 其代表是董仲舒。本文在此只想説明: 董仲舒哲學以老莊爲主根。

《漢書·董仲舒傳》的"天人三策", 本是班固"掇其切當世施朝廷者"(中華書局標點本, 2526 頁), 就是摘録其實用于當時朝政的部分, 即董仲舒的政治思想, 所以第一策開頭説: "道者, 所由適于治之路也", 將道定義爲適于治國的所由之路。即便如此, 董仲舒在對策中還是明確指出 "道之大原出于天" (同書 2518 至 2519頁), "聖人法天而立道" (同書 2515 頁)。可見他的哲學 "大原出于"《老子》的 "道法自然" (25 章)。

再看董仲舒的《春秋繁露》, 有三整篇:《離合根》,《立元神》,《保位權》, 發揮老莊之學。兹摘録數段, 以見一斑:

《離合根》云, "故爲人主者, 法天之行", "以無爲爲道, 以不私爲寶。立無爲之位而乘備具之官, 足不自動而相者導進, 口不自言而擯者讚辭, 心不自慮而群臣效當, 故莫見其爲之, 而功成矣。此人主所以法天之行也"。

《立元神》云: "故爲人君者, 謹本詳始, 敬小慎微, 志如死灰, 形如委衣, 安精養神, 寂寞無爲。休形無見影, 掩聲無出響 (蘇輿云: 數語當出古道家), 虛心下士, 觀來察往"。"爲人君者, 其要貴神。神者, 不可得而視也, 不可得而聽也。是故視而不見其形, 聽而不聞其聲。不聞其聲, 故莫得其響; 不見其形, 故莫得其影。莫得其影, 則無以曲直也; 莫得其響, 則無以清濁也。無以曲直, 則其功不可得而敗; 無以清濁, 則其名不可得而度也。所謂不見其形者, 非不見其進止之形也, 言其所以進止不可得而見也。所謂不聞其聲者, 非不聞其號令之聲也, 言其所以號令不可得而聞也。不見不聞, 是謂冥昏。能冥則明, 能昏則彰。能冥能昏, 是謂神人"。蘇輿作《春秋繁露義證》, 于此篇之後云: "此篇頗參道家之旨", "漢初《老》學盛行", "或董子初亦兼習道家"。這個意思, 接近本文所説的董仲舒哲學以老莊爲主根。

《保位權》云: "爲人君者, 居無爲之位, 行不言之教, 寂而無聲, 静而無形, 執一無端, 爲國源泉。因國以爲身, 因臣以爲心。以臣言爲聲, 以臣事爲形。有聲必有響, 有形必有影 (凌曙注:《列子》:《黄帝書》曰: 形動不生形而生影, 聲動不生聲而生響)。聲出于内, 響報于外; 形立于上, 影應于下。響有清濁, 影有曲直; 響所報非一聲也，影所應非一形也。故爲君虚心静處，聰聽其響，明視其影，以行賞罰之象”，“是以群臣分職而治，各敬其事，争進其功，顯廣其名，而人君得載其中，此自然致力之術也。聖人由之，故功出于臣，名歸于君也”。此則老莊而兼黄老矣。

三

兩漢之交，佛教東來，代表印度文化，與中國文化相綜合，歷時千餘年，形成東方文化及其哲學，而以朱熹爲代表。朱熹出入佛老，精通道家道教，其學以老莊爲主根，已有“朱子道，陸子禪”之定評，此評出于明末潘用微（參見錢穆《中國近三百年學術史》，中華書局影印台灣版，52 頁），已成共識，無煩辭費。

到了元代，馬可孛羅東來，代表泰西文化，開始與東方文化相綜合。八百年來，東西文化尚在綜合過程之中。佛學，西學，其能嫁接在中國文化之上者，均以老莊爲砧木。老莊既爲中國哲學之主根，亦爲嫁接外國哲學之砧木。余嘗作《主根與砧木》一文（載于《哲學研究》1993 年 11 期），提出此説。若此説不謬，則未來中國哲學在老莊這條主根上發展，可斷言矣。

作者簡介　涂又光，1927 年生，河南光山人。清華大學文學院哲學系畢業，國際中國哲學會（ISCP）學術顧問。湖北省社會科學院哲學研究員。著有《楚哲學志》、《老子的哲學結構》等。

老子哲學的中心價值及體系結構

——兼論中國哲學史研究的方法論問題

劉笑敢

内容提要　近代以來中國哲學史研究的基本方法可稱爲"剖析法",本文則嘗試以"重構法"來模擬老子哲學可能的體系結構。希望這種方法對于中國哲學史研究的方法論的革新和探索,對于重新認識老子哲學的歷史價值和現實意義有一定的推動作用。本文提出老子哲學的中心價值的概念,認爲"自然"是老子哲學所追求的最高價值,"無爲"是實現這一價值的行爲原則。作爲世界本原的"道"爲自然無爲提供了形而上的論證,而正反相依互轉的辯證觀念則爲他的中心價值和基本原則提供了形而下的依據。

一、方法論: 剖析法與重構法

二十世紀以來,中國哲學的研究擺脱了義理的和訓詁的古代傳統,進入了一個新的歷史階段。這一近代傳統以胡適的《中國哲學史大綱》和馮友蘭的《中國哲學史》兩卷本爲開端。其特點是以西方近代哲學理論爲工具或參照系對古代哲學家的思想進行剖析式的研究。所謂西方哲學理論可以是新實在論,可以是辯證唯物主義,也可以是存在主義等等。所謂解剖式是説這種研究方法側重于對古代思想家作分析解剖的工作,對問題、命題或概念逐一討論。從道理上講,剖析並不影響整體性的研究或描述,但實踐上,多數工作都是解剖和定性,統合性的研究始終不是重點所在。

　　所謂剖析式的研究又有兩種大致不同的傾向,或兩種表現形式。第一種是比較素樸的方式,即從古代哲學家所討論的主要問題、命題或概念出發尋找與現代哲學相關的課題進行分析。比如討論孔子的"仁",孟子的"性善論",老子的"道",莊子的"齊物論"都屬于這一類。這類研究的上乘之作可以以張岱年先生的《中國哲學大綱》爲突出代表,另有張岱年主編的《中華的智慧》也是從古代思想家自身的命題出發的[①]。這種方式的優點是比較客觀,能夠從思想家自身的理論出發,突出某個思想家的個人的特點,可以避免主觀性,避免公式化的理論分析。這樣作並不妨礙深入的理論研究,但是,做得不好,有可能成爲單純排比史料的平庸之作,没有理論深度。

　　第二種是比較理論化的方式,即從研究者的理論背景出發,在古代哲學著作中尋找與西方哲學相對應的課題,如自然觀,認識論,方法論,歷史觀等等。這種方法也被稱爲幾大塊的寫法,可以以任繼愈主編的四卷本《中國哲學史》爲比較平實的代表[②]。這種做法的好處是能把古代哲學家的思想與現代理論聯繫對照起來,更適合現代人的閱讀標準,寫好了會有一定的理論深度。缺點是可能按照現代的理論框架去切割古代思想家的哲學體系,從而忽略古代思想家自身理論的整體特點,容易流于千篇一律的公式化。在幾大塊的方法之後,出現了重點剖析哲學範疇的研究方法,這種做法來自于列寧關于哲學史就是範疇史的論述,有較高的理論價值[③],有的學者在範疇研究的基礎上進一步建構出中國古代哲學的"正"、"反"、"合"的邏輯發展模式[④]。但是,中國哲學與黑格爾

　　①　《中國哲學大綱》,中國社會科學出版社,1982。《中華的智慧》,上海人民出版社,1989。

　　②　人民出版社,1966。

　　③　如葛榮晉著《中國哲學範疇史》,黑龍江人民出版社,1987。

　　④　馮契著《中國古代的邏輯發展》三册,上海人民出版社,1983。

式的哲學有重要不同。中國古代哲學家常用類比論證,并不是都以概念範疇來構造哲學體系的,因此,這種方法既有很高的理論價值,也有相當的局限。這種方法的局限性在道家研究方面尤爲明顯。

上述兩種剖析法都有其長處,有其貢獻,每種方法都有優秀作品出現。但寸有所長,尺有所短。任何方法都會有一定的局限性。第一種素樸的方法是從古代哲學家的原著出發的,但是往往缺少整體建構的視角; 第二種理論化的方法有大處着眼的氣勢,但是,往往陷入公式化,容易以現代人的理論構架去切割古代思想家的思想體系。這種以西方哲學的理論爲工具的研究方法對于道家研究來說更是枘鑿不合,比如關于老子哲學、莊子哲學、郭象哲學的性質曾經爭論不休就是因爲西方哲學與道家哲學是兩種不同形態的哲學,因而無法在西方哲學中爲道家思想找到恰當的描述或定義的語言。這種困難也導致了對道家的非常基本的概念——“自然”與“無爲”的研究的輕視或疏忽,因爲“自然”和“無爲”的概念在西方哲學體系中很難定位,無法納入傳統的西方哲學的理論框架之中,因此對“自然”和“無爲”的研究總是缺少中肯之作。本文即針對傳統的剖析法所面臨的困難,嘗試以“重構法”來分析老子的“自然”和“無爲”理論,進而探索重建老子哲學的可能的理論體系和結構。

“重構法”與剖析法相對而言,其目的不在于解剖分析,而在于整體建構。重構法當然是在分析的基礎上重構,但是,這種分析與理論化的剖析又不同。理論化的剖析是從研究者所接受的理論框架出發的,而這裏所説的“重構法”是從古代哲學家自身的思想體系出發的。簡單説來,重構法就是推敲體會古代哲學家的思想體系的基本內容以及這些基本內容的各個方面的相互關係,在此基礎上試圖模擬該思想家可能有的思想體系的整體結構。正如傳統的剖析法不能導致唯一正確的研究成果一樣,重構法也不會保證產生唯一正確的關于某思想家的思想體系的建構,唯其如此,重構法才能爲中國哲學史的研究開拓一個新的有利于破除公式化的方法或途徑。重構法不能完全取代傳統的剖析法,但是可以補充和豐富傳統的研究方法,有利于學術研究的繁榮和發展。

　　事實上,筆者在多年前的莊子研究中就已經採用了重構法。筆者認爲,莊子哲學中主要包括四個思想側面,即安命論、逍遙論、真知論和齊物論。在這四個側面中,安命論是莊子哲學的起點。"道"和"天"決定了社會人生的自然而然的發展,人在這種自然而然的發展過程面前感受到一種無可奈何的必然性,所以只能安然順命。這是莊子對社會與人生的根本看法。莊子的生活理想和理論方法無不與此有關。既然現實中沒有自由,只好到無何有之鄉去尋求自由,這就是精神之逍遙。精神之逍遙與得道的體驗實爲一事,都是最高的精神享受。逍遙論是莊子哲學的主要特色,是莊子哲學的理論歸宿和理想境界。從安命到逍遙轉化過渡的關鍵是無心無情,只有無心無情才能安然順命,也只有無心無情才能超脫現實而逍遙自在。爲甚麼要無心無情,怎樣才能無心無情呢? 回答這一問題的就是真知論和齊物論。真知論強調一般的認識方法和認識結果是不可靠的,因此應該放棄一般所謂的知,在此基礎上體驗道的存在,這就獲得了真知。齊物論強調雖然矛盾普遍存在,萬物紛紜複雜,但矛盾雙方是同一的,歸根結蒂是齊一無別的,因而應該超脫于物之區別,直接體認作爲世界根本的道①。

　　簡單説來,"安命論"是莊子哲學的起點和基礎,"逍遙論"是莊子哲學的歸宿與完成,"真知論"和"齊物論"則是莊子哲學從起點到歸宿的橋梁。這就是莊子哲學的基本內容和大體結構。這是筆者對莊子哲學的可能的哲學體系的重新建構。多年來經過反覆思考以及與其他研究成果作比較,筆者感到這種建構仍有其新意和價值,嘗試用類似的方法來研究老子的哲學體系也有所收穫,因此寫成本文就教于方家同好。

――――――――――――――――――

　　① 見劉笑敢《莊子哲學及其演變》,中國社會科學出版社,1988。pp. 197-199。

重構法絕没有固定的公式。它與傳統的剖析法的根本不同是盡可能不從研究者已有的理論框架出發,而是從研究古代哲學的原文出發。在研究古代哲學的原文時與傳統的剖析法也有所不同,這就是不僅要用理論分析,更要用"心"去體會古代的思想家的切身感受,從而探求他所面對的問題和所要傳達的主要信息,進而揣摩該思想體系的各個部分及其相互關係和可能的整體結構。由于這種方法排除預設的理論框架或現實目的,因此它的研究成果很難用正確與錯誤來作判斷或評價,而只能看它是否妥帖,是否有水平,是否合乎邏輯。當然,用重構法的研究者不可能没有自己的理論背景,也不可能不用哲學理論作分析的工具和參照系,但這些在重構法中不是第一位的,而是從屬的。强調這一點是爲了避免把研究者主觀的理論框架套在古代的思想家頭上。當然這並不妨礙其他研究者仍然以現象學、存在主義、語義哲學或其他理論爲工具來研究中國古代哲學。

二、老子哲學的中心價值：自然

(1) "自然"與"無爲"

衆所周知,"自然"與"無爲"是老子哲學中非常突出、也非常獨特的概念。甚至我們可以説,是否使用和贊成"自然"與"無爲"就是一個思想家是否屬于道家或是否接受了道家影響的最主要的標志。然而,按照傳統的哲學思考的框架,"自然"與"無爲"是無法定義的,在本體論、認識論、方法論、歷史觀等領域中我們都無法爲它們找到適當的位置。"道法自然","道常無爲而無不爲",自然、無爲是形而上之道的屬性,因而可以是宇宙論和本體論的概念。"爲學日益,爲道日損","不窺牖,見天道","知者不言,言者不知",説明自然無爲與認識論有關。"爲無爲,事無事……聖人終不爲大,故能成其大",它們又與相反相成的辯證法思想有關。"我無爲而民自化……我無事而民自正","輔萬物之自然而不敢爲",説明它們又可屬于政治思想。"用兵者有言：吾不敢爲主而爲客,不敢進寸而退尺",這又與軍事策略有關。"夫唯無以生爲者,是賢于貴生",這又是養生之道。"自然"與"無爲"橫跨哲學的各個部分,又滲透到政治、軍事、養生等領域。按照傳統的哲學理論體系,實在很難爲他們找到恰當的位置,因而也很難爲它們作出正確的描述和分析。因爲自然、無爲的思想在西方哲學中找不到對應的概念和領域,因此哲學史的研究對"自然"與"無爲"的概念和理論就相當簡單。這與它們在道家思想中的重要性是完全不相稱的。這是近代剖析法的傳統無法解決的難題,也是重構法强調整體的考查並且强調從古代哲學家自身的思想材料出發的根本原因。

　　對自然與無爲缺乏深入研究的結果就是人們對自然與無爲很少作分疏和深入的研究。一般情況下,人們常常把"自然"與"無爲"相提並論不加區別,如有人說："老子書提出自然一詞……說明莫知其然而然的不加人爲任其自然的狀態,僅爲《老子》全書的中心思想'無爲'一語的寫狀而已。"[1]這是把無爲作爲《老子》的中心思想,把自然看做是無爲的表述。陳鼓應先生也說："自然無爲是老子哲學最重要的一個觀念……老子提出'自然'一觀念,來說明不加一毫勉强作爲的成分而任其自由伸展的狀態。而無爲一觀念,就是指順其自然而不加以人爲的意思。"[2]這種說法强調自然與無爲的一致性,似乎認爲可以把自然和無爲看作"一個觀念",不過作者也點出了二者的區別："自然"是指自由發展的狀態,"無爲"則是順應這種狀態的做法。勞思光也把"無爲"看作老子哲學的中心思想,他說："'無爲'一觀念爲《道德經》思想之中心。"[3]爲甚麼不說"自然"是《道德經》的思想中心呢?《老子》五千言所要傳達的到底是甚麼信息呢? 這裏我們有必要考查一下,"自然"和"無爲"到底是甚麼關係? 它們是完全相同的嗎? 顯然,"自然"和"無爲"

①　轉引自陳鼓應《老子注譯及評介》,北京：中華書局,1984。p. 132。

②　陳鼓應《老子哲學系統的形成》,《老莊新論》,香港：中書局,1991。p. 28。

③　勞思光：《新編中國哲學史(一)》,台北：三民書局,1993。p. 237。

是一致而不同的。"自然"與"無爲"的思想屬于同一體系或同一方向, 但並不完全相同, 不能互相替换。

　　"自然"和"無爲"的概念可以運用到本體論、認識論、人生論, 以及政治、軍事各個領域, 又不屬于某一個特定的領域, 那麼它們到底是甚麼樣的概念呢? 它們涉及的是甚麼範圍的問題呢? 筆者認爲, "自然"與"無爲"涉及的是價值領域的問題。是以甚麼爲最高價值的問題。老子所追求、所推崇的最高價值就是"自然", "自然"是老子哲學體系的中心價值, 而"無爲"則是老子提出的實現或追求這一價值的基本方法或行爲原則。這兩者是老子所要強調的主要內容, 是老子哲學所要傳達的主要信息。價值的概念可以較好地較全面地反映"自然"這一概念的內容和特點。價值可以是各個領域中重要而有意義的事物, 因而"自然"的概念可以出入于哲學、政治、社會、人生, 乃至軍事等各個領域而毫無齟齬, 從而作爲實現這種價值的"無爲"的方法也就獲得了廣泛的意義, 也可以進入各個研究領域。這樣, 從價值的角度研究"自然", 從方法論的角度研究"無爲", 就擺脱了原有的剖析法所遇到的困境。價值和方法論也是現代哲學的概念, 也是從西方來的, 但用于對自然、無爲的研究更爲貼切。"重構法"並不排斥現代或西方哲學概念的使用, 事實上, 没有任何一種研究可以不使用現代的語言和術語。"重構法"只是反對一味地用現代的思想理論框架切割古代哲學家的思想體系。

　　(2)《老子》中的"自然"觀念

　　"自然"的觀念見于經典顯然是從《老子》開始的。《詩經》、《左傳》、《論語》這些較早期的經典中都没有"自然"的説法。在《老子》五千言中, 直接提到"自然"的有五處, 五處都充分表達了作者對"自然"的推崇和讚賞的態度。至于不直接用"自然"二字所表達的自然的觀念更是隨處可見。"自然"作爲老子哲學的中心觀念貫穿于人類生活的各個方面。《老子》17 章從君民關係的角度推重"自然":

　　大上,下知有之;其次,親而譽之;其次,畏之;其下,侮之。
……悠兮其貴言。功成事遂,百姓皆謂我自然。①

老子認為,最好的執政者不會强迫百姓作任何事,也不會向百姓炫
耀自己的恩德,百姓僅僅知道他的存在,而不必理會他的存在。這
是道家理想中的虛位君主。次一等的執政者會做一些令百姓感恩
戴德的事,這是儒家理想中的聖明君王。再次一等的執政者使百
姓畏避不及,這是通常所謂的昏君。更糟的統治者令百姓忍無可
忍,百姓對他只有侮辱謾罵,這就是所謂的暴君。聰明的統治者悠
閑自得,少言寡道。萬事成功遂意,百姓們並不以為君主起了任何
作用,而認為事情自然如此。"自然"是一種理想的狀態。

　　對于"百姓皆謂我自然"一句,歷來的解釋都是"百姓皆謂:'我
自然'",以"謂"借為"曰"字,因而"我自然"就是"曰"引起的直接引
語。查"謂"本義是"論"。《説文》云"謂,報也。"段注曰"謂者,論人
論事得其實也。"謂的本義是評論,按照這種用法,"百姓皆謂我自
然"當釋為"百姓都認為我的管理辦法符合自然的原則"。這是説
話人模仿統治者的口氣,與 20 章"人皆有餘,而我獨若遺"的"我"
是同類的"我"。這種説法充分表達了作者對自然的推崇。這種用
法和 67 章"天下皆謂我大"②完全一致。該句也應解釋為"天下人
都自認為偉大",不宜解釋為"天下人都説:'我偉大'"。《老子》中
"謂"字出現三四十次,似乎從不用"謂"字引起直接引文。在引起
直接引文時總是用"曰"、"云",或"有之"、"有言"③。總之,如果把
"謂"解釋為"評論"、"認為","百姓皆謂我自然"一句就更突出地説
明"自然"是作者十分推崇的價值。

　　17 章强調君主應該實行自然之治,讓百姓充分享受不受干擾
的生活。這是從社會關係,主要是君民關係的角度講自然的。51

---

　　①　"其下"之"下"原作"次",據帛書本改。
　　②　通行本作"天下皆謂我道大",據帛書乙本校改。
　　③　"曰"見于 14, 16, 24, 25 等章,"云"見于 57, 78 章,"有之"見于 41 章,"有言"
見 69 章。

章則爲"自然"的原則提供了形而上的根據。

> 道生之,德畜之,物形之,而器成之。[①]是以萬物莫不尊道而貴
> 德,道之尊,德之貴,夫莫之命而常自然。故道生之畜之,[②]長之育
> 之,亭之毒之,蓋之覆之,生而不有,爲而不恃,長而不宰,是謂玄德。

對"道之尊,德之貴,夫莫之命而常自然"一句王弼無注。其中"命"字帛書本等作"爵",與成玄英的解釋相一致。成注云"世上尊榮必須品秩,所以非久,而道德尊貴無關爵命,故常自然。"道和德的地位是自然而來的,不是別人施與的。河上公注則云"道一不命召萬物而常自然,應之如影響。"是説道和德自然無爲,不對萬物發號施令,只是被動地作萬物的影子和餘聲。這兩種解釋都通,其分歧在于"莫之命"三字,而不在于"自然"一詞。無論是道不命令萬物,還是没有別的東西授予道爵位,"自然"都是作者所强調的價值。不過,相比較之下,成玄英的解釋更符合"莫之命而常自然"的語法結構。"莫之命"就是没有爵命,"莫命之"的意思才可以解釋成"不命召萬物"。老子强調,道的崇高地位是自然而然的,不是任何東西可以給予的。道的自然之尊,是萬物的楷模,説明尊貴的地位是不應該刻意追求的。道生養萬物是自然而然的,生養之後也不應當以生養者自居,不應該居功自傲,更不應該有主宰或占有的意圖,"生而不有,爲而不恃,長而不宰"。這樣受到尊重可以處之泰然,不會沾沾自喜,得不到尊重也不會怨天尤人。老子提倡的就是這樣一種因任自然的態度。

46章又從聖人與萬物的關係的角度講到自然:

> 是以聖人欲不欲,不貴難得之貨,學不學,復衆人之所過,以輔
> 萬物之自然而不敢爲。

道家的聖人的價值觀念與儒家聖人或其他俗人都不相同。道家的聖人所追求的是一般人所不願意追求的,對一般人所珍重的價值

---

① 　"而器"原作"勢",據帛書本改。
② 　"畜之"原作"德畜之",據帛書改。

也視若浮雲。這種價值觀念體現在行動上就是"輔萬物之自然",
也就是因任萬物之自然。"萬物之自然"是最好的狀態,聖人只能
幫助和維護這種"自然"狀態,不應該試圖改進或破壞它。這是從
人與萬物的關係的角度強調自然的意義。對"學不學,復衆人之所
過"一句,河上公注曰"聖人學人所不能學。人學智詐,聖人學自
然。人學治世,聖人學治身,守真道也"。把自然當做學習的對象,
學習的内容,這是聖人的特點。不學習輔助和保護這種狀態就會
利用自己的特殊地位或權力破壞自然的狀態。聖人的這種態度就
體現了老子的價值觀。

　　自然的觀念在老子的思想體系中是根本性的價值,這明顯地
體現在人、天地、道與自然的關係上。《老子》25章中講到:

　　　　道大,天大,地大,王矣大。域中有四大,而王據其一焉。人法
　　　地,地法天,天法道,道法自然。

人生活在天地之中,而天地又來源于道,道在宇宙萬物中是最高最
根本的,但道的特點卻是自然二字。人取法于地,地取法于天,天
取法于道,道又取法于自然,所以道是最高的實體,而自然則是最
高的實體所體現的最高的價值或原則。這裏羅列了這樣五項内
容:人──地──天──道──自然,雖然,地、天、道在老子哲學
中都是很重要的概念,但在這裏的論證中,地、天、道都是過渡、鋪
排和渲染的需要,全段強調的重點其實是兩端的人和自然的關係,
説穿了就是人,特別是君王應該效法自然。所謂法地,法天,法道
都不過是加強論證的需要,人類社會應該自然發展,這才是老子要
説的關鍵性的結論,換言之,自然是貫穿于人、地、天、道之中的,因
而是極根本極普遍的原則。甚麼是法自然呢? 王弼説"法自然者,
在方而法方,在圓而法圓,于自然無所違也。自然者,無稱之言,窮
極之詞也。"法自然也就是隨順外物的發展變化,不加干涉。自然
是"無稱之言,窮極之詞",這就是説,推到自然也就推到了頭,説到
了底,沒有更根本更重要的了。"道"作爲宇宙起源當然是最高的,
但道的原則或根本是自然,推崇道其實還是爲了突出自然的價值

或原則。所以説自然是老子思想體系的中心價值。對于這一段，有人主張讀爲“人法地地，法天天，法道道，法自然”①。按照這種讀法，人法自然的思想就更直接了。不過，我們並不一定要採取這種讀法。

關于“自然”，《老子》第二十二章還有“希言自然”一句。這一句無論是放到前一章末句還是放到這一章首句和上下文的聯繫都不够清楚。河上公注云“希言者是愛言也，愛言者自然之道。”王弼注云“然則無味不足聽之言，乃是自然之至言也。”這些解釋也都不能讓人滿意。陳鼓應等指出“希言”通于十七章“悠兮其貴言”中的“貴言”和第二章中“不言之教”的“不言”，與第五章“多言數窮”中的“多言”相反。“希言”按字面意思是少説話，不説話，深一層的意思則是不施加政令②。要言不煩，政令不施，就合乎自然。這樣講來，這裏的自然就是對統治者來講的了。

綜合《老子》中五處關于“自然”的例句，“自然”的觀念在執政者與百姓的關係，聖人與萬物的關係，人與天地和道的關係，以及施政者的原則等方面都是最重要的價值。這就是説，“自然”作爲基本的價值或原則普遍適用于處理人與人，人與萬物以及人與宇宙本體的關係。自然的觀念在老子思想體系中的確是一種普遍的根本的價值。

（3）關于“自然”的其他表述

“自然”既然是老子哲學的中心價值，那麼表達這種價值的就不會只有這一個概念。與自然相關的觀念還有“自化”等。《老子》37章説“道常無爲而無不爲，侯王若能守之，萬物將自化。化而欲作，吾將鎮之以無名之樸。鎮之以無名之樸，夫將不辱。不辱以靜，天地將自正。”自化即自然的生化過程。侯王泛指統治者和管理者，侯王如果能遵守道的自然無爲的原則，萬物就會自然生化。這種自然的變化過程是最好的，是不應該破壞的。有人“欲作巧僞

① 李約説，參見高亨《重訂老子正詁》，1957。p.61。
② 陳鼓應《老子注譯及評介》，北京：中華書局，1984。p.157。

者”(河上公注),侯王要以道的無爲原則鎮撫他,這樣萬事萬物又會重新歸于平静自然,這就是“天地將自正”。老子以自然爲正常、正確之義,因此“正”也有自然之義。57 章説“我無爲而民自化,我好静而民自正,我無事而民自富,我無欲而民自樸。”自化,自正,自富,自樸,都是没有外力干預的自發的情況,是百姓對自然自足的生活的憧憬和歌頌,是對無爲之治的最好描述。自化是自然的生化、教化和發展過程,是老子所肯定的最好的社會生活狀態。

　　《老子》的“常”也有自然之義。如 16 章“復命曰常,知常曰明,不知常,妄作凶。”高亨曰“謂復命者物之自然,知其自然者明,不知其自然而妄作者凶也。”又 52 章“見小曰明,守柔曰强。……無遺身殃,是謂襲常。”高亨曰“襲常爲因其自然也。”同樣 55 章“知和曰常,知常曰明”中的常也是自然之義。高亨對這些“常”字的解釋大體是正確的①。作爲名詞使用的“常”字都是對事物的長久穩定狀態的概括。自然狀態在没有外力的情況下也就是常態,反過來也可以説常態也就是事物自然而然的狀態。“樸”字也包含着自然的意思。如“爲天下谷,常德乃足。復歸于樸”(28 章),葛玄注“復歸于樸”云“謂守自然也”,直接把樸解釋爲自然。河上公釋樸爲質樸,王弼釋樸爲真,樸都有本然素樸的意思,和自然而然的狀態是一致的。19 章“見素抱樸”也是守自然的意思。

　　自然的思想貫穿于《老子》全書,許多地方即使没有用到自然之類的詞也或明或暗地表露了老子崇尚自然的價值取向。比如 38 章没有一處提到自然,却貫穿了崇尚自然的價值觀念。按照帛書本,這是《老子》的開篇第一章。其中第一句就是:“上德不德,是以有德。下德不失德,是以無德。”上德是最高尚的德,最高的德不自以爲有德,不炫耀自己的德性,恰恰被人們認爲有德。這在今天看起來很像是教人們謙虚,但在老子看來,重要的是品德的自然流露,而不是作做的,勉强的,這雖然也可以看做是要謙虚,但老子

――――――――

①　高亨《重訂老子正詁》p. 1-2。

的重點却不在于强調謙虛。從一般的原則或儒家的立場出發，一個人自覺地追求某種品德境界是應該受到表揚的，至少是應該受到鼓勵的，但是在道家看來，凡是不自然的行爲都是不好的，或是不够水準的，這種評價標準未免有些刻薄，但却是道家崇尚自然的傾向的真實反映。

接下來的文句歧議歷來很多，但是如果按照帛書本的文句來理解就比較順暢。

上德無爲而無以爲①，上仁爲之而無以爲，上義爲之而有以爲。上禮爲之而莫之應，則攘臂而扔之。

這四句的意思是逐句遞降的。每句都包括兩項作比較的内容，一項在于行動表現，即是否有爲，在老子的思想體系中顯然"無爲"高于"爲之"。另一項在于動機，即是不是有機心，是"無以爲"還是"有以爲"，顯然，老子認爲"無以爲"高于"有以爲"。上德當然在兩方面都占了高水平，是"無爲而無以爲"，不僅無爲而且無所求，無所爲。這和某些人故意顯示要無爲，故作超脫飄逸是不同的。簡單地説，瀟灑自然的無爲高于有目的的無爲。次一等的上仁之人雖然有所行動，但不汲汲于功利，還可以做到無所求，無所爲，即"爲之而無以爲"。再低一等的"上義"之人既"爲之"又"有以爲"，似乎已經到了最低水平。但更糟的是"上禮"之人，不僅"爲之"，而且要强迫別人響應自己的行動，如果別人不聽從，就會硬把別人拉過來，使人不得不跟從自己行動。這是一般人常會有的表現，却是老子非常鄙薄的。老子崇尚個人的超脫和瀟灑，反對把自己的價值和行爲强加于人。

(4) 自然的意義

歸納《老子》對自然觀念的運用和解釋，"自然"的本意就是自己如此、本來如此、勢當如此的意思。

"自己如此"是針對外力或外因而言的，"自然"是不需要外界

① "無以爲"通行本作"無不爲"，且通行本後面有"下德爲之而有以爲"一句，所以引起頗多爭論。

作用而存在發展的狀態，"百姓皆謂我自然"就是强調沒有外界的作用或至少是感覺不到外界的作用。自然的這一意義就是沒有外力作用的自發狀態，或者是外力作用小到可以忽略不計的狀態。

"本來如此"是針對變化來説的，自然是原有狀態的平靜的持續，而不是變化的結果，這就是説，自然不僅排除外力的干擾，而且排除任何原因的突然變化。因此，自然的狀態和常態是相通的。"莫之命而常自然"就是説它本來就是那樣。自然的這一意義就是固有狀態的持續，或者説是自發狀態的保持。

"勢當如此"是針對發展而言的，自然的狀態包含着事物自身内在的發展趨勢，如果沒有强力的干擾破壞，它就會大致沿着原有的趨勢演化，這種趨勢是可以預料的，而不是變換莫測的，所以聖人可以"輔萬物之自然"。自然的這一意義就是原有的自發狀態保持延續的慣性和趨勢。

綜上所述，老子所説的"自然"包括了自發性、原初性和延續性三個方面。老子從社會動蕩的不幸現實中產生了自然的信念。他堅信自發的、原初的狀態的延續是宇宙中最好的秩序。

"自然"是一個適用于人生、社會以及整個宇宙的普遍性的觀念。但是説來説去，歸根到底是人要自然，是人要過合乎自然的生活。所以"自然"的觀念主要是針對人生的，是針對人類社會的。要真正過一種合乎自然的生活，那就一方面要排除對他人他事的干預，另一方面也要防止他人他事對自己的干擾。這裏最重要的當然是統治者要法自然，因爲統治者最有可能直接干預他人的生活。其實，人世間的苦難除水旱天災以外，基本上都是由於有些人要用强力把自己的道德、理想、價值、利益强加于人的結果，不管這些被强加于人的東西好還是不好，結果都會是不幸的。如果我們認爲把好的東西强加于人是合理的，那麼有誰會承認自己要强加于人的東西是不好的呢？如果有權有勢的人因循自然，那麼人類社會的確會太平許多。所以對于一般人來説，自然狀態可能是一種理想，一種追求，一種慰藉，一種解脱；對于統治者來説，"自然"

的觀念就往往是一種要求，一種約束，一種批評。所以，"自然"天生是平民的價值觀，是保護民衆過平靜生活的基本訴求，在原初的農業社會尤其如此。所以，一般説來，"自然"的觀念是很難被統治者真心接受的。

　　從老子的崇尚自然的中心價值出發就可以較好地解決有關老子思想的一些爭論或難題。比如，有人批判老子的愚民政策。其實《老子》中是不存在所謂的愚民政策的，至少不是現代人所理解的專制社會中的愚民政策。老子説"古之善爲道者，非以明民，將以愚之。民之難治，以其智多，故以智治國國之賊，以不智治國國之福①。……玄德深矣，遠矣，與物反矣，然則乃至大順。"(65章)王弼注曰"愚，謂無知守真，順自然也"，嚴遵注曰"昔者帝王經道德，化神明，總清虚，欽太和也，非以生知起事導俗、務以明人也，將以塗人耳目、塞人之心、使人不得知，歸之自然，故人易治而世和平也。"對于"大順"，林希逸説"大順即自然也"。所有這些古注大體上都體現了老子追求自然之治的思想傾向。老子追求的是質樸、自然、平和的人際關係，所以反對把一切是是非非分得一清二楚，在人們之間製造和擴大分歧、矛盾和對立。這裏的"愚"決没有智者愚弄別人的意思，只是提倡厚重樸實之義。老子之"愚"與後來的專制主義者的愚民政策全然不同的一點就是他主張上下皆"愚"，如提倡"衆人皆有余，而我獨若遺。我愚人之心也哉! ……衆人昭昭，我獨昏昏；衆人察察，我獨悶悶。"(20章)，顯然，這是對上下皆淳樸、百姓享平安的社會風氣的向往。這和後來的統治者不僅壟斷一切政治經濟的大權，而且控制了知識解釋權，不讓百姓有機會接觸和了解外部真相的愚民政策是風馬牛不相及的。從老子的崇尚自然的價值取向出發，對老子有關治國之術的觀點就會有比較全面的理解，而不至于以現代政治來批判老子的思想。

　　也有人把老子的小國寡民的理想批評爲開歷史的倒車，這也

---

　　①　"以不智"通行本作"不以智"，此據帛書本改。

是很牽強的。老子説"小國寡民。使民有什伯之器而不用,使民重死而不遠徙。雖有舟輿,無所乘之,雖有甲兵,無所陳之,使民復結繩而用之。甘其食,美其服,安其居,樂其俗。鄰國相望,雞犬之聲相聞,民至老死不相往來。"(80章)這是對自然而然的生活的憧憬,對人世間的無謂鬥爭的批判。這種思想直到今天也還不斷以新的形式出現,根本談不上開歷史的倒車。小國寡民的理想也包括了強烈的反戰思想。俞樾説"什伯之器乃兵器也",所以"有什伯之器而不用……雖有甲兵,無所陳之"都有明顯的反對戰爭的思想,是和平主義的理想,是對天下各自安樂無擾的小村落生活的回憶和向往,這是現代文化批評中的重要課題,是對人類文明發展所帶來的負作用的反思,是不應該受到政治批判的。

老子的反戰思想更明顯地表現在31章:"夫兵者,不祥之器。物或惡之,故有道者不處。……不得已而用之,恬淡爲上,勝而不美;……殺人之衆,以悲哀泣之,戰勝以喪禮處之。"戰爭應該是不得已的事,不應該是爭王稱霸、掠奪競爭的工具或炫耀強大的手段。"戰勝以喪禮處之"更有深意,卻是一般人所無法理解和接受的,這的確是人類的悲哀。至于把戰爭當做解決人口問題的方法,或當做歷史的淨化劑和前進的動力更是荒謬而殘忍的。老子反對戰爭,追求自然平靜的生活,這在今天仍然是寶貴的思想,在現代社會,戰爭武器已經足以毀滅全人類,因而反對戰爭,反對以武力解決問題就猶爲重要。在高度現代化的生活裏,一方面人口密集,天天摩肩接踵,另一方面卻感到莫名其妙的孤獨;一方面是通訊及交通工具的進步發達,天涯變咫尺,另一方面又是人們心靈之間的隔膜。在這種矛盾的境地中回味老子的崇尚自然的思想就尤有深意。從崇尚自然的價值觀的角度來分析評價老子的思想,就可以較好地理解老子思想的深意,化解許多不必要的和武斷的政治化的批判。

三、老子哲學可能的體系結構

"自然"是老子所推崇、所追求的最高價值。自然的狀態與人的意識是無關的,沒有人的干預就是自然,有人的自覺參與就會違反自然。自然界的自然當然與人無關。然而,人類的社會生活離不開人的活動,那麼在有人群的社會活動中,怎樣實現"自然"呢?那就是要"無爲"。

關于"無爲"與"自然"的關係,《老子》64 章有清楚的表述:

> 爲者敗之,執者失之。是以聖人無爲故無敗,無執故無失。……
> 以輔萬物之自然而不敢爲。

前面講無爲的原因或效果。無爲是爲了避免失敗或過錯。後面提到實行無爲就可以"輔萬物之自然"。"不敢爲"也是無爲的表現,或無爲的原因。"輔萬物之自然而不敢爲"充分表現了老子對自然的推崇和重視,也充分説明無爲是爲了維護"自然"之價值。同樣的論述也可以在 37 章看到:"道常無爲而無不爲,侯王若能守之,萬物將自化。"統治者或管理者如果能恪守道的無爲而無不爲的原則,萬物將自然而然地生發變化,顯然,恪守無爲之道是爲了順應自然的原則,遵從自然的價值。"道常無爲而無不爲"一句帛書本作"道恒無名"。帛書本雖然沒有無爲的字樣,但侯王守無名之道,也仍然是無爲之義,也仍然是通過無爲實現自然的意思。無爲一詞在《老子》中出現十二次,類似的詞如無事、無欲、好静、不争、柔弱、處下、虚等都表達了類似于無爲的思想。這都是顯而易見的,在這裏無須多論。

"無爲"是實現自然的方法。"自然"是事物的客觀的進程,"無爲"則是人的一種行爲方式,是維護世界與人類社會自然而然的發展進程的方法和原則。簡單地説,"自然"是老子所要追求的價值,"無爲"則是實現這種價值的方法。"自然"是目的,"無爲"是手段。一般認爲,目的高于手段。然而,《老子》五千言中講到"無爲"的有十餘處，講到"自然"的只有五處，如何解釋這個事實呢？其實，這個事實並不影響我們的結論。目的高于手段，但這並不意味着人們總是談目的多，談手段少。事實上恰恰相反，當目的確定之後，人們所討論的就不再是目的，而是如何實現這一目的了，也就是方法或手段的問題了。正如我們的目的是實現現代化，一旦這個目的成爲共識，我們每天所談的就不再是現代化的必要性，而是如何實現現代化的具體手段，如市場經濟，企業管理，法律體系等等。因此把"無爲"當做《老子》的思想中心是可以找到很多根據的。

　　一般認爲原則總是高于方法，這樣想是不錯的。但是，人們常常忘記了方法和原則是可以轉化的，一個原則相對于更高的原則來說就是方法，而一個方法相對于低一級的目的來說就具有了原則的意義。比如，在決定皇位繼承人時，嫡長子繼承制就是一種必須遵守的原則，但是對于維持政權的長期穩定的目的來說，"嫡長子繼承制"又只是一種方法。又比如，統一戰綫是實現政黨的政治目的的手段，但是對于做實際工作的人來說，維護統一戰線本身就是原則。同樣，"自然"是最高價值，"無爲"是手段或方法，但是，對于願意追求"自然"的人來說，"無爲"也是原則，只有遵守"無爲"的原則，才可能實現自然或順應自然。因而在實際操作的層面來講，"無爲"就比自然更直接，更具體，因而也有了更重要的含義。但是歸根結蒂，"無爲"是爲了實現"自然"，因而自然是更高的價值。

　　總之，"自然"是中心價值，"無爲"是實現自然的途徑。然而，對于具體人的行爲來說，無爲也是一種原則。我們從探索和建構老子哲學的體系出發，強調"自然"是老子哲學的中心價值，"無爲"是實現自然的方法，當然這不意味着"無爲"的概念在老子哲學體系中不重要。應該說"無爲"是《老子》的論述中心或思想重心，卻不是老子的價值中心，不是老子思想的最後歸宿。

　　提到老子哲學的概念，最重要的莫過于"道"。"道"字在《老子》中出現七十多次，其意義從自然觀延伸到政治、社會、人生等各個方面。這説明"道"的概念在老子的思想體系中的確是舉足輕重的。正如陳鼓應先生説："老子哲學的理論基礎是由道這個觀念開展出來的。"[①]《老子》中的道有不同的意義，大致説來可分爲三種意義，即宇宙的本原，萬物的規律，社會行爲的準則[②]。這三種意義都直接或間接地表達了對"自然"的崇尚和對"無爲"的强調。如前面提到的 25 章：

> 有物混成,先天地生,寂兮寥兮,獨立而不改,周行而不殆,可以爲天下母。吾不知其名,字之曰道……人法地,地法天,天法道,道法自然。

這裏的"道"是典型的宇宙論之道,是萬物的起源和根據,這個道以自然爲運作的楷模或原則。這充分説明老子的道爲自然提供了形而上學的依據和論證。前面提到的 51 章也是强調生天生地之道的自然的特質,"道生之, 德畜之,……是以萬物莫不尊道而貴德,道之尊, 德之貴, 夫莫之命而常自然。"自然是世界本原的屬性,因而自然的價值就獲得了最高的權威性的支持。此外,《老子》34 章説道"大道泛兮, 其可左右,萬物恃之而生而不辭,功成不名有, 衣養萬物而不爲主,常無欲可名于小。萬物歸焉而不爲主,可名爲大。以其終不自爲大, 故能成其大。"這裏的道也是形而上之道,這裏雖然没有直接講到"自然"一詞,但是"功成不名有""不爲主""不自爲大"都體現了自然而然的精神。道的性質爲自然的價值作了最好的論證。

　　老子還常常講天道。古代没有自然界的概念,所謂"自然"絶不是自然界的意思。在古代,相對于今天的自然界的是"天"。"天道"即自然世界的根本規律。古人對大自然的知識很少,自然界的變化對古代人來説相當神秘,因此古人有一種對天的崇拜。老子所説的天雖然不是上帝,但其地位也僅在生天生地的道之下。也

---

① 《老子注譯及評介》p. 3。
② 關于道的這三種意義參考了陳鼓應的觀點。同上, p. 4。

有相當的權威性。因此天之道就有了普遍的根本規律的意義,這根本規律也是自然而然的。如"天之道不爭而善勝,不言而善應,不召而自來。"(73章),説明天道的運作都不是有意識有目的的行爲,其勝、其應、其來都是自然的。又如"天道無親,常與善人。"(79章)强調天道助人爲善却没有人的情感,没有親疏遠近和好惡。天道的運行及其結果完全是自然發生的。

老子所説的行爲準則的"道"也與自然相一致。如:"執大象,天下往,往而不害安平太。樂與餌,過客止。道之出口,淡乎其無味,視之不足見,聽之不足聞,用之不足既。"(35章),"大象"即41章"大象無形"之大象,也就是道。美好的音樂和食物可以吸引住過客,而道却極爲平淡,無味,無形,無聲。不過音樂和食物是很快可以消耗盡的,但道的功用却是取之不盡。這裏通過道所提倡的也是自然的狀態。又如60章"治大國若烹小鮮。以道莅天下,其鬼不神。……"這裏的道也是自然之道,與魯莽滅裂的行爲無關,與鬼神之事也無關。以自然之道處理問題,治理國家會小心謹慎,處理天下事,也會鬼神不驚,人神兩安。事實上,老子所説的很多道都可以直接用自然或無爲來解釋,陳鼓應先生就是這樣作的[1]。

老子哲學的另一個重要部分是他的正反相依的辯證思想。這種辯證思想也是爲他的自然的價值和無爲的原則提供根據的。不過,這是形而下的論證,是經驗的理據。如《老子》24章説:"企者不立,跨者不行,自見者不明,自是者不彰,自伐者無功。其在道也,曰'余食贅行',物或惡之,故有道者不處。"想翹足而立的往往站不住,想跨步而行的往往走不快,只知注意自己的人不聰明,自以爲是的人不能彰顯于世,喜歡自我炫耀的人没有功勞,這些行爲都是多餘之事,因而有道的人不作這種事。這是在講事物正反互轉的辯證關係,人們直接去追求自己的目的,往往

---

①　見《老子哲學系統的形成》。

適得其反，正確的態度應該是因任自然。這又説明老子的道和他的辯證法都與自然相一致，是爲他的崇尚自然的價值觀提供論證的。

同樣的論證又見于58章："其政悶悶，其民淳淳；其政察察，其民缺缺。"這是肯定自然純樸的狀態。接着是"禍兮福之所依；福兮禍之所伏。孰知其極？其無正也。"禍福相依，禍福互轉，因而執著于求福避禍是不明智的，所以正確的態度是因任禍福的自然轉化，不必爲趨福畏禍而憂愁奔走。"正復爲奇，善復爲妖。人之迷，其日固久。是以聖人方而不割，廉而不劌，直而不肆，光而不耀。""正復爲奇，善復爲妖"是事物正反互轉的辯證關係。"方而不割，廉而不劌，直而不肆，光而不耀。"都是爲了避免情況向不利的方向轉變而採取的自然的態度，這種自然而然的態度是建立在事物的辯證轉化的知識之上的。總之，老子的辯證思想爲他的自然的價值和無爲的行爲原則提供了經驗的論證。

總結上文，從宇宙論或本體論的角度來講，"道"是老子思想體系中最高的概念，但是從實際追求來説，老子或其他道家學者所崇尚的實質上都是社會或人生的自然的狀態，"無爲"則是實現這種狀態的最基本的方法，而"道"的概念則給"自然"的價值和"無爲"的方法提供了形而上的論證，相反相成的辯證法則爲"自然"的價值和"無爲"的原則提供了經驗的論證。這是筆者對老子哲學的可能的體系的重新建構。簡單説來，老子哲學的體系大致包括四個部分。第一是他的中心價值，即自然的觀念，老子五千言反覆説明的都與"自然"二字有關。第二是他的"無爲"的觀念，是他的方法論。"無爲"既是實現自然之價值的方法，又是人類行爲應該遵守的基本原則。第三，是以"道"爲中心的宇宙論和本體論，是自然之價值的形而上學的根據。第四，是老子的辯證法思想，爲自然的價值和無爲的原則提供了形而下的即經驗的論證。這是本文對老子哲學體系的可能的結構的重建。這一體系可以畫成下面的示意圖。

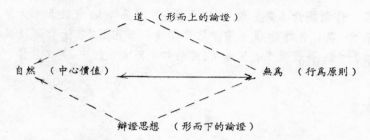

道　（形而上的論證）

自然　（中心價值）　⟷　無爲　（行爲原則）

辯證思想　（形而下的論證）

　　應該説明，這只是一個"可能的"重新建構。説它是可能的，因爲我們不能起老子于九泉之下問明他的思想本來有甚麼樣的結構。他的時代還沒有體系的概念，他未必想到過要建立一個完整的思想體系結構。不過，一個成熟的思想家的思想必然有一些不同的方面，而這些方面之間一定有某種關係，把這許多方面的關係描摹出來就是這個思想家的思想體系的結構。因此老子是否嘗試建立一個體系結構並不妨礙我們嘗試去按照他的著作所反映的思想去爲他的思想建立一個結構模型，供我們更深入地探討他的思想時參考。按照現代的美學理論，一部作品完成之時，該作品就不屬于作者個人了，每個讀者都有權力對該作品作出自己的詮釋。不過，我們還是強調盡可能體會《老子》的原文之義，從老子的可能的思想出發去重構老子的思想體系。

　　當然，儘管我們力求客觀地從《老子》的原文出發重新建構老子的思想體系，但這並不能保證我們的嘗試就是唯一正確的建構，其他學者當然可以對《老子》哲學體系作出不同的新建構。也就是説，重構法只提供一種新的研究方法或途徑，並不能保證這種方法所產生的作品的優劣。作品的優劣是由多方面的因素決定的，不完全是由方法本身決定的。同時，如果一種方法只能產生一種或一個結果，那就等于説這種方法是別人不能使用的。這種方法就是沒有意義的。反過來説，如果大家用同樣的方法分析同一個對象所得出的結果是同樣的，那就説明該結果是經得起推敲和檢驗的。

作者簡介　劉笑敢，1947 年生，河南偃師人，曾任北京大學副教授，現在普林斯頓大學作訪問學者。曾出版《莊子哲學及其演變》一書，發表很多有關道家、道教和中國文化的中、英文著作。

論老子"不爭"的智慧

王樹人

内容提要 "不爭"是老子倡導的一種極高明的鬥爭智慧。"不爭"者爲得"道"者,即贏得天下人之人心者。作爲"不爭"者的聖人就在于能事事"守道"而不離"道"。"道法自然"的"自然"是"道"的本性,也是萬事萬物的本性。"守道"就要順乎萬事萬物的"自然"本性,順其"自然"的"不爭"是得人心的高明策略。要像水那樣"柔弱",那樣"利萬物而不爭"。"柔弱勝剛强"在于"柔弱"是得"道"者,"剛强"是失"道"者。"不爭"是決戰前最高超的戰爭策略,老子的"三寶"歸結爲"守道"的"不爭"。孔、老都反對"春秋無義戰"的戰爭,並都爲救世救民作設計,但理論與方法不同。

一、"不爭"爲"得道"之爭

老子雖然倡導"不爭","夫爲不爭,故無尤"(8章),但社會的實際情況却無時無處都不能不碰到紛爭。因此,對老子來説,鬥爭也是不可迴避的。老子所謂"不爭",實質上正是他進行鬥爭的一種特殊智慧和方式。那麽,老子進行鬥爭的這種智慧和方式包括怎樣的内涵並具有哪些特點呢?

老子指出:"反者道之動,弱者道之用"(40章)。可以説,這裏所指出的"道之動"與"道之用",就是上述老子智慧和方式的基本内涵;而"反者"、"弱者"似乎就是其基本特點。試看《老子》36

章：

> 將欲歙之，必固張之；將欲弱之，必固强之；將欲廢之，必固興
> 之；將欲取之，必固與之。是謂微明。柔弱勝剛强。魚不可脱于
> 淵，國之利器不可以示人。

在這裏，可以清楚地看到，凡是想要具體達到的目的，都要從這
些目的反面着手。就社會門爭而言，有的學者依據這段話，認爲
老子是爲陰謀家提供理論。其實，在任何不可調和的門爭中，這
是門爭雙方均可採取的門爭方式和策略，並非陰謀家的專利品。
同時，老子從"反者道之動，弱者道之用"出發所提出的這種門爭理
論，實際上還具有揭示自然、社會、思維中普遍存在"相反相成"這
一規律的意義。例如，盛開的花朵，總是有這種開放的"張"，才有
凋零時的"歙"；再如，一種社會制度，總是經過繁榮的"强"，才有
衰落時的"弱"，如此等等。這就是"反者道之動"，或兩極相逢的運
動。也許，這裏最值得注意的思想，乃是老子依據"弱者道之用"所
提出的著名戰略和策略思想："柔弱勝剛强"，或者"柔勝剛，弱勝
强"（36 章）。這又表明，老子的所謂"不爭"，實際上，乃是要進行
一種强有力的更高水平的門爭，並爲此提出極爲高明的門爭戰略
和策略。

爲甚麼説老子的"不爭"是要做强有力的更高水平的門爭呢？
爲甚麼説"柔弱勝剛强"是一種高明的門爭戰略和策略呢？顯然，
這裏的關鍵在于，首先要深刻理解老子"不爭"的内涵與"柔弱"的
内涵。

實際上，在老子那裏，解決社會和人的一切問題，無論是政治、
倫理、戰爭等等，根本上都取決于得"道"或"守道"，即能與"道"溝
通和一體化。因此，對于"不"或"柔弱"的内涵及其意義，都只能從
其與"道"的關係如何來分析。以"不爭"而論，其所以强有力，乃在
于"夫爲不爭，故天下莫能與之爭"（22 章），或者"以其不爭，故天
下莫能與之爭"（66 章）。"天下莫能與之爭"的"不爭"者，並非因
爲"不爭"者是個白痴或傻瓜，而是因爲這種"不爭"者乃是得"道"

者。如果説"得人心者得天下, 失人心者失天下"是具有普遍性和
必然性的真理, 那末, 在老子那裏, 這個問題就變成得"道"就得人
心, 失"道"就失人心。天下人爲甚麼對這種"不争者""莫能與之
争"呢? 因爲, 這種"不争"者得"道", 也即贏得天下人的人心。這
樣, 誰還和他争呢? 不僅不和他争, 而且都擁護他, 敬重他。而這
種"不争"的"得道"者, 就是老子所説的"聖人"。下面試舉老子對
于聖人的描述, 並加以分析:

> 聖人抱一爲天下式。不自見, 故明; 不自是, 故彰; 不自伐, 故
> 有功; 不自矜, 故長。(22 章)
> 聖人無爲, 故無敗; 無執, 故無失。(29 章)
> 聖人不行而知, 不見自明, 不爲而成。(47 章)
> 聖人常無心, 以百姓心爲心。(49 章)
> 聖人云: "我無爲, 而民自化; 我好静, 而民自正; 我無事, 而民
> 自富; 我無欲, 而民自樸。"(57 章)
> 聖人方而不割, 廉而不劌, 直而不肆, 光而不耀。(58 章)
> 聖人欲上民, 必以言下之; 欲先民, 必以身後之。是以聖人處
> 上而民不重, 處前而民不害。是以天下樂推而不厭。以其不争, 故
> 天下莫能與之争。(66 章)

上述引文的着重號, 爲引者所加。從我們加着重號的用語看, 老子
所描述的聖人, 就在于他總是"守道"而不離"道"。所謂"抱一爲天
下式", 其中"抱一"所抱的"一", 就是"道"; "爲天下式", 就是以
"道"來治理或規範天下。等而下之的描述用語, 諸如"不自見"、
"不自是"、"不自伐"、"不自矜"; "無爲"; "不行"、"我無事"、"我
無欲"; "不割"、"不劌"、"不肆"、"不耀"; "以言下之"、"以身後
之"、"不争"等等, 不難看出, 都是從各個方面描述聖人"守道"而不
離"道"的品格。同時, 我們還看到, 正是這種"守道"而不離"道"的
聖人, 以其這種品格征服了民心, 使得老百姓也能跟着他一起"守
道"而不離"道", 即所謂達到"民自化"、"民自正"、"民自樸", 從而
聖人能受到普遍的擁護和愛戴, 所謂"天下樂推而不厭"。由此可
見, 老子的"不争"之論, 不過是以"守道"而不離"道"的這種"道"

化,去征服民心。歷史的經驗表明,對于任何統治者來説,不論他
們是以何種方式取得政權,能否維護其政權的關鍵和最終決定性
因素,都在于其能否贏得民心,能否得到民衆真心的擁護。正是在
這種意義上,我們必須承認,老子的"不爭"之論,確實是强有力的
更高水平的鬥爭。

二、"得道"在于"道法自然"

現在要繼續發問的是,老子關于"聖人""守道"而不離"道"的
品格可以征服民心,是否有道理? 道理何在? 這裏首先要回到對
"道"的本性之理解。就超越精神而言,老子是把"道"作爲理想目
標建構的。在認識論上,"道"是超越常規認識的目標;在價值觀
上,"道"是超凡脱俗的崇高境界;在本體論和宇宙論上,"道"是萬
物的始基和宇宙演變的依據和整體。在比較"道"與西方基督教的
"上帝"及其天國作爲理想目標不同時,可以説,"道"並不與現實完
全隔離,像"上帝"及其天國那樣,完全處于"彼岸";而是與現實既
相隔離又相聯繫。"道"既有與現實隔離的理想性,又有與現實聯
繫的現實性。就"道"與現實聯繫的一面而言,"道"的本性就表現
爲"道法自然"。就是説,老子借"道法自然"説出一個平常而又深
刻的常青真理,即宇宙中萬事萬物,包括社會與人,都有"自然"這
種本性。對于這種"自然"本性,有兩種態度和處理方式,一種是人
爲的壓抑或任意改變之;一種則是順乎之,即順其"自然"。"道法
自然"所取的,乃是後一種態度和方式。實際上,"道法自然"就是
"道法道"。因爲從本體論和宇宙論角度看,萬事萬物包括人與社
會的"自然"本性,也就是"道"性,是由"道"生成和演變出其各種不
同形態的。

這樣看來,聖人"守道"而不離"道"的品格,從"道"與現實聯繫
的方面看,就是在各個方面遵循"道法自然"。例如,作爲聖人,就
要不自我招搖、不自以爲是也不要故作姿態,即"不自見"、"不自

是"、"不自伐"、"不自矜"。就是説,對自己也要"道法自然"。另如,作爲聖人,不要妄爲;要對自己"守静篤";不要擾民;不要貪欲,即"無爲"、"好静"、"無事"、"無欲"。也就是對自己對民衆都要"道法自然"。前引關于聖人"守道"而不離"道"的其他描述,也都可以歸于這種分析,即均屬于要遵循"道法自然",即順乎萬事萬物的"自然"本性。

在這裏,老子所説的"聖人",不過是他所理想化的統治者。爲了推行這種理想,老子還直接向當時的統治者呼籲和告誡:"道常無爲而無不爲。侯王若能守之,萬物將自化。"(37章)"道常無名樸。雖小,天下莫能臣。侯王若能守之,萬物將自賓。"(32章)就是説,只要統治者能"守道"而不離"道",遵循"道法自然",即順乎萬事萬物的"自然"本性,那麽,統治者則因其"守道",其統治的臣民和一切,就會按照"自然"本性化育自己,並按照"自然"本性使自己安于臣服的地位。

無論多麽高超和神妙的理論,最終都要落到現實的層面上顯示其作用,才能説明它是否高超和神妙。老子的"道法自然",就是使其"道"在與現實相聯繫的方面顯示其威力和效用。前面我們指出,"道法自然"是平常的真理,也是極爲深刻的常青真理。所謂"平常",是指順乎事物"自然"本性,人所皆知。例如農民要按節令春種秋收;科學家要按事物本來性質揭示其規律,從而使人能遵循這些規律,例如人不能總向自然索取,破壞自然環境,而要保持生態平衡;又如人的本性都有個性的差異,因此對于個體人的發展,就不能作"一刀切"的要求,而要尊重個人的自由選擇,如此等等。所謂"極爲深刻"又"常青",是指這是自然、社會、人、思想、文化等等一切領域都必須永遠遵循的具有普遍性和必然性的真理。老子在展開講其"道法自然"時,雖然主要講需要遵循的人性"自然",包括"聖人"、"侯王"老百姓的"自然"本性,以及社會的"自然"本性,包括政治、倫理、戰争等等的"自然"本性,但也涉及到人與社會以外的"自然界"的"自然"本性,例如水的本性,老子曾指出"天下莫柔弱于水,而攻,堅强者莫之能勝,以其無以易之"(78章)。
傳說中禹治水的故事,改變其父總是攔截的方法而疏通之,就是遵
循水這種"自然"本性獲得成功的例子。在治國安邦方面,前面我
們指出,贏得民心是最終決定性的因素;而老子"不爭"之論,在征
服民心方面乃是强有力的高水平的鬥爭戰略和策略。現在看來,
老子的"强有力""高水平",最終就歸結爲統治者在對待民心上能
"道法自然",即採取順乎民心的戰略和策略。如果説這是征服民
心,那麼,這也是不戰而勝的征服,因而確實是高超的。

三、"柔弱勝剛强"之真諦

在老子"不爭"之論中,還包含有"柔弱勝剛强"的戰略策略。
如老子所言:

> 上善若水。水善利萬物而不爭,處衆人之所惡,故幾于道。居
> 善地,心善淵,與善仁,言善信,政善治,事善能,動善時。夫爲不爭,
> 故無尤。(8章)
> 天下莫柔弱于水,而攻,堅强者莫之能勝,以其無以易之。弱之
> 勝强,柔之勝剛,天下莫不知,莫能行。(78章)

在上述引文中可以看到,《老子》第八章强調"善"性就要像水那樣。
即像水那樣"柔弱",所謂"利萬物而不爭",又能"處衆人之所惡"。
那麼,這種"善"性即像水那樣"柔弱"性,又是怎樣一種性質? 老子
的回答是"幾于道"。就是説,幾乎就是"道"性。而在78章,老子
除明確指出"柔弱勝剛强"的現象,所謂"天下莫柔弱于水,而攻,堅
强者莫之能勝,以其無以易之";還强調這種事實和道理雖然天下
人都知道,却不能這樣去做,所謂"天下莫不知,莫能行。"對于老子
上述兩章,需要討論的,有兩個問題。其一是: 爲甚麼"柔"能勝
"剛"、"弱"能勝"强"呢? 其二是: 爲甚麼這樣一種取勝的戰略和
策略人們却不能去做?

關于第一個問題,在第八章中老子已有一般的回答。這就是

他認爲,像水那樣的"柔弱"性,幾乎就是"道性"。而在老子那裏,任何事物只有與"道"溝通和一體化,才能"長之育之,成之熟之,養之覆之",才能"生而不有,爲而不恃,長而不宰"(51章),就是說,才能具有真正生命的活力和無往不勝的强大。簡言之,"柔弱"其所以有威力,在于其得"道";而"剛强"其所以無威力,在于其失"道"。可見,"柔弱勝剛强"的根本道理就在于此。

從任何事物成長和發展過程看,新生事物,總是從幼弱開始,但却是最具生命活力的。在事物更替的變化發展中,總是這種看似"柔弱"而生命力最旺盛也最有發展前途的新生事物,必將戰勝和取代貌似强大而生命力業已枯竭的舊事物。對于這樣的發展過程,老子不僅看到其實質,而且顯然是站在有生命活力的新生事物一邊。老子這樣寫道:

> 人之生也柔弱,其死也堅强。草木之生也柔脆,其死也枯槁。故堅强者死之徒,柔弱者生之徒。是以兵强則滅,木强則折。强大處下,柔弱處上。(76章)

在這一章前兩句中,老子揭示了有生命力與無生命力對立的外在表現。有生命力者的外在表現是"柔弱",例如人;或"柔脆",例如草木;而無生命力者的外在表現則是"堅强",即僵化、死板,例如有的老人在生理和心理上都是如此;或"枯槁",即枝幹、葉黃,例如失去生機的草木。外在的現象,能够反映事物的內在本質。凡在外表上看,所謂"堅强者",都是行將就木即快要死去的人,而所謂"柔弱者"則是具有生命力,正在蓬勃成長的人。表現在戰爭中,"兵强"則易驕,易逞强,也是一種軍事上的僵化,所以"驕兵必敗",導致"强則滅"的結果。對于樹木來說,"木强","高樹多悲風",易遭到大風摧折,同時,也是砍伐的對象。所以,導致"强則折"的結果。從以上對現象觀察和透過現象所把握的本質,老子最後的結論是:"强大處下,柔弱處上。""下"即走下坡路,生命力衰竭,因此儘管外表"强大",仍要走向滅亡。相反,"上"即正在蓬勃向上,生命力旺盛,因此儘管外表"柔弱",却像前途無量的"赤子","骨弱筋柔而握固"(55章)。老子對于"嬰兒"的稱讚,"專氣致柔,能如嬰兒乎?"以致在人性復歸上提出,"常德不離,復歸于嬰兒"。所有這些對"柔弱"的稱讚,都歸結爲對真正具有旺盛生命力的新生事物的稱讚和肯定。由此可見,老子通過"柔弱勝剛强"的描述,實質上揭示了事物發展中又一條具有普遍性和必然性的規律;這就是具有旺盛生命力和發展前途的新生事物,戰勝或取代生命力衰竭和喪失發展前途的舊事物,乃是不可避免的。

四、高明的軍事鬥爭策略

當然,除此之外,"柔弱勝剛强"在老子那裏還包含有鬥爭策略的内容和意義。不難看出,這種策略内容和意義,突出地表現在軍事鬥爭上。如老子所言:

> 善爲士者,不武;善戰者,不怒;善勝敵者,不與;善用人者,爲之下。是謂不爭之德,是謂用人之力,是謂配天古之極(68章)。
> 用兵有言:'吾不敢爲主,而爲客;不敢進寸,而退尺。'是謂行無行;攘無臂;扔無敵;執無兵。禍莫大于輕敵,輕敵幾喪吾寶。故抗兵相若,哀者勝矣。(69章)

在68章中,"不武"、"不怒"、"不與",都是講戰爭的指揮者的"不爭之德",即"柔弱勝剛强"的策略。這種策略表現爲,指揮戰鬥的統帥,雖然是進行武裝鬥爭,但却不能輕易暴露自己的武力,更不能用武力逞强,這就是"不武";同時,不管在任何情况下,敵人怎樣想激怒你,你都不感情用事,這就是"不怒";此外,在與敵人周旋中,盡可能不與敵人對陣,而是"以奇用兵"(57章),這就是"不與"。而最後一句"善用人者,爲之下,則是對以上策略的總結,並且超出了單純軍事鬥爭的策略意義。因爲,"不武"、"不怒"、"不與"都可以説是"用人",包括對我與對敵。"爲之下"所指,就是在"用人"或調動人方面,都使用"爲之下"或"不爭"或"柔弱"的策略。這樣,既可迷惑敵人,使敵人摸不清我方情况,又不會上敵人"激將法"的當。同樣,在 69 章中,"爲客"、"退尺"、"行無行"、"攘無臂"、"扔無敵"、"執無兵"、"哀者",其所描述的也是兵家所採取的"柔弱勝剛强"的策略。其中,"爲客"不"爲主","退尺"而不"進寸",表現出"哀者"的姿態,都是以"柔弱"的外表,掩藏自己的軍事實力。而"行無行"、"攘無臂"、"扔無敵"、"執無兵",則是在軍事行動中,迷惑敵人。雖有陣勢即"行"、要採取動作即"攘",但卻讓敵人覺得既無陣勢又無動作;雖面對敵人,卻若無其事;雖持有兵器,卻讓敵人覺得無所持。不僅如此,還在自己軍中造成哀痛氣氛,以激起同仇敵愾之情。這一切,都是以"不爭"和"柔弱"之態所顯示的高明鬥爭策略。其特點表現爲,決不"輕敵",而且以各種方式迷惑敵人,從而作到"以奇用兵",實現"柔弱勝剛强",即戰而勝之的目的。

　　老子説:"禍莫大于輕敵,輕敵幾喪吾寶"。在這裏,"吾寶"所指甚麼?老子的回答是:"我有三寶,持而保之。一曰慈,二曰儉,三曰不敢爲天下先。慈故能勇,儉故能廣,不敢爲天下先,故能成器長。"(67 章)這"三寶","慈"、"儉"、"不敢爲天下先",也就是"不爭"和"柔弱勝剛强"的策略,其最終仍然歸結爲"守道"而不離"道"。但是,這"三寶"已超出了軍事鬥爭的範圍,而具有政治、教育、經濟等更加廣泛的意義。從"慈"到"勇",即使民衆有克敵赴國難的勇氣,包含有倫理教育産生政治效果的意義;從"儉"到"廣",即使國家能得以强盛和發展,則有經濟教育産生政治效果的意義;而從"不敢爲天下先"到"成器長",即使賢者能執掌國家重任,則有"守道"的綜合教育産生政治效果的意義。由此可見,老子的"不爭"、"柔弱勝剛强"的戰略和策略,其適用性決不限于軍事鬥爭,而且適用于社會的各個領域。

　　現在,回頭看前面提出的第二個問題:爲甚麼"不爭","柔弱勝剛强"這種戰略和策略的智慧,"天下莫不知,莫能行",似乎就不難理解了。因爲,這種戰略和策略的智慧,其出發點和歸宿都在于"守道"而不離"道"。但是,在老子所處的春秋末期,正是"爲學日益,爲道日損"繼續加劇的時代。舊的奴隸主貴族,在"禮樂"的名

義下,驕奢淫逸,糜爛腐敗,根本不管民衆死活,以致使"民之飢"達
到"民不畏死"的慘烈程度。新生的封建貴族,作爲暴發户,也在
"禮樂"名義下,抬高其地位,膨脹其野心。也不把老百姓的死活放
在心上,而伺機以軍事暴力手段稱霸天下。因此,無論是舊的奴隸
主貴族,爲了維護其權力;還是新生的封建貴族,爲了擴大其權
力,最終都要訴諸武力,從而形成"春秋無義戰"的天下大亂的局
面。對于這種給民衆不斷帶來"凶年"的天下,老子像孔子一樣不
滿,而採取批判態度和試圖力挽狂瀾,救民于水火,恢復天下的和
平與安樂。但是,由于理論的出發點和方法論之不同,對于當時像
天下大亂的原因和如何能從亂到治的看法也不同。孔子認爲,原
因在于"禮崩樂壞",因而倡導以"仁"爲思想指導,重建"禮樂"的社
會秩序。相反,老子則認爲,原因在于"禮樂"的異化,"爲道日損",
因而倡導以"守道"而不離"道",並以此爲前提解決當時的各種社
會問題。上述老子提出的"三寶",就是他以"守道"而不離"道"爲
前提,所建構的恢復天下和平與安樂的一個社會重建之綱領。如
果說孔子社會重建的思想理論,不被理睬,對于春秋末期不適用,
而對中國後來的歷史發生長遠影響的話;那末,老子社會重建的
思想理論的命運,也是如此。

　　作者簡介　王樹人,1936年生,山東莒縣人。中國社會科學
院哲學所研究員、教授、中華外國哲學史學會常務理事。著有《思
辨哲學新探》、《歷史的哲學反思》等。

帛書《老子》含義不同的文句

尹振環

内容提要　本文列舉了帛書《老子》一百餘句含義不同於今本的文句,對其中一些文句作了分析。

　　《老子》五千餘字,一千二百餘句,如果逐句比較一下帛書《老子》與今本《老子》(最流行的是王弼本,其次傅奕本,拙文"今本"主要指此),就會發現完全相同的文句並不多,多數文句不同,但是這"不同",多數是大同小異的,文義是相同的。如一章之末:

　　帛書: 兩者同出,異名同謂,玄之又玄。

　　今本: 此兩者同出而異名,同謂之玄,玄之又玄。

　　雖然文句不同,但意思是一致的。像這類差異的文句,就不去談它了。而文義有差別、甚至文義全非的文句,共 110 句(附表一),除此而外,帛書較今本新增文句共 5 句(附表二),帛書較今本減少的文句 19 句(附表三),也就是説,帛書《老子》有 130 餘句,文義異於今本。尋繹文義,帛書的文句比今本合符歷史實際與老子之思想。顯然這必然會掩蓋或歪曲老子的某些思想,爲此我們已在許多篇文章中分析比較了數十句文句[①],除此而外,還需要對尚未提到的文句,分別在這兩篇文章中逐一提到。下面僅就以下文句作如是分析比較。

---

① 《論帛書老子》,《文獻》1993 年第 3 期;《再論帛書老子》,《文獻》1995 年第 1 期;《老子的無名思想》,《復旦學報》1992 年第 2 期。

一、"獨立不垓"與"獨立不改,周行不殆"

今本 25 章在"有物混成,先天地生"後,今本與帛書《老子》的
文字是:

> 寂兮寞兮,獨立而不改,周行而不殆。

> 綉呵繆呵,獨立而不垓。

帛書《老子》少了一句,且幾個字不同。

先看"綉":《説文》:"綉,五彩備也"。華麗精美之意。其音其義
與"寂"均相距甚遠。

再看"繆",通穆。朱駿聲《説文通訓定聲·孚部》,"繆,假借爲
穆"。蕭穆、恭敬,端莊也。它與"寞"之音義也不通。

最重要的是"垓",釋文爲"垓",字書無此字。當爲"垓"之誤,
垓與改音近,但義却大不同。"垓"有多種含意:(1)《説文》:"垓,兼
垓八極之地也。"(2)作爲數詞,極言其多。《太平御覽》卷七百五十
引《風俗通》:"十萬謂之億,十億謂之兆,十兆謂之經,十經謂之
垓。"(3)區域、界綫。《淮南子·俶真訓》:"道出一原,通九門,散六
衢,設於無垓坫之宇,寂寞以虚無,……。"高誘注:"垓坫,垠堮也。"
可見,"不垓",無邊無際,無上無下,無數無量。它與"不改"的意思
大不一樣。按照今本文字它被譯爲:

> 它是多麼寂静呵,多麼空虚呵,它獨立存在而不改變,它周行反
> 覆永不懈怠。

但照帛書文字,它就是另一個樣子了:

> 它是多麼華麗呵,多麼蕭穆呵,它獨立長存,無邊無際。

對于描寫天體宇宙,帛書的文字也許更貼切吧?

二、"道襃無名"與"道隱無名"

今本 41 章之末,皆爲"道隱無名,夫惟道善貸且成"。因此它被

譯爲："道幽隱而没有名稱,只有道善於輔助萬物。"但是帛書(乙本,甲本蝕)是:"道襃無名,夫惟道善始且善成"。兩句話就有三個字不同:"隱"與"襃"、"貸"與"始"、多一"善"字。帛書注"襃"爲大爲盛,看來值得推敲。"道襃無名……"這兩句話,不僅是 38 章"上德不德"、以及"侯王以孤、寡、不穀"等無名説教的結語,而且也是此章上文"上德如谷,廣德若不足,大白如辱……"等等不求名、安於無名的結語。即:"道總是襃奬那不求名安於無名的,並且只有像道那樣安於無名,才能善始善成。"所以帛書的"道襃無名,夫惟道,善始且善成",顯然是正確的,原貌當如此。

三、"銛襲爲上"與"恬惔爲上"

今本 31 章"兵者不祥之器,非君子之器,不得已用之,恬淡爲上"(或"恬恢"、"恬澹"),但帛書甲本爲"銛襲爲上",乙本爲"銛𢣷爲上"。不得已而用兵,却又談"恬惔",於理不順。"銛",利器鋒利也。(《廣雅·釋詁上》:"銛,利也。"《正字通·金部》:"銛,刃利也。"《墨子·親士》:"今有五錐,此其銛。")而"襲",《左傳·莊公二十九年》:"凡師,有鐘鼓曰伐,無曰侵,輕曰襲。"所以"襲"即輕裝地突然擊襲。"不得已而用之銛襲爲上",即不得已而用兵時,鋭利地輕裝攻擊爲最好。乙本的"銛𢣷",意思也大致相同。"𢣷"者,"𢣷悷,很也"(《集韻·董韻》),"銛𢣷爲上"即:鋭利兇狠難以制伏爲最好。可見帛書的文字才是文理通順的,而今本改爲"恬惔",顯然傷害了文義。

四、兼與廉、絀與肆、眺與耀

今本《老子》58 章談"以正治國",最後四句是:
是以聖人方而不割,廉而不刺,直而不肆,光而不耀。
帛書甲本此段文字已蝕損,乙本無"聖人"二字,少了這兩個

字, 說明它不只是指聖人, 而是指所有"以正治國"者了。此外, 除"方而不割"句同今本外, 另三句則不同於今本:

　　兼而不刺, 直而不紲, 光而不眺。

過去認爲"兼"乃"廉"之省。"紲"乃"肆"的通假, "眺"通"耀"。是否如此, 看來值得推敲。

兼與廉, 音義皆不近。而兼通謙、通慊。《黄帝四經·十六經》:"夫雄節者, 涅(湼)之徒也, 雌節者, 兼之徒也。"此兼即謙。《管子·五行》:"通天下, 遇有兼和。"于省吾新證:"兼應讀爲謙。"因此難以得出兼通廉的結論。而謙, 正是老子竭力倡導的。

紲, 音 xie, 與肆音義皆不近。《廣雅·釋器》:"紲, 繩索也。"拴捆也。可否引申爲約束?

眺, 音 tiāo, 與耀音不近。《説文》:"眺, 目不正也。"《集韵》:"眺, 視不正。"

因此帛書上述三句話的意思是不是這樣:

　　謙虛而不傷人, 直率而不强迫別人, 光明而不胡思亂想。

顯然這與今本文字的含義是不同的。

五、"唯望唯物"與"惟恍惟惚"

今本 21 章之"道之爲物, 惟恍惟惚", 過去理解爲:"道這個東西, 是恍恍惚惚的。"帛書甲本爲:"道之物, 唯望唯㤈(忽)。"這裏有三個字有差別: (1)"望", 它不通"恍"。《釋名·釋天》:"望, 月滿之名。"(2)㤈, 忽之異體字, 盡也。《爾雅·釋詁下》:"忽, 盡也。"《廣韵·没韵》:"忽, 滅也。"乙本"忽"爲"沕", 音義皆與忽同。(3)"唯"通"惟", 也通"雖", 這裏通雖。雖然也。因此, "道之物, 唯望唯忽, "即: 道這個東西雖然或現或隱, 或圓或缺", 顯然與今本之含義不同。這也許是作爲史官老子, 用觀察天象的術語來形容道的吧? 而恍惚, 顯係後人之文飾。不過, 傅奕本的"惟芒惟芴"還是比較接近帛書的。

六、"至"、"致"、"窒"

今本 39 章講天、地、神、峪、侯王"得一"(德的純一)而清、寧、靈、盈、正。接着是"其致之也"，唐後諸本又多作"其致之一也"。今人多用高亨説，將"其致之也"，釋爲"推而言之"，就不能保持清、寧、靈、盈、正了。這"推而言之"究竟是甚麼？看來還是不明白的。

帛書爲"其至之也"(甲本)、"其至也"(乙本)。"至"，在這裏不是達到、極點、導致等意思。而是壅閉、堵塞之意。《易・井》："往來井，井汔至，亦未繘井。"此"至"，即窒、淤塞。《管子・幼官》："和好不基，貴賤無司，事變日至。"郭沫若等集校引尹桐陽曰："至，同窒，塞也。"後來，人們才用"窒"以與"至"相區別。因此，"其至之也"，即窒息了"得一"(或德的純一)，那麼，天、地、神、谷、侯王就不能清寧靈盈正了。如此豈不文通理順，豁然開朗？

七、"深槿固氐"與"深根固柢"

今本 59 章的"深根固柢"被譯爲："根深柢固。"但帛書甲本爲"深槿、固氐"。《玉篇・木部》，"槿，柄也"，因此它不同於"根"；"氐"雖通"柢"，但人們將"柢"理解爲樹的主根。而"氐"作爲本字，則是"本也"(《玉篇・氐部》)。因此再聯繫此章之上文"有國之母"，那麼這"深槿、固氐"是不是説國之柄國之本呢？"深槿"即深藏的國柄，"固氐"即鞏固國家的根本。問題在於此章之"治人事天莫若嗇"之"嗇"作何理解。嗇，過去理解爲吝嗇、節儉。其實這是錯的。嗇通穡。《尚書》、《左傳》、《禮記》，穡字常作嗇。甲骨文嗇字像禾穗積在野之形。因此"治人事天莫若嗇"，即領導人民事奉上天沒有比務農更重要的。而"深槿"、"固氐"，即是説務農乃是古代國家之國柄、國本也。這我們已有專文論及[1]。

---

[1]　《老子的重農及權謀》，《中國文化月刊》1994 年第 4 期。

八、"襲明"與"怵明"

今本 27 章談"七善"：善行、善言、善數、善閉、善結、善救人救物。結語是："是謂襲明。"襲，沿襲、承襲也。所以有人譯爲："承襲道之明。"也有人譯爲，"這就叫保持明鏡"、"内藏着聰明"。這些似乎都於意未安。這"七善"往往是難以承襲的。除非要經歷某種失敗苦痛，才能領悟怎樣去達於善。帛書甲本爲"怵明"。《集韵·真韵》："怵，憂也。"乙本爲"曳明"。曳，拖也，也作困頓。《後漢書·馮行傳》："貧而不衰，賤而不恨，年雖瘦曳，猶庶幾名賢之風。"李賢注："曳，猶頓也。"因此，怵、曳意思相近。"怵明"即憂思的明智，只有經過困頓、憂思、方能達於"七善"的。這樣看就比今本貼切多了。因此帛書當爲古貌。而今本之"襲明"，看來是由"愲明"之誤而來。《説文》："愲，習也、曳聲。"音與義皆近"襲"，而"愲"又與"怵"、"曳"形近而誤。

九、"擒憺焉"與"歙歙焉"

今本 49 章談聖人無恒心，以百姓之心爲心。其中有兩句："聖人在天下，歙歙焉。"它被譯爲，"有道的人在位，收斂自己的意願"，"君人呵，他心存天下，謹謹慎慎"，而有的則省略"歙歙"之意。帛書多了一個"之"字，甲本爲"聖人之在天下，擒憺焉"，乙本爲"……欱欱焉"。擒，同"搨"、打、搭，也同"拉""拹"。于此文義不順，當爲"歙"之誤。《説文》："歙，縮鼻也。"用鼻吸氣吸水。這正與乙本之"欱"同音同義。段玉裁注曰："欱與吸之意相近。"吸喝甚麼？此章中心思想是"以百姓之心爲心"，顯然是吸喝百姓之意願了。而"憺"，《玉篇·心部》："憺，心熱也。"因此，照帛書甲本的文字，它的意思是："聖人到了（"之"）在位時，熱心吸取百姓之意願。"這正與此章之主旨相吻合。

十、"故"與"是以"

今本《老子》18章首句之"大道廢"前,無"故"字。而帛書甲乙本皆有一"故"字,這就很難説是筆誤了。"故"一般用以承轉上文,作"因此"、"所以"、"於是"解。如"故爲天下貴","故知足之足,常足矣"!"故聖人云"……。18章句首之"故"是不能承轉十七章"百姓皆謂我自然"的。那麼這"故"應作何解呢? 事,以往的事。《廣雅‧釋詁三》:"故,事也。"《左傳‧昭公二十五年》:"昭伯問家故,盡對。"杜預注:"故,事也。"《國語‧周語下》:"敢問天道乎,抑人故也。"韋昭注:"故,事也。"因此,帛書的"故大道廢,案有仁義",意思是:"過去的事情是,大道被廢棄了,於是才有了所謂的仁義。"這"故",並非承轉17章的。

同樣,"是以"二字,雖然在《老子》中多是作"所以""因此"等連詞用的。但也有個別(2及64章)例外。如2章,"……音聲之相和,先後之相隨,恒也。是以聖人居無爲之事……"這"是以"就不是連詞。因爲新出現之文句"恒也"已表示上文之結了,"是以"並不承轉上文。那麼,"是以"何解呢?

先看"是"。《説文》:"是,直也。從日、正。"段玉裁注"以日爲正則曰是。從日、正,會意。天下之物莫正於日也"。另外,"是"也作"法則"解,《爾雅‧釋言》:"是,則也。"郭璞注:"是,事可法律。"老子顯然在這裏是從這個意義上用"是"的。

再看"以",《説文》:"用也。"《玉篇‧人部》:"以,用也。"因此,"是以聖人處無爲之事,行不言之教",意思是:"正直的聖人奉行無(私)爲的處事原則,用行動而不是用言語來行教。"正因爲這裏的"是以"不是承轉"恒也"以上文句的,所以,"是以"之後的文句,是可以獨立成章的。

同樣,64章第五節的"是以聖人欲不欲……"之"是以",也不是承轉上文的。

十一、"闡"與"狎"

今本72章的"無狎其所居"之"狎"，侮慢、戲弄也，但一般假借爲"狹"，因此被譯爲，"不要逼迫人民的生活"，"不要促迫得人民不得安居"。而帛書甲本爲"毋闡其所居"，乙本爲"毋伊"⋯伊，字書無，不知何解。"闡"與"狎"音義皆不同。《説文》："闡，開閉門也。"而這裏只作截斷，關閉解。"毋闡其所居"，即"不要打斷人民的安居樂業的生活"。這比"狎"豈不更好？

十二、"予善天"及"與善仁"

今本8章談"上善若水"，其中有"與善仁"句，因此它被譯爲"待人善於真誠相愛"、"交友要像水那樣相親"，"交鋒，好仁愛親慈"。老子有"絶仁"之説，"聖人不仁"之見，怎麼又會"與善仁"（或"人"）呢？果然帛書不是"與善仁"，而是"予善天"（乙本，甲本奪了三個字），三字之中就有兩字不同。"予善天"，就是説："施予像水像天那樣不望報答。"顯而易見，帛書正確。

十三、"明道如費"與"明道如昧"

今本41章有句"明道如昧"，它被譯爲"光明的道好像暗昧"，"明顯的道好像暗昧"。但是帛書不是"昧"，而是"明道如費"。費通拂，違背、乖戾。清朱駿聲《説文通訓定聲・履部》："費，假借爲拂。"《集韵・勿韵》："費，倃也。"因此帛書此句的意思是："懂得道的好像違背道。"老子之"無爲"、"絶仁棄智"等，也許會被不少侯王視之爲不道、違道的吧？

十四、"聞道"與"爲道"

今本5章最末兩句爲"多言數窮,不如守中",過去只有遂州碑本及《淮南子·道應訓》引,不是"多言",而是"多聞"。究竟孰是孰非,莫衷一是。而帛書甲乙本皆爲"多聞",這一來"多聞"乃古貌,應該定案。

由此聯繫到今本48章的"爲學者日益,爲道者日損"。過去一直沿襲河上公的説法:"學謂政教禮樂之學也;日益者,情欲文飾日以益多。""道爲自然之道也,日損者,情欲文飾日以減少。"這似乎有點增字解經。它能否成立,似乎尚可考慮。因爲帛書《老子》的文字有異。

可惜甲本此章文字蝕損幾至於無。乙本不是"爲道日損",而是"聞道日損",其他文句同今本。"爲道"變成"聞道",這一來意思成了:"爲學的人一天天增多,知聞道的人反而一天天減少。"文義大變。可惜僅此孤證,尚難以定論。但有無"聞道"乃古貌之可能性呢? 看來並不排除這種可能性。第一,孔子曾説過"朝聞道,夕死可矣。"(《論語·里仁》)何晏注:"言將至死,不聞世之有道。"第二,《莊子·天運》:"孔子行年五十一,而不聞道,而南之沛見老聃。"可見老子是有可能感嘆"聞道日損"的。第三,從"多聞數窮"來看,從"絕學無憂"、"絕聖棄智"等看,老子並不認爲當時一般的學、仁、聖、智…是利於"聞道"的; 第四,"聞"不只是指聽,尚有接受、傳布、傳揚之意。《戰國策·秦策三》:"義渠君曰:謹聞令。"高誘注:"聞,猶受也。"《詩·小雅·鶴鳴》:"鶴鳴於九皐,聲聞於野。"毛傳:"言身隱而名著也。"在老子看來,春秋時代,世風日下,接受和傳布道的人豈能多嗎? 只是日見其少的。因此,"聞道者日損",很可能是老子之原意。

十五、"以知知國"與"以智治國"

　　今本 65 章皆爲"以智治國,國之賊;不以智國,國之福也。"帛書老子却是"以知(智)知國","不以知知國"。帛書之"治"與"知"是有區分的。"聖人之治也","治之於未亂"……等都是"治",而不是"知"。因此"知國"之"知"非借字,而是本字。這一來它的詮釋就值得考慮了。

　　"以知知國"的前一個"知",乃"智"之借字,這是無疑的。今本皆如是。這"智",可以理解爲智慧、機智、謀略、智巧(今本多作如是解),也可理解爲人:智者,或炫耀聰明的人。三章的"智者","絶聖棄智"之"智",即指此。而後一"知"字則爲本字,但不是指知識,而是指主持、掌管。《字匯·矢部》:"知,《增韻》:主也,今之知府,知縣,義取主宰也。"《左傳·襄公二十六年》:"子産將知政矣,讓不失禮。"《國語·越語》:"有能助寡人謀而退吳者,吾與之共知越國之政。"此"知"即主也,掌管也。因此,"以智知國",即用智者(或炫耀聰明的人)主持國家,乃"國之賊也"。而"不以智知國",即不讓玩弄聰明的人來主持國家,乃"國之福也"。是否如此呢?《史記》對於深通黃老的曹參之用人,有段記載:"擇郡國吏,木詘於文辭,重厚長者,即召爲丞相史。吏之言文深刻,欲務聲名者,輒斥去之。"(《曹相國世家》)老子的"以智知國",是否指這種"欲務聲名者"?"不以智知國",是否指"木詘於文辭,重厚長者"呢? 看來是這樣的。

十六、"環官"與"榮觀"、"則昭若"與"超然"

　　今本 26 章之"雖有榮觀,宴處昭若",被理解爲"雖有繁華的生活,却不沉溺在裏面","雖有華麗的生活,却安居泰然""雖有榮華之境,游樂之觀,仍然要安閑卧處,超然物外"。但是帛書文字差別不小:"唯有環官,燕處則昭若。""環官",甲乙本皆如是。與"榮觀"
出入很大。"唯"雖通"雖",但這裏是本字。"昭若"與"超然"更不
是一碼事。"環官"即環繞包圍之官員警衛。燕,宴也;昭,通昭,樂
名。《史記・李斯列傳》:"《鄭》、《衛》、《桑間》、《昭》……異國之樂
也。"裴駰集解引徐廣曰:"昭,一作韶。"因此,"唯有環官,燕處則昭
若"。即:唯有環繞之官吏之警戒,才能宴樂一如既往。這正與全
章之主題,"不離其輜重","萬乘之主奈何以身輕天下"相吻合。

附表一　帛書《老子》文義異於今本之文句
(帛書之順序,今本《老子》之章次)

章次	帛　　書	今　　本
38	上德無爲無以爲	上德無爲無不爲
39	其至(窒)之也	其致之一也(王:其致之)
39	故必貴矣,而以賤爲本;必高矣,而以下爲基。	貴以賤爲本,高以下爲基。
41	明道如費(拂逆),夷道如類	明道如昧,夷道如纇(本)。
41	道襃無名。	道隱無名
	夫唯道,善始且善成	夫惟道善貸且善成
41	中氣以爲和	冲氣以爲和
42	天下之所惡	人之所惡
	王公以自名也	王侯以自稱
	亦議而教人	我之所以教人
	故强良者不得死	强梁者不得其死
47	不出户以知天下	前兩句"以"字前多一"可"字。
	不窺牖以知天道	
	弗爲而成	不爲而成
48	聞道者日損	爲道者日損
49	……㩜 惔焉	……歙歙焉
	爲天下渾心	爲天下渾渾焉
50	而民生生,動皆之死地之十有三,……	人之生,動之死地亦十有三……
	以其生生也	以其生生之厚也(王本)
50	陵行	陸行
51	器成之	勢成之

章次	帛　　　　書	今　　　　本
52	道, 生之、畜之 生而弗有也爲而弗恃也, 長而弗宰也	故道生之而德畜之 生而不有, 爲而不恃, 長而不宰
52	終身不棘	終身不救
53	使我摞有知（智）也 唯他是畏	使我介然有知 唯施是畏
56	知（智）者弗言, 言者弗知	知者不言, 言者不知
57	以正之邦 我欲不欲	以政治國 我無欲
58	其正閔閔, 其民屯屯, 其正察察, 其邦夬夬 謙而不刺, 直而不絑, 光而不眺	其政閔閔, 其民淳淳, 其政察察, 其民缺缺 廉而不刺, 直而不肆, 光而不耀
59	深槿固氐	深根固柢
60	以道立天下	以道莅天下
63	味無末	味無味
64	恒於其成事而敗之	常於其幾成而敗之
65	以知（智）知邦 以不知知邦	以智治國 以不智治國
81	善者不多, 多者不善	善言不辯, 辯言不善
67	我恒有（囿）三寶之 一曰檢 斤亡吾寶 天將建之	我常有三寶, 持而寶之 一曰儉 近亡吾寶 天將救之
68	是謂用人	是謂用人之力
69	禍莫大於無敵	禍莫大於輕敵
72	民之不畏威 毋閘其所居	民不畏威 毋狎其所居
74	若民恒且不畏死, 奈何以殺懼之也	民不畏死, 奈何以死懼之
75	以其求生之厚也 唯無以生爲者	以其上求生之厚 唯無以生爲貴者
1	萬物之始	天地之始
2	萬物作而弗始也 弗志	萬物作焉而不辭（王本） 不恃

（續表）

章次	帛　　書	今　　本
3	使民不亂	使民心不亂
	使夫智者不敢弗爲而已,則無不治矣	使夫智者不敢爲,爲無爲,則無不爲矣
4	始萬物之宗	似萬物之宗
	始或(域)存	似或存
5	虛而不淈,蹱而俞出,多聞數窮	虛而不詘,動而愈出,多言數窮
7	芮其身	退其身
8	予善天	與善仁(王本)
9	功述身芮	成名、功遂、身退
12	聖人之治也爲腹不爲目	聖人爲腹不爲目
14	執今之道	執古之道
15	夫唯不欲盈,是以能蔽而不成	夫唯不盈,故能敝而不新成(王本)
17	親譽之其次	其次親之,其次譽之
	畏之本,母之	其次畏之,其次侮之
18	智快出	智慧出
21	忽呵望呵,望呵忽呵	惚兮恍兮,恍兮惚兮
	自今及古	自古及今
23	暴雨不終日	驟雨不終日
24	炊(吹)者不玄	企者不立,跨者不行
	故有欲者弗居	故有道者不處也
25	綉呵、繆呵獨立不垓	寂兮寞兮,獨立而不改周行而不殆
	王亦大	人亦大
26	唯有環官,燕處則昭若	雖有榮觀,宴處超然
27	是謂忡明	是謂襲明
	善人,善人之師	善人,不善人之師
31	銛襲爲上	恬淡爲上
	夫兵者不祥之器	夫佳颴者不祥之器也(或舒兵、美兵、作兵)
33	死而不忘	死而不亡
34	功成遂事而弗名有也	功成而名不有
36	道恒無名	道常無爲無不爲
	夫將不辱	夫亦將不欲
	不辱以静	不欲以静

附表二 帛書《老子》較今本減少的文句
（帛書之文次，今本之章次）

章 次	減 少 之 文 句
38	下德爲之而無以爲
39	萬物得一以生
	萬物無以生，將恐滅
64	千里之行，始於足下
73	聖人猶難之
2	生而不有
10	爲而不恃
23	減少"信不足焉，有不信"等七句
24	跨者不行
34	萬物持之以生而不辭（但有重複句）
25	周行而不殆

附表三 帛書《老子》較今本增多之文句
（今本之章次）

章 次	增 多 之 文 句
46	較王弼本增"罪莫大於可欲"
74	若民恒且必畏死
49	較王弼本增"百姓皆屬耳目焉"
1	故失道
2	恒也

作者簡介 尹振環，1934 年生，貴州人，撰有《112 章老子——帛書老子辨析》，貴州人民出版社 1995 年版。

論韓非《解老》和《喻老》

李定生

内容提要 《解老》、《喻老》是韓非用黄老刑名之學解釋《老子》的代表之作,他發展了道家"道"的學説,論述了與道相應的"理",這是韓非"因天之道,反形之理",溝通天地之道和人事之理的理論基石。韓非並非嚴而少恩,也講仁義禮,但與儒家不同,以使人與人不行私鬥、守分不相侵,各遵法度爲目的。

韓非用刑名法術解釋《老子》,《解老》和《喻老》多有與《老子》原意不符之處,常給人以曲解之感,實際上充分顯示了韓非借《老子》之言,以立其説,以申其意。

一

《解老》和《喻老》主要對《老子》德篇解釋和附會,對道篇中關鍵的第一和第十四章(《老子》本不分章,爲便于檢閲,按傳統分章)也作了解釋。"道"是老子的最高哲學範疇,也是道家的基本問題。老子説:"道可道,非常道也。"(1章)莊子認爲人的言語知識所能盡至的"極物而已"。"道"只是假借的名稱。人們用"冥冥","恍惚","無形"等論説道,"所以論道,而非道也"。(《莊子·知北游》)文子雖然也説:"幽冥者,所以論道,而非道也。"(《上德》)但他又説,道是可以形容的,由此引向"内以修身,外以治人"(《道德》)的内聖外王之道。

　　法家韓非更着眼于應用，他對《老子》第一章"道可道，非常道"解釋説："聖人觀其玄虛，用其周行，强字之曰道，然而可論。"對十四章"無狀之狀，無物之象"的道解釋説："今道雖不可得聞見，聖人執其見功，以處見其形。"(《韓非子·解老》，以下凡引《解老》《喻老》均不出注，引其他篇只注篇名)這不可得見聞的道，是可以通過道在具體事物中表現出來的功用去認識和掌握它。

　　從"道可道，非常道"和"所以論道而非道也"，到道可以形容狀，進而到道"可論"，反映了由玄虛之道，進入到現實社會的養生之道，更進而道術的應用，成爲刑名法術的理論根據。

　　韓非的"可論"之道，在《韓非子》書中，有廣狹二義：所以成萬物者是廣義之道；順道而立法，因術而治衆的人主之道，是狹義之道。《韓非子》書中，主要是狹義之道。《解老》則是韓非順道立法，爲法治立理論根據。

　　《解老》説："道者，萬物之所然也，萬理之所稽也。理者，成物之文也，道者，萬物之所以成也。故曰：道，理之者也。物有理不可以相薄。物有理不可以相薄，故理之爲物之制。萬物各異理。萬物各異理，而道盡稽萬物之理。"韓非發展了老子和黄老之學的道，認爲道具有兩方面的意義：一方面，道是構成萬物的物質實體；另一方面道是具體規律(理)的總依據，即是一般規律。

　　就"道"是構成萬物的實體而言："道者，萬物之所然也。"是這樣那樣的事物存在的總和；"道者，萬物之所以成也。"是萬物所以形成的根據，道如何構成萬物呢？韓非説："夫道者，弘大而無形，德者，核理而普至。至于群生，斟酌而用之，萬物皆盛，而不與其寧。"(《揚權》)構成萬物的實體的"道"，其大無外，是無限的，所以説"弘大"，它是不可得聞見的，所以説"無形"。德者，得也。"德"是一事物有得于道的一部份。得到道的一部份就有他內在的本質，所以説"核理"。凡事物都無例外地有他的"德"，所以説"普至"。"道"是整體，"德"是部份，"德"是"道"的體現。一切事物都從道那裏得到或多或少的一部份,因而群生就有或大或小的德,而成爲某事物。萬物群生依據"道"而變化生成,而"道"却不是有意識地干預他們的生成,道"不與其寧"。《解老》還形象地描繪"道"說:"以爲近乎,游于四極; 以爲遠乎,常在吾側; 以爲暗乎,其光昭昭,以爲明乎,其物冥冥。"不但"宇內之物,恃之以成",而且"功成天地",天地也是"道"構成的。所以說:"天得之以高,地得之以藏。"

　　就"道"是一般規律而言,"道者,……萬理之所稽也"。道是一切具體規律的依據的總規律。"理者,成物之文也; 道者,萬物之所以成也。故曰: 道,理之者也。""理"是已經形成的事物的性質和規律,道是萬物所以形成的總依據,道使萬物各有其性質和規律,"凡理者,方圓,短長,粗靡,堅脆之分也。故理定而後可得道也"。這裏,"理"就是事物的性質,事物有一種性質,就成爲某事物。這樣,它就可以用名稱來稱道。"短長,大小,方圓,堅脆,輕重,白黑之謂理,理定而物易割也"。事物之間因理定而可以加以區別而不相混,所以說:"物有理而不可以相薄,故理之爲物之制。""理"又是具體事物的規律。"萬物莫不有規矩……聖人盡隨于萬物之規矩"。萬物之"理",就是"萬物之規矩",即是具體事物的規律。"萬物各異理而道盡稽萬物之理"。萬事萬物各自具有不同的規律。道是總括萬物之理的總規律。"道"寓于"理"之中,"理"離不開"道",又體現了"道"。"道"和"理"是一般規律和特殊規律的關係,所以韓非說:"凡道之情,不制不形,柔弱隨時,與理相應。"

　　與"道"相應的"理",不是永恒不變的。韓非說:"故定理有存亡,有死生,有盛衰。夫物之一死一亡,乍死乍生,初盛而後衰者,不可謂常。""理"是事物之理,事物有生死存亡盛衰的變化,"理"也隨事物的變化而變化,故"無常操"。唯與天地之判也具生,因天地之消散也不死不衰的"道",可以謂"常",是永恒的。"道者,下周于事,因稽而命,與時生死。……故曰道不同于萬物"。(《揚權》)道寓于萬事萬物之中,事物依據天時而消息,與時而生死,而道永恒。所以道與萬物不同。"道"與"理"的區別,在于"常"與"變",道不變而理則變。因此, 人不得不因時而易, 隨法而化, 不可執持不變之習。從而爲韓非批判儒家"無變故, 毋易常"(《南面》)的主張, 建立其"世異則事異, 事異則備變, 事因于世, 而備適于事"(見《五蠹》)的變法理論。

"理"這個重要範疇, 在《解老》中很多次論説到。這是韓非把看不見、聽不到、不可道的"道", 引入到現實社會人事而可得道的重要環節, 是因道而立法的理論基石。韓非説: "聖人之道, 去智與巧, 智巧不去, 難以爲常。……因天之道, 反形之理, 督參鞠之, 終則有始。"(《揚權》)智巧害法, 若不去之, 則法失其常性。因自然之數, 反其數而形之于法紀, 即因道立法, 參同形名, 窮其是非, 終而又始, 反覆無窮。因道反理, 就是因道立法, 也就是《大體》篇所説的"因道全法"。韓非認爲, "道"是客觀而普遍的, 它大公無私, 是萬理之所稽也, 是萬物之所以成也, 它是一切的根本。因此, "道"也是立法的最大依據。故"古之全大體者, 望天地, 觀江海, 因山谷, 日月所照, 四時所行, 雲布風動"。效法自然, 順天地自然之道而行, 這樣的人, "不以智累心, 不以私累己, 寄治亂于法術, 托是非于賞罰, 屬輕重于權衡"。棄除主觀的智與私, 寄托于客觀的法, 就是"不逆天理"。這樣就能"不引繩之外, 不推繩之内, 不急法之外, 不緩法之内; 寧成理, 因自然"(《大體》)。因自然之道, 守反形之理, 一切以法爲準繩。

韓非多以"理"爲法紀, 除上述外, 如《南面》篇説, 不任法則事不利, 不去欲則臣將自雕琢, "知此者, 任理去欲"。《唯一》篇説, 齊桓公"不能領臣主之理", 而禮小臣稷那樣的刑戮之人。《難勢》篇説抱法處勢, "離理失術"的末之議, 怎麽可以問難。《制分》篇説, 治法之至明者, "任數不任人", 智巧誠有所至, 則"理失其量", 這非法使然也, 是已有定法而任智巧也。凡此, "理"皆爲法紀之義。與道相應的"理", 作爲社會人事的客觀法則, 就是"法", 《主道》篇説: "道者, 萬物之始也, 是非之紀也, 是以明君守始以知萬物之源, 治紀以知善敗之端。"韓非認爲, 道爲萬物之始, 則所以成萬物者道也, 盡稽萬物之理者, 亦道也。道既爲萬物之所然, 萬物之所以成, 那麼, 道可以綱紀萬物, 故曰"道, 理之者也"。而"萬物莫不有規矩"(《解老》), 萬物既有規矩, 則是非也存在于萬物之中, 故曰"道者……是非之紀也"。道爲萬物之紀緒, 治此, 則得萬物之是非, 得萬物之是非, 則知善惡成敗之形, 故曰"治紀以知善敗之端"。韓非以是非爲道紀, 與老子"能知古始, 是謂道紀"不同。老子追求超俗的道, 向往反覆, 能知古始, 韓非以是非爲道紀面向現實社會, 主張法治, 以爲順道而主法, 道爲萬理之所稽, 故法可以在客觀上稽核萬物之是非。爲人君者, 執法以行, 就是其宜守之道, 《守道》篇論人君能守法而行, "則君人者高枕而守己完矣"。"道者, ……是非之紀也"。與《解老》: "道, 理之者也"同義。顧廣圻說: "老子十四章有云: 是謂道紀, 此當解被也。紀, 理也。"王先慎同意顧說。謂"紀、理義同, 故道經作紀, 韓子改爲理"。韓非改"紀"爲"理", 除二者義同外, 還在于爲了引"法"。上已論述, 聖人之道, "因天之道, 反形之理"。理和形名相聯繫, 因道反理而立之法就是"督參鞠之"、"刑名參同"(《揚權》)的刑名法術。

韓非的"理", 繼承了黃老之學的"名理"和"道理"。《黃帝四經》說: "物各合于道者, 謂之理, 理之所在謂之順。物有不合于道者, 謂之失理, 失理之所在謂之逆。逆順各自命也, 則存亡興壞可知也。"(《法經·論》)物各合于道者便是理, 是道盡稽物之理, 道在社會人事的體現是理, "極而反, 盛而衰, 天地之道也, 人之理也。逆順同道而異理, 審知逆順, 是謂道紀"(《經紀·四度》)。物極必反, 是天地自然的規律, 也是社會人事的規律, 它們同道而所表現的特殊性不同。明確了逆順, 也就懂得了"道紀", 即"道理"。《文子》說, 道是萬物的根本, "萬物同情而異形"不同事物就各有其理, "故陰陽四時, 金木水火土, 同道而異理"。他要求人們"循道理之數", "循理而舉事"(《自然》)。黃老之學溝通了天地之道和人事之理。《黃帝四經》提出"道生法"(《經法·道法》)的命題, 認爲"法"是君主根據"道"制定出來的, "人主者, 天地之□也, 號令之所出也"(《經法·

論》)。君主是立法者,慎到也説:"以道變法者,君長也。"(《藝文類聚》54 引)《文子》也認爲:"法非天下也,非從地出也,發乎人間,反已自正。"(《上義》)由于法是道這個客觀法則在社會人事中的體現,因而法就具有權威性和公正性,它是判斷是非的標準。《文子》説:"天法者,天下之準繩也,人主度量也。"(《上義》)《黄帝四經》説:"法者,引得失以繩而明曲直者也。故執道者生法而弗敢犯也,法立而不敢廢也。夫能自引以繩,而後見知天下而不惑矣。"君主立法要能"自引以繩",然後不惑。明曲直得失的辦法是審合刑名,"刑名立,則黑白分已。"(《經法·道法》)《黄帝四經》立《名理》一篇,要人們"審察名理","循名究理",做到"是非有分,以法斷之"。這正是韓非"道與理應","緣道理以從事",和因道反理,"刑名參同"之所因。

二

《解老》開篇就解釋《老子》38 章德篇的"德",並説:"德者道之功"。説明韓非對道的作用功能的重視,對道術應用的關心。韓非説,"德"是内在具有的",得"是從外界獲得的。他用神不游于外,不受外物的誘惑來解釋德説:"神不淫于外則身全,身全之謂德,德者,得身也。"《禮記·鄉飲酒義》:"德也者,得于身也。"鄭玄注曰:"得身者,謂成己。"神不游于外而成己德,"德"是體現"道"的。"道"之與"德",是事物一般屬性和特殊屬性的關係。"道"之與"理",前已論述。這裏涉及"理"和"德"的關係。韓非在解釋《老子》59 章"深其根"時説,樹木有曼根,有直根。直根是木之所以建生也,曼根是吸收營養,木之所以持生也。而"德"是人之所以"建生"也,"禄"是人之所以"持生"也,"今建于理者,其持禄也久"故曰深其根。這裏,把"德"和"理"都作爲人主所建生者同等使用,可見,德和理是同一事物的不同方面而言,"德"言事物内在性質,"理"言體現道的具體事物的規律。

《解老》説："身以積精爲德，今治身而外物不能亂其精神。"這裏，"精"是"神"的別名，是韓非以黄老之學來解釋"德"的。"精"是精氣，《管子·内業》説："精也者，氣之精者也。"人所得的精氣，保持而不外淫，就成他的"德"。"神"是精氣的神奇靈妙的作用，精至爲神，故又稱"精神"。《文子》説："正汝形，一汝視，天和將至，攝如知，正如度，神將來舍，德將爲汝容。"(《道原》)"夫道者，藏精于内，棲神于心。"(《精誠》)内心是藏住精神的地方，正形正心，神將來舍。《管子》説："正形飾德……無以物亂官，毋以官亂心，此之爲内德。"(《心術》下)"不以物亂官，不以物亂心，是謂中得。"(《内業》)這裏"中得"就是"内德"，是説内心得到精氣而成爲内在的德。不以物亂官，使精氣有暢通的門户，不以官亂心，保持内心和平，精神能住下來。《文子》説："夫孔竅者，精神之户牖也。……精神馳騁而不守，禍福之至雖如丘山，無由識之矣，故聖人愛而不越……精神内守形骸而不越，即觀乎往世之外，來事之内，禍福之間可足見也。故其出彌遠者其知彌少，以言精神不可使外淫也。"(《九守》)韓非正是這樣來理解的，他説身以積精爲德，"今治身而外物不能亂其精神"，又説"精神不亂之謂有德"。保持内心和精氣不從空竅跑掉，人就可以聰明智慧而神明。《喻老》説："空竅者，神明之户牖也，耳目竭于聲色，精神竭于外貌，故中無主。中無主則禍福雖如丘山，無從識之。故曰不出户可知天下，不窺牖可以知天道。此言神明不離其實也。"神明不離其實就是精神不使外淫，則身全之謂"德"。

如何保持精神而不使外淫呢？韓非認爲，以"無爲"，則精氣聚集于心，以"無欲"，則集于心的精氣成其德，以"無思"，則德安于心，以"不用"，則德固其所。爲之欲之，則德無所止，用之思之，則德外淫而無功。無功生于有得，于外有得，則于内有失。是以有得則無德，不得則有德。有德之君，可執道以御民；有德之民，不求外得，則不爲非作歹，而不犯法禁。這也是《文子》説的："静漠恬淡以養生，和愉虚無以據德，外不亂内，即性得其宜，静不動和，即德安其位，養生以經世，抱德以終年。"(《九守》)道家要人保持精氣，其目的是要保持生命,老子尤其如此。黄老家要人保持精氣,是要人養生以經世。而韓非要人持守精氣,"重積德",還在于人發揮聰明才智,去控制自然,戰勝敵人。他説:"積德而後神静,神静而後和多,和多而後計得,計得而後能御萬物,能御萬物則戰易勝敵,戰易勝敵而論必蓋世,論必蓋世故曰無不克。"

韓非説:"爲之欲之,則德無舍。""舍"是館舍安止的意思,是借用黄老學説。《管子》説:"虚其欲,神將入舍,掃除不潔,神不留處。"(《心術上》)"定心在中,耳目聰明,四肢堅固,可以爲精舍。"(《内業》)精舍就是精氣所住的宿舍。虚其欲,精氣才會來到宿舍,嗜欲不掃除清潔,精氣也不會住下來,因此,要保持内心的虚静。所以韓非説:"思慮静,故德不去,孔竅虚,則和氣日入,故曰重積德。"

韓非的虚静與老子不完全相同。老子强調"致虚極,守静篤"(16章),説"聖人之治,虚其心,實其腹"(3章)。虚静爲絶對的空明寧静,"豈虚言哉"(22章),則虚爲空。韓非認爲,虚静不是空虚寧静,他並不否認人有思慮、有意欲。並認爲君主的思欲是官治國富兵强,霸王之業成(見《六反》篇);臣民的思慮爲離罰受賞。韓非的虚静,是本其師説"虚壹而静"(《荀子·解蔽》)對黄老子之學的吸取。他説:"所以貴無爲無思爲虚者,謂其意無所制也。"心不爲某事物所支配,虚是自然的虚,如果有意爲虚,故意以無爲無思爲虚,是"制于爲虚",就不是虚,所以説"虚者,謂其意無所制也"。這樣的虚就德盛,就是上德,故曰:"上德無爲而無不爲也。"不以無爲爲有常的虚,就能達到無不爲的思想,是黄老之學給了韓非很大的启示。文子説:"欲在于虚,則不能虚,若夫不爲虚而自虚者,此所欲而無不致也。"(《道德》)文子不爲虚而自虚,則所欲無不致的思想,是道家"無爲而無以爲"到法家"無爲而無不爲"的中介。

這裏值得注意的是《老子》38章説,"上德無爲而無以爲"。王弼本同帛書《老子》甲、乙本,均作"無以爲"。而傅奕古本篇和范應元古本集注本"無以爲"作"無不爲"。很可能就是因《解老》而改"以"爲"不"。以致讀《解老》者如顧廣圻也認爲,《老子》"無爲而無

以爲"作"以"爲非。"無以爲"是順任自然, 無心而爲之, 韓非改作
"無不爲", 正是與老子不同所在。老子以各守其樸, 不干政事爲無
爲, 強調無心作爲; 韓非借老申其意, 順道立法, 按法治衆, 不以智
慮處事爲無爲, 強調無不爲。韓非説: "夫物者有所宜, 材者有所
施, 各處其宜, 上下無爲。"(《揚權》)上下循法, 則上下各處其宜, 在
下者盡職而不窺上, 居上者而不慮下; 下不事智以邀功, 上不用刑
以懲奸, 故上下無爲, 各司其職, 達到無不爲之目的。

　　"各處其宜, 故上下無爲", 是韓非對"無爲"的定義。這樣的無
爲, 就可以"無不爲"。這種主張在《韓非子》書中, 到處可見。如前
引《大體》所説, "守成理, 因自然", "上下交樸, 以道爲舍"。上下無
爲, 以法爲趣舍, 就是無爲而無不爲之旨, 有道之君, 未嘗不因資而
用, 乘衆人之智, 用衆人之力。文子説: "夫人君不出户以知天下
者, 因物以識物, 因人以知人, 故積力之所舉, 即無不勝也, 衆智之
所爲, 即無不成也。"(《下德》)韓非《喻老》也認爲: "能並智, 故曰不
行而知, 能並視。故曰不見而明, 隨時以舉事, 因資而立功, 用萬物
之能而獲利其上, 故曰不爲而成。"

　　韓非對仁義禮的解釋, 也自有定義。《解老》説: "仁者, 謂中心
欣然愛人也, 其喜人之有福, 而惡人之有禍也。"這喜福惡禍的愛
人, 發自内心, 不能自已。義是君臣父子朋友等人際關係的適宜,
"義者, 謂其宜也"。韓非的仁義與儒家有什麼不同呢?"行惠施利,
收下爲名, 臣不謂仁。離俗隱居, 而以作非上, 臣不謂義"。(《有
度》)行惠施利之仁, 不宜于俗之義, 是儒家的仁義, 韓非不取。例
如有處土小臣稷, 齊桓公三往而弗得見, 桓公收下爲名, 于是五往
乃得見。韓非説, "桓公不知仁義"。如果桓公將欲憂齊國, 而請小
臣稷治其國, 以萬乘之勢, 下匹夫之士, 而小臣稷不行至朝受官職
爵禄, 這是小臣之"忘民", "忘民, 不可謂仁義", 没有仁義, 而桓公
又從而禮之, 所以説"桓公不能領臣主之理"(《難一》)。禮是文飾内
心情意的, 是君臣父子朋友等人際關係的節文條理, "禮者, 外節之
所以諭内也"。如父子之間, "其禮樸而不明", 出于自然, 質樸無僞,

不必繁文以明之。可是，"今爲禮者，事通人之樸心，而資之以相質之分，能毋争呼？有争則亂"。現今爲禮者以貫通人之淳樸之心，以擾動人心爲事，因而，人受禮的束縛，有禮則有無禮之忿怨，忿怨則鬥争，鬥争則亂。可見，韓非所謂仁義禮使人與人不行私鬥，守公而不相侵，各遵法度爲目的。他説："夫仁義者，憂天下之害，趨一國之患，……不失人臣之禮，不敗君臣之位者也。"(《難一》)"臣事君，子事父，妻事夫，三者順則天下治，三者逆則天下亂，此天下之常道也。"(《忠者》)

喜人之有福，惡人之有禍，故"明主立可爲之賞，設可避之罰"。賢者勉勵爲善而無禍，不肖者少罪而無刑，盲者處平地而不會遇到深山溪谷，愚者守靜不妄動而免陷危險。如此，"則上無私威之毒，而下無愚拙之誅"，而"上下恩結矣"(《用人》)。明法信賞，上下恩結而相親，這就是《解老》所謂"兩不相傷則德交歸焉。言其德上下交盛而俱歸于民也"。民犯法令則叫做民傷上，上刑戮民叫做上傷民，民不犯法則上不行刑，這是韓非主張嚴刑重罰，以刑去刑的理論根據。

民犯法，固然是民傷上，但上陷民于刑，則亦爲上傷民，只有嚴刑重罰，使民不敢犯法，則上亦無傷于民。《内儲説上》記載，"殷法刑棄灰"而"公孫鞅重輕罪"。(按：《鹽鐵論·刑德》："商君刑棄灰于道而秦民治。")韓非借子貢和孔子問答説，刑棄灰于街者，子貢以爲刑重，而問孔子，孔子説："知治之道也。"爲什麼是知治之道呢？因爲棄灰于街，灰塵播揚，掩翳人眼，人們必怒，怒則鬥，鬥必三族相殘害，"此殘三族之道也，雖刑之可也"。重刑是人之所惡，而不棄灰于街，是人們容易做到的，使人們做容易做到的，而使人不蒙受其所惡的重刑，所以説"此治道也"。商鞅"重輕罪"之法，也就是這個道理，所以韓非直引商鞅的話説："行刑重其輕者，輕者不至，重者不來，是謂以刑去刑。"所以韓非説，明主治國，"衆其守，重其罪，使民以法禁，而不以廉止。母之愛子也倍父，父令之行于子者十母，吏之于民無愛，令之行于民也萬父，……故法之爲道，前苦而長

利, 仁之爲道, 偸樂而後窮; 聖人權其輕重, 出其大利, 故用法之相
忍, 而棄仁人之相憐也"(《六反》)。重其罪, 以法禁, 以期達到以刑
去刑, 這與仁之爲道相反, 是先苦而長利的"愛民"。韓非繼承和發
展了商鞅重輕罪和"法者, 所以愛民也"(《商君書·更法》)的思想。

韓非還從老子禍福倚伏的思想, 尋求其嚴刑重罰的理論根據。
《解老》説: 人有禍則心裏就恐懼, 心裏恐懼其行爲就小心端正, 行
爲端正則無禍害, 無禍害則能盡天年。同時, 心恐懼, 則他的思慮
就成熟, "思慮成熟則得事理", 得事理則舉事必成功。人能盡天
年, 舉事必成功, 則"全而壽", "富而貴", 全壽富貴這就是"福"。嚴
刑重罰。人們總以爲是"禍", 既以爲是禍, 因而畏懼而不敢爲非,
不敢爲非就能盡職守法, 凡能守法盡職就能得到慶賞而致富貴, 這
就因禍而得福。福本于有禍, 故曰"禍兮福之所倚。以成其功也"。
相反, 福也伏匿于禍, 禍本生于有福。所以喜人之有福, 惡人之有
禍, 權其輕重, 出其大利, 行刑重其輕者, 人以爲禍, 從而達到輕者
不至, 重者不來, 以刑去刑, 造福人民。

作者簡介 李定生, 1930 年生, 江蘇金壇人。1961 年畢業于
復旦大學哲學系。現爲復旦大學哲學系、社會學系教授。

自我和無我

湯一介

在中國先秦哲學中,我們可以説莊子的思想最具有哲學意義。《莊子》一書討論了許多哲學問題,但全書有一個中心問題,就是"人如何實現自我",換句話説就是關于"人"的"自由"的問題。"人如何實現自我",照莊子看,不應執著"有我"而應取"無我"的路徑。《齊物論》開頭記載着一段故事,大意是説:有一天南郭子綦憑着几案而坐,仰天緩緩地呼吸着。進入了一種忘我的境界。他的弟子顏成子游站在他面前,問道:"你是怎麼一回事呀? 形體可以像槁木一樣嗎? 心靈可以像死灰一樣嗎? 你今天憑几而坐的神情和過去憑几而坐的神情不一樣呀!"子綦回答説:"子游呀! 你問得好,今天我失去了我自己(今吾喪我),你懂嗎? 你聽説過人籟(music of man)而没有聽説過地籟(music of earth);你聽説過地籟,而没有聽説過天籟(cosmos music)吧!"子游問什麼是"人籟"、"地籟"、"天籟",子綦一一作了回答。説到"天籟",子綦的意思是它成之自然,因此它是不受任何條件限制的,因而是自由的。

這段故事,子游所問,子綦所答,似乎有點所答非所問。其實不然。我認爲,莊子的意思是只有"吾喪我"才能和"天籟"一樣是"成之自然",才可以是不受任何條件限制的,因而是自由的。莊子所追求的正是這樣的"吾喪我"的自由精神境界。那麼如何才能達到這種自由的精神境界呢? 照莊子看,人之所以不能"自由",是由于失去了"自我","自我"的喪失是由于人在精神上受到其身心内外的束縛所致。在《莊子 · 逍遥遊》中,給人們提出一套由"無我"

實現"自我",避免"自我"異化的理論。

在《逍遙遊》中,莊子提出"無待"這一概念,並且認爲只有"無待"才能達到精神上的真正自由。《逍遙遊》的開頭也記載了一段故事,大意是説:大鵬擊水三千里高,展翼一飛九萬里;列子乘風日行八百里,看起來是够自由的,但實際上並不自由。大鵬擊水三千,舉翼直上九萬,都需要廣大的空間;列子日行八百、又得靠風力,這都是"有待"(有所待),即要有一定的外在條件。因此,只有"無待"(無所待),即不要一切外在的條件,才有可能達到真正的自由。莊子對"無待"的解釋是:如果人能靠自己的精神力量,順應自然,把握各種變化,超越外在條件的限制,這樣可以是"無所待"的。能够做到"無所待"的只有"至人"、"神人"和"聖人",因爲"至人無己","神人之功","聖人無名"。所謂"無己",就是説讓"真正的自我"(真我)從功名利禄,是非善惡,直至自己的形骸的限制中解脱出來,而達到"與天地精神獨往來"的境界。所謂"無功",就是説要破除一切人爲的限制,消除一切世俗的束縛。所謂"無名",就是説要無所追求,超世越俗,去知與故,虚無恬淡。可見"無己"、"無功"、"無名"都説人要"逍遙遊"就得"無所待"。

照莊子看,人要達到破除外在條件的束縛,相對地説還好辦,但是要達到破除自我身心的束縛就更難了。因此,人要達到精神上自由的境界,就不僅要破除外在條件的束縛,而且要破除對"自我"的執著,要忘掉"自我",即用"無我"來實現"真我"。莊子認爲,"無我"才可以完滿地實現"自我",而"有我"反而會喪失"真我"。在《莊子·大宗師》中記載着孔子與顔回的一段對話:顔回在説到他的精神境界時,先説他忘掉了"禮樂",後又説他忘掉了"仁義",孔子都説顔回還沒有做到家。最後顔回説他"坐忘"了。孔子非常驚異地問:"什麽叫坐忘?"顔回回答説,"坐忘"就是忘掉自己的身體,抛開自己的聰明。離棄形骸去掉智慧,和大道融通爲一,這就叫"坐忘"。從這段對話中我們可以看出,莊子認爲要擺脱外在的人爲的束縛還比較容易,而要擺脱自我身心的束縛就更難了。"坐忘"

不僅要求超功利、超道德、超對待,而且要求超生死,超越自己的耳目心意的束縛,這樣才可以和自然融爲一體,而達到精神上的自由境界。

從莊子以上的思想可以看出,他認爲人失去"自我",或者是受外在條件(環境)的約束,或者最受自己身體和心靈的約束,這樣"自我"就異化了,而失去"真我"。那麼莊子爲什麼會有這種看法呢? 這正是由于他對宇宙人生產生的一種憂慮。這種憂慮來自他對身心內外的一種壓迫感。那麼如何辦呢? 照莊子看,人要實現其"自我",就要使其"真性"得到發揮,取得精神上的自由。有了精神上的自由就可以"原天地之美而達萬物之理"(順應天地自然之美而通達萬物的道理),以應無窮,從而達到"至美至樂"的境界。"自由"是一種創造力,莊子所追求的"自由"是一種超越宇宙人生限制的創造力。但他的這種創造不是來自對現實人生的肯定,而是來自對現實人生的否定。這種對現實人生的否定,正是一種深刻地對宇宙人生的"憂慮"的表現。我們把莊子的"憂"和孔孟等儒家的"憂"相比較,儒家的"憂"往往是要求在現實人生中積極地實現"自我",是一種入世的"憂",常被叫作"憂患意識"。而莊子的"憂"則是要求超越現實以實現"自我",是一種超世的"憂",是一種追求超越而產生的"憂慮"意識。

馮友蘭在他的《新原人》中把人的境界分爲四種:即自然境界,功利境界,道德境界和天地境界。我們可以說,人之憂的不同往往和他的境界的不同相關連。馮友蘭說:"自然境界的特徵是:在此境界中底人,其行爲是順才或順習的。"我看,此境界的人是處于一種順其本能的狀態,所追求的是"食"與"色","食色,性也"(《孟子·告子上》)。如果這種原始人得到"食色"的滿足,他們就可以"含乳而嘻,鼓腹而游";如果得不到"食色"的滿足則不樂而憂。自然境界的人,其行爲是順本能的,是不自覺的,如《莊子·馬蹄》中所說:"其行填填,其視顛顛。"(他的行爲笨拙,心智遲鈍)"功利境界的特徵: 在此境界中底人,其行爲是所謂'爲利',是爲他自己的利。"例如：追求金錢、權力,計較個人的得失利害等等,這是大多數人所追求的,"天下熙熙皆爲利來,天下攘攘皆爲利往","求名于朝,求利于市",爲了追求個人的利益,他可以是"不願天下人負我,寧可我負天下人"。這種人是有自覺的,他們的行爲是有個人某種的目的的。這種人如果得不到他們所追求的個人利益而"憂心忡忡"。這也是一種"憂"。上面所說的兩種"憂"不是我們要討論的,我們要討論的是"道德境界"和"天地境界"中的人的"憂"。

馮友蘭說："道德境界的特徵是：在此種境界中底人,其行爲是'行義'底,義與利是相反相成的。求自己的利底行爲,是爲利底行爲；求社會的利底行爲,是行義的行爲。"在中國哲學中常有"義利之辯"的問題,孔子說："君子喻于義,小人喻于利。"(《里仁篇》)孟子說："生亦我所欲也,義亦我所欲也。二者不可得兼,捨生而取義者也。"(《告子上》)董仲舒對此概括爲："正其誼而不謀其利,明其道而不計其功。"誼者,合誼,合乎道義也；道者,合理,合乎原則也。可見儒家追求的是一種道義、原則和理想,而且他們要求把他們的理想實現于現實之中。孔子追求的是"天下有道"的社會,孟子追求的是"得仁政"的社會,所以他們的行爲不是爲"私利",而是爲"公義"。而且孔子認爲他自己是可以爲社會理想犧牲生命的人,他說："志士仁人,無求生以害人,有殺身以成仁。"如果他們的社會理想沒有實現的可能性,那麼他們或者是隱退而不出,"道不行,乘桴浮于海"(《論語·公冶長》)；或者是"知其不可而爲之",盡倫盡職。孔孟都是理想主義者,他們所追求的理想是不可能實現的。所以他們有"憂",這是對天下國家的"憂患意識"。"憂患"作爲一種心理狀態,早見于《詩經》,如："不見君子,憂心忡忡。"(《詩·召南·草蟲》)"知我者謂我心憂,不知我者謂我何求。"(《詩·國風·黍離》)這裏的"憂心"和"心憂"都是一種對天下國家的"憂患意識"。《孟子·告子下》："生于憂患,死于安樂。"《易·繫辭下》："其作《易》者,其有憂患乎!"其後中國具有儒家思想的知識分子往往都以天下國家爲己任,而有"先天下憂而憂,後天下樂而樂"的"憂患意識"。這種具有憂患意識的人大都可以説是在道德境界中的人。處于道德境界的人能否從他們的"憂患"中解脱出來呢?

馮友蘭説:"天地境界的特徵是: 在此種境界中底人,其行爲是'事天'底。在此境界中底人,了解于社會的全之外,還有宇宙之全,人必于知宇宙之全時,始能使其所得于人之所以爲人者盡量發揮,始能盡性。"我認爲"盡性"兩字很重要。人如何才能"盡性"?這不但要超越世俗的一切限制,而且要超越"自我"的一切限制。要超越世俗和"自我",就是莊子所説的要達到"坐忘"才有可能。"坐忘"正是要"無我"而存"真我"。在《莊子》書中處處流露出他對失去"真我"的憂慮。照莊子看,人之所以失去其"真性"全在于不能"返璞歸真",去追求那些外在于人的東西而失去"自然之性"。《莊子·漁父》中説:"真者所以受之于天,自然不可易也。故聖人法天貴真,不拘于俗,愚者反此。"聖人能效法天然,珍重"真性"。人如果要保持其自然之真性,就必須超越是非、善惡、美醜、生死等等的對立。然而人往往不能超越這些對立而陷入憂慮之中。如《養生主》中説:"吾生也有涯,而知也無涯,以有涯隨無涯,殆矣。已而爲知者,殆而已矣。"在《齊物論》中,莊子認爲由于立場的不同,因而對是非的看法也就不同,像儒墨兩家爭個高下是完全没有必要的。《德充符》中討論到生死問題,老子批評孔子,説孔子不了解生死是一致的,應該解除孔子被生死觀念的束縛。莊子之所以有這樣一些看法,正是由于他對宇宙人生所抱有的深刻的憂慮所致。他認爲,像世俗人那樣把是非、善惡、美醜、生死等等看成是對立的,而這些問題在現實社會中無法解決,只能陷入憂慮之中。只有超越這些對立,自己解除這些世俗觀念的束縛,超越"自我",達到"無我"的境界,才可以獲得精神上的自由,而可返璞歸真。我們可以從《莊子》書中對"真人"的描述,來看莊子所追求的理想境界。《大宗師》中説:"古之真人,不知説生,不知惡死,其出不訢,其入不距;翛然而往,翛然而來而已矣。不忘其所始,不求其所終;受而喜之,忘而復之,是之謂不以心損道,不以人助天,是之謂真人。"所謂

"真人"就是能自覺地超越對待,順應自然的人。因此"真人"和不自覺的原始的自然人在形式上相似而在境界上完全不同。真人"不以好惡自傷其身,常用自然而不益生",這樣"無我"而存真正的"自我";"自我"才不至于異化,精神才能得到真正的自由,從而"憂慮"自除,"至樂"自生,而達到與天同德的天地境界。

　　本文寫到最後,我不得不考慮一個問題,孔子對天下國家的"憂患",莊子對宇宙人生的"憂慮",它們和"憂鬱"是否有關?我考慮再三,也許可以說:"既有關又無關。"從一個方面看,"憂患"、"憂慮"和"憂鬱"都是一種"憂",因此有它們的同一性。既然都是一種"憂",必然在心理上都會引起某種苦惱,有着某種壓迫感。因此,從"憂"的內涵說"憂患"、"憂慮"、"憂鬱"都同屬于"憂"的這個類概念。但從另一方面看,"憂患"、"憂慮"和"憂鬱"又是不同類型的"憂",因此有它們的差異性。"憂患"的對象是天下國家(社會),它是由於對天下國家的社會責任感和歷史使命感引起的,因此屬于道德境界的"憂"。"憂慮"(莊子的憂慮)的對象是宇宙人生,它是由于對宇宙人生的終極關懷而引起的,因此它屬于天地境界的"憂"。而"憂鬱"表面上看它的對象是某種欲求,而實際上是由於執著"自我"(以自我爲中心)而有的一種不正常的心理狀態,所以"憂鬱"是一種"症",因此我認爲"憂鬱"的人大概是處于功利境界的人。

　　(注:本文爲1995年7月在德國波恩大學召開的關于"憂鬱和中國社會"(Melancholy and Society in China)討論會的發言稿)

　　作者簡介　湯一介,北京大學哲學系教授、博士生導師、中國哲學史學會副會長。

自由與自然

——莊子的心靈境界説

蒙培元

内容提要 實現心靈的自由境界,是莊子哲學的根本目的。本文分析了莊子所説的精神自由的内涵及其實現途徑,着重論述了精神自由與自然的關係,提出莊子的自由境界是一個目的性追求,它以心靈的意志爲動力,以直覺體驗爲方法,以自由快樂爲目的。莊子所説的自由境界,是主觀境界,但確實具有客觀意義,是主客合一、内外合一、天人合一的。

研究莊子的心靈哲學,首先會遇到一個問題,這就是莊子一方面追求"逍遥"境界,即自由境界;另一方面又主張回歸自然,"安之若命"、"無爲自化"。這中間究竟有何關係?自由和自然二者是一致的,還是對立的?是同一問題的不同説法,還是莊子哲學所遇到的"二律背反"?這是一個十分重要而迄今研究很少的問題。

在中國哲學史上,莊子是第一個提出自由與自然的關係問題的哲學家,這不能不説是他的思想的深刻之處。這是一個真正的哲學問題。而他對這個問題的回答與解決,更使我們感到興趣。

一

莊子哲學的根本目的,是實現心靈的自由境界。《莊子》内篇的《逍遙遊》，正是莊子哲學的主題所在。從這個意義上說，他是一個意志自由論者。所謂"逍遙"，就是擺脫一切主觀與客觀的限制和束縛，實現真正的精神自由。由于這種自由主要限于心靈或精神領域，而不是現實的社會自由，因而被稱之爲境界；又由于它是自主的、自爲的，而不是因果的或必然的，故稱之爲意志。但是自由境界的實現，又不僅僅是意志本身的問題。這種自由也可以說成是絕對的、無條件的，因爲任何"有待"即相對的自由，在莊子看來都不是真正的"逍遙"，也就是不自由。

這種自由境界是心靈的超越，也是心靈的解放。它超越了主客對立，超越了有限自我，因而能够逍遙于"無何有之鄉"、"無窮之野"、而"與天地精神往來"。這"天地精神"就是"道通爲一"、"復通爲一"之道，它能够通萬物而爲一，又能够存在于萬物之中。但它既不是物質實體，也不是精神實體，而是境界形態的精神存在。境界是主觀的，又是客觀的，是主客合一、天人合一的存在狀態。所謂"逍遙"或自由，是就人而言的，就主體而言的，離開人的心靈意志，便無所謂"逍遙"不"逍遙"，無所謂自由不自由。因此，當他談到"一志"（《養生主》）、"養志"（《讓王》）、"得志"（《繕性》）時，就把實現心靈的意志自由作爲人生最重要的事情來看待了。

但是，莊子知道，要實現自由境界，並不是人人都能做到的，即使如列子能"御風而行"，也未免"有待"而不能進入"無待"的自由境地。人之所以不能自由，是由于心靈受到各種各樣的束縛，即有"桎梏"（《德充符》）。這些"桎梏"是什麼呢？

"桎梏"之一是認知心。這是指主客相對意義上的認知心。相對的認知心都有所待而後有所知，所待者即認識對象，所知者即主觀認識或知識。《大宗師》中所說的"知有所待而後當"，《庚桑楚》所說的"知者接也，知者謨也"，都是指這種對象認識而言的。這樣的認識自有其價值，莊子大概並不是一概否定，但是就莊子哲學的主旨——自由境界而言，他是否定這種認識的。在莊子看來，這種認識與自由境界不能相容的，至少是不同的兩回事（這一點莊子並不自覺)。莊子清醒地認識到,自由境界雖然也需要"知",但那是有關"道"的"真知",而不是對象認識,一切對象認識或知識是不可能通向人生真理、實現理想境界的。

原因在于,一切對象認識都是有限的、相對的,不可能認識事物的"本真"。這種認識没有也不可能打破主客界限,因而受到對象和主觀條件兩方面的限制,主體與客體之間,客體與客體(彼與此)、主體與主體(你與我)之間,都處在相互"對待"即對立之中,在這種情況下,不可能獲得有關自由的認識。凡是主客相對意義上的認知心都没有自己的獨立性,更不可能有自由。因爲自由本身便意味着對一切"對待"的破除,它本身就是"無待"的。

莊子所説的"逍遥"即自由,顯然是心靈的自由、意志的自由、精神的自由,不是對自然界必然性的認識所得到的自由。在他看來,意志自由是任何對象認識所不能解決的,如果要通過這樣的認識獲得自由,那就是"南轅而北轍","今日適越而昔至"。

凡對象認識都是與語言相聯繫的,是通過語言來表述的,因此,莊子對語言也進行了批判。他認爲,語言都有所指,指于此則失于彼,指于彼則失于此,不可能指稱道的認識和意義世界。這是語言固有的局限性:它是有限的,相對的。語言只能作爲工具性媒介,却不能代替認識本身,更不能代替心靈境界。他關于"成與毁"(《齊物論》)、"有言與無言"(同上)、"言與意"(《外物》)的辯論,都是闡發這一觀點的。他的結論是:"知者不言,言者不知。"(《知北遊》)這裏所謂"知",是指"真知",不是對象認識;這裏所謂"言",是指人類語言,不是自然界的語言。

"桎梏"之二是嗜欲心。凡嗜欲心都是以外物爲追求對象,受外部對象的牽制,因此也是"有待"的,也是一種"桎梏"。從生物學的層面説,人不能没有生存的欲望,對此,莊子未必反對。他雖然説過藐姑射之山有神人,"不食五穀,吸風飲露"(《逍遥遊》)之類的話,但那是另一個問題,這裏不談。他所反對的是人爲的嗜欲以及"功利機巧"之心,凡是被嗜欲心所陷者,决不會有自由境界。"其嗜欲深者, 其天機淺"。(《大宗師》)所謂"天機", 就是生命的真正本源, 它是本可以實現自由境界的, 但嗜欲深者爲了使自己的欲望得到滿足, 必然向自然界進行掠奪, 欲望愈深, 掠奪愈多, 結果是"以心捐道"、"以人勝天", 從而傷害了人的生命之源, 甚至出現人的異化。人的生命失去了本來的意義, 當然談不上什麼自由境界。"執道者德全, 德全者形全, 形全者神全, 神全者聖人之道也。"(《天地》)"道德"就是"天機", 道德全則神形全, 神形全者才能有"聖人"境界, 而"功利機巧必忘夫人之心"(同上), 既然功利機巧能使人心被"忘"而喪失, 還有什麼心靈境界呢?

"桎梏"之三是喜怒哀樂之心與道德心(仁義心)。莊子每每否定喜怒哀樂之心, 這一點最爲費解, 以致許多研究者認爲, 莊子是"無情而主智"或"無情而主理"論者。其實不然。這裏不是情與智的問題, 也不是情之有無的問題, 而是情之超越與否的問題, 正如"知"之超越與否一樣。莊子否定情感, 往往是從正面提出, 人們看得清楚, 比如"安時而處順, 哀樂不能入也"(《養生主》), "有人之形, 無人之情"(《德充符》), "喜怒哀樂不入于胸次"(《田子方》), 等等, 至于"鼓盆而歌"的故事, 更是衆人皆知的。但是, 莊子肯定情感的主旋律, 却不是從正面提出的, 而是運用"寓言"、"卮言"提出的, 這一點很容易被忽視。最典型的例子莫如"夢爲蝴蝶"(《齊物論》)與"魚之樂"(《秋水》), 他通過這一類的比喻説明人的"天樂"、"至樂"或"大樂"。莊子也講"大哀", 即"哀莫大于心死"(《田子方》), 心一旦死了, 這才是最大的悲哀。可見, 莊子對心靈情感是很重視的。

這究竟是爲什麼呢?

我想有兩個原因。一是莊子反對世俗之情, 主張超世俗的"無情之情"。這完全是反傳統的觀點, 也是莊子哲學的特質所在。在莊子看來, 世俗是"塵垢", 是污濁的, 世俗之情也是不值得稱道的。世俗之情對自由境界而言成了束縛, 以致有時不能不反其道而行之, 才能擺脱這種束縛。如果説莊子是一位很清高的思想家, 那麼他的清高同這種反傳統的思想是完全一致的。

二是莊子反對儒家的道德情感，提倡超倫理、超道德的"性命之情"。他認爲，只有超倫理的"性命之情"才是符合自由精神的。在莊子時代，儒家學説特別是孟子的仁義學説已很盛行（孟子約長于莊子三歲），孟子"好辯"，其學説的重要特點之一，便是提倡道德情感，即認爲仁義是人的心理情感所固有，或者出于情感。莊子的"無情説"在很大程度上是針對這種學説的。"意仁義其非人情乎！"（《駢拇》）這句話即便是出于莊子後學之口，其思想則是屬于莊子的，因爲他是否定仁義的。從某種意義上説，莊子提倡"無情"，是爲了否定道德情感，而不是否定一切情感，正好相反，莊子是最重視情感的，因爲自由境界與情感是不能分開的。但是，在他看來，世俗之情以及道德情感對心靈却是一種束縛，使人不能自由。

二

既然認知心、嗜欲心、道德心等等都是心靈的"桎梏"，那麼，爲了使心靈能够實現自由，就必須"解其桎梏"（《德充符》），"解心釋神"（《在宥》）。心靈、精神獲得了解放，自由境界也就能够實現了。

按莊子所説，認知心必有所待，而"其所待者特未定也"（《大宗師》），就是説，並没有固定不變的標準，于是便出現"是非"、"真僞"之辯，但何者爲是，何者爲非，何者爲真，何者爲僞，也没有絶對的標準。怎麼辦呢？最好的辦法是破除對待而超越是非，以獲得"真知"。"真知"是"不知之知"，是一種呈現、顯現，不是什麼對象認識，它超越了一切相對的知識，只是"道"的本真狀態，也是心靈的本真狀態。它是境界，不是"知識"。"道"是本源性存在，不是什麼對象或實體，"道"不在心靈之外。"道"既然不是認識對象，語言對于它也是無能爲力的，用任何對象認識的方式去認識"道"，都會使"道"有所"隱"，用任何有限的語言去表述"道"，都會使"道"有所

"虧"。因此,"大道不稱,大辯不言"(《齊物論》)。

那麼,"道"就不能認識嗎?當然不是。對于道的認識,只能是自我體悟、自我直覺,也就是自我超越。心靈只有經過自我體驗、自我直覺而實現了自我超越,"道"才能呈現出來。"道惡乎隱而有真偽?言惡乎隱而有是非?……道隱于小成,言隱于榮華,故有儒墨之事非,以是其所非而非其所是。欲是其所非而非其所是,則莫若以明"(《齊物論》)。"道"隱于"小成"則必有"虧",有"虧"則必有"是非"之辯,這正像一個無窮的連環。如何解決呢?莊子提出"莫若以明"。"彼是莫得其偶,謂之道樞。樞始得其環中,以應無窮。是亦一無窮,非亦一無窮,則莫若以明"(同上)。"是非"陷入連環而不能解,只有超越是非,處于環中,才能解之,其解決的辦法就是"以明"。

何謂"以明"?解者甚多,郭象解作"反覆相明",王先謙解作"以本然之明照之",相比之下,王先謙的解釋較爲接近,但是缺少一個轉折。"道"已經"隱"而有是非,所謂"本然之明"何以能現?何以能照?所以,這所謂"以明",應是"明其所明",即明覺的意思。這是"逆推"法,不是"順推"法。只有經過明覺功夫,才能使心靈之光煥發出來,照明一切,"虛室生白,吉祥止止"(《人間世》),從而破除一切"成心",照察一切"是非"。但這不是消極地取消"是非",而是超越之,從一個更高的境地去觀照"是非"。能超越"是非",就能"和之以是非"(同上),使"是非"各處其位,各行其道,而不是"是其所非,非其所是",有此無彼,有彼無此。這就是"兩行"。"是以聖人和之以是非,而休乎天鈞,是之謂兩行"(《齊物論》)。這種解決方法可説是不解而自解,但是,"以明"即自我直覺的功夫是非常重要的。

這樣的心靈是一個完全開放的心靈,光明的心靈,就是自由境界。它掃除了一切遮蔽,沒有內外之別,天人之分,完全是自由的,也就不會執著于"是非"。但這並不完全是"無差別境界"。從"事實"的角度而言,它並不否定事物的差別,但從"意義"、"價值"的角度而言,它確實否定了"是非"、"大小"、"貴賤"等等差別,使其處于均齊的地位。

爲了實現心靈的超越,莊子對于認識問題進行了一系列區分。凡有待之心都是"成心"而不是"真心",只有"無心之心"才是"真心";凡有待之知都是"小知"而不是"大知",只有"不知之知"才是"大知";凡有言之辯都是"小辯"而不是"大辯",只有"無言之辯"才是"大辯";凡可稱之道都是"小道"而不是"大道",只有"不稱之道"才是"大道"。這裏所謂大小等等,不是數量和程度上的區分,而是性質或本質上的區別。莊子的心靈境界就是建立在這個區分之上的。"夫大道不算,大辯不言,……故知至其所不知,至矣。孰知不言之辯,不道之道?若有能知,此之謂天府,注焉而不滿,酌焉而不竭,而不知其所由來,此之謂葆光"(《齊物論》)。"知至其所不知",就是取消對象認識,或擱置對象認識,轉向心之自知,心之自明,心之自現。既沒有對象認識的局限,也沒有語言指稱的區分,這就是"天府",即天然府庫。注而不滿,酌而不竭,虛而無窮,無限光明,這就是自由境界。

自由境界就是道的境界,心與道是合一的。自由的心靈是無執的,道也是無執的,如有所執,便是道之"虧"。自由的心靈是開放的,不是封閉的,道也是開放的,不是封閉的,"道未始有封,言未始有常"(《齊物論》),如有所封,便是道之"隱"。自由的心靈是虛的,不是實有一物,道也是虛無,不是實體,"泰初有無,無有無名,……德至同于初,同乃虛,虛乃大"(《天地》)。虛和無就是道的根本特點,也是自由境界的根本特點。道不僅是"無",而且是"無無","無"可以與"有"相對,"無無"則無所對,是絕對自由的。"予能有無矣,而未能無無也"(《知北游》)。"無"可以是一種境界,"無無"則是更高的境界。

莊子所說的"虛無",與存在主義所說的"虛無"是不同的,存在主義所說的"虛無"是不存在,是真正的虛無,而莊子所說,則是心靈的存在狀態,是沒有任何阻隔與束縛的自由境界。由此可以看出,莊子所説的自由,同存在主義所説的自由也是不同的。前者是心靈境界的自由,後者是生存的選擇自由。

　　爲了實現心靈的超越,進入心靈境界,莊子提出衆所周知的兩種方法,一是"心齋",一是"坐忘"。這裏需要解釋的是,"心齋"的要害在于"一志"與"虚心"。"唯道集虚"與"虚室生白"是同一問題的兩個方面,前者是從"道"的方面説,後者是從"心"的方面説,其實心與道是合一的。他在講到"心齋"時説:"聞以有翼飛者矣,未聞以無翼飛者也。聞以有知知者矣,未聞以無知知者也。"(《人間世》)解者多以爲這是從正面説的,即贊成"以有知知者",反對"以無知知者"。其實不然。莊子的自由境界正是"以無翼而飛"、"以無知而知"爲其特色的。大鵬雖然能够"摶扶摇而上者九萬里",從北海飛至南海,但它也是"有待"的,並不能"游無窮",在這一點上它同來往于樹枝之間的小鳥是一樣的。只有"以無翼而飛者"才是真自由,只有"以無知而知者"才是真知。

　　"坐忘"的要害在于"去知",這同"無知而知"也是完全一致的。"離形去知,同于大通"(《大宗師》),即忘掉感性形體,去掉外在知識,以便與"大道"合一。莊子把"大道"稱之爲"大通",這是很有意義的。"大道"者,自由通行之謂,暢通無阻,故又稱之爲"大通"。這正是對自由境界的最好的描述。

　　關于喜怒哀樂之情,莊子也主張自我超越而代之以"無情之情",以實現自由境界從而體驗到真正的快樂。情繫于物,世俗之情皆以得喪、禍福、貴賤、生死等等爲轉移,這些東西與人的性命本無關係,這類喜怒哀樂之情也不是人的"性命之情"。因此,他把陷入這種情感的人稱之爲"倒置之民",而主張解其倒懸。"樂全之謂得志。古之所謂得志者,非軒冕之謂也。軒冕在身非性命也,物之儻來寄之者也。……故曰,喪己于物,喪性于俗,謂之倒置之民。"(《繕性》)這裏提出一個重要原則,即以"樂全"爲"得志"。這個"志",應當是自由意志,這個"樂",則是與自由意志相關的精神快樂。"軒冕"是統治者的象徵,這本不是性命之所固有,而是身外之物,如果以此爲樂,那就是"喪己于物,失性于俗"。莊子提出"懸解"(《養生主》),就是要解其倒置,使心靈有所安處。但這也要自己去解,不是靠別人去解。

"懸解"的方法就是"安時而處順,哀樂不能入也"(同上)。但要做到"安時而處順",則要體驗"性命之情"。這種體驗是本體論的,故稱之爲"體道"(《知北游》)。"道與之貌,天與之形"(《德充符》),這才是人的"性命之情",能順其性命之情,雖無世俗之情,却有真情在,這就是超世俗的"無情之情"。人之所以"不能自解者,物有結之"(《養生主》),如果能虛其心而定其志,進行體驗,則結可自解,得到真正的快樂。情感體驗不同于認識,更不能使用語言進行推理,但它是真實的心靈活動,能達到"無言而心説(同悦)"的境界。這種體驗並不完全是主觀的,它是能够感通的,雖無言,却能"莫逆于心",這就是"天樂"。"以虛静推于天地,通于萬物,此之謂天樂"(《天道》)。"推于天地"而"通于萬物"之心,只能是自我體驗、自我超越的心靈境界,有了這種境界,自然能享受到快樂。這裏自由與快樂是完全統一的。

莊子關于"天樂"的思想與孟子關于"天爵"的思想,在思維方式上很相似,所不同的是,孟子以"天爵"爲仁義,莊子以"天樂"爲自由,前者出于道德情感,後者出于自然情感。由此可見,儒、道是同源而相異的關係。他們都很重視心理情感,都主張體驗與超越,也都主張"天人合一",但結論各不相同。

莊子之所以向往自由,是爲了享受到自由的快樂。自由境界中的快樂,與世俗的快樂是不同的。他認爲,自由出于天性,但只能在心靈境界中存在,至于現實中能不能實現,那是另一個問題,莊子實際上很關心這個問題,但是他認識到,在現實中實現自由是不可能的。因此,他把目光更多地投向了心靈,展示了一個廣闊的自由天地,這就是他所説的"道術"。"泉涸,魚相與處于陸,相呴以濕,相濡以沫,不如相忘于江湖"(《大宗師》)。這種喻言式的描述,同"魚之樂"、"夢爲胡蝶"一樣,充分表達了莊子的情感與理想追求。當泉水乾涸時, 魚處于陸地, 以濕氣相互呼吸, 以口沫相互濕潤, 不如在江湖裏彼此相忘。江湖是魚能够自由生存的場所,"道術"則是人能够自由活動的場所。"魚相造乎水, 人相造乎道。相造乎水者穿池而養給, 相造乎道者無事而生定。故曰, 魚相忘乎江湖, 人相忘乎道術"(同上)。"道術"就是境界, 這所謂"術"是"心術"之"術"。儒家提倡道德情感, 以仁義相號召, 以同情心相安慰, 在莊子看來, 比不上自由境界的悠然自得與愉快。

"人相忘乎道術", 這個"忘"字最值得玩味。這裏不是忘掉"道術", 而是忘掉一切憂愁和焦慮, 以及同情和憐憫, 自由自在地活動于"道術"這個精神場所, 似乎忘掉了"道術"本身, 忘掉了自由本身。這種無目的的目的性追求, 是莊子哲學中最有特色最有價值的部份。

三

現在, 我們進一步討論自由與自然的關係問題。

自由是一個目的性概念, 莊子的自由境界是一個目的性追求, 它以心靈的意志爲動力, 以直覺體驗爲方法, 以自由快樂爲目的。莊子認爲, 人的意志是自由的, 其所以不自由, 是由于"成心"。要破除"成心"而實現自由境界, 就要"一志"、"養志"、"得志", 還要"體道", 這都是主體性活動, 是心靈自身的事情。

莊子是反對神學目的論的。他不承認有上帝一類的神存在, 他提出"道"的學說, 就是批判神學目的論的。因此, 他所說的自由, 不是神性自由, 而是人性自由, 不是神的意志, 而是人的意志; 他所說的自由境界, 是主觀境界, 不是客觀境界, 但是, 它確實具有客觀意義, 是主客合一、内外合一、天人合一的, 並不是完全主觀的心理現象或心理意識。

自然是一個非目的性概念。自然者, 自然而然, 沒有任何意志和目的之意, 這是它的本來意義。當人們說"自然人性"或"人性自

然"時, 也是從這個意義上說的, 它排除了人爲的目的性。莊子所
說的自然, 也是這個意思。但是, 莊子又提出"道"和"天"的概念,
使其自然概念具有超越意義。"道"是自然之道, 不是目的性存在,
它"自本自根", 並不需要別的甚麽東西來產生, "道"是運動流行
的, 如同"天鈞"之自然運行, 並不需要第一推動力。"道"是客觀
的、普遍的、絕對的, 但是並沒存任何規定性, 它是虛無, 毋寧説是
光明, 它能照亮一切, 穿透一切。"道"的境界就是自然而光明的境
界, 沒有任何隱蔽。

就其客觀性而言, "道"又稱之爲天。天就是自然, 沒有目的
性。自由境界就是"天人合一"境界, 這一點莊子講得很清楚很明
確。"天人合一"就是自由與自然的統一。

自由與自然能够統一嗎?從超越的層面説是能够統一的。這
是莊子的根本思想。從超越層面所説的自然, 並不是與人相對的
外在的自然界, 而是與人的性命息息相關的。它不是機械論的物
理世界, 而是有機論的生命世界, 它不受機械因果律的支配, 而是
具有潛在目的性。人是有機自然界的產物, 也是潛在目的性的實
現。因此, 只有人才具有意志和目的, 而人的意志和目的是實現
"天人合一"境界的決定性因素。這裏並不是否定人的主體性, 而
是提倡人的主體性。

莊子一方面主張"無心", 另方面又説"哀莫大于心死", 從語言
學的角度看, 這是一個相互矛盾的説法, 但是從莊子的心靈哲學而
言, 則沒有任何矛盾。因爲他所説的心有不同層次。"無心"之心,
是指"成心"即相對有限心而言, "哀莫大于心死"之心, 是指"真心"
即絕對無限心而言。他認爲, 只有超越"成心", 實現"真心", 才能
與道合一, 與天合一。這也就是自由與自然合一。自然可説是自
由的原因, 自由可説是自然的實現, 但這決不是機械因果論的關
係, 而是生命有機論的關係。

因此, "無心"、"忘心"同時又是心靈的自我覺醒與超越, 決不
是回到無意識或前意識狀態, 崇拜所謂純粹的自發性。"心齋"、

"坐忘"作爲修養方法,需要某種高度的自覺,並不是一切放任。只有經過自覺,才能進入自發態,實現所謂"本體體驗"。荀子說,莊子"備于天而不知人",其實是知其一,不知其二。莊子對人的主體性特徵是非常重視的。

莊子是主張神形合一的,但他又認爲,人的形體生命是有變化的,人的心靈境界則具有永久價值,可以"不死"。"其形化,其心與之化,可不謂大哀乎!"(《齊物論》)形體不能逃離自然界的物質變化(即"物化"),但心靈却有自主性、獨立性,不能隨之而變化。"哀莫大于心死"同"人相忘乎道術"一樣,是莊子哲學中最重要的命題。有些人雖然活着,但心已經死了,這是人生最大的悲哀。所謂"心死",並不是心臟停止了跳動,而是喪失了人的主體精神,沒有精神境界。"心死"之人同"官天地,府萬物,直寓六骸,象耳目,一知之所知,而心未嘗死者"(《德充符》),不可同日而語。後者是具有"天人合一"境界之人,也是發揮了主體精神之人,其主體性的核心,就是意志自由。"官天地,府萬物"之心,是超越的無限心,這樣的心當然"不死"。

這樣的心,就是"真君"。莊子否定有所謂客觀的"真宰",但他並不否定"真君"的存在。心靈的活動是受"真君"支配的,心靈的境界是由"真君"實現的。"真君"就是人的主體精神。莊子用"天籟"、"地籟"形容自然界的變化,"夫吹萬不同而使其自已也,咸其自取,怒者其誰邪!"(《齊物論》)意思是沒有一個"真宰"在那裏發動一切,指揮一切。但是就"人籟"而言,則是有意志有目的活動,"其有真君存焉,如求得其情與不得,無益損乎其真"(同上)。對于這一點,莊子沒有絲毫懷疑。"真君"就在六骸(形體)之內,不在其外。《德充符》講了一個故事:"申徒嘉兀者也,而與鄭子產同師于伯昏無人。子產謂申徒嘉曰:'我先出則子止,子先出則我止。'其明日,又與合堂同席而坐,子產謂申徒嘉曰:'我先出則子止,子先出則我止,今我將出,子可以止乎其未邪?且子見執政而不違,子齊執政乎?'申徒嘉曰:'先生之門,故有執政焉,如此哉?子而說(同悅

——筆者)子之執政而後人者也。……吾與夫子游十九年矣,而未
嘗知吾兀者也。今子與我游于形骸之内,而子索我于形骸之外,不
亦過乎!'子産蹵然改容更貌曰:'子無乃稱。'"子産以自己爲鄭國
執政而不願與殘者申徒嘉同行,所以申徒嘉批評其以"執政"而得
意,却把人放在最後。既然同游于大賢之門,就是游于"形骸之
内",即以心靈境界相交游,而不應求于"形骸之外",即以職位相要
求。兀者雖受過刑,但其心靈境界未必不如執政者。境界的高低
取决于心靈的自主性,不取决于外在的任何東西,更不受任何禮俗
的限制。在申徒嘉看來,子産並不自由,因爲他受到官職和禮俗的
束縛。

　　但是,既然能"游"于"形骸之内",就説明心靈境界是可以相通
的,並具有客觀意義。這就是"道術"。它既是主觀的,内在的,又
是客觀的、外在的,它本無内外、天人之分,就是説,内在的自由與
外在的自然是合而爲一的。正是在這個意義上,莊子提出"天在
内、人在外"(《秋水》),"人與天一也"(《山木》)等命題。但是,莊子
提出游于"形骸之内",畢竟是指主體内在的心靈境界而言,而且是
完全自由的,不受外在條件的任何限制。從這個意義上説,所謂
道,所謂自然,不過是心靈境界的超越性,即客觀普遍性而已,也就
是主觀境界的客觀化而已。到了魏晉玄學,便有"放浪于形骸之
外"的説法。"放浪于形骸之外"與"游于形骸之内"在本質上是一
致的,前者是就"心"來説境界,後者是就"道"來説境界。

　　自由境界的實現,歸根到底是由自然之道決定的,這就是莊子
強調"不以心捐道,不以人助天"(《大宗師》),"無以人滅天,無以人
滅命"(《秋水》)的真正原因。這也是主觀意志同客觀原則的統一。
從主觀方面説,它是意志自由,是無目的的目的性;從客觀方面説,
它是道,是自然,是普遍性法則。但這普遍性法則只具有形式意
義,它本身是無定向的,不能構成"絶對命令"一類東西。自然之道
固然是本源性的存在範疇,同時也是功能範疇,其特點是開放的、
無限的、光明的,而且是活動的。它不是通常所謂客觀必然性或客

觀規律,而是自在的本體存在,通過人的意志而實現。自由與自然的統一就是自在與自爲的統一。所謂自然的潛在目的性,只是就生命的實現與完成而言,並不具有任何其他意義。人的生命又是以個體化爲特徵的。意志自由之成爲境界,就在于它打通了內外與天人的界限,因而是自由的,又是自然的。

在莊子哲學中,"逍遥"與"齊物"、自由與平等也是互相對應不可缺一的。"逍遥"或自由是超越的心靈境界,"齊物"或平等則是自由境界觀照下的萬事萬物。"以道觀之,物無貴賤;以物觀之,自貴而相賤"(《秋水》),這是兩個不同層次的問題。以"道"的境界觀照萬物,萬物各適其性,各順其情,互相平等,無貴賤之分。如果沒有這種境界,情況就完全不同。因此,有沒有"道"的境界,決定了觀察萬物的截然不同的"視界",人的生命價值也就由此而決定。所謂自由不自由,是一個價值選擇與判斷的問題,所謂平等不平等,也是一個價值評價問題,不是簡單的事實問題。就客觀事實而言,莊子決不會否定萬物之"不齊",物之所以不齊,也是自然決定的,有些則是由"人爲"決定的。但是,"事實"本身並不能説明甚麼,更不能説明事物的價值和意義。生命的真正意義和價值在于心靈境界,有了自由境界,便能打破"貴賤"之分,"君子小人"之別,從而樹立人格的獨立與自由,即所謂"相忘乎道術"。所以,莊子的心靈哲學是一個價值意味很濃的境界形態的哲學,並不是甚麼自然哲學,也不是什麼實體論哲學。

四

在討論莊子關于自由與自然的關係時,不能不談到"命"的問題,這個問題在莊子哲學中占有重要地位。

"命"是一個客觀性範疇,必然性範疇,但又不同于自然界的外在的必然性,即機械論的因果必然性。它是客觀必然性對人的關係,是與人的生命存在有關的,因而被稱之爲"命",否則,就是純粹自然哲學的問題了。莊子哲學不是自然哲學，而是人的哲學，人的哲學與自然必然發生關係，因而才有"命"的問題。在這一點上，儒、道亦有相同之處。

同自然被分爲不同層次一樣，命也有兩個層次。一是"性命"之命，一是"命定"之命。前者與心靈境界有關，後者與形體生命有關。"吾所謂藏者，非仁義之謂也，藏于其德而已矣，……任其性命之情而已矣"（《駢拇》）。這裏所説的命，是"性命"之命，自由境界的實現，就是"性命"的完成。因此，這個"命"與自由並不冲突，倒是實現自由境界的重要條件。因爲自由境界既是由意志所決定，又是回歸于自然之道，而性命則是實現這種回歸的内在條件。"泰初有無，無有無名，一之所起，有一而未形，物得以生謂之德。未形者有分，且然無間謂之命。留動而生物，物成生理謂之形。形體保神，各有儀則，謂之性。性修反德，德至同于初，同乃虚，虚乃大"。（《天地》）這裏提出德、命、形、性等範疇，並主張形性統一，但重點在于説明道德與性命的關係。"泰初有無"之"無"就是道，修其性命而反于道德，就是生命的完成，也是自由境界的實現。道是開放的無限的，也是無私的，但是人之"得以生"，則有所分，雖有所分，但又"無間"，"有分而無間"便是命的根本特徵。

"命有分"的思想，實爲個體化思想，每個人都是得其自然之道而生，但是生的過程就是分的過程，既生則具有各自的不同個性。但是命雖有分而又與道"無間"，即能够合于道、同于道。當心靈意志"同于初"（"初"即道）之時，便是自由境界實現之時。"虚"與"大"正是對自由境界亦即"道"的形容。因此，"性命"之命仍然是講"天人合一"的，是講自由與自然的統一的。

但是，當莊子講到"命定"之命時，情況便有不同。這種命與自由境界並無必然的内在聯繫，它是不可改變的，人所能作的，就是"安命"。這種命多指生死、禍福、貧富、貴賤之類，它也會給人帶來很多問題，這些問題也是人生問題，不可不重視。但是這種命並不影響心靈境界的提升，而是相反，只有有德之人才能"安命"。"知其不可奈何而安之若命, 德之至也"(《人間世》)。"知其不可奈何而安之若命, 唯有德者能之"(《德充符》)。

　人生的最大問題莫過于生死, 而生死完全由自然變化所決定, 不是人力所能改變的。對于生死問題, 古今中外的哲學家都提出過各種解決辦法, 莊子的態度則是"安時而處順", 任其"物化", 不以生爲樂, 不以死爲悲, 順其自然而已。

　命運不可改變, 但是人們對待命運的態度却有不同。具有自由境界的人, 便能超生死、齊生死。只有超生死, 才能齊生死, 只有齊生死, 才能作到不爲生而喜, 不爲死而悲, 享受到精神的自由與快樂。

　這樣看來, 自由與自然又有另一種關係。自然界的"物化", 對人而言有某種無法改變的必然性, 對于這種必然性, 人雖然可以認識, 但是並不能由此而產生正確的態度。因爲對生的喜悦, 對死的恐懼, 不是一個認識問題, 而是心靈問題。只有依靠心靈的自主作用, 超越生死而進入自由境界, 才能泰然處之, 不致"傷生"、"傷神"而"喪德"。這就是説, 自由境界能夠使生死一類現實命運在人生中失去意義, 從一定意義上説, 它能夠改變人生的"命運", 使人生活得有價值, 有意義——享受到心靈的自由。

　如果把莊子的自由境界僅僅理解爲消極的逃避, 那是一種誤解。在先秦, 在整個中國哲學史上, 没有哪一個思想家具有莊子這樣深沉的憂患意識, 也没有哪一個思想家具有莊子這樣深刻的批判精神, 更没有哪一個思想家像莊子這樣對自由充滿渴望。他的憂患, 不僅在于現實層面, 而且在于心靈深處; 他的批判精神, 不僅在于歷史層面, 而且在于生命的存在方式; 他所渴望的"逍遥", 是對心靈自由的呼唤, 而他所提倡的"齊物", 則是對平等權利的追求。

　心靈的自由境界當然不等于現實的自由, 人生的平等權利也不等于社會的平等。因此, 莊子所説的"逍遥"與"齊物", 不能與近代社會的"自由平等"相提並論, 但是確實孕育着這樣的思想因素,經過現代的解釋,能够從中發現極爲有價值的内容。

　　莊子是孤獨的,但並不消極。他的心靈境界説雖然不具有現實的實用價值,却能唤醒人類的自覺意識,提高人類的精神境界。這也就是他所説的"無用之大用"。至于自由境界對于文學藝術和美學的創造性功能,就更加明顯,它爲中國的文學藝術創作奠定了重要的理論基礎。當然也應承認,他對科學技術與認知理性的看法,並不全面,這就不須多説了。

　　作者簡介　蒙培元,1938 年生,甘肅莊浪人。中國社會科學院哲學所研究員。著有《理學的演變》、《理學範疇系統》等。

試論莊子的技術哲學思想

劉 明

內容提要 《莊子》中的工匠形象真實地反映了古代技術共通的類藝術特徵。《莊子》主張絕"技"去"機"的表象背後是他對專制時代技術異化必然性的天才直覺。《莊子》關于"建德下衰",呼籲退回"至德之世"則是他對異化在人類現今生存方式中無解的借喻。《莊子》開創了中外批判功利主義技術觀的思想先河。在揚棄《莊子》悲觀主義歷史哲學的同時,更需要充分肯定它超越儒家學派,追求人類自由的終極關懷精神。

關于道家在中國科學技術發展史上的作用,存在着幾乎截然對立的觀點。李約瑟認爲:"事實上,在中國,確實一切科學技術的成長都和道家是分不開的。"[1]而包括郭沫若、馮友蘭在內的眾多著名學者則把道家視爲"蔑視文化的價值,強調生活的質樸,反對民智的開發,採取復古的步驟"[2]的没落思想代表。也有些論者則認爲存在着"道家科學作用的二重性: 操作層次的實際貢獻與思想層次的消極影響"[3]。在筆者看來,過往的論者對道家技術思想中的若干概念未能作更爲細致的分析,例如將技巧與機械視爲一體,將技巧與技術混爲一談,高揚了道家思想的美學價值,貶抑了它的

---

① 李約瑟《四海之內》,三聯書店 1987 年版,第 90 頁。
② 郭沫若《十批判書》,人民出版社 1954 年版,第 180 頁。
③ 袁立道《莊子與科學》,《求索》1993 年第 2 期。

實踐價值,本文試圖從最爲論者偏愛的《莊子》切入,從分析《莊子》中刻劃的多項技術及其人格化——工匠出發,解讀莊子貶斥語文却推崇意會,讚美技藝却否定機械,這一《莊子》技術觀之謎,闡明莊子對提煉古代技術特徵,揭示技術的社會本質所作的獨特貢獻,及其技術異化思想的人文價值。

一、古代技術的訣竅性質

先秦經典中,《墨經》和《考工記》是記述當時中國科技成就最集中的文獻。《莊子》中,雖然也提出或反映了天文學的宣夜説,聲學的共振現象,液體的浮力性質……但就其在科技史上的貢獻説來,比起前兩者則是小巫見大巫了。《莊子》的獨到之處,在于它刻劃了衆多栩栩如生的工匠勞作形象,如庖丁解牛,輪扁斫輪,佝僂承蜩,津人操舟,梓慶削鐻,匠石斫堊,東野御車……透過《莊子》對這些古代"技術員"的描繪,我們可以發現古代技術與近現代技術的實質區別,從而認識言傳之知與意會之知二分法在歷史上的合理性。

莊子筆下的古代技術有這樣幾個特徵:一,無論是屠夫、木匠、石匠、船工,還是鬥鷄者、捕蟬者、游水者……都是個體勞動者。當然,建築、鋪路、造船、治水……肯定是協作的産物,但是它與工業化以後高度分工前提下系統性的有機合作顯然是兩碼事。二,民之能否稱其爲匠,劃界標準在于手中有没有"絶活"。庖丁貴在"手之所觸,肩之所倚,足之所履,膝之所倚,砉然向然,奏刀騞然,莫不中音,合于桑林之舞,乃中經首之會"(《莊子·養生主》)。以下出自《莊子》只注篇名)。輪扁貴在"斫輪,徐則甘而不固,疾則苦而不入",他却能做到"不徐不疾,得之于手而應于心"(《天道》)。佝僂承蜩,貴在"猶掇之也"(《達生》),東野御車貴在"進退中繩,左右旋中規"(《達生》)。……他們的技術表演出來,"見者驚猶鬼神"。當然,匠人不能離開各自的工具去操作,但是彼時的工具無非構造簡單,製造容易的刀、斧、桿、鞭之類,功能無人不曉,使用無人不會,但是不同的人使用同樣的工具所達到的效果却有天壤之別,工具與操作相比不能不處于從屬的地位。在近現代技術體系中,工具系統精密複雜,操作方法簡便易學,生產效果更多地取決于硬件的先進程度,恰與古代匠人的手藝占主導地位成一顛倒。三,各路匠人的絶活"只可意會,不可言傳"。庖丁之"以神遇而不以目視,官知止而神欲行"。佝僂之"雖天地之大,萬物之多,而唯蜩翼之知。吾不反不側,不以萬物易蜩之翼"。梓慶之"無公朝,其巧專而外骨消"(《達生》)。……均是某種專注、静思以至坐忘等意念功夫的表現,而這一技術之魂又是難以訴諸文字的,莊子于是在輪扁斫輪的寓言中提出了意會之知高于言傳之知的論斷,其論據是,斫輪之術"口不能言,有數存焉于其間。臣不能以喻臣之知,臣之子亦不能受之于臣,是以行年七十而老斫輪。古之人與其不可傳也死矣,然則君之所讀者,古人之糟魄已夫!"(《天道》)

　　諸多論者從《莊子》關于工匠技藝的描繪中,得出了莊子"反對向外求索知識,主張向内體悟'知識'","竭力推崇'口不能言'的神秘主義個體技能體驗","反書本知識,反理性分析","違背科學發展規律"的否定結論[1],筆者認爲,從歷史主義立場出發,考慮到當時手工技術發展的實際水平,上述結論雖有一定道理,但恐怕太過簡單。與《墨子》比較,《墨子》認爲:"無巧工,不巧工,皆以此五者(矩、規、繩墨、懸錘、水平器)爲法。"(《墨子・法儀》)"法,所若而然也"(《墨子・經上》),並且進而對形式邏輯,對力學、光學等運動法則作了大量研究和總結,《墨子》的理性色彩確實爲道家所不及。《莊子》對古代技藝是一種"絶活","只可意會,不可言傳"的概括,顯然有某種詩人的誇張,但它又是對古代技術,尤其是中國古代技術與近現代技術相區別的特徵的真實反映。

　　關于中國古代技術與近現代技術的區別,已有許多討論。梁從誠先生通過深入細致的比較研究後指出,以明代《天工開物》爲

----

① 袁立道《莊子與科學》,《求索》1993 年第 2 期。

代表的中國古代技術的特徵是，"第一，沒有理論基礎；第二，沒有準確的定量描述，什麼"高約丈餘"，"水微温"等，按照它的講法你沒法重複做。所以中國古代技術有個失傳的問題，因爲都是老師傅把着手教，完全靠經驗，師傅很難以通用的語言講清楚，因爲中國缺乏一整套科技術語……"關于古代典籍中的插圖，"明朝末年中國有名的插圖本類書《三才圖會》，其插圖之原始，之不準確，實在驚人，連示意圖的水平都不夠……中國古代因爲幾何學不發展，沒有畫法幾何，没有透視，所以《天工開物》裏畫出來的人和物都是扭曲的……中國古代插圖中也有倫理中心主義的表現，主觀認爲重要的就誇大，不管實際的比例大小"[1]。梁先生這裏所説的着重經驗而缺乏理論，缺乏精確的語言和繪圖，只可意會而無法重複，師徒相承導致失傳等等，可以視爲《莊子》對技術的寓言式概括的現代詮釋和引申。

　　作爲一種與人類共存共榮以應對自然的實用文化，技術經歷了漫長的演變過程。當今辭書(例如 1980 年版《辭海》)和專業論著，大多沿用説是源自狄德羅在他主編的《百科全書》中提出的技術定義(後面我們將對此質疑)："技術是爲某一目的共同協作組成的各種工具和規則體系。"讚賞該定義强調了技術的目的性、協作性、工具主導性、知識系統性[2]。但是只有現代高新技術才具備上述內涵，從遠古直至十八世紀英國工業革命，手工勞動一直占主導地位，上述定義並不適用。反倒是《莊子》將它描述爲一種合目的性、個體性、手藝主導性、經驗與靈感一體悟相輝映的活動，抓住了古代技術的實質。《莊子》的描繪與《考工記》的概括是一致的。《考工記》説，"天有時，地有氣，材有美，工有巧，合此四者然後可以爲良"，"知者造物，巧者述之，守之，也謂之工"。强調工和巧——巧妙、技巧的對應，工匠的責任是應用創造發明，並把經驗、技巧傳

　　①　梁從誡《從百科全書看中西文化比較》，載浙江省青協編《東西文化與中國現代化講演集》(內部發行)第 101—102 頁。
　　②　宋健主編《現代科學技術基礎知識》，科學出版社 1994 年版，第 5 頁。

給後人。在西方,與莊子同時代的亞里士多德將技術與藝術歸爲一類,稱之爲"創制的科學",以示與理論的科學——物理學、數學、哲學,實踐的科學——倫理學、政治學、經濟學,相區別,亞氏强調技術具有與必然相對立的生成性和巧遇性的特點,而高層次的科學,特別是物理學,則是討論必然性的學問,他説"凡是由于必然而存在的東西都不是生成的並與技術無關","技術依戀着巧遇,巧遇依戀着技術"[①]。可以説,亞氏雖然認爲技術中有理性活動,但這是一種低層次的理性,它與理論理性是文野懸殊的兩碼事,靈巧、巧合是技術不可或缺的要素。直到啓蒙時代,亞里士多德的上述分類法仍爲理性主義者們所接受。狄德羅在《百科全書》中,他依然把技術歸入藝術(art)一類,只是稱一般意義的人文藝術爲"自由藝術"(liberal arts),稱"工藝"、"技藝"、"技術"爲"機械藝術"(mechanical arts)。狄德羅寫道:藝術是"人們爲了滿足自己的需要、奢欲、歡娱、或好奇心等等而施于自然物的生産活動或努力","如果這個對象被實現了,那麼,使之獲得成功的規則和技術處理的總和,就被稱之爲'藝術'"。他同時也强調,機械"藝術的東西是難以明確描述的。這是由于缺乏準確的定義,也由于其操作的複雜性⋯⋯要想彌補這第二項不利條件,唯一的辦法就是親自去熟悉它"[②]。總之,古今中西學者都注意到了技術中既包含規範的理性的一面,又包含不規範的經驗的一面,西方近現代技術趨近于前一端,中國古代技術趨近于後一端,《莊子》只是將後者絶對化了,神秘化了。

　　如前所述,莊子以"能有所藝者,技也"(《天地》)刻意誇張了工匠技巧的直覺方面,貶低了其理性方面,這將有助于個人在經驗中艱苦地體悟和錘煉某種絶技,但却不利于對這些訣竅的理性整理與文字傳播。透過大量的史書和文物考古,關于萬千魯班、華佗、

─────────

①　《亞里士多德全集》ⅤⅧ,中國人民大學出版社,1140a。
②　梁從誠譯《丹尼·狄德羅的〈百科全書〉》,遼寧人民出版社1992年版,第118
—123頁。

李春、黃道婆式的人物及其精湛技藝,我們只能聞其聲,見其影,却不知其名,不曉其能,從因果關係而論,是中國的技術傳統造成了莊子的藝術提煉,還是莊子的美學傾向造成了技藝的失傳,這是一個鷄生蛋,蛋孵鷄的問題。從根本上講,是中國的社會政治形態孕育了老莊之學,而老莊之學又强化了中國技術文化的特定形象。那麼,是否希臘的理性傳統對于技術的進步就大吉大利了呢?且不論最博學的人物亞里士多德也認爲技術與藝術的親緣關係比與自然科學的親緣關係要近得多,就他以理性的方式提出的地心説和運動學原理而言,不是因爲托庇于他的絕對權威,成爲中世紀之後阻擋近代科學革命的最大障礙嗎?正如究竟東方文明高于西方,還是西方文明高于東方一樣,高揚直覺的東方傳統,崇尚理性的西方傳統,孰短孰長,其功過是非抽象地爭論,必然仁者見仁,智者見智,只有置于特定的時空背景之下,與其對立面相比照,才能具體地論道其思想價值。

二、二元論的技術觀

如上文所述,莊子對于技藝及其人格化——工匠極盡溢美之辭,但是在丈人圃畦的故事中,《莊子》却又明白無誤地宣示:"有機械者必有機事,有機事者必有機心,機心存于胸中,則純白不備;純白不備,則神生不定;神生不定者,道之所不載也。"(《天地》)一個必字表述了一個必然判斷:機械——機事——機心——心靈不純潔——心神不定——不能載道。這段話成爲幾乎所有批評莊子反技術傾向的論者鋒芒所指。

那麼,爲什麼莊子堅定地反對機械呢?在莊子看來,使用機械就意味着懷有機巧之心,其結果,一是破壞精神之寧静,二是"用力少,見功多"同樣的勞作却獲得了更多的收益。從道家的自然主義人生觀看來,"聖人不從事于務,不就利"(《齊物論》),"功利機巧,必忘夫人之心"(《天地》)。否定功利就必須反對達至功利之源

——機械,這裏機械的本質是自我規定了的,其目標指向是唯一的。我們不妨稱之爲關于機械的功利主義立場。

但是,對機械的本質是必然惡的判斷,不能作爲莊子關于我們今天所稱的技術觀的全部。在今天的技術概念中,"機"無非是硬件,"技"無非是軟件,二者相互依存,相互制約,是從屬于技術大系統的兩個子系統。在莊子那裏,"機"和"技"(本文中,"技"專指剝離出工具、機械之後的手工操作,以示與技術相區別)却是被明確歸于不同範疇的兩碼事。道家的全部學説如果可以簡單歸結爲崇尚自然,反對人爲的話,那末"機"由于是人創造發明出來的,所以它和語言文字、印章玉璽、仁義道德一樣,屬于人爲的範疇,應予否定。"技"則是造化賜予人類五官、四肢的天生功能,就好像騏驥驊騮之一日千里,狸狌之捕鼠,鴟鵂夜撮蚤一樣,是自然"殊技",莊子總結梓慶削鐻的經驗爲"以天合天",即剔除私欲私智,遵循自然的創作過程,工錘之巧在于"指與物化而不以稽",善泅者之能來自"從水之道而不爲私焉"(均見《達生》),講的都是巧奪天工之"技"是自然之道,是"去知與故"修煉而成的人之"殊技"。

但是,技術的社會本質絶不是簡單的二分法所能判定的。假設"技"在原始人那裏還可以歸爲人的自然秉賦,那末,智人之"技"就已經是文化的重要環節,從屬于人的目的性和價值觀,包括莊子的所謂"知"與"故"。其一,動物之"殊技"來自基因的遺傳突變,"技"的進步本質上却是基因極緩慢進化背景下文化迅速進化的表現。其二,人的感官和肢體功能之可能性一定要受到社會經濟結構的控制和導向,才能轉化爲現實性。其三,"機"無非是"技"的物化,斥責"機"却讚賞"技"不合邏輯。

莊子意識到對技術作"技"與"機"的二分法陷入的困境,他要彌合自己造成的邏輯矛盾。所以他一方面肯定"技"的美學價值,另一方面又對"技"加以批判。伯樂治馬,陶者治埴,匠人治木,"此亦治天下者之過也","殘樸以爲器,工匠之罪也"(《馬蹄》)。他甚至詛咒説:"擢亂六律,鑠絶竽瑟,塞瞽曠之耳,而天下始人含其聰矣,滅文章,散五采,膠離朱之目,而天下始人含其明矣;毀絶鈎繩而棄規矩,攦工倕之指,而天下始人有其巧矣。"(《胠篋》)就是説,要堵住音樂家的耳朵,封住美術家的眼睛,弄斷能工巧匠的手指,以維持民衆的質樸和純真。莊子完全走向了"技"、"藝"的反面。

爲了將莊子對"技"的兩種對立態度統一起來,必須考察莊子對技作社會價值判斷的起點。"技兼于事,事兼于義,義兼于德,德兼于道,道兼于天。"(《天地》)此處兼,爲兼併、歸屬或服從、指向之意,即以目的——工具範疇而論,技能——事物,事物——義理,義理——德,德——道,道——自然,這五對關係中,莊子認爲後者都是第一性的,前者都是第二性的,前者與後者的關係是工具——目的的關係。技能只是完成某件事物的工具,而事物本身則有正義與邪惡之分,技能之從善從惡只能通過它指向的目標的性質加以判斷。

莊子是一位多形象的哲學家。作爲詩人哲學家,美的判斷是他的最高判斷,對"技"的讚美是他對"技"的無指向形態的第一判斷,即肯定判斷;作爲社會哲學家,善的判斷是他的基本判斷,對"技"的批判是他對"技"的有指向形態的第二判斷,即否定判斷。爲什麽會是這樣?因爲"技"只是使用"技"的主體的工具,它的有指向形態要隨主體狀況而轉移。主體無非上人與下人,或官員與百姓兩大類。關于前者,莊子説:"上誠好知而無道,則天下大亂矣!何以知其然邪!夫弓、弩、畢、弋、機變之知多,則鳥亂于上矣;鈎餌、罔罟、罾笱之知多,則魚亂于水矣;削格、羅落、罝罘之知多,則獸亂于澤矣……"(《胠篋》)關于後者,莊子説:"天下之善人少,而不善人多,則聖人之利天下也少。而害天下也多。"(《胠篋》)人爲什麽學壞了?要害在于一個社會占統治地位的價值觀總是統治階級的價值觀,而歷來的政治統治無不是少數人對多數人的統治。莊子對此痛心疾首,發出了曠古絶倫的吶喊:"聖人不死,大盜不止。雖重聖人而治天下,則是重利盜跖也。爲之斗斛以量之,則並與斗斛而竊之,爲之權衡以稱之,則並與權衡而竊;爲之符璽以信之,則并與符璽而竊之；爲之仁義以矯之，則並與仁義而竊之。何以知其然邪？彼竊鉤者誅，竊國者爲諸侯，諸侯之門而仁義存焉。"(《胠篋》)總之，美的潛在的"技"之所以轉化爲惡的顯在的"技"，根源在于"技"的所有者——自然人他並不能主宰"技"，使"技"實現價值的價值觀是由人倫規範確定的，文明史上的人倫規範則爲諸侯貴族所壟斷，它使"技"，成爲飛去來器，成爲壓制、剝奪人類自由、平等、快樂的工具，"技"異化了。

莊子關于"機"之功利性和"技"之工具性的二元論觀點，從一個側面表現了他的自然主義人生追求和仁義——功利氾濫天下的社會現實之間的緊張，爲了克服這一緊張，莊子設計了獨特的烏托邦，一個雖痛遭批判但有其合理內核的烏托邦。

三、悲劇技術史觀

既然工具性的"技"異化了，功利性的"機"爲道所不載，而隨着歷史的推演，"技"是愈益雜而巧了，"機"是愈益繁且妙了，那麽社會便益發不得安寧，道德也每下愈况，這是莊氏邏輯的必然結論。"逮德下衰，及燧人、伏羲始爲天下，是故順而不一。德又下衰，及神農、黃帝始爲天下，是故安而不順。德又下衰，及唐、虞始爲天下，興治化之流，澆淳散樸，離道以善，險德以行，然後去性而從于心。心與心識知，而不足以定天下，然後附之以文，益之以博。文滅質，博溺心，然後民始惑亂，無以反其性情而復其初。"(《繕性》)這幅圖景恰恰是鑽木取火，結網漁獵——發明耒耜，從事農耕；發明舟車文字，實現物資信息交流——制定曆法，掌管時令；選拔賢能，治理水利……即從漁獵時代——農業時代，從被自然所制——制自然以用之，技術革命節節勝利之下，人心不古，世風日下的畫面，總之是"世喪道矣，道喪世矣"作爲體道之人，莊子只好上溯到蠻荒時代以尋覓他的理想了；"至德之世，其行填填，其視顛顛。當是時也，山無蹊隧，澤無舟梁，萬物群生，連屬其鄉，禽獸成群，草木遂長。是故禽獸可繫羈而游,鳥鵲可攀援而闚。"(《馬蹄》)與莊子同時,儒家、墨家也提出了各自理想社會的藍圖,在孟子,是"方里而井,井九百畝,其中爲公田,八家皆私百畝,同養公田"(《孟子·滕文公》上)。即以井田制爲基礎,家庭爲單位,平均占有土地的宗法社會;在墨子,是"以德就列,以官服事,以勞殿賞,量功而分禄,故官無常貴,而民無終賤"(《墨子·尚賢》上)。即舉賢任能,兼相愛交相利的交流等級制社會。莊子之後,還有大同理想,太平世理想、桃花源理想等,但幾乎所有的烏托邦都是以某種社會文明爲基礎——技術的採用,合理的分工,公平的治理,富裕的生活,道德的公民……都是某種人類社會,唯獨莊子的"理想"是要取消燧人氏發明鑽木取火以降的全部文明成就,建設一個"同與禽獸居,族與萬物併"的非人類社會。

　　無論從《莊子》所具有的科學技術和人文知識,還是從《莊子》豐富的想象力而言,"至德之世"——這一莊子的"理想社會"都不是通常意義上實現了某種終極關懷的值得孜孜以求的理想模型(專此加引號以示區别),它的思想價值在于:其一,表明文明人類的存在自古迄今始終伴隨着無所不在,無時不有的異化現象,這是人類之外的其他物種不曾經受的悲哀和苦難;其二,理性和直覺都不能在人類生存方式之内找到克服異化的方案,或者説,克服文明的異化無解!

　　莊子不過是以炎黃子孫特有的方式表達了他對人類命運的感慨,放眼世界,與莊子心靈相通,從不同角度批判技術文化者不乏其人。和莊子同時代的希臘哲學家狄歐若思(B. C. 413—323)崇拜自然,厭惡社會,傳説他白晝打着燈籠走路,聲稱"我在找人";盧梭認爲,"出自造物主之手的東西,都是好的,而一到了人的手裏,就全變壞了","隨着科學和藝術的光芒在我們的地平線上升起,德行也就消逝了;並且這一現象是在各個時代和各個地方都可以觀察到的……"依序,我們可以列出一長串著名批評家的名單:斯諦納爾、尼采、托爾斯泰、聖雄甘地,直至愛因斯坦、羅素、弗洛姆、法蘭克福學派，羅馬俱樂部……以至于著名的馬克思主義者、科學學奠基人 J. D. 貝爾納概括説"科學（指包括技術在內的自然科學）所帶來的新生産方式引起失業和生産過剩，絲毫不能幫助解救貧困……，把科學應用于實際所創造出來的武器使戰爭變得更爲迫近而可怕，使個人的安全幾乎降低到毫無保障的程度，而這種安全却是文明的主要成就之一。當然我們不可以把所有這些禍害和不協調現象全部歸咎于科學，但是不可否認，假如不是由于科學，這些禍害就不至于像現在這個樣子。正是由于這個原因，科學對文明的價值一直受到了懷疑，至今仍然如此……這一切令人震驚的事實所造成的結果自然是，科學家自己的思想陷入巨大混亂，人們對科學的估價也發生巨大混亂，有人提出……要禁止科學研究，或者至少要禁止把科學的新發現加以應用"①。

事實上，自從文明來到人間，世上的惡事便幾乎均與某種或新奇或古舊的技術相關，正如世上的善事幾乎均與某種技術相關一樣。代表人類良知的思想家們，有些以喜劇作者的面貌出現頌揚技術之善，有些以悲劇作者的面貌出現鞭笞技術之惡（姑且不論對善惡各有各的尺度和評價）。恩格斯認爲，悲劇意在表現"歷史的必然要求和這個要求的實際上不可能實現之間"的衝突②。莊子及其思想的不朽價值，正在于他作爲先知先覺者，最早發現了人類賦予技術以及各種文化的爲人類謀求自由、平等、快樂的必然要求和這一要求從未實現之間的衝突，兩千多年來，伴隨着技術突飛猛進的，是這一衝突在人與人之間，人與自然之間愈發激烈，悲劇式的呐喊此伏彼起。莊子回歸自然的呼喚日益引起東西方各界有識之士的共鳴。

逝者如斯，時間既證明了莊子的敏鋭直覺，也證明了莊子的局限性和非科學性。近現代考古學、人類學的成就一再表明，那冬穴

---

① 　J. D. 貝爾納《科學的社會功能》，商務印書館 1992 年版，第 33—35 頁。
② 　《馬克思恩格斯全集》V4，人民出版社 1972 年版，第 346 頁。

夏巢、茹毛飲血的蠻荒時代是一個名副其實的狼奔豕突、弱肉强食的時代，與老莊所謂"甘其食，美其服，樂其俗，安其居"實有天壤之別。人類不會後退，人類不能後退，人類也不應後退，它應該勇敢地擔當起天之驕子的責任，認識宇宙，認識自己，疏理過往，開闢未來，莊子的悲劇意識是深刻的，但他的悲觀主義必須揚棄，他關于人類自由、平等、快樂的終極關懷只能在人文文化和科學文化的並協共進中辯證地實現。這是潘多拉盒子釋放的禍患與僅存的希望之戰。異化——克服——再異化——再克服……直至人類自由的實現，這就是道賦予人類最偉大的使命，莊子未體悟到這一層，是他的最大遺憾。

簡短的小結

　　莊子是中國最早的技術論學者之一。《莊子》是一部獨具特色的技術論文獻。莊子以形象思維的形式刻劃了中國古代技術的類藝術特徵即個體勞動的、主體體悟的、經驗訣竅的性質。表現了能工巧匠技藝之美，練技之苦，傳技之難，他拔高了其中經驗、直覺的一面，而貶低了可理性分析的一面。莊子的技術概念反映並促進了古代手工技巧的繁榮和發展，但又不利于它的總結與繼承。莊子把技術解析爲"技"和"機"兩個獨立要素，分別給予工具性和功利性的評價，反映了他存自然去人爲的基本立場。在絕"技"去"機"反文化的表象背後，潛藏着莊子對專制時代文化異化必然性的深刻洞察和對黎民百姓的真摯同情。後世科學主義者和人文主義者對技術本質加以考察時均曾面對價值觀困惑，莊子是他們的先知先覺者。莊子的悲劇技術觀在邏輯上導致了"至德之世"的所謂"理想社會"，其實質是他對異化在人類現今生存方式中得到解決感到絕望的借喻。科學技術異化和克服異化是兩千多年來哲學家喋喋不休爭論的話題，莊子揭開了在東方條件下討論它的序幕。莊子消極地迴避僞善、蛻化的現實生活，"彷徨乎塵垢之外，逍遙乎

無爲之業",這種極端的悲觀主義固然不足取,並對千百年來中國
人安于清貧、樂天知命、移情山水、不求進取的人生態度産生着極
其深遠的影響。但也不能忘記,"莊子思想在中國歷史上,在整個
社會範圍内,從來不是獨立地、唯一地發揮作用的,而是在儒家思
想的制約下,作爲儒家思想的對立和補充來發揮作用的。所以在
中國的封建社會裏,在儒家思想一般是處于統治地位的情况下,莊
子社會批判思想中對現實的政治統治和思想統治的批判性的積極
方面是經常被援用和得到表現的,而它的否定人類文明的消極方
面並没有發展起來"①。

作者簡介　劉明,1944 年生,浙江行政學院教授。

---

① 崔大華《莊學研究》,人民出版社 1992 年,第 249 頁。

莊子、尼采與藝術的世界觀

劉昌元

內容提要 本文認爲, 莊子的世界觀是藝術的世界觀。分析了莊子藝術世界觀的主要内容與尼采世界觀的相似性及不同之處。

"世界觀"指的是對世界整體的一種綜合的看法。所謂"世界"在此指的不只是地球, 而是宇宙或存在的整體, 所以世界觀有時可與宇宙觀通用。在内容上, 一個廣義的世界觀不但可包括對宇宙性質、起源或結構的看法, 也可包括價值觀與人生觀在内。

在中西哲學傳統中占主流地位的世界觀是建立在道德觀點之上的。這種道德的世界觀不但相信宇宙是由一種道德力量所創生, 而且相信人生的最高目標即在與此道德力量相聯繫。它可分爲有神論的與無神論的兩派。

有神論的道德世界觀可以基督教的世界觀爲代表, 而無神論的道德世界觀則可以宋明儒家的世界觀爲代表。這兩類的道德世界觀的主要困難在證據不足與對惡的存在(不管是自然的惡還是人爲的惡)不能提供合理的解釋①。此外, 它們具有擬人化的思維

---

① 關于神存在的論證及其困難是西方"哲學概論"或"宗教哲學"的主題之一。見 John Hospers, *An Introduction to Philosophical Analysis*, 3rd ed. (New Jersey: Prentice Hall, 1988), pp. 287—333, 宋明儒家世界觀的困難尚未見類似的系統討論, 作者打算另寫一篇文章來探討。一個比較具有批判性的反省見勞思光《中國哲學史》第三卷上(香港: 友聯, 1980), 頁 58—67。但他把陸王解釋成只有心性論而無天道論及本性論, 恐怕有片面之處。此外, 對新儒家的内部批評見余英時《猶記風吹水上鱗》(台北: 三民, 1992), 頁 70—98。

傾向,與科學以及日常經驗比較難配合,與現代人對存在的荒謬體驗也不能相應。

　　與道德的世界觀相對立的是藝術的世界觀。在中國哲學中把這種世界觀發揮得最徹底的是莊子。他雖然也以天道作爲萬物的根源,但他排除了儒家的道德主義,而以超世俗善惡之辨的自然或氣來說明。萬有既然是自然所創造出來的"作品",人就不應把自己的價值觀或偏見強加諸世界,而應順變化,以道觀物。

　　與正統儒家的世界觀比起來,莊子的世界觀與現代西方哲學的發展實有較多相近之處。例如他與尼采的相似處已屢爲學者所論及[1]。尼采的世界觀也是藝術的,因爲他也有把人視爲自然的"作品"之思想,也反對擬人化的思維方式,把一套自己接受的道德價值強加于自然之上。但尼采畢竟是一個十九世紀具有先知意味的哲學家,他的思想在許多地方比莊子更現代化。就藝術的世界觀而言,他比莊子表現得更徹底,更少玄學意味。把莊子與尼采放在一起來討論,不但可看出莊子世界觀的成就,也可以看出其局限。當然,由于尼采思想的複雜與豐富,我只能就自己所了解的來與莊子作選擇性的比較與評論,而不能宣稱有完備性。此外,由于篇幅所限,我對尼采的思想本身不能再做進一步的批評。但這不應被讀者誤解成我已完全接受尼采的看法。

　　莊子的藝術世界觀有哪些主要的內容? 詳細地講,莊子整套哲學,都可與此問題的解答有關。在此,我只能做一選擇性的簡答。我將由莊子對天道的解釋、對個體差異的重視以及對存在的態度三方面來闡釋其世界觀的藝術性。

---

　　[1]　例如 Graham Parkes 的"人與自然—尼采哲學與道家學說的比較研究",譯文見陳鼓應主編《道家文化研究》第二輯。他的另一篇"漫游: 莊子與查拉斯圖拉"之譯文見同上第一輯。

一、藝術的天道觀

像儒家一樣,莊子也相信宇宙萬有的根源是永恒的天道,但不同的是它是沒有道德意味的,也是語言不能描寫清楚的。道是形而上的終極真實,但其作用却是無所不在的。《知北游》篇甚至有"道在屎溺"之語[①]。但形而上的道却並非感覺經驗的對象。所以"大宗師"中說:"夫道,有情有信,無爲無形,可以傳不可授,可以得而不可見。"

由于道是超乎語言與概念的,所以任何對道的描述應只是對道的一種解釋,而不可把該解釋當作道本身。老子說"道可道,非常道。"莊子則說:"道昭而不道。"(《齊物論》)外篇亦有"道不可言,言而非也"(《知北游》)。在《應帝王》中,那個日得一竅的渾沌,到了第七天就死去。

道雖是創生萬物的根源,但又不能與萬物分離,所以莊子所講的道與自然或宇宙整體是同義的。但必須注意的是在這樣解釋下的自然具有創生的含意,不是機器式的秩序而已。老子說:"道法自然。"(《老子》25 章)莊子雖沒有直接把道與自然等同,但有些地方允許我們作此解釋。在《應帝王》篇中,那個代表莊子的無名人說:"汝游心于淡,合氣于漠,順物自然而無容私焉,而天下治矣。"所謂"順物自然"就是順事物自然的本性,也就是順應天道。而在"順物之然"的前面所提到的"游心于淡,合氣于漠"都是就體道的經驗來說的。"淡"、"氣"都是道的性質或作用。在莊子的有機自然中,萬物的生滅是通過氣的聚散、流轉來說明的。所謂"天地與我並生,萬物與我爲一"(《齊物論》),是需要通過自然之氣化來解釋的。在《知北游》中,作者說人之生死爲氣之聚散,接著就說"故萬物一也"。又說:"臭腐復化爲神奇,神奇復化爲臭腐,故曰'通天下一氣耳'。聖人故貴一。"由此觀之,莊子所言之自然雖有偏向精

---

① 就原文的脈絡看此說的目的似在破除把道視爲一般對象的預設。

神境界之處, 但若以爲因此就與能創生的有機自然體無關, 就難以
令人接受了[①]。

　　莊子所說的天道或自然可以被視爲一個並不心存人之是非善
惡觀念的大藝術家, 萬物即是他所創造出來的作品。所以莊子在
《大宗師》篇寫道: "以天地爲大鑪, 以造化爲大冶", 又說天道"整萬
物而不爲義, 澤及萬物而不爲仁……覆載天地刻雕衆形而不爲
巧。"既然天道(也就是造化)的創生萬物是"無爲無形", 所以它不
會以仁義善巧自恃。老子所謂"生而不有, 爲而不恃, 長而不宰"
(51 章), 也是相同的意思。

　　如果萬物的存在是自然氣聚的結果, 那麼萬物的毀壞也是自
然氣散的過程。萬物的成虧生滅是在自然之氣中循循流轉著。
"澤及萬物而不爲仁"的另一面是"天地不仁, 以萬物爲芻狗"(《老
子》5 章)。此處的"天地"可作天道或自然來理解, 而"不仁"並不意
味殘酷, 而是意味超越人的價值意識, 不以人的主觀意願爲依歸。
這種思想否定了正統儒家那種人類中心主義、道德主義與擬人化
的世界觀。它比較優越之處是不必像正統儒家那樣勉強去説明爲
什麼會有自然之惡。自然中雖有地震、水災等傷及生命之惡, 也有
弱肉強食的一面(此爲生物得以存在的條件), 但這只是由人或其
他生物的觀點看是惡, 若由道觀之, 則可以説是"害及萬物而不爲
惡"。

　　如果天道本身已藝術化, 那麼在人的藝術創造方面, 莊子所强
調的修養就是盡量與天道認同。他所强調的游、虛(《人間世》所說
的"唯道集虛, 虛者心齋也。")、靜(《天道》篇所說的"水靜猶明, 而
況精神")、忘(忘名利、仁義、自我、巧拙、外物等)、神(《養生主》所
說的"以神遇而不以目視", 《達生》所說的"用志不紛而凝于神")、
和(《齊物論》中的"和之以是非", "和之以天倪")等既可以用來表

----

① 在《才性與玄理》(香港: 人生, 1963)第 6 章中, 牟宗三說老莊的自然等于主
觀境界, 全無客觀實有義, 所以他們只有境界形上學。我認爲此爲片面的解釋, 因爲忽
略了自然或天道的創生意義。

現他對道的解釋，也可以用來表現藝術家的修養境界。換言之，一個真正的藝術家必須是一體道者，並且在其作品中將其體道經驗具體表現出來。只有這樣的作品才是美的。就一般的道德修養而言，莊子所主張的在基本上並無不同。

尼采受希臘哲學家希拉克利特斯（Heraclitus）的影響很大。希氏用沒有道德意味的火來解說世界的生成。在《希臘悲劇時代中的哲學》中尼采指出希氏認爲由有限的人心看此世界會認爲有罪惡、不公正、矛盾與痛苦，但由宇宙之本質——火——的觀點看，所有的矛盾都成爲和諧。世界變成藝術家與孩童所玩的一場純真無邪的游戲，沒有任何道德意義。聖火"像小孩一樣在海邊建塔，將它們叠起來，又將它們踐踏在脚底。"①

這種藝術的世界觀在《悲劇的誕生》中得到更完整的表現。不但日神與酒神兩種藝術衝動皆由自然迸發出來，而且"只有當藝術創造的天才能與世界的根源藝術家相聯繫的情況下，他才能知道藝術的永恒本質。"②尼采所說的根源的藝術家就是自然，而一般人所說的藝術家只是其模仿者。"藝術代表著人生最高的工作與真正的形而上的活動。"③在其後期所寫的"自評"中他說這是用藝術家的形上學反對基督教那種對存在的道德解釋。

受叔本華之影響，尼采在《悲劇的誕生》中把自然的本質視爲統一的與根源的意志，亦即所謂酒神衝動。至于現象世界則是分殊的，受日神衝動的統御。所有的藝術都是酒神與日神兩種衝動辯證綜合的結果，但在悲劇的合唱中酒神衝動成分具有支配地位。在聆聽這種音樂時，文化人會感到其個體被取消掉，而"人與人的鴻溝讓位給一種壓倒性的統一感，導回自然的核心"。這可使人在

---

① Nietzsche, *Philosophy in the Tragic Age of the Greeks* (Chicago: Henry Regnery Co., 1971), p. 62.

② Nietzsche, *The Birth of Tragedy* (trano. W. Kaufmann), sec. 5. 此後簡稱 *BT*.

③ *BT, Preface*.

面對歷史與自然的殘酷與破壞面時獲得一種"形而上的安慰"，因爲它使觀衆了解到"儘管所有的表象改變了，生命仍在事物的底層，不可摧毀地有力與令人感到愉快"……①

　　綜上所述可知尼采與莊子的世界觀有驚人的相似性。兩者都把自然視爲非道德的藝術家，都强調忘我、人與自然在根源上的統一以及人的藝術創造和此統一的相關性。這是把人的藝術創造放在自然的創生活動之下來了解。不同的是莊子把道的性格解釋成虛靜的，而主體須在虛靜的修養工夫中才能講與道的統一。但尼采却强調擺脫文明與理性的束縛，讓自己的原始生命衝動徹底激發出來。這裏也有一種忘我境界與天人合一，但此合一却是激情奔放的，不是虛靜的。

　　以上的比較使我們更清楚地了解莊子對的解釋不可能是唯一的。雖然莊子也知道"道不可言，言而非也"，但有許多時候他仍以爲自己所見就是最高的真實。

　　尼采的後期思想否定了現象與本體的區分，轉而强調只有一個世界，不同的只是對該世界的解釋②。像莊子一樣尼采也注意到渾沌的重要。他說："一個人必須在自己中有一渾沌，才能誕生出一顆跳舞的星。"③又說："世界的整體性格……永遠是渾沌的——不是由于缺乏必然性，而是由于缺乏秩序，安排、形式、美、智慧以及對我們審美的擬人主義來說不管什麼其他的名稱。"④這些看法以及在知識論上採取了觀點主義(perspectivism)的立場使得尼采在哲學上比莊子更一致。由此觀之，尼采的"求力意志"(will to power)不宜視爲一套新的形上學，而應視爲一經驗性的

　　①　*BT,* sec.7.

　　②　見 Nietzsche, *Twilight of the Idols* Ⅱ4, Kaufmann trans. *The Portable Nietzsche*, pp.485—486。此書以後簡稱 *PN.* 此外亦參考 Nietzsche, *Gay Science* (trano. Kaufmann), sec.374。

　　③　Nietzsche, *Also Spoke Zarathustra*, Prologue 5; *PN,* p.129.

　　④　Nietzsche, *Gay Science* (Kaufmann frans.), sec. 109. 參考 *Beyond Good and Evil,* sec.225.

假説。正如查拉圖斯特拉所問的：“‘這是我的道，你的在哪裏?’……因爲唯一的道——它並不存在。”[①]

二、對個體差異的重視

　　與儒家相比，莊子對個體及個體的差異性比較重視。這顯然與他在天道論方面擺脱了道德主義的解釋，而採取了藝術的解釋有關。既然個體在性向上是不同的，莊子的主張是價值必須與分殊的個性相關，而不應預定一絶對的規範，要求所有的人都必須遵循。這種立場顯然有較重的相對主義色彩，但並不蘊含徹底的主觀主義，因爲它並非主張價值判斷只是個人的意見而已。

　　個體何以會有分殊的個性? 莊子認爲是由于天道或自然的賦予。我們不要以爲對自己有價值的東西，對其他的人（或動物）也一定有價值，而把自己的價值强加諸他們的身上。同樣，我們也不要只因爲社會所標榜的價值是名利，就傾全力去追求，完全不顧自己的個性是否相應。《逍遥游》爲什麽一開始就提大鵬在九萬里的高空飛翔? 爲什麽這又會引起蜩、學鳩、斥鷃等嘲笑? 依郭象之註，逍遥即順個體之性，只要能順性，那麽“大小雖殊，逍遥一也”[①]。

　　郭象的解釋可在外篇中找到不少證據支持。例如，《駢拇》篇的作者認爲世俗的名利與道德都會“殘生損性”，而主張“任其性命之情”。他又説：

> 吾所謂聰者，非其聞彼也，自聞而已矣；吾所謂明者，非謂其見彼也，自見而已矣。夫不自見而見彼，不自得而得彼者，是得人之得而不自得者也，適人之適而不自適其適者也。〔此語亦見《大宗師》〕夫適人之適，而不自適其適，雖盜跖與伯夷是同爲淫僻也。

　　醜女效顰的故事所以可笑也在于她“適人之適，而不自適其

***

　　① *Also Spoke Zarathustra*, Pt Ⅱ, Ch. 11, sec. 2; *PN*, p. 307. 參考 *Beyond Good and Evil*, sec. 36.

　　② 郭慶藩輯《莊子集釋》(台北: 河洛, 1974)頁9。

適”(《天運》)。

　　但郭象的毛病是過分強調價值的相對性, 而忽略了高下的區別。在《逍遙游》的脈絡中, 莊子把大鵬與小鳥對比, 亦有“小知不及大知”之意。小鳥適性當然也可逍遙自在, 但以小鳥的視野去嘲笑大鵬却是無知的表現。當然, 大鵬亦不應笑小鳥, 因作爲體道者的象徵, 大鵬應知小鳥的嘲笑是受到個性的拘限, 不能了解在九萬里之上的太空飛翔的經驗。大鵬之經驗所以有價值, 不在其體積大, 可飛得又高又遠, 而在其精神領域的既廣又高, 不但能看見小鳥視野之內的東西, 也能看到小鳥視野之外的東西。莊子所以提到“小年不及大年”也是基于相同理由。如果我們把小鳥視爲俗衆的象徵, 大鵬視爲至人、真人的象徵, 那麼我們就可得出以俗衆的標準來要求後者是不對的, 就像以後者的標準來要求俗衆一樣是不對的。總之, “以不平也平, 其平也不平”(《列禦寇》)。與正統儒家不同, 莊子從未強調所有的人都可成爲聖人。這種態度是比較實事求是的。

　　在《齊物論》中子綦說地籟是大自然的風通過衆竅發出的聲音, 人籟是人向各管樂器吹氣所發出的聲音。至于天籟則是“咸其自取, 怒者其誰邪?”子綦所說的代表了莊子的意思。在人籟、地籟之外並無獨立的天籟。天籟就是人籟與地籟自然而然的狀態。如果我們把衆竅、管樂器視爲個體之個性或哲學的比喻, 那麼莊子的思想中就有多元主義的傾向。當然, 就像對天道的解釋一樣, 有時莊子似把虛靜之性當作自然賦予人的普遍本性(《齊物論》中所說的“真君”), 而把與此分歧的視爲人爲的影響。但如果我們這樣了解莊子就會使他的思想陷入矛盾之中。如把虛靜之性當作普遍人性, 而要求所有的人都擺脫名利、仁義與自我, 那麼還能再講自適其適嗎? 事實上莊子有時對天然與人爲之辨也要放棄, 因爲只有這樣才可說是超越語言之限制, 達到與道冥合之境。所以在“大宗師”中, 他說: “庸詎知吾所謂天之非人乎? 所謂人之非天乎?”

　　《天下篇》的作者說莊子“獨于天地精神往來, 而不敖倪于萬物。不譴是非, 以與世俗處。"這句話顯示莊子雖能悟道, 但不會因此卑視萬物。相反的, 他仍不會用自己的價值觀念去譴責世俗的人, 以便能與他們相處。如果這個解釋是正確的話, 它與上述莊子所採取的多元主義而又不放棄價值高下區分的立場是一致的。

尼采說他自己是第一個非道德的人。此意味他不但放棄用自己的意象或理想來改造人類, 而且否定支配西方世界近兩千年的基督教道德可以代表道德本身[①]。基督教認爲在上帝之前人人平等, 因此不論强者還是弱者都需講温順、謙卑、貞節、憐憫等德性。但尼采認爲這是標榜弱者或奴隸道德, 對强者不公平。這種道德普及的結果是使生命頹廢, 生命的力量得不到提升。在《查拉圖斯特拉》第二部第七章所提到的毒蜘蛛就是平等的提倡者。教士及想把一切人的差別拉平的群衆都是毒蜘蛛的化身。他們在平等、公正的口號下隱藏著對有獨立個性及特殊力量之强者的迫害。但事實上, " '人並不是平等的。' 他們也將不會變成平等。"[②]

孫中山曾說假平等是齊頭的平等, 真平等是出發點的平等。所謂"齊頭的平等"就是在工作的成就及報酬方面要求均等。這當然是不公平的, 因爲每人的成就不一樣, 所得的報酬也不應一樣。而出發點的平等則主要指在教育機會方面的平等。但由尼采的觀點看即使出發點也難做到完全一樣, 因爲每個人的家庭環境、遺傳的個性與才智等都不同。所以尼采認爲真正的公正是坦白承認"人並不是平等的, 而且他們也將不會變成平等"。" '把平等的視爲平等, 不平等的視爲不平等' ——那才是公正的真正口號; 也包括其推衍: '永遠不要把不平等的弄成平等。' "[③]

由于人之不平等是不能否認的事實, 尼采就否定所有的人都必須遵守普遍的道德律。康德的"定言令式"(categorical im-

---

① *Ecce Homo* (Kaufmann trans), Ⅲ2, sec. 2; Ⅳ, sec.2,4.

② *Also Spoke Zarathustra*, Ⅱ, ch. 7. 此章中的另一要點在强調即使在美的現象中也需預設不平等。

③ *Twilight of the Idols*, Ⅸ, sec. 48, *PN* p.553.

perative)強調以主觀格律(maxim)的能否普遍化來決定行動在道德上的對錯。但如果人的主體與客觀條件永不能齊一的話,普遍化的要求就未必合理。對尼采來説強者有強者的道德,弱者有弱者的道德,儘管它們在一個人的心中未必是純粹的[1],但偏重的層面仍有不同。因此,把自己的那套作爲標準來要求與自己素質相反的人是不對的。

> 要求力量應該不表現自己,應該不成爲征服的欲望,壓制的欲望,變成主人的欲望,渴求敵人、抵抗與勝利,是像要求軟弱應該表現爲力量一樣是荒謬的。[2]
> 真的,我常笑那些弱者,他們以爲自己没有爪牙所以就是善的。[3]
> 對高等人是養料或享受的對不同與低等人一定幾乎是毒藥。一般人的德性對哲學家來説也許意味罪惡與弱點。[4]

雖然尼采在道德方面主張多元主義,反對普遍主義,但他也不是徹底的主觀主義者。他認爲應該用生命或精神力量的大小來定人的等級(order of rank)。爲了避免現代社會把價值差別拉平的强大傾向,他標榜人應保持"對距離的激情"(pathos of distance)。他所高舉的超人理想尚没有人能達到。當查拉圖斯特拉下山向群衆宣揚超人時他所獲得的只是嘲笑。經此教訓後,他領悟到他只能對少數可能脱離俗衆的個人解説自己的思想,希望超人能由其中誕生。但多數人是永不能成爲超人的。雖然如此,尼采對現實社會並没有完全採取遺棄的態度。這由查拉圖斯特拉儘管有隱居的傾向,但又總有下山的衝動中可以清楚看出。尼采清楚知道没有廣大的俗衆就不會有高等文化及超人。

---

① 尼采認爲在所有較高的文化中,甚至在同一人的心靈中皆有主奴道德的混合。見 *Beyond Good and Evil*, sec.260。

② *On the Genealogy of Morals* (Kaufmann frans.), I, sec. 13.

③ *Also Spoke Zarathustra*, II, ch. 13; *PN* p.230.

④ *Beyond Good and Evil*, sec. 30. 但尼采並不反對俗衆的平庸,相反的,他認爲它是高等文化及例外者的基礎。見 *Antichrist*, sec. 57; *PN* p.647。

由以上的對照中我們可以看出莊子與尼采對自然的藝術觀都使他們重視個體的差異, 反對道德的普遍主義與絕對主義。對莊子而言, 儒家所講的那套仁義, 落實在禮法之中, 要求所有的人遵守, 就勢必導致殘生損性。對尼采來說, 基督教道德的普及也導致西方人頹廢, 陷入消極虛無主義的深淵。雖然如此, 莊子與尼采都沒有在價值上採取徹底的主觀主義。他們都認爲在承認個體的分殊性之後仍可能提出一價值標準。他們都反對把價值上不平等的東西拉平, 但他們都不會因此就用自己的價值標準來改造人類, 或根據它對俗衆作出譴責。他們都不認爲所有的人都可能在精神上到達相同的理想境界, 但他們都強調人在精神成就的高低差別是必須承認的。

與莊子比起來, 尼采的後期思想比較没有玄學色彩。由尼采的觀點主義及解釋學的觀點看, 莊子如真的貫徹對個體差異的重視就不能再拿一套講虛靜的天道觀來標榜一種清心寡欲的道德原則。莊子把追求名利權勢都視爲“適人之適而不自適其適”, 他有時似把虛靜恬淡當作人性本質, 任何違反的表現皆是“殘生損性”。但如我們不能接受其天道觀, 勢必亦難接受其道德原則。尼采的後期思想經驗主義的成分較重, 由經驗的觀點看, “鐘鼎山林各有天性, 不可強也。”對于熱中名利與權勢而樂在其中的人來說, 要他過莊子那種超塵脱俗的生活才是殘生損性的。尼采提出“求力意志”, 並區分出主動的(健康的)與反動的(病態的)兩種模式, 在説明的效力來説比莊子的人性論廣。

三、對存在的態度

莊子對存在的態度可由三點來解釋。其一是他強調順應自然的變化, 不要以主觀的願望去強加于現實, 希望現實會成爲自己所想像的那個樣子。這種超越自己的私欲而由自然或道的觀點來靜觀萬物變遷的態度就是《至樂》篇所説的“觀化”。在《大宗師》篇,那個病得快死的子輿說:"偉哉造物者,將以予爲此拘拘(曲屈不直)也!"他又說:"浸假(如果)而化予之左臂以爲鷄,予以求時夜;浸假而化予之右臂以爲彈,予以求鴞炙(烤鳥);浸假而化予之尻(脊尾骨)爲輪,以神爲馬,予因而乘之,豈更駕哉?"這段富有想像力的文字表面上似乎意味在形體與精神的轉化過程中,還有一持續不變的"我",可以隨時利用已轉化的新事物來達到自己的目的,但其實此並非莊子的真意,因爲他根本不會承認有此持續不變的自我。真正不朽的是自然或充斥其中的氣,而不是任何個體。所以莊子說:"指(脂)窮于爲薪,火傳也,不知其盡也。"(《養生主》)由此觀之,上面那段話的主旨應只在表明一種"安時而處順"的態度,使人的心靈能由對生之執著及死之恐懼中解放出來,以達到逍遙的境界。所謂"藏天下于天下而不得所遯(失)"(《大宗師》),也是這個意思。

其次,莊子對存在的態度有很強的審美意味。審美心境的特徵包括游、虛、靜、忘、神、和等,但此不只是主觀的精神境界,而是與天道或自然認同的結果。在此審美心境中,莊子強調人心可像鏡子一樣觀照萬物,不迎不送。"至人之用心若鏡,不將不迎,應而不藏,故能勝物而不傷"(《應帝王》)。

第三,由于強調的是順性、觀化,而不是憑主觀意願去改造自然或現實,莊子所講的逍遙境界與審美心境又有"安命"的意思。死生、存亡、窮達、貧貴、賢與不肖、毀譽、飢渴、寒暑等都包含在命的範圍(《德充符》)。甚至因受罰而被斷足也用命來解釋(《養生主》)。須注意的是莊子所說的"命"不只包括人的性能(如賢與不肖),也包括任何已發生的人爲或自然事件,甚至人的道德成就亦不例外[1]。這些現象被納入命的範圍的理由有二:(1)我們不能改變它們,(2)我們不能完全知道究竟爲什麼它們會成爲那種狀態,而不是其他狀態。

---

[1] 見徐復觀《中國人性論史——先秦篇》(台中:東海大學,1963),頁375—376。徐認爲此是莊子與儒家的不同之一。

　　"知其不可奈何而安之若命,德之至也"(《人間世》)。可見命是
與我們"不可奈何"的現象有關。而在《大宗師》篇子桑病重時説:
"吾思使我至此極者而弗得……然至此極者,命也夫。"這是説命與
我們不能説明或了解的現象有關。

　　郭象對《德充符》篇論命那段的註是:

> 　　人之生也,非誤生也;生之所有,非妄有也。天地雖大,萬物雖
> 多,然吾之所遇適在于是,則雖天地神明,國家聖賢,絶力致知,而弗
> 能違也。故凡所不遇,弗能遇也,其所遇,弗能不遇也;所不爲,弗
> 能爲也,其所爲,弗能不爲也;故付之而自當矣。[①]

郭象之註使莊子思想中的決定論成分更强了。

　　在《莊子》一書中,對人生的描寫是短暫的(《知北游》篇的名句
是:"如白駒過郤[隙],忽然而已。")、多憂苦的(《至樂》篇説:"人之
生也,與憂並生……久憂不死,何之苦也。")。面對著世人爲了名
利、權勢、仁義等讓自己的身心"與物相刃相靡,其行盡如馳,而莫
之能止,不亦悲乎!"(《齊物論》)站在體道者的立場,莊子自己只想
超塵脱俗,獨與天地精神往來。世人的痴愚與憂苦似並非其關注
的對象。但當他由高處往下望,又不得不站在人的立場對世人的
癡愚與憂苦感到一種悲情。

　　莊子對人存在的悲情令人想起尼采的悲劇之情。我們在第一
節中已提到尼采也認爲人生是充滿痛苦的,自然與歷史的殘酷與
破壞是無法否認的事實。當人們正視這些現象時很難再認爲人生
可以在道德上受辯護。這使人容易走向否定生命意志的虚無主義
之路。但尼采認爲希臘人既能正視人生的痛苦與荒謬,又没有否
定生命。這是因爲他們在藝術中找到了形而上的安慰。原始希臘
悲劇的合唱激起了人的激情,使人與酒神的衝動融合,獲得肯定生
命的力量這種悲劇的情感是種酒神的激情,它使我們能"在面對最
奇怪與最艱難的問題中仍肯定生命",它能引起一種"即使其最高

---

　　①　郭慶藩《莊子集釋》,頁213。

等的類型中仍可享受其無窮盡的生命意志。"①雖然我們不必把莊子的思想完全解釋成出世的,但與儒家比起來,莊子思想中出世的成分無疑較高。因此,與尼采那種積極進取的悲劇人生觀相去較遠。莊子所關注的是如何保身、全生、懸解(《養生主》),在這種思想中,痛苦不會有積極意義。尼采所關注的是生命的素質,爲了提升該素質,痛苦是不能避免的。他強調"一個人能忍受痛苦如何深決定了其等級(order of rank)……由于其受苦,他才能知道多于最聰明與最有智慧的人所能知道的。"②

由尼采的觀點講,站在精神的高峰上向下看,一個人不一定只會產生悲情,有時候會產生喜劇之情:"任何爬上最高山峰的人會嘲笑所有的真實與想像的悲劇。"③這裏所說的"嘲笑",其起因不是自以爲是的驕傲,而是在發現悲劇主角的盲目與片面性之後,看出在他們的嚴肅與悲壯中亦有可笑的一面。這樣一來,我們的精神就不會被悲情所罩住,而失去肯定生命的力量。

在《悲劇的誕生》中尼采也是由自然的根源生命處看個體的生滅,所以他也有超越自我之私欲來觀化的態度。與莊子一樣,他也只相信自然有綿延不絕的生命力,不相信任何個體可以不朽。但尼采並沒有像莊子一樣用虛靜之心來超越對生死與名利的牽掛。他所強調的是通過藝術的創作與欣賞,使人能在痛苦與荒謬的人生中獲得自救之道。

由尼采的觀點看,莊子對審美心境的描寫是偏向陰性的、觀賞

---

① *Twilight of the Idols*, X, sec. 5; *PN* p.562. 尼采認爲只有作爲審美現象存在與世界才是可以獲得辯護的。見 *BT* sec. 5.

② *Beyond Good and Evil*, sec. 270 尼采的理由大致如下: 敢在衆所接受的思想之外去做思考冒險與實驗的人才可能有真正的創見,敢破舊價值者才能創造新價值,敢于懷疑權威的人才能發現被掩蓋的真相。但獨立的心智使人孤立,冒險的精神可使人受挫折,對真理的真誠可使人得罪權貴與朋友。這些都可以是令人受苦之因。只有不怕受苦才能在知識上開拓新領域。這可以説是一種英雄主義式的知識論。參考 *Gay Science*, sec. 283.

③ *Also Spoke Zarathustra*, I, ch. 7; 參考 *Beyond Good and Evil*, sec. 30。

性的, 但美學應建立在創造者的立場上, 而由該立場講, 審美的心
境應是陽性的①。藝術創造的奧秘不是清心寡欲, 而是把本能、欲
望(特別是性欲)加以昇華或導向間接的宣泄。審美心境的本質不
是虛靜而是酒神式的陶醉或狂喜(frenzy, ecstasy)。"如果有藝
術的話, 如果有任何審美的行動與觀賞的話, 一個生理的條件是不
可缺少的: 陶醉。"②"感性欲望並非像叔本華所相信的那樣被審
美狀態的表象所克服, 而只是被轉形, 而不再以性興奮進入意
識。"③尼采所講的陶醉主要指的是酒神衝動的内化, 使個人的力
量及充實感增加。而由于這種感受也會使其周圍的事物被轉化成
美與藝術。《天下篇》的作者說莊子的精神"充實而不可以已"。這
種狀態與尼采所說的陶醉與狂喜倒是有相似之處。但莊子的充實
感是由虛靜之心而達到的, 與酒神式的力感與陶醉仍是不同的。

　　對莊子而言虛靜寡欲之心才可像鏡子一樣反映真實。老子所
謂"滌除玄覽"(《老子》10 章)亦有相同意思。但尼采認爲這種思
想含有對身體及經驗世界的輕視, 而事實上, 我們對真實的認識總
是受到我們的觀點、需要(興趣)、語言、概念架構及預設等的限制。
說我們能撇開所有這些限制而直接認識真實本身是沒有什麼意義
的。

　　　……讓我們防禦那設置下一"純粹、無意志、無痛苦、無時間性
　　的認知主體";讓我們防禦像"純粹理性"、"絕對精神"、"知識本身"
　　等矛盾概念的陷害: 這些〔觀念〕永遠要求我們應該設想一完全不
　　可思議的眼睛, 一不轉向任何特定方向的眼睛, 在其中主動與解釋
　　的力量, 只有通過它們看見才成爲看見某物, 被認爲是缺乏的: 這
　　些想法總是對眼睛作了荒謬與無意義的要求。④

　　尼采所說的"眼睛"指的不只是肉眼, 也包括認識的心眼。他

①　見 *On the Genealogy of Morals*, Ⅲ, sec.6。
②　*Twilight of the Idols*, Ⅸ, sec. 8; *PN,* p. 518.
③　*On the Genealogy of Morals;* Ⅲ, sec. 8.
④　*Ibid.*, Ⅲ, sec. 12.

想說的是兩者都同樣受到“觀點”的限制。所謂“觀點”不單指視野或空間的限制，也指需要(興趣)、概念、預設等。我們愈能由多種眼睛、需要、概念、預設等去看一事物，我們所看到的就愈客觀。(參考莊子之“小知不及大知”。)此即尼采觀點主義的大意。依觀點主義，我們即使真能做到虛靜寡欲，那種心靈也不能反映真實本身。觀點主義也不會同意道德理性或良知即可對最終的真實有智的直覺。

在“意志自由”這個問題的爭論上，尼采採取的是否定的立場。如果放棄了道德的世界觀，而把萬物視爲由自然製造出來的作品，那麼否定自由意志似乎是順理成章的事。肯定道德的世界觀勢必要肯定人有自由意志，因爲自由意志是道德價值及責任成爲可能的條件。反過來說，如果否定道德的世界觀，而把自然視爲萬物的根源，把人的行動放在自然整體的脈絡中去考慮，那麼再肯定一超越的自由意志勢必形成一種矛盾。另一矛盾是一方面把自由意志視爲一種原因，另一方面又不准追問意志自由的原因。尼采相信事物之間有內在相聯性，它們像希拉克里特斯所說的河水一樣是在不斷的流轉之中，不能把其中一片段由其所以可能的網絡中孤立出來。但意志自由如可能正是要先肯定此孤立。這也是尼采反對意志自由之說的理由之一[1]。

與莊子一樣，尼采也相信事物產生的必然性以及命運。但他對命運的態度不只是“安”，而是進一步要去“愛”。

> 我要學著愈來愈由事物的必然之中看出美……愛命運(*amor fati*)：但願它成爲我今後之所愛！我不要再向醜宣戰。我不要再指控，我甚至不要再控訴指控者……我要在今後的所有時刻都只做一肯定者。[2]

> 我對一個人內在偉大性的公式是愛命運：他不要任何東西與既成的狀態不一樣，對未來不要，對過去不要，永遠不要。不只是忍

---

[1]　*Beyond Good and Evil*, sec. 21. *Twilight of the Idols*, V, sec. 6; *PN* p. 491, 435.

[2]　*Gay Science*, sec. 276.

受必然發生的, 更不是去掩飾它——所有的唯心論在面對必然時皆不真誠——而是去愛它。①

尼采所談的愛命運令人想起斯賓諾莎的"對神的智愛"。雖然尼采沒有説此愛是理智的, 但他所講的愛命運只有在相信自然是萬物根源以及在心靈上與自然認同才可能了解。斯賓諾莎所講的神就是自然, 而自然是有其内在之必然性的。

儘管强調愛命運, 但尼采對死亡的態度不只是順變。相反, 他主張主動地對自己的個性賦予風格, 把自己的生命塑造成一藝術品。爲了達到此目的, 他甚至主張"自願的死亡"。這是提倡人在適當的時候可以自殺, 以便使自己的生不會成爲一種浪費或毒害, 使自己的死成爲一種完滿狀態, 對活著的人是一種鼓勵及啓發②。將人生如此藝術化與莊子强調保身、全生之説相去頗遠。但即使在此, 我們也應記得老子説過"死而不亡者壽"。(《老子》33 章) 由于尼采認爲只有在自我超越中生命的素質才可提高, 所以對善于創造者來説, 即使在未去世之前已不乏"死亡"的經驗。"你必須爲在自己的火焰中燃燒作好準備: 如不先變成灰燼, 你怎麼能成爲新的?"③

四、 回顧與結語

儘管以上討論顯示莊子與尼采在思想上是有不同的, 但考慮到他們在生存之時代與環境上的巨大差異, 有這些不同是不足爲奇的, 令人吃驚的倒是他們的思想居然能有不少相似之處。使這些相似性成爲可能的理由主要是因爲他們都反對道德的世界觀而主張藝術的世界觀, 把自然視爲藝術大師, 萬物視爲其所創造的作品。這種自然觀使他們重視個體的差異性, 反對用一條普遍的規

① *Ecce Homo*, II, sec. 10.
② *Also Spoke Zarathustra*, I, ch. 21. 此處參考了 Hollingdale 的譯本。
③ *Ibid.*, I, ch. 17; *PN*, p. 176.

範或狹窄的道德觀念强加諸個人，並藉此達到所謂改造人類的目
的。莊子所說的"齊物論"只是在物或物論的自然根源處説齊一，
而不是就物之個性或物論之内容上説齊一。但正視差異性並没有
使他們接受徹底的主觀主義價值論。他們都認爲事物的發生有其
必然性，都主張應坦然接受自己的命運。這些相似性顯示藝術的
世界觀有其内在的理路，在道德的世界觀之外提供了另一種選擇，
值得我們注意。

　　與莊子比起來，尼采的思想更具批判性與更少玄學意味。莊
子既説"道昭而不道"，"道不可言"，又對道作了具體的描述(如虛
静恬淡)，兩者顯然有矛盾，因爲經過莊子解釋過的道已是可言之
道，已昭之道，不能再是最終的"常道"。爲了避免這個矛盾，莊子
必須承認自己對道的解釋並不是唯一的。誠如尼采所説我們不可
能脱離一切觀點而去談一終極的真實。承認這點不蘊含要否定對
世界提出一些概括性的假説去説明，例如尼采的求力意志即可視
爲這樣的假説。但它却可使藝術的世界觀更加一致、開放以及允
許多元主義。

　　落實到道德與藝術領域看也可獲得相同的結果。如我們對天
道本身不可能認識，那麽對人性本身也是一樣。如儒家的仁義不
能代表普遍的人性，莊子的虛静亦然。我們對人性的了解一樣有
觀點的限制。在經驗上，我們實無法證明盜跖與伯夷都只是適人
之適而不自適其適。如道是無處不在的，如對必然的命運我們應
講求安或順，那麽一個人變成盜跖或伯夷也必須放在道或命的範
圍中去了解。就藝術創作而言，我們無法堅持只有虛静之心才是
最理想的審美心境。我們也不能只把具有素樸、自然、虛静、飄逸
的作品才視爲上乘的，因爲這種審美價值論是基于老莊的形上學，
而他們的形上學並不是唯一的。我們若真想提高藝術的創造性，
就不能用一種形上學或藝術理論來籠罩整個創造，而必須允許多
元的局面。藝術的主要價值之一即在擺脱尋常的觀物方式，而讓
存在的新面向能進入一般人的視野。這個價值只有在允許多元局

面的前提下才可能出現。

多元主義比一元論與藝術的世界觀更配合。莊子的思想中有多元主義的成分，他也知道觀點對認識的重要，但由于他的觀點主義不如尼采的徹底，所以尼采的藝術世界觀比莊子的更加融貫與完整。莊子強調的是養生、順性、安命，但尼采則更積極地主張把生命創造成藝術品，"做自己生命的詩人。"[1]在否定物自身的存在及肯定觀點主義的前提下，尼采把科學、哲學、宗教、道德等都視爲廣義的藝術創造。整個文化產品都被放在"藝術品"（廣義的）的名稱下。這是藝術世界觀的全部展現。

在不同的程度上，莊子與尼采都否定了道德原則的普遍性。這樣一來我們如何能藉道德來維持社會秩序？尼采的非道德主義如氾濫起來，會否導致天下大亂？尼采並不否認爲了維持起碼的社會秩序，某些起碼的規範是人人必須遵守的[2]。但這並非因爲這些規範合乎永恒的天道。爲了維持起碼的社會秩序我們難免要對所有的人作出低限的道德要求。但我們同時必須知道道德是有演變的，我們必須警惕不要動輒以秩序的要求爲藉口，壓制人們創造不同道德或不同生命風格的機會。

莊子與尼采的世界觀中雖然有決定論的傾向，但並不等于說他們都支持宿命論，因爲他們都沒有說要發生的總是會發生，不管個人的選擇是什麼。他們所主張的是任何事物的發生都需放在自

---

① *Gay Science*, sec. 299.

② 尼采自稱爲第一個非道德的人。此說容易被誤解成他根本不講道德或不願遵守任何道德規範。事實上，他是對一般人視爲當然的道德預設提出質疑。他認爲應對道德重新思考。"不用說——除非我是一傻瓜——許多被稱是不道德的行動應該避免與抵制，或許多被稱爲道德的應該做與受到鼓勵——但我認爲爲了與迄今不同的理由，一個應被鼓勵，另一個應被避免。"見 *Daybreak*, trans. R. J. Hollingdale (Cambridge: Cambridge U. P., 1982), sec. 103。對于不幸者，一個高貴的人亦應幫助，但尼采認爲這應基于其力量的充沛，而不是基于憐憫。見 *Beyond Good and Evil*, sec. 260。對于平庸者，尼采的態度不是憎恨，而是更溫柔地對待。見 *PN*, pp. 456, 647。

然的網絡中去說明, 而不能只由孤立的個人意志去說明。他們都
不會否認人在當下所做的選擇可能對未來產生影響。當然, 意志
自由之說是西方的理論, 莊子並沒有談過這種問題。但由于他是
把人放在自然整體中來考慮的, 所以我相信莊子的思想蘊含著否
定有孤立的自由意志。我們現在所能做的已預設了其他的條件,
不只是一個個人意願的問題。歸根結蒂, 一個人何以是他那個狀
態, 而不是其他狀態? 何以能選擇甲這件事而不選擇乙這件事?
此刻的世界何以是這樣而不是另外的樣子? 我們有限的知識與能
力不能對這些問題提出完滿的解答。最後只有訴諸命運。

　　如果否定自由意志, 那麼還能講人需對其行動負道德上的責
任嗎? 我想的確很難再講道德責任。但這並不表示肯定自由意志
的困難就一定較小。除了尼采所提過的那些困難之外, 還有一點
亦值得在此提出。許多人都像康德一樣認為自由意志不能當作經
驗知識來肯定, 而只能在超驗的道德理性中講。但如果真的是這
樣, 我們如何能知道一行動背後是否真的有自由意志呢? 如果不
能確知, 這對追究道德責任又有什麼幫助呢?

　　雖然這篇論文已很長, 但由于題目定得太廣, 一定還有一些細
節無法再深入去討論。對于莊子與尼采的藝術世界觀, 本文只能
算是一篇導引。進一步的問題只有在以後再關專文來處理。

作者簡介　劉昌元, 1947 年生, 安徽桐城人。現任香港中文
大學哲學系高級講師。著作包括《西方美學導論》、《盧卡奇及其文
哲思想》、*The Idea of Freedom in Chuang Tzu* 等。

讀 莊 論 叢

王叔岷

編者題識 數月前,我到中央研究院看望王師叔岷先生。問及叔岷師在《先秦道法思想講稿》中曾提到五十年前撰《管子襲用莊子舉正》一文,列舉《管子》與《莊子》相關之文約二十條,叔岷師便取出五十年前手稿《讀莊論叢》相示,並贈與鼓應。其中除《管子》外,尚舉出《荀子》、《韓非子》、《關尹子》、《慎子》、《鄧析子》、《子華子》、《尹文子》、《亢倉子》、《鶡冠子》、《賈子》、《列子》、《抱朴子》、《文中子》等書中與《莊子》相關之文。

叔岷師早年所著《莊子校釋》已成爲莊學研究權威著作,晚近出版《莊子校詮》三巨册,對莊書校勘尤爲精確,《莊學管窺》則闡發莊學義理,見解獨到。叔岷師所贈《讀莊論叢》手稿,近十萬言,由于篇幅所限,這裏僅刊出《荀子》、《管子》、《韓非子》、《尹文子》、《鶡冠子》所引《莊子》文句;另有《呂氏春秋引用莊子舉正》長文,一併發表。叔岷師所輯莊學散見秦漢典籍之文,糾正了朱熹以來的錯誤印象——莊子是在冷僻處自說自話。《呂氏春秋》爲先秦學術之集大成者,所引《莊》文多達57條,爲諸子之冠。尤可證莊學在戰國後期已蔚爲顯學。

一九九五年夏陳鼓應敬識

序

序

《漢志》稱《莊子》五十二篇,陸德明《釋文叙録》謂即司馬彪、孟氏所注,《吕覽·必己篇》高誘注亦言莊子著書五十二篇。今所存者,僅三十三篇(内篇七,外篇十五,雜篇十一),爲郭象所刊定本。其内、外、雜篇之區畫,蓋隨意升降,如内篇《齊物論》"夫道未始有封"下,《釋文》引崔譔云:"《齊物》七章,此連上章,而班固説在外篇。"可知班固所見《莊子》五十二篇,"夫道未始有封"以下一章,本在外篇也。隋吉藏《百論疏》卷上之上云:《莊子》外篇"庖丁十二年不見全牛",今本此文在内篇《養生主篇》。唐湛然《止觀輔行口訣》:《莊子》内篇,自然爲本。如云"雨爲雲乎,雲爲雨乎,孰降施是",皆其自然,今本此文在外篇《天運篇》。《釋文叙録》云:"内篇衆家並同,自餘或有外而無雜。"以上例證之,則内篇衆家亦未必盡同也。至于外、雜篇,昔人多疑爲僞作,然今本内、外、雜篇之名,實定于郭象,則内篇未必盡可信,外、雜篇未必盡可疑。即郭氏所删略之各篇中,使今日見之,有足與今本三十三篇並存者,亦未可知也。郭氏篇第之分合,亦隨意去取,如蘇東坡《莊子祠堂記》云:"《寓言篇》末,當連《列禦寇篇》首。"今審《寓言篇》末"陽子居南之沛"章及《列禦寇篇》首"列禦寇之齊"二章之文義,實應相連,《列子·黄帝篇》襲用此文,正以二章相連,尚存《莊子》之舊。今本蓋

郭氏分之也。《北齊書·杜弼傳》稱弼注《莊子·惠施篇》。今考
《天下篇》"惠施多方"以下，專述惠子之學說，與上文不相連貫，舊
必另爲一篇。杜弼所注《惠施篇》或疑即指此，今本蓋郭氏合之也。
郭氏刊定三十三篇之後，已不能見《莊子》之舊。三十三篇傳至今
日，又不能無所竄亂，如《大宗師篇》"顔回曰：回益矣"至"丘也請
從而後也"一節，吳澄《莊子內篇訂正》接在《人間世篇》"而況散焉
者乎"句下。即每節之中，亦不能無所錯簡，如《齊物論篇》"化聲之
相待，若其不相待，和之以天倪，因之以曼衍，所以窮年也"二十五
字，今本在"則然之異乎不然也亦無辯"句下。《道藏·義海纂微》
本引呂惠卿注，謂此二十五字合在"何謂和之以天倪"句上，簡編脫
略，誤次于此，觀文意可知。至于每句之中，譌奪眢亂，更所難舉。
則治今日所存之郭本三十三篇，而欲窺《莊子》先秦之舊，蓋亦難
矣。郭象刪訂三十三篇外，今可考之佚篇，有《畏累虛》、《亢桑子》
（見《史記·莊子列傳》）、《閼奕》、《意脩》、《危言》、《游鳧》、《子胥》
（見《釋文·叙録》）、《惠施》（見《北齊書·杜弼傳》）、《馬捶》（見《南
史·文學傳》）、《要略》（見俞正燮《癸巳存稿》卷十二）十篇，而《亢
桑子》或即今之《庚桑楚篇》，《惠施篇》或即今之《天下篇》"惠施多
方"以下一章，則所謂佚篇者，僅存八篇之篇名而已。類書中稱引
《莊子》佚文雖多，大都雷同鈔襲，未必各有所據，將從何而徵信乎！
今所見之《莊子》古本，唯唐寫本而已，而唐寫本不過殘存之十餘
篇。能更溯唐、隋而上，以至先秦，而求《莊子》舊觀，則更善矣。間
嘗披覽諸子，其中常散見《莊子》之文，而與今本頗有出入。又常散
見《莊子》之佚文，而與類書中所稱引者每相符合，于是知《莊子》之
舊，尚可于諸子中窺其概要也。其時代去莊子愈近者，則其存《莊
子》之舊觀愈真。用《莊子》之文最早者，莫如《荀子》，如《正論篇》
云，"語曰：坎井之鼃，不可與語東海之樂"，此明引《莊子》外篇《秋
水》所載之事也。荀子去莊子未遠，則《秋水》雖在今本外篇，而爲
莊子所作，自可無疑。《荀子》書中散見《莊子》之文不多，然幾盡出
于今本外、雜篇，此特舉其彰著者一條而已。次如《韓非子》，亦常

稱引《莊子》之文，如《難三篇》云：“故宋人語曰：一雀過羿，羿必得之，則羿誣矣。以天下爲之羅，則雀不失矣。”此明引《莊子》雜篇《庚桑楚》之文也，宋人即指莊子。則《庚桑楚》雖在今本雜篇，而爲莊子所作，自可無疑。《韓子》書中散見莊子之文尚多，亦幾盡出于今本外、雜篇，此亦特舉其彰著者一條而已。他如《管子》一書，昔賢咸以爲戰國周末人增删之作，其去莊子亦必未遠，然其襲用莊子之文，如《白心篇》云：“故曰：功成者隳，名成者虧。故曰：孰能棄名與功，而還與衆人同，”見于今本《莊子》外篇《山木》；《心術下篇》云：“能專乎？能一乎？能毋卜筮而知凶吉乎？能止乎？能已乎？能毋問于人而自得之于己乎？”（《內業篇》亦有此文）見于今本《莊子》雜篇《庚桑楚》。其他襲用莊子之文，亦幾盡出于今本外、雜篇，則《莊子》外、雜篇之真僞，誠有待于商榷，決不可囿于郭象之區畫，而一概致疑也。《韓子》中用《莊子》之文，其尤可貴者，有佚文三條，如《十過篇》云：“平公曰：‘清角可得而聞乎？’（師曠曰：不可。）……。（平公曰：寡人老矣，所好者音也。願遂聽之。）師曠不得已而鼓之。一奏，而有玄雲從西北方起。再奏之，大風至，大雨隨之，裂帷幕，破俎豆，隳廊瓦，坐者散走。平公恐懼，伏于廊室之間。”（《淮南‧覽冥篇》、《史記‧樂書》、《論衡‧感虛》、《紀妖》二篇、《風俗通‧聲音篇》亦並載此文。）《御覽》七六七引此爲《莊子》佚文。《說林下篇》云：“鳥有翢翢者，重首而屈尾，將欲飲于河，則必顚，乃銜其羽而飲之。”《御覽》九二八、《天中記》五九並引此爲《莊子》佚文。《難一篇》云：“楚人有鬻楯與矛者，譽之曰：‘吾楯之堅，物莫能陷也。’（《莫》上“物”字，據《北堂書鈔》一二三、《御覽》三五三引補。）又譽其矛曰：‘吾矛之利，于物無不陷也。’或曰：‘以子之矛，陷子之楯，何如？’其人弗能應也。”（《難勢篇》亦載此文。）哀二年《穀梁傳疏》引此爲《莊子》佚文。所謂《莊子》佚文，大抵皆郭象以爲巧雜而删略之者（詳日本古鈔卷子本《天下篇》末所載郭象後語，《釋文‧叙錄》亦引之），蓋以其辭意又在外、雜篇之下也。然如《韓子》中所存數條，又何嘗不足與今本三十三篇之文並存乎？

可知郭氏之不免以私意去取矣。諸子中存《莊子》之舊觀最多者，莫如《呂氏春秋》、《淮南子》、《列子》三書，余每于其與今本出入處，嘗有一字千金之嘆。

一、荀子所引莊子之文

論莊子之思想最早者，莫如《荀子》；用《莊子》之文最早者，亦莫如《荀子》。《莊子》外、雜篇，後人多所致疑，然荀子去莊子未遠，竊怪其書中散見《莊子》之文，幾盡出于外、雜篇，則《莊子》外、雜篇之真偽，當猶有可商榷者矣。其最著者，如《正論篇》云：

語曰：坎井之鼃，不可與語東海之樂。

此明用《莊子》外篇《秋水》所載之事也。楊倞注亦云："事出莊子"見《秋水篇》公孫龍問于魏牟章。直稱爲"語曰"，可知荀子見《秋水篇》已久，則《秋水篇》之爲莊子所作，蓋可斷言矣。此篇與內篇《逍遥游》、《齊物論》之説相表裏，反覆相明，其旨愈見。王夫之因其申《逍遥游》、《齊物論》之意，遂以爲僞作，謬矣。又如《性惡篇》：

然而前必有銜轡之制，後有鞭策之威。

此文出于《莊子》外篇《馬蹄》，其言云：

前有橛飾之患，而後有鞭筴之威。

《哀公篇》：

鳥鵲之巢，可俯而窺也。

此語亦出于《莊子·馬蹄篇》，其言云：

鳥鵲之巢，可攀援而闚。

《榮辱篇》：

短綆不可以汲深井之泉。

此語出于《莊子》外篇《至樂》，其言云：

綆短者不可以汲深。

今讀《馬蹄》、《至樂》二篇，其辭過激，其理淺近，或非出于莊子之手。然其文既已散見于《荀子》中，則其著作時代當不太晚，疑即爲莊子門人所述。近人有謂其出于秦漢間者，過矣。

《荀子》不用《莊子》原文，而胎息其辭意者，亦有顯著之例。如《大略篇》：

> 多積財而羞無有，重民任而誅不能。

此文實本于《莊子》雜篇《則陽》，其言云：

> 匿爲物而愚不識，大爲難而罪不敢，重爲任而罰不勝，遠其塗而誅不至。

《君道篇》：

> 故校之以禮，而觀其能安敬也；與之舉錯遷移，而觀其能應變也；與之安燕，而觀其能無流慆也；接之以聲色、權利、忿怒、患險，而觀其能無離守也。

此文實本于《莊子》雜篇《列禦寇》，其言云：

> 故君子遠使之，而觀其忠；近使之，而觀其敬；煩使之，而觀其能。卒然問焉，而觀其知；急與之期，而觀其信。委之以財，而觀其仁；告之以危，而觀其節；醉之以酒，而觀其則；雜之以處，而觀其色。

以上例觀之，其胎息《莊子》之迹甚明，則《則陽》、《列禦寇》二篇，自當出于荀子之前也。

《荀子》中所載之事，有本于《莊子》者，亦有顯著之例。如《哀公篇》。"定公問于顏淵曰：東野子之善馭乎"一章，實本于《莊子》外篇《達生》"東野稷以御見莊公"章所述，其事全相符合，惟莊公作定公，顏闔作顏淵，與《莊子》異，或荀子因傳聞異辭而改之耳。《宥坐篇》述孔子厄于陳蔡之事，亦本于《莊子》雜篇《讓王》。今本《讓王篇》此章"吾是以知松柏之茂也"句下，脱"桓公得之莒，文公得之曹，越王得之會稽"三句，陳景元《莊子闕誤》引江南古藏本尚存其舊。《呂氏春秋·慎人篇》、《風俗通·窮通篇》載《莊子》此文，亦並存此三句。審《荀子》此章，孔子語子路之辭，亦有"昔晉公子重耳霸心生于曹，越王勾踐霸心生于會稽，齊桓公小白霸心生于莒"三句，尤可補證今本《莊子》之敚誤。而《荀子》此文之本于《莊子》，益無疑義,特略易其辭耳。自蘇東坡疑《讓王篇》非莊子作後,後人益肆詆訾,余意獨以爲不然。如此章之文,既見用于荀子,或其中亦有莊子所作,亦未可知。合各章之文觀之,固有雜湊之迹,不能無所致疑。然今本《讓王篇》乃郭象所刊定者,焉知郭氏不雜湊他篇之文于此篇也?疑郭氏雜湊此篇之文則可,因此篇雜湊而疑各章皆僞則過矣。漢代五十二篇之《讓王篇》,決非如今本之《讓王篇》(或篇名亦非《讓王》)。如"魯君聞顏闔得道之人也"章、"子列子窮容貌有飢色"章、"原憲居魯"章、"曾子居衛"章、"孔子謂顏回"章,及見于《荀子》此篇中"孔子窮于陳蔡之間"章,所載之事皆不合于《讓王》,疑此諸章,舊必不在此篇也。考外篇《田子方篇》末"楚王與凡君坐"章下《釋文》云:"俗本此後有'孔子窮于陳蔡'及'孔子謂顏回'二章,與《讓王篇》同",則俗本此篇或尚存《莊子》古本之舊,亦未可知。而今本《讓王篇》之雜湊,愈昭然矣。故《荀子》所載孔子窮于陳蔡之事,本于《莊子》,而不必本于《讓王篇》。雖見于今本《讓王篇》,亦不必輕于致疑。《荀子·成相篇》有云:

> 堯舜尚賢身辭讓,許由、善卷重義輕利,行顯明。

又云:

> 天乙湯,論舉當,身讓卞隨與牟光(楊注:"牟與務同。")

此亦併用《莊子·讓王篇》所載之事,則《讓王篇》非必盡可疑也。

至如《荀子·不苟》、《正論》、《正名》諸篇所述宋鈃之語,多與《莊子·天下篇》相合。如《不苟》篇:

> 山淵平,天地比。……出乎口,(注:"或曰:即山出口也。")鈎有
> 須,(注:"或曰:即丁子有尾也。")卵有毛。

此文見于《莊子·天下篇》,其言云:

> 天與地卑,山與澤平。……卵有毛,……丁子有尾,……山出口。

《正論篇》:

> 子宋子曰:明見侮之不辱,使人不鬥。

此文亦見于《莊子·天下篇》,其言云:

> 見侮不辱,救民之鬥。

《莊子》以宋鈃、尹文並稱,而宋鈃無書見于後代,《漢志》亦僅存《尹文子》一篇之名,則《荀子》述宋子之説,是否直本于《莊子》,不得而知。略舉二例于此,以存所疑。他如《修身篇》:"傳曰:君子役物,小人役于物",似即本于《莊子》外篇《山木》"物物而不役于物"一語;《正論篇》"若是,則有何尤? 揚人之墓,抉人之口,而求利矣哉",似即暗用《莊子》雜篇《外物》"儒以《詩》、禮發冢"節事;《禮論篇》"君子以背叛之心接臧穀,猶且羞之","臧穀"二字出于《莊子》外篇《駢拇》,見"臧與穀二人相與牧羊"節;《解蔽篇》"故曰心容","心容"二字出于《莊子》雜篇《天下》"語心之容"句;《大略篇》"是天府也","天府"二字出于《莊子》内篇《齊物論》"此之謂天府"句。上舉各例,除"天府"二字出于《莊子》内篇外,其餘全出于今本外、雜篇。此類外、雜篇之文,其在荀子時之《莊子》,或有在内篇者矣。今本之内、外、雜篇,乃郭象所定,誠不可囿于郭氏之見,而輕信輕疑也。

二、管子所引莊子之文

《管子》書,《漢書・藝文志》列入道家,蓋由《内業》、《心術》上、下及《白心》等篇深受老莊思想之影響,而與《樞言》、《四時》二篇亦有關。兹將《管子》與《莊子》相關之文,例舉如下:

1. 《莊子・養生主》:

為善無近名,為惡無近刑。

《管子・白心》:

為善乎,無提提;("提"借為"題",説文:"題,顯也。"為善而無顯,即無近名之意。")為不善乎,將陷于刑。

2. 《莊子・養生主》又云:

庖丁為文惠君解牛,……今臣之刀,十九年矣,所解數千牛矣,而刀刃若新發于硎。彼節者有間,而刀刃者無厚。以無厚入有間,恢恢乎,其于游刃必有餘地矣!

《管子·制分》則云：

屠牛坦朝解九牛，而刀可以莫鐵(注莫猶削也)，則刃游間也。

3.《莊子·人間世》云：

(夫徇耳目内通；而外于心知)鬼神將來舍，……。

《管子·心術上》則云：

(虛其欲)神將入舍。("虛其欲"即"徇耳目内通，而外于心知"之意。)

《莊子》外篇《知北游》亦云"神將來舍"。

4.《莊子·大宗師》云：

夫道，……無爲無形。

《管子·心術上》：

虛無無形謂之道。

5.《莊子·大宗師》云：

夫道……生天生地。

《管子·四時》：

道生天地。

6.《莊子》外篇《天地》云：

無爲爲之之謂天。(注：不爲者爲，而此爲自爲，乃天道。)

《管子·心術上》：

以無爲之謂道。

7.《莊子·天地篇》云：

物得以生謂之德。

《管子·心術上》：

德者道之舍，物得以生。

8.《莊子》外篇《刻意》：

感而後應，迫而後動。

《管子·心術上》：

"感而後應，(非所設也)，緣理而動，(非所取也)。

9.《莊子·刻意》云：

去知與故。

《管子‧心術上》亦云：

去智與故。

10. 《莊子》外篇《山木》：

一龍一蛇；與時俱化。(《呂氏春秋‧必己篇》、《淮南‧俶真篇》并引此。)

《管子‧樞言》：

一龍一蛇，一日五化(之謂周)。

11. 《莊子‧山木》云：

物物而不物于物。

《管子‧内業》：

君子使物而不爲物使。(《荀子‧修身》亦云："君子役物，小人役于物。")

12. 《山木》篇又云：

功成者墮，名成者虧。孰能去功與名，而還與衆人。

《管子‧白心》明引之：

故曰：功成者隳，名成者虧。故曰：孰能棄名與功，而還與衆人同。

13. 《莊子》外篇《知北游》：

道不可言。

《管子‧心術上》：

大道可安而不可說。

14. 《莊子‧庚桑楚》：

能抱一乎？能勿失乎？能無卜筮而知吉凶乎？能止乎？能已乎？能舍諸人而求諸己乎？

《管子‧心術下》第三十七：

能專乎？能一乎？能毋卜筮而知吉凶乎？能止乎？能已乎？能毋問于人而自得之于己乎？

《白心》：

不卜不筮,而謹知吉凶。

《内業》:

能摶乎? 能一乎? 能無卜筮而知吉凶乎? 能勿求諸人而得之己乎?

15.《莊子》雜篇《則陽》:

人皆尊其知之所知,而莫知恃其知之所不知,而後知。

《管子・心術上》:

人皆欲智而莫索其所以智乎!

16.《莊子・天下》:

至大無外,……至小無内。

《管子・宙合》:

是大之無外,小之無内。

《心術上》:

道在天地之間,其大無外,其小無内。

《心業》:

其細無内,其大無外。

三、韓非子所引莊子之文

司馬遷以老莊申韓合傳,以韓子之書,大氐皆原于道德之意也。其意多原于道德,其辭亦多本于《老》、《莊》。繼荀子而後,篇中散見《莊子》之文較多者,當推《韓子》,然竊怪其亦每出于今本《莊子》外、雜篇。如《説林上》:

楊子過于宋,東之逆旅。有妾二人,其惡者貴,美者賤。楊子問其故,逆旅之父答曰:“美者自美,吾不知其美也; 惡者自惡,吾不知其惡也。”楊子謂弟子曰:“行賢而去自賢之心,焉往而不美!”

此文本于《莊子》外篇《山木》,其文云:

楊子之宋,宿于逆旅。逆旅人有妾二人,其一人美,其一人惡,惡者貴而美者賤。楊子問其故,逆旅小子對曰:“其美者自美,吾不

> 知其美也；其惡者自惡，吾不知其惡也。"楊子曰："弟子記之，行賢
> 而去自賢之行，安往而不愛哉。"

《韓子》既已載此文，則此文雖在今本外篇，疑亦出自莊子之手也。
又如《難三篇》：

> 故宋人語曰：一雀過羿，羿必得之，則羿誣矣。以天下爲之羅，
> 則雀不失矣。

此明引《莊子》雜篇《庚桑楚》文，其文云：

> 一雀適羿，羿必得之，威也。以天下爲之籠，則雀無所逃。

《韓子》引此文而稱爲宋人語，宋人即指莊子。《史記·莊子列傳》
云："莊子，蒙人也。"《索隱》引劉向《別錄》曰："宋之蒙人也。"高誘
《呂氏春秋·必己篇注》云："莊子，宋之蒙人也。"《淮南·脩務篇
注》亦云："宋蒙縣人。"張衡《髑髏賦》云："吾宋人也，姓莊名周。"此
並莊子爲宋人之證。《韓子》既明引《莊子》此文，則今本《庚桑楚》
雖在雜篇，其爲莊子所作，必無疑義矣。

《韓子》所載之事有本于《莊子》，雖屬辭頗異，其迹仍甚著者，
如《十過篇》：

> 管仲老，不能用事，休居于家。桓公從而問之，曰："仲父家居有
> 病，郎不幸而不起此病，政安遷之？"管仲曰："臣老矣，不可問也。雖
> 然，臣聞之，知臣莫若君，知子莫若父，君其試以心決之。"君曰：
> ("君"字當作"公"，涉上文而誤。下文並作"公曰"，可證。)"鮑叔牙
> 何如？"管仲曰："不可。鮑叔牙爲人，剛愎而上悍。剛則犯民以暴，
> 愎則不得民心，悍則下不爲用，其心不懼。非霸者之佐也。"……公
> 曰："然則孰可？"管仲曰："隰朋可。其爲人也，堅中而廉外，少欲而
> 多信。夫堅中則足以爲表，廉外則可以大任，少欲則能臨其衆，多信
> 則能親鄰國，此霸者之佐也。君其用之。"

此文實原于《莊子》雜篇《徐無鬼》，其文云：

> 管仲有病，桓公問之，曰："仲父之病病矣，可不謂。("謂"爲
> "諱"之形誤。《莊子闕誤》江南李氏本正作"諱"。)云至于大病，則寡
> 人惡乎屬國而可？"管仲曰："公誰欲與？"公曰："鮑叔牙。"曰："不可。
> 其爲人絜廉善士也，其于不己若者不比之。又一聞人之過，終身不

忘。使之治國,上且鈎乎君,下且逆乎民。其得罪于君也,將弗久矣。"公曰:"然則孰可?"對曰:"勿己,則隰朋可。其爲人也,上忘而下畔,愧不若黄帝而哀不己若者。以德分人謂之聖,以財分人謂之賢。以賢臨人,未有得人者也。以賢下人,未有不得人者也。其于國有不聞也,其于家有不見也。勿己,則隰朋可。

《韓子》各篇中胎息《莊子》之文出于今本内篇者,僅一見,如《解老篇》:

> 天得之以高,地得之以藏,維斗得以成其威,日月得以恒其光,五常得之以常其位,列星得之以端其行,四時得之以御其變氣,軒轅得之以擅四方,赤松得之與天地統,聖人得之以成文章。

所謂"之",皆指道,即本于《莊子》内篇《大宗師》,其文云:

> 失道……狶韋氏得之以絜天地,伏戲得之以襲氣母,維斗得之終古不忒,日月得之終古不息,堪壞得之以襲崑崙,馮夷得之以游大川,肩吾得之以處大山,黄帝得之以登雲天,顓頊得之以處玄宫,禺强得之立乎北極,西王母得之坐乎少廣。莫知其始,莫知其終,彭祖得之,上及有虞,下及五伯;傅説得之,以相武丁,奄有天下。乘東維,騎箕尾,而比于列星。

至如《顯學篇》所謂"宋榮子之議,設不鬥争,……見侮不辱",與《莊子》雜篇《天下》述宋鈃之語合,但其是否本于《莊子》,不得而知,因宋子之書雖不見于後代,或當時尚存也。

《韓子》中散見莊子之文尤可貴者,厥爲不見于今本《莊子》者數條,如《十過篇》:

> 平公曰:"清角可得而聞乎?"師曠曰:"不可。……"平公曰:"寡人老矣,所好者音也,願遂聽之。"師曠不得已而鼓之。一奏,而有玄雲從西北方起。再奏之,大風至,大雨隨之,裂帷幕,破俎豆,隳廊瓦,坐者散走。平公恐懼,伏于廊室之間。……

此爲《莊子》佚文,《御覽》七六七尚引之。其文云:

> 師曠爲晉平公作清角。一奏,有雲從西北起。再奏,大雨、大風隨之,裂帷幕,破俎豆,墮廊瓦。平公懼,伏于室内。

《御覽》引此文,不免有所刪省,《韓子·十過遍》或猶存《莊子》之舊觀也。

《説林下篇》：

> 鳥有翢翢者，重首而屈尾。將欲飲于河，則必顚，乃銜其羽而飲
> 之。

此亦爲《莊子》佚文，《御覽》九二八、《天中記》五九並引之，惜僅存一語，其文云：

> 周周，銜羽以濟河。

《韓子》"周周"作"翢翢"，"翢"與"周"同。《文選》阮嗣宗《詠懷詩》"周周尚銜羽"，李善注引《韓子》此文，亦作"周周"。《莊子》"濟河"疑是"飲河"之誤，《韓子》此文可證。由《御覽》、《天中記》中得《莊子》佚文一語，已爲難得，更于《韓子》中以窺其全，愈可貴矣。

《難一篇》：

> 楚人有鬻楯與矛者，譽之曰："楯之堅，莫能陷也。"又譽其矛曰："吾矛之利，于物無不陷也。"或曰："以子之矛，陷子之楯，何如?"其人弗能應也。

《難勢篇》：

> 人有鬻矛與楯者，譽其楯之堅，物莫能陷也。俄而又譽其矛曰："吾矛之利，物無不陷也。"人應之曰："以子之矛，陷子之楯，何如?"其人弗能應也。

此亦爲《莊子》佚文，哀二年《穀梁傳疏》尚引之，其文云：

> 楚人有賣矛及楯者，見人來買矛，即謂之曰："此矛無何不徹。"見人來買楯，則又謂之曰："此楯無何能徹者。"買人曰："還將爾矛刺爾楯，若何?"

此明引爲《莊子》之文，然辭較淺近，《韓子》所載當更存《莊子》之舊觀也。

《五蠹篇》：

> 禹之王天下也，……股無胈，脛不生毛。

今本《莊子》外篇《在宥》言堯舜，有"股無胈，脛無毛"二語，與《韓子》言禹者異。雜篇《天下》言禹，有"腓無胈，脛無毛"二語，與《韓子》

亦不全合。考《文選》司馬長卿《難蜀父老》注及《御覽》六十引《莊子》佚文云:

> 兩神女浣于白水之上,禹過之而趨,曰:"治天下奈何?"女曰:"股無胈,脛不生毛。……"

《韓子》"股無胈"二句,與此文"女曰"下二句全合,當是本于此文,而非出于《在宥》、《天下》二篇也。

凡《莊子》佚文,皆郭象所謂巧雜而删略之者。郭氏蓋以爲其辭意又在外、雜篇之下也。然如《韓子》中所見數條,並不嫌巧雜,可知郭氏之以私意去取矣。此數條既已早見于《韓子》,疑亦出自莊子之手也。

四、尹文子所引莊子之文（四部叢刊本）

1.《逍遥游》:

> 而宋榮子猶然笑之,且舉世而譽之而不加勸,舉世而非之而不加沮。

《尹文子·大道》上:

> 已是而舉世非之,則不知己之是,己非而舉世是之,亦不知己所非。

2.《齊物論》:

> 大道不稱。

《尹文子·大道》上:

> 大道不稱。

3.《天下篇》:

> (1) 不累于俗,不飾于物,不苟于人,不忮于衆。

《尹文子·大道》上:

> 苟違于人,俗所不與,苟忮于衆,俗所共去。

又云:

> 累于俗,飾于物者不可與爲治矣。

（2）接萬物以別宥爲始，語心之容命之曰心之行以耶合驩，以調海内，請欲置之以爲主，見侮不辱，救民之鬥，禁攻寢兵，救世之戰，以此周行天下，上説下教，雖天下不取，强聒而不舍者也，故曰：上下見厭而强見也。雖然，其爲人太多，其自爲太少，曰請欲置五升之飯足矣，先生恐不得飽，弟子雖飢不忘天下，日夜不休，曰我必得活哉，圖傲乎救世之士哉，曰君子不爲苛察，不以身假物，以爲無益于天下者，明之不如已也，以禁攻寢兵爲外，以情欲寡淺爲内，其小大精粗，其行適至是而止。

《尹文子・大道》上：

接萬物使分別海内使不雜，見侮不辱，見推不矜，禁暴息兵，救世之鬥，此仁君之德，可以爲主矣。守職分，使不亂，慎所任，而無私，飢飽一心，毁譽同慮，賞亦不忘，罰亦不怨，此居下之節，可爲人矣。(此文或明襲《莊子》語，或暗襲莊子意。)

五、慎子所引莊子之文

1. 《德充符》：

故不足以滑和。

《慎子》外篇：

不足以滑其和。

2. 《在宥》：

愁其五藏，以爲仁義。

《慎子》外篇：

愁其五藏，以爲天下役。

3. 《在宥》：

賤而不可不任者，物也。卑而不可不因者，民也。匿而不可不爲者，事也。麤而不可不陳者，法也。遠而不可不居者，義也。親而不可不廣者，仁也。節而不可不積者，禮也。中而不可不高者，德也。一而不可不易者，道也。神而不可不爲者，天也。

《慎子》内篇：

賤而不可不因者，衆也。剛而不可不用者，兵也。慘而不可不行者,法也。小而不可不防者,盜也。勞而不可不勸者,農也。穴而不可不嗇者,財也。(此節辭例,全襲《莊子》。)

4.《讓王》:

堯以天下讓許由,許由不受。又讓于子州支父,子州支父曰:以我爲天子,猶之可也。雖然,我適有幽幽之病,方且治之,未暇治天下也。夫天下至重也,而不以害其生,又況他物乎?唯無以天下爲者,可以託天下也。……舜以天下讓善卷,善卷曰:余立于宇宙之中,冬日衣皮毛,夏日衣葛絺。春耕種,形足以勞動;秋收斂,身足以休食。日出而作,日入而息。逍遥于天地之間,而心意自得。吾何以天下爲哉!悲夫!子之不知余也。舜以天下讓其友石户之農。……于是夫負妻戴,攜子以入于海,終身不反也。……魯君聞顔闔得道之人也,……故曰:道之真,以治身;(日本古鈔卷子本"治"作"持"。)其緒餘,以爲國家;其土苴,以治天下。由此觀之,帝王之功,聖人之餘事也,非所以完身養生也。……今且有人于此,以隨侯之珠,彈平仞之雀,世必笑之。是何也?則其所用者重,而所要者輕也。夫生者豈特隨侯之重哉!

《慎子·外篇》:

堯讓天下于許由。許由……不受而逃去。……人以讓子州支父,("人"爲"又"之形誤,《莊子》作又。)子州父(父上當脱"支"字)曰:以我爲天子,猶之可也。雖然,我適有幽憂之病,方且治之,未暇治天下也。舜以天下讓善卷。卷曰:……予立宇宙之中,冬衣皮毛,夏衣絺葛。春耕種,形足以勞動;秋收斂,身足以休食。日出而作,日入而息。逍遥于天地之間,而心意自得。吾何以天下爲哉!悲夫!子之不知予也。禹讓天下于奇子。……于是負妻攜子,以入于海,終身不返也。夫天下重物也,而不以害其身,又況于他物乎?惟不以天下害其生者,可以託天下。世之人主,以貴富驕得道之人。其不相知,豈不悲哉!故曰:道之真,以持身;其緒餘,以爲國家;其土苴,以治天下。由此觀之,帝王之功,聖人之餘事也,非所以完身養生之道也。今有人于此,以隋侯之珠,彈千仞之雀,世必笑之。是何也?所用重,所要輕也。夫生豈特隋侯珠之重也哉?

5.《盜跖》:

盜跖大怒曰:……人上壽百歲,中壽八十,下壽六十。除病瘦死喪憂患,其中開口而笑者,一月之中,不過四五日而已矣。天與地無窮,人死者有時。操有時之具,而託于無窮之間,忽然無異騏驥之馳過隙也。不能說其志意，養其壽命者，皆非通道者也。

《慎子·外篇》：

> 盜跖曰：人上壽百歲，中壽八十，下壽六十。除病瘦死喪憂患，其中開口而笑者，一月之中，不過四五日而已。天與地無窮，人死者有時。操有時之具，而託于無窮之間，忽然無異騏驥之馳過隙也。不能悅其志意，養其壽命者，非通道者也。

6. 《列禦寇》：

> 孔子曰：凡人心險于山川，難于知天。……故君子遠使之而觀其忠，近使之而觀其敬，煩使之而觀其能，卒然問焉而觀其知，急與之期而觀其信，委之以財而觀其仁，告之以危而觀其節，醉之以酒而觀其則，雜之以處而觀其色。九徵至，不肖人得矣。

《慎子·外篇》：

> 仲尼曰：凡人心險于山川，難于知天。故君子遠使之而觀其忠，近使之而觀其敬，煩使之而觀其能，率然問焉（率蓋"卒"之形誤）而觀其知，急與之期而觀其信，委之以財而觀其仁，告之以危而觀其節，醉之以酒而觀其則，雜之以處而觀其危。九徵至，賢不肖人得矣。

六、莊子與鶡冠子

《漢志》道家《鶡冠子》一篇注云：楚人居深山，以鶡爲冠。劉彥和稱鶡冠縣縣，亟發深言（《文心雕龍·諸子篇》）。其剿剝莊子之文，尚復不少，詳檢全書，得二十八條，他如《道瑞》"此萬物之本劑"，"本劑"二字亦本于《莊子·庚桑楚》篇"有長而無乎本剽"句。《度萬》"上反太清"（《能天》亦云"而立乎太清"），"太清"二字亦本于《莊子·天運》篇"建之以太清句"（《列禦寇》篇亦云"發泄乎太清"）。《備知》"其言足以滑政"，亦本于《莊子·德充符》篇"故不足以滑和"句（《庚桑楚》篇亦云"不可以滑成"）。《天權》"挈天地而能游者"，"挈天地"三字，亦本于《莊子·大宗師》篇"狶韋氏得之以挈天地"句。推其所言,雖多雜湊,而大旨亦歸于道德。

1.《齊物論》:

無物不然。(《寓言》篇同)

《鶡冠子·天權》

知物固無不然。

2.《德充符》:

而不與物遷。(《天道》篇亦有此語,惟"物"誤利。)

《鶡冠子·王鈇》:

不見異物而遷。

3.

有人之形,故群于人。

《鶡冠子·王鈇》;

有人之名,則同人之情耳。

4.《大宗師》:

有情有信,無爲無形。(《齊物論》篇亦云:可行已信,而不見其
形,有情而無形。)

《鶡冠子·夜行》:

致信究情,復反無貌。

5. 維斗得之,終古不忒。日月得之,終古不息。(之指道)

《鶡冠子·能天》

其得道以生,至今不亡者,日月星辰也。(上文:"昔之得道以立,
至今不遷者,四時太山是也。"亦因襲《莊子》。)

6.《馬蹄》:

故至德之世,其行填填,其視顛顛。當是時也,山無蹊隧,澤無
舟梁。萬物群生,連屬其鄉。禽獸成群,草木遂長。是故禽獸可係
羈而游,鳥鵲之巢可攀援而闚。

《鶡冠子·備知》:

德之盛,山無徑迹,澤無橋梁。不相往來,舟車不通。何者? 其

民猶赤子也。有知者不以相欺役也,有力者不以相臣主也。是以鳥
鵲之巢,可俯而窺也。麋鹿群居,可從而係也。

7.《在宥》:

　　獨往獨來。

《鶡冠子‧能天》:

　　往無與俱,來無與偕。(注:"獨往獨來"。)

8.《天地》:

　　可以爲衆父,而不可以爲衆父父。

《鶡冠子‧王鈇》:

　　不爲衆父。(注:"爲衆父父。")

9.《天道》

　　臣不能以喻臣之子,臣之子亦不能受之于臣。

《鶡冠子‧天則》:

　　故父不能得之于子,而君弗能得之于臣。

10.《天運》:

　　彼未知夫無方之傳,應物而不窮者也。

《鶡冠子‧天權》:

　　應物而不窮,……謂之無方之傳。

11. 其猶楂棃橘柚邪? 其味相反,而皆可于口。

《鶡冠子‧環流》:

　　酸鹽甘苦之味相反,然其爲善均也。

12.

　　夫播穅眯目,則天地四方易位矣。蚊虻噆膚,則通昔不寐矣。

《鶡冠子‧天權》:

　　故一蚋噆膚,不寐至旦。半穅入目,四方弗治。

13.《刻意》:

　　水之性,不雜則清,莫動則平。鬱閉而不流,亦不能清,天德之
象也。

《鶡冠子‧泰鴻》:

毋易天生,毋散天樸,自若則清,動之則濁。

14.《秋水》:

知東西之相反,而不可以相無? 則功分定矣。

《鶡冠子·環流》:

故東西南北之道,端然其爲分等也。

15.《至樂》

芒乎芴乎,而無從出乎! 芴乎芒乎,而無有象乎!

《鶡冠子·夜行》:

芴乎芒乎,中有象乎! 芒乎芴乎! 中有物乎。

16.《達生》:

用志不分。

《鶡冠子·王鈇》:

用心不分。

17.《山木》

若夫乘道德而浮游則不然。

《鶡冠子·泰錄》:

神聖乘于道德。

18.《田子方》:

始終相反乎無端,而莫知乎其所窮。(《知北游》篇亦云:"魏魏乎,
其終則復始也"。)

《鶡冠子·世兵》:

終則有始,孰知其極?

19.《知北游》:

故行不知所往。(《在宥》篇亦云:"猖所狂不知所往"。《庚桑楚》
篇云:"而百姓猖狂不知所如往"。"如"猶"往"也。)

《鶡冠子·天權》:

昔行不知所如往。

20.《徐無鬼》:

權勢不尤,則夸者悲。

《鶡冠子・世兵》：

> 夸者死權。

21. 《盜跖》：

> 堯不慈，舜不孝，禹偏枯，湯放其主，武王伐紂，文王拘羑里。（案下文言此六子者，世之所高也，所謂六子，兼指上文黄帝，言文王句義不相類，又與言六子不合，《闕誤》江南古藏本作七子，蓋改六爲七，以合其數耳。）

《鶡冠子・世兵》：

> 舜有不孝，堯有不慈，文王桎梏，管仲拘囚。（案此文舜堯二句，文王、管仲二句詞意各相配，今本《莊子》"文王拘羑里"句，與上文不類，或後人因此文竄入，亦未可知。此文惟首二句襲自《莊子》、《吕氏春秋・當務》篇、《舉難》篇、《淮南・氾論》篇、《劉子・妄瑕》篇，並有類此之文，而皆不言"文王拘羑里"。詳《莊子》與《吕氏春秋》篇。）

22.

> 申徒狄諫而不聽，負石自投于河。

《鶡冠子・備知》

> 申徒狄以爲世溷濁不可居，故負石投于河。

23. 《説劍》

> 天下無敵矣。

《鶡冠子・王鈇》：

> 而天下無敵矣。

24. 《列禦寇》：

> 汎若不繫之舟。

《鶡冠子・世兵》：

> 泛泛乎若不繫之舟。（案賈誼《鵩鳥賦》云："泛乎若不繫之舟"蓋此文所本，而賈誼亦本之《莊子》。）

25.

> 故君子遠使之，而觀其忠。近使之，而觀其敬。煩使之，而觀其能。卒然問焉，而觀其知。急與之期，而觀其信。委之以財，而觀其仁。

告之以危,而觀其節。醉之以酒,而觀其則。雜之以處,而觀其色。

《鶡冠子・天則》:

臨利,而後可以見信。臨財,而後可以見仁。臨難,而後可以見勇。

《道端》:

富者觀其所予,足以知仁。貴者觀其所舉,足以知忠。觀其大祥(注: 或作"伴",或作"祥"),長不讓少,貴不讓賤,足以知禮。達(或作"迭")觀其所不行,足以知義。受官任治,觀其去就,足以知智。迫之不懼,足以知勇。口利辭巧,足以知辯。使之不隱,足以知信。貧者觀其所不取,足以知廉。賤者觀其所不爲,足以知賢。測深觀天,足以知聖。(案《晏子春秋》(僞書)内篇《問上》第三,《荀子・君道》篇、《尸子・勸學》篇、《吕氏春秋・論人》篇、《淮南・氾論》篇、《文中子・天地》篇,並有類此之文。)

26.《莊子》佚文

莊子曰: 海人有機心,鷗鳥舞而不下。(《宋書・謝靈運傳・山居賦》自注,《世説新語補》卷三補,《文選・江文通雜體詩》注,又見《列子・黄帝》篇、《吕氏春秋・精諭》篇。)

《鶡冠子・泰録》:

未離己而在彼者,狎漚也。(注: 如"狎漚"者,心動于内,則漚鳥舞而不下,此未離己而在彼者也。案,狎漚事即暗用《莊子》,"漚"借爲"鷗",與《列子》同。)

27.《莊子》曰:

易姓而王……(《後漢書・禮儀志》注。)

《鶡冠子・泰録》:

易姓而王。

28.《莊子》曰:

胥士之殉名,貪夫之殉財,天下皆然,不獨一人。(《文選》謝宣遠《于安城答謝靈運詩》注,又見《曹子建《王仲宣誄》注,惟"胥士"作"君子","貪夫"作"小人",《文選》賈誼《鵬鳥賦》注亦引此文,惟"胥士"作"烈士"、"殉"並作"徇"。案今本《莊子》無此文,惟外篇《駢拇》

云:"小人則以身殉利,士則以身殉名"。外篇《刻意》云:"衆人重利,廉士重名"。雜篇《盜跖》云:"小人殉財,君子殉名",與此文首二句近,但並無末二句。)

《鶡冠子‧世兵》:

烈士徇名,貪夫徇財。(二語蓋直本于《賈誼‧鵩鳥賦》,《史記‧賈誼列傳索隱》謂賈語出于《莊子》。)

作者簡介　王叔岷,1914 年生,四川簡陽縣人。北京大學研究所畢業,曾任中央研究院史語所研究員、臺灣大學中文系教授、新加坡大學客座教授。著有《莊子校釋》、《列子補正》、《郭象注校記》、《呂氏春秋校釋》、《斠讎學》、《史記斠證》、《莊子校詮》、《鍾嶸詩品箋證稿》、《先秦道法思想講稿》、《列仙傳校箋》等書。

呂氏春秋引用莊子舉正

王叔岷

《漢志》列《呂氏春秋》于雜家，然高誘序云："此書所尚，以道德爲標的，以無爲爲綱紀"。故其思想仍與道家爲近。篇中引用《莊子》之文特多，尤以《貴生》、《必己》、《精諭》、《離俗》、《適威》、《審爲》、《貴公》諸篇爲甚。詳檢全書，得四十餘條；他書所引《莊子》佚文，見于此書者七條，見于高注中者一條，共五十餘條。今本《莊子》三十三篇，爲郭象所刪訂本，其損益竄亂，自所難免。則欲窺《莊子》先秦之舊，自當于先秦諸子中求之。《呂氏春秋》徵引《莊子》之文，與今本頗有出入，如《達生篇》、"東野稷以御見莊公"節"莊公以爲文弗過也"一語，《御覽》七四六引"弗過也"作"造父弗過也"，今本"文"字蓋"父"之形誤，傳寫者于"文"上又奪"造"字，義遂難通矣。《呂氏·適威篇》用此文，正作"以爲造父不過也"，是存《莊子》之舊也。《山木篇》"莊子行于山中"節"夫子出于山，舍于故人之家"二語，《藝文類聚》九一、《御覽》九一七引"出"上無"夫子"二字，(《意林》、《天中紀》五八引同。)"舍"上並有"及邑"二字，"舍"下並無"于"字。文義完好，無贅無脫。《呂氏·必己篇》用此文，正作"出于山及邑，舍故人之家"，是存《莊子》之舊也。《庚桑楚篇》"徹志之勃"節"貴富顯嚴名利六者，勃志也；容動色理氣意六者，謬心也；惡欲喜怒哀樂六者，累德也；去就取與知能六者，塞道也"數語，日本古鈔卷子本四"也"字上並有"者"字，今本蓋敓之。《呂氏·有度篇》用此文，四"也"上正有四"者"字，是存《莊子》之舊也。

《讓王篇》“大王亶父居邠”節“事之以皮帛而不受，事之以犬馬而不受，事之以珠玉而不受”數語，日本古鈔卷子本“事”下並無“之”字，又無“事之以犬馬而不受”句，《御覽》四一九引亦無此句。《呂氏‧審爲篇》用此文，正作“事以皮帛而不受，事以珠玉而不肯”，不言“事以犬馬而不受”，是存《莊子》之舊也。“越人三世弒其君”節“王子搜援綏登車仰天而呼曰：君乎，君乎，獨不可以捨我乎”數語，日本古鈔卷子本“君乎”下不疊“君乎”二字，今本蓋由傳寫者誤衍。《呂氏‧貴生篇》用此文，正不疊“君乎”二字，是存《莊子》之舊也。“魯君聞顏闔得道之人也”節“故若顏闔者，真惡富貴也”二語，此篇之意重在完身養生，非惡富貴，此獨云“真惡富貴也”，當有譌奪。《呂氏‧貴生篇》用此文，作“故若顏闔者，非惡富貴也，由重生惡之也。世之人主，多以富貴驕得道之人，其不相知，豈不悲哉”，今本《莊子》“非惡富貴也”作“真惡富貴也”，無“由重生惡之也”至“豈不悲哉”二十七字，當是傳寫者誤敓，後人因見“非惡富貴也”一語不可通，乃改“非”爲“真”耳。上文“王子搜三世弒其君”節“王子搜非惡爲君也，惡爲君之患也”二語，與此“故若顏闔者，非惡富貴也，由重生惡之也”，辭例正同；上文“太王亶父居邠”節“今世之人居高官尊爵者，皆重失之，見利輕亡其身，豈不惑哉”數語，與此“世之人主，多以富貴驕得道之人，其不相知，豈不悲哉”之辭例，亦同。則《莊子》本文自當如此，幸有《呂氏》以存其舊也。凡此諸端，厥例尚夥，反覆捪捹，列而正之，庶使治《莊子》者，得略窺其先秦面目，不致沿今本而臆說謬解也與！他如《呂氏‧論人篇》八觀六驗之説，實本于《莊子‧列御寇篇》九徵之論。《呂氏‧下賢篇》稱“得道之人”之語，實原于《莊子‧大宗師篇》述“古之真人”之辭，然其意相承，其詞頗殊，雖加檢舉，無資校讐，故若此類，則並略諸。統觀《呂氏》引用《莊子》之文，多出于今本外、雜篇。外、雜篇頗爲後代所疑，考其辭義，爲莊子門人固有所附益者，推其著作時代，亦自在呂氏之前。故呂氏使諸儒士各著所聞之時，遂陰襲其詞爲己有，以助《呂氏春秋》之成也。然今日殘存之《莊子》，以此書之襲用而得略存其真面目, 亦幸矣哉。今將郭本《莊子》原文與《呂氏春秋》襲用《莊子》之文一一對照, 得數十條, 以見莊學在呂氏春秋學派中之巨大影響。

一、《莊子》內篇《逍遙游》云:

堯讓天下于許由, 曰:"日月出矣, 而爝火不息, 其于光也, 不亦難乎! 時雨降矣, 而猶浸灌, 其于澤也, 不亦勞乎! 夫子立而天下治, 而我猶尸之, 吾自視缺然。請致天下。"許由曰:"子治天下, 天下既已治也, 而我猶代子, 吾將爲名乎? 名者實之賓也。吾將爲賓乎? 鷦鷯巢于深林, 不過一枝; 偃鼠飲河, 不過滿腹。歸休乎君, 予無所用天下爲! 庖人雖不治庖, 尸祝不越樽俎而代之矣。"

《呂氏春秋・求人篇》:

昔者堯朝許由于沛澤之中, 曰:"十日出, 而焦火不息, 不亦勞乎? 夫子爲天下, 而天下已治矣。請屬天下于夫子。"許由辭曰:"爲天下之不治與, 而既已治矣, 自爲與。啁噍巢于林, 不過一枝; 偃鼠飲于河, 不過滿腹。歸已君乎, 惡用天下!"遂之箕山之下、潁水之陽, 耕而食。

二、《莊子》內篇《齊物論》云:

其以爲異于鷇音, 亦有辯乎, 其無辯乎!

《呂氏・聽言篇》:

其與人縠言也, 其有辯乎, 其無辯乎!

三、《莊子》內篇《養生主》云:

庖丁爲文惠君解牛, ……始臣之解牛之時, 所見無非牛者。三年之後, 未嘗見全牛也。……今臣之刀十九年矣, 所解數千牛矣, 而刀刃若新發于硎。

《呂氏・精通篇》:

宋之庖丁好解牛, 所見無非死牛者, 三年而不見生牛。用刀十九年, 刃若新鄜研。

四、《莊子》內篇《人間世》:

輕用民死。

《呂氏・聽言篇》:

輕用民死。

五、《莊子》内篇《大宗師》云：

其于物，無不將也，無不迎也。

《呂氏・本生篇》：

其于物，無不受也，無不裹也。

六、《莊子》外篇《胠篋》云：

故跖之徒問于跖曰：“盜亦有道乎？”跖曰：“何適而無有道邪？夫妄意室中之藏，聖也；入先，勇也；出後，義也；知可否，知也；分均，仁也。五者不備，而能成大盜者，天下未之有也。”

《呂氏・當務篇》：

跖之徒問于跖曰：“盜有道乎？”跖曰：“奚啻其有道也！（啻與適同）夫妄意關内中藏，聖也；入先，勇也；出後，義也；知時，智也；分均，仁也。不通此五者，而能成大盜者，天下無有。”

七、《莊子》外篇《天地》云：

冥冥之中，獨見曉焉。無聲之中，獨聞和焉。

《呂氏・離謂篇》：

故惑惑之中，有曉焉；冥冥之中，有昭焉。

八、《天地》篇云：

堯治天下，伯成子高立爲諸侯。堯授舜，舜授禹。伯成子高辭爲諸侯而耕。禹往見之，則耕在野。禹趨就下風，立而問焉，曰：“昔堯治天下，吾子立爲諸侯。堯授舜，舜授予，而吾子辭爲諸侯而耕。敢問其故何也？”子高曰：昔堯治天下，不賞而民勸，不罰而民畏。今子賞罰而民且不仁，德自此衰，刑自此立。後世之亂，自此始矣。夫子闔行邪？無落吾事。俋俋乎，耕而不顧。

《呂氏・長利篇》：

堯治天下，伯成子高立爲諸侯。堯授舜，舜授禹，伯成子高辭諸侯而耕。禹往見之，則耕在野。禹趨就下風，而問曰：“堯理天下，吾子立爲諸侯。今至于我而辭之故何也？”伯成子高曰：當堯之時，未賞而民勸，未罰而民畏。民不知怨，不知說，愉愉其如赤子。今賞罰甚數，而民爭利，且不服。德自此衰，利自此作，後世之亂自此始。

夫子盍行乎？無慮吾農事。協而耰，遂不顧。

九、《莊子》外篇《達生》云：

以瓦注者巧，以鈎注者憚，以黃金注者殙。其巧一也，而有所矜，則重外也。凡外重者內拙。

《呂氏·去尤篇》：

以瓦殶者翔，以鈎殶者戰，以黃金殶者殆。其祥一也，而有所殆者，必外有所重者也。外有所重者，泄，蓋內掘。

十、《達生》：

魯有單豹者，岩居而水飲，不與民共利，行年七十，而猶有嬰兒之色。不幸遇餓虎，餓虎殺而食之。有張毅者，高門縣薄，無不走也。行年四十，而有內熱之病，以死。

《呂氏·必己篇》：

張毅好恭，門閭帷薄聚居衆無不趨，輿隸姻媾小童無不敬，以定其身。不終其壽，內熱而死。單豹好術，離俗棄塵，不食穀實，不衣芮溫，身處山林岩堀，以全其生。不盡其年，而虎食之。

十一、《達生》：

東野稷以御見莊公，進退中繩，左右旋中規。莊公以為文弗過也（《御覽》七四六引“文弗過也”作“造父弗過也”，當從之。“文”蓋“父”之形誤，傳寫者於“文”上又脫“造”字，義遂難通矣）。使之鈎百而反。顏闔遇之，入見曰：“稷之馬將敗。”公密而不應，少焉，果敗而反。公曰：“子何以知之？”曰：“其馬力竭矣，而猶求焉，故曰敗。”

《呂氏·適威篇》：

東野稷以御見莊公，進退中繩，左右旋中規。莊公曰：“善！”以為造父不過也。（今本《莊子》“造父不過也”，作“文弗過也”賴有《御覽》所引不誤，更賴呂氏此文存莊子之舊也。）使之鈎百而少及焉。顏闔入見莊公，曰：“子遇東野稷乎？”對曰：“然。臣遇之，其馬必敗。”莊公曰：“將何敗？”少頃，東野之馬敗而至。莊公召顏闔而問之曰：“子何以知其敗也？”顏闔對曰：“夫進退中繩，左右旋中規，造父之御無以過焉。鄉臣遇之，猶求其馬，臣是以知其敗也。”

十二、《莊子》外篇《山木》云：

莊子行于山中，見大木，枝葉盛茂，伐木者止其旁而不取也。問其故，曰：“無所可用。”莊子曰：“此木以不材得終其天年。”夫子出于山，舍于故人之家。故人喜，命豎子殺雁而烹之。豎子請曰：“其一能鳴，其一不能鳴，請奚殺？”主人曰：“殺不能鳴者。”明日弟子問于莊子曰：“昨日山中之木，以不材得終其天年；今主人之雁，以不材死。先生將何處？”莊子笑曰：周將處夫材與不材之間。材與不材之間，似之而非也，故未免乎累。若夫乘道德而浮游則不然。無譽無訾，一龍一蛇，與時俱化，而無肯專爲；一上一下，以和爲量，浮游乎萬物之祖，物物而不物于物，則胡可得而累邪！此神農、黃帝之法則也。若夫萬物之情，人倫之傳，則不然。合則離，成則毀，廉則剉，尊則議，有爲則虧，賢則謀，不肖則欺，胡可得而必乎哉！

《吕氏·必己篇》：

莊子行于山中，見木甚美長大，枝葉盛茂，伐木者止其旁而弗取。問其故，曰：“無所可用。”莊子曰：“此以不材得終其天年矣。出于山及邑，（《藝文類聚》、《御覽》引《莊子》“出”上無“夫子”二字，“山”下有“及邑”二字，與此文合。）舍故人之家。故人喜，具酒肉，令豎子爲殺雁饗之。（《御覽》引《莊子》“喜”下有“具酒肉”三字，“命”作“令”，“雁”下無“而”字與此文合。）豎子請曰：“其一雁能鳴，一雁不能鳴，請奚殺？”主人之公曰：（《御覽》引《莊子》“人”下有“公”字，今校以此文，則“公”上嘗當有“之”字也。）“殺其不能鳴者。”明日，弟子問于莊子曰：“昔者山中之木，以不材得終天年；主人之雁，以不材死。先生將何以處？”莊子笑曰：周將處于材、不材之間。材不材之間，似之而非也，故未免乎累。若夫道德則不然，無訝無訾，一龍一蛇，與時俱化，而無肯專爲；一上一下，以禾爲量，而浮游乎萬物之祖；物物而不物于物，則胡可得而累！此神農、黃帝之所法。若夫萬物之情，人倫之傳，則不然。成則毀，大則衰，廉則剉，尊則虧，直則躯（注：躯曲也），合則離，受則隳，多智則謀，不肖則欺，胡可得而必！

十三、《莊子》外篇《田子方》云：

溫伯雪子適齊，舍于魯。……仲尼見之而不言。子路曰：“吾子欲見溫伯雪子久矣，見之而不言，何邪？”仲尼曰：“若夫人者，目擊而道存矣，亦不可以容聲矣。”

《吕氏·精諭篇》：

孔子見温伯雪子，不言而出。子貢曰："夫子之欲見温伯雪子好矣，今也見之而不言，其故何也?"孔子曰："若夫人者，目擊而道存矣，不可以容聲矣。"

《田子方篇》：

孫叔敖……三爲令尹而不榮華，三去之而無憂色。

《吕氏·知分篇》：

孫叔敖三爲令尹而不喜，三去令尹而不憂。

十四、《莊子》外篇《知北游》云：

至言去言，至爲去爲。齊知之所知，則淺矣。

《吕氏·精諭篇》：

故至言去言，至爲無爲。淺智者之所争則末矣。（《淮南·道應》篇、《文子·微明》篇、《列子·黄帝》篇、《説符》篇並有此文，並原于《莊子》。）

十五、《莊子》雜篇《庚桑楚》云：

吞舟之魚，碭而失水，則蟻能苦之。

《吕氏·慎勢篇》：

吞舟之魚，陸處則不勝螻蟻。

十六、《庚桑楚》：

徹志之勃（釋文"勃"本又作"悖"），解心之謬，去德之累，達道之塞。貴、富、顯、嚴、名、利六者，勃志也；容、動、色、、理、氣、意六者，謬心也；惡、欲、喜、怒、哀、樂六者，累德也；去、就、取、與、知、能六者，塞道也。此四六者，不蕩胸中則正，正則静，静則明，明則虛，虛則無爲而無不爲也。

《吕氏·有度篇》：

故曰：通意之悖，（《莊子》"勃"本作"悖"，此尚存其舊。）解心之謬，去德之累，通道之塞。貴、富、顯、嚴、名、利六者，悖意者也；容、動、色、理、氣、意六者，繆心者也；惡、欲、喜、怒、哀、樂六者，累德者也；智、能、去、就、取、捨六者，塞道者也。此四六者，不蕩乎胸中則正，正則静，静則清明，清明則虛，虛則無爲而無不爲也。

十七、《莊子》雜篇《徐無鬼》云：

子不聞夫越之流人乎，去國數日，見其所知而喜。去國旬月，見所嘗見于國中者喜。(《文選·曹攄思·友人詩》注引"者喜"作"而喜"。)及期年也，見似人者而喜矣。不亦去人滋久，思人滋深乎！

《呂氏·聽言篇》：

夫流于海者，行之旬月，見似人者而喜矣。及其期年也，見其所嘗見物于中國者而喜矣。夫去人滋久，而思人滋深歟！

十八、《徐無鬼》：

管仲有病，桓公問之，曰："仲父之病矣，可不謂云。(陳景元《莊子闕誤》：江南李氏本"謂"作"諱"。)至于大病，則寡人惡乎屬國而可？"管仲曰："公誰欲與？"公曰："鮑叔牙。"曰："不可。其爲人潔廉善士也，其于不己若者不比之，又一聞人之過，終身不忘。使之治國，上且鉤乎君，下且逆乎民。其得罪于君也，將弗久矣。"公曰："然則孰可？"對曰："勿己則隰朋可。其爲人也，上忘而下畔，(審釋文則正文"畔"上當敚"不"字。《列子·力命》篇正有"不"字，當據補。)愧不若皇帝而哀不己若者。以德分人謂之聖，以財分人謂之賢。以賢臨人，未有得人者也；以賢下人，未有不得人者也。其于國，有不聞也；其于家，有不見也。勿己則隰朋可。"

《呂氏·貴公篇》：

管仲有病，桓公往問之，曰："仲父之病矣漬甚，國人弗諱，寡人將誰屬國？"管仲對曰："昔者臣盡力竭智，猶未足以知之也！今病在于朝夕之中，臣奚能言？"桓公曰："此大事也，願仲父之教寡人也。"管仲敬諾曰："公誰欲相？"公曰："鮑叔牙可乎？"管仲對曰："不可。夷吾善鮑叔牙。鮑叔牙之爲人也，清廉潔直，視不己若者不比于人，一聞人之過，終身不忘。勿己則隰朋其可乎！隰朋之爲人也，上志而下求，醜不若黃帝(黃本亦作"皇"，古通)而哀不己若者。其于國也，有不聞也；其于物也，有不知也；其于人也，有不見也。勿己乎則隰朋可也。

十九、《莊子》雜篇《則陽》云：

今則不然，匿爲物而愚不識，大爲難而罪不敢，重爲任而罰不勝，遠其塗而誅不至。民知力竭，則以僞繼之。日出多僞，士民安取不偽! 夫力不足則僞, 知不足則欺, 財不足則盜。盜竊之行, 于誰責而可乎?

《呂氏·適威篇》:

故亂國之使其民, 不論人之性, 不反人之情。煩爲教而過不識, 數爲令而非不從, 巨爲危而罪不敢, 重爲任而罰不勝。(《治要》"罰"作罪)。民進則欲其賞, 退則畏其罪。知其能力之不足也, 則以爲繼矣。(案《治要》"爲"作"僞"。《莊子》正作"僞", 爲、僞古通用。)以爲繼知則上又從而罪之, 是以罪召罪。上下之相讐也, 由是起矣。

二十、《莊子》雜篇《外物》云:

外物不可必, 故龍逢誅, 比干戮, 箕子狂, 惡來死, 桀紂亡。人主莫不欲其臣之忠, 而忠未必信, 故伍員流于江, 萇弘死于蜀, 藏其血三年而化爲碧。人親莫不欲其子之孝, 而孝未必愛, 故孝己憂而曾參悲。

《呂氏·必己篇》:

外物不可必, 故龍逢誅, 比干戮, 箕子狂, 惡來死, 桀紂亡。人主莫欲其臣之忠, 而忠未必信, 故伍員流乎江, 萇弘死, (案死下疑奪"乎蜀"二字, 與上文相偶, 《莊子》文可證)藏其血三年而爲碧。親莫不欲其子之孝, 而孝未必愛, 故孝己疑, 曾子悲。

二一、《莊子》雜篇《讓王》云:

堯以天下……讓于子州支父, 子州支父曰:"以我爲天子, 猶之可也。雖然, 我適有幽憂之病, 方且治之, 未暇治天下也。"夫天下, 至重也, 而不以害其生, 又況他物乎! 唯無以天下爲者, 可以托天下也。

《呂氏·貴生篇》:

堯以天下讓于子州友父, (《御覽》八〇引"友"作"支", 下同, 與莊子合。)子州友父對曰:"以我爲天子猶可也, (《御覽》八〇引"猶"下有"之"字, 與《莊子》合)雖然, 我適有幽憂之病, 方將治之, 未暇在天下也。天下, 重物也, 而不以害其生, 又況于他物乎! (今本《莊子》"況"下奪"于"字。)惟不以天下害其生者也, 可以托天下。(審文義上句"者"下, 不當有"也"字, 據《莊子》則"也"字當在下句"下"字下, 《御覽》八〇引此文作"而不以天下害其生者, 故可托天下者", 下正無"也"字,當移于"下"字下耳。)

二二、《讓王》云:

舜以天下讓其友石戶之農,石戶之農曰:"卷卷乎后之爲人,葆力之士也!"以舜之德爲未至也,于是夫負妻戴,携子以入于海,終身不反也。

《吕氏·離俗篇》:

舜讓其友石戶之農,石戶之農曰:"卷卷乎后之爲人也,葆力之士也!"以舜之德爲未至也,于是乎夫負妻,妻携子,以入于海,去之終身不反。

二三、《讓王》云:

太王亶父居邠,狄人攻之。事之以皮帛而不受,事之以犬馬而不受,事之以珠玉而不受,狄人之所求者土地也。大王亶父曰:"與人之兄居而殺其弟,與人之父居而殺其子,吾不忍也。子皆勉居矣!爲吾臣與爲狄人臣,奚以異?且吾聞之,不以所用養害所養。"因杖策而去之。民相連而從之,遂成國于岐山之下。夫大王亶父可謂能尊生矣。能尊生者,雖貴富不以養傷身,雖貧賤不以利累形。今世之人,居高官尊爵者皆重失之,見利輕亡其身,豈不惑哉!

《吕氏·審爲篇》:

太王亶父居邠,狄人攻之。事以皮帛而不受,事以珠玉而不肯,狄人之所求者地也。太王亶父曰:"與人之兄居而殺其弟,與人之父處而殺其子,吾不忍爲也。皆勉處矣!爲吾臣與狄人臣,奚以異?且吾聞之,不以所以養害所養。"杖策而去。民相連而從之,遂成國于岐山之下。太王亶父,可謂能尊生矣。能尊生,雖貴富不以養傷生,雖貧賤不以利累形。今受其先人之爵禄,則必重失之;生之所自來者久矣,而輕失之。豈不惑哉!

二四、《讓王》云:

越人三世弒其君,王子搜患之,逃乎丹穴。而越國無君,求王子搜不得,從之丹穴。王子搜不肯出,越人薰之以艾,乘以玉輿。王子搜援綏登車,仰天而呼曰:"君乎君乎!獨不可以捨我乎!"王子搜非惡爲君也,惡爲君之患也。若王子搜者,可謂不以國傷生矣,此固越人之所欲得爲君也。

《吕氏·貴生篇》:

越人三世殺其君，王子搜患之，逃乎丹穴。越國無君，求王子搜而不得，從之丹穴。王子搜不肯出，越人薰之以艾，乘之以王輿。王子搜援綏登車，仰天而呼曰：“君乎！獨不可以捨我乎！”王子搜非惡爲君也，惡爲君之患也。若王子搜者，可謂不以國傷其生矣，此固越人之所欲得而爲君也。

二五、《讓王》云：

韓衛相與爭侵地。子華子見昭僖侯，昭僖侯有憂色。子華子曰：“今使天下書銘于君之前，書之言曰：‘左手攫之，則右手廢；右手攫之，則左手廢。然而攫之者，必有天下。’君能攫之乎？”昭僖侯曰：“寡人不攫也。”子華子曰：“甚善！自是觀之，兩臂重于天下也，身亦重于兩臂。韓之輕于天下亦遠矣，今之所爭者，其輕于韓又遠。君固愁身傷生，以憂戚不得也。”僖侯曰：“善哉！教寡人者衆矣，未嘗得聞此言也。”子華子可謂知輕重矣。

《吕氏·審爲篇》：

韓魏相與爭侵地。子華子見昭厘侯，昭厘侯有憂色。子華子曰：“今使天下書銘于君之前，書之曰：‘左手攫之，則右手廢；右手攫之，則左手廢。然而攫之，必有天下。’君將攫之乎？亡其不與？”（今本《莊子》疑奪此句。）昭厘侯曰：“寡人不攫也。”子華子曰：“甚善！自是觀之，兩臂重于天下也，身又重于兩臂。韓之輕于天下遠，（“遠”上無“亦”字，尚存《莊子》之舊，惟“遠”下當依《莊子》補“矣”字，語意乃足。）今之所爭者，其輕于韓又遠。君固愁身傷生以憂之臧不得也。”昭厘侯曰：“善！（“善”下無“哉”字，尚在《莊子》之舊。）教寡人者衆矣，未嘗得聞此言也。”子華子可謂知輕重矣。

二六、《讓王》云：

魯君聞顏闔得道之人也，使人以幣先焉。顏闔守陋閭，苴布之衣，而自飯牛。魯君之使者至，顏闔自對之。使者曰：“顏闔之家與？”顏闔對曰：“此闔之家也。”使者致幣，顏闔對曰：“恐聽者謬而遺使者罪，不若審之。”使者還，反審之，復來求之，則不得已。故若顏闔者，真惡富貴也。故曰：道之真，以治身；其緒餘，以爲國家；其土苴，以治天下。由此觀之，帝王之功，聖人之餘事也，非所以完身養生也。今世俗之君子，多危身棄生以殉物，豈不悲哉！凡聖人之動作也，必察其所以之，與其所以爲。今且有人于此，以隨侯之珠，彈千仞之雀,世必笑之。是何也?則其所用者重,而所要者輕也。夫生者,豈特隨侯之重哉!

《吕氏·貴生篇》:

魯君聞顏闔得道之人也,使人以幣先焉。顏闔守閭,鹿布之衣,("鹿"當是"麤"之壞字,《莊子》作"苴",本亦作"麤",可證也。)而自飯牛。魯君之使者至,顏闔自對之。使者曰:"此顏闔之家耶?"顏闔對曰:"此闔之家也。"使者致幣,顏闔對曰:"恐聽謬而遺使者罪,不若審。"使者還,反審之,復來求之,則不得已。故若顏闔者,非惡富貴也,由重生惡之也。世之人主,多以貴富(本作"貴富")驕得道之人,其不相知,豈不悲哉! 故曰:道之真,以持身;其緒餘,以爲國家;其土苴,以治天下。由此觀之,帝王之功,聖人之餘事也,非所以完身養生之道也。(也上有"之道"二字,今本《莊子》似脱。)今世俗之君子,危身棄生以徇物,彼且奚以此之也,彼且奚以此爲也! 凡聖人之動作也,必察其所以之,與其所以爲。今有人于此,以隨侯之珠,彈千仞之雀,世必笑之。是何也?所用重,所要輕也。夫生豈特隨侯珠之重也哉!

二七、《讓王》曰:

子列子窮,容貌有飢色。客有言之于鄭子陽者曰:"列御寇蓋有道之士也,君君之國而窮,君無乃爲不好士乎?"鄭子陽即令官遺之粟。子列子見使者,再拜而辭。使者去,子列子入,其妻望之而拊心曰:"妾聞爲有道者之妻子,皆得佚樂。今有飢色,君過而遺先生食,先生不受,豈不命邪!"子列子笑謂之曰:"君非自知我也,以人之言而遺我粟,至其罪我也,又且以人之言,此吾所以不受也。其卒,民果作難,而殺子陽。

《吕氏·觀世篇》:

子列子窮,容貌有飢色。客有言之于鄭子陽者,曰:"子列禦寇,蓋有道之士也,居君之國而窮,君無乃爲不好士乎?"鄭子陽令官遺之粟,數十秉。子列子出見使者,再拜而辭。使者去,子列子入,其妻望而拊心曰:"聞爲有道者妻子,皆得逸樂。今妻子有飢色矣,君過而遺先生食,先生又弗受也,豈非命也哉!"子列子笑而謂之曰:"君非自知我也,以人之言而遺我粟也。至已而罪我也。有罪且以人言,此吾所以不受也。其卒,民果作難,殺子陽。受人之養,而不死其難，則不義；死其難，則死無道也。死無道，逆也。

二八、《讓王》云：

中山公子牟謂瞻子曰："身在江海之上，心居乎魏闕之下，奈何?"瞻子曰："重生。重生則利輕。"中山公子牟曰："雖知之，未能自勝也。"瞻子曰："不能自勝則從，神無惡乎?不能自勝而強不從者，此之謂重傷。重傷之人，無壽類类。"

《呂氏·審爲篇》：

中山公子牟謂詹子曰："身在江海之上，心居乎魏闕之下，奈何?"詹子曰："重生。重生則輕利。"中山公子牟曰："雖知之，猶不能自勝也。"詹子曰："不能自勝則縱之，神無惡乎?不能自勝而不強縱者，此之謂重傷。重傷之人，無壽類类矣。"

二九、《讓王》云：

孔子窮于陳蔡之間，七日不火食，藜羹不糝，顏色甚憊，而弦歌于室。顏回擇菜，子路、子貢相與言曰："夫子再逐于魯，削迹于衛，伐樹于宋，窮于商周，圍于陳蔡，殺夫子者無罪，藉夫子者無禁。弦歌鼓琴，未嘗絶音，君子之無恥也若此乎?"顏回無以應，入告孔子。孔子推琴，喟然而嘆曰："由與賜，細人也。召而來，吾語之。"子路、子貢入。子路曰："如此者可謂窮矣!"孔子曰："是何言也! 君子通于道之謂通，窮于道之謂窮。今丘抱仁義之道，以遭亂世之患，其何窮之爲! 故內省而不窮于道，臨難而不失其德，天寒既至，霜雪既降，吾是以知松柏之茂也。陳蔡之隘，于丘其幸乎!"孔子削然反琴而弦歌。子路扢然執干而舞。子貢曰："吾不知天之高也，地之下也。"古之得道者，窮亦樂，通亦樂。所樂非窮通也，道德于此，則窮通爲寒暑風雨之序矣。故許由娛于潁陽，而共伯得乎丘首。

《呂氏·慎人篇》：

孔子窮于陳蔡之間，七日不嘗食，藜羹不糝，宰予備矣。孔子弦歌于室，顏回擇菜于外。子路與子貢相與而言曰："夫子逐于魯，削迹于衛，伐樹于宋，窮于陳蔡，殺夫子者無罪，藉夫子者不禁。夫子弦歌鼓舞，未嘗絶音，蓋君子之無所醜也，若此乎?"顏回無以對，入以告孔子。孔子愀然推琴，(《册府元龜》引"愀"作"揪"，二字古通用。《風俗通》作"恬然推琴"，今本《莊子》"推"上蓋脫二字也，當據

《呂氏》補。）喟然而嘆曰：「由與賜，小人也。召，吾語之。」子路與子貢入，子貢曰：「如此者可謂窮矣！」孔子曰：「是何言也，君子達于道之謂達，窮于道之謂窮。今丘也拘仁義之道，以遭亂世之患，其所也，何窮之謂！故內省而不疚于道，臨難而不失其德，大寒既至，霜雪既降，吾是以知松柏之茂也。昔桓公得之莒，文公得之曹，越王得之會稽。陳蔡之死，于丘其幸乎！」孔子烈然，返瑟而弦，子路撫然執干而舞。子貢曰：「吾不知天之高也，不知地之下也。」古之得道者，窮亦樂，達亦樂，所樂非窮達也，道得于此，則窮達一也，爲寒暑風雨之序矣。故許由虞乎潁陽，而共伯得乎共首。

三十、《讓王》云：

舜以天下讓其友北人無擇，北人無擇曰：「異哉後之爲人也，居于畎畝之中而游堯之門！（《御覽》四二四引「游」下有「于」字。）不若是而已，又欲以其辱行漫我。吾羞見之。」因自投清泠之淵。湯將伐桀，因卞隨而謀，卞隨曰：「非吾事也。」湯曰：「孰可？」曰：「吾不知也。」湯又因務光而謀，務光曰：「非吾事也。」湯曰：「孰可？」曰：「吾不知也。」湯曰：「伊尹何如？」曰：「強力忍垢，吾不知其他也。」湯遂與伊尹謀伐桀，克之，以讓卞隨。卞隨辭曰：「后之伐桀也，謀乎我，必以我爲賊也；勝桀而讓我，必以我爲貪也。吾生乎亂世，而無道之人再來漫我以其辱行，吾不忍數聞也。」乃自投椆水而死。湯又讓務光曰：「知者謀之，武者遂之，仁者居之，古之道也。吾子胡不立乎？」務光辭曰：「廢上，非義也；殺民，非仁也；人犯其難，我享其利，非廉也。吾聞之曰：非其義者，不受其祿；無道之世，不踐其土。況尊我乎！吾不忍久見也。」乃負石而自沈于廬水。

《呂氏·離俗篇》：

舜又讓其友北人無擇，北人無擇曰：「異哉，后之爲人也，居于畎畝之中，而游人于堯之門！不若是而已，又欲以其辱行漫我。我羞之。」而自投于蒼領之淵。湯將伐桀，因卞隨而謀，卞隨辭曰：「非吾事也。」湯曰：「孰可？」卞隨曰：「吾不知也。」湯又因務光而謀，務光曰：「非吾事也」。湯曰：「孰可？」務光曰：「吾不知也。」湯曰：「伊尹何如？」務光曰：「強力忍詢，其他也。」湯遂與伊尹謀夏伐桀，克之。以讓卞隨，卞隨辭曰：「后之伐桀也，謀乎我，必以我爲賊也；勝桀而讓我，必以我爲貪也。吾生乎亂世，而無道之人，再來詢我，吾不忍數聞也。」乃自投于潁水而死。湯又讓于務光，曰：「智者謀之，武者遂之,仁者居之,古之道也。吾子胡不位之?請相吾子!"務光辭曰: "廢上,非義也; 殺民,非仁也; 人犯其難,我享其利,非廉也。吾聞之,非其義,不受其利; 無道之世,不踐其土。況于尊我乎! 吾不忍久見也。"乃負石而沈于募水。

三一、《讓王》云:

昔周之興,有士二人處于孤竹,曰伯夷、叔齊。二人相謂曰: "吾聞西方有人,似有道者,試往觀焉。"至于岐陽,武王聞之,使叔旦往見之,與盟曰: "加富二等,就官一列。"血牲而埋之。二人相視而笑曰: "嘻異哉! 此非吾所謂道也。昔者神農之有天下也,時祀盡敬,而不祈喜; 其于人也,忠信盡治,而無求焉。樂與政為政,樂與治為治,不以人之壞自成也,不以人之卑自高也,不以遭時自利也。今周見殷之亂而遽為政,上謀而下行貨,阻兵而保威,割牲而盟以為信,揚行以說衆,殺伐以要利,是推亂以易暴也。吾聞古之士,遭治世不避其任,遇亂世不為苟存。今天下暗,周德衰,(《莊子闕誤》: "周"作"殷",見江南古藏本。)其並乎周以塗吾身也,不如避之以絜吾行。"二子北至于首陽之山,遂餓而死焉。

《呂氏·誠廉篇》:

昔周之將興也,有士二人處于孤竹,曰伯夷、叔齊。二人相謂曰: "吾聞西方有偏伯焉,似將有道者,今吾奚為處乎此哉?"二子西行如周,至于岐陽,則文王已歿矣。武王即位,觀周德則王,使叔旦就膠鬲於次四內,而與之盟曰: "加富三等,就官一列。"為三書同辭,血之以牲,埋一于四內,皆以一歸。又使保召公就微子開于共頭之下,而與之盟曰: "世為長侯,守殷常祀,相奉桑林,宜私孟諸。"為三書同辭,血之以牲,埋一于共頭之下,皆以一歸。伯夷、叔齊聞之,相視而笑曰: "譆異乎哉! 此非吾所謂道也。昔者神農氏之有天下也,時祀盡敬,而不祈福也。其于人也,忠信盡治,而無求焉。樂正與為正樂,治與為治。不以人之壞自成也,不以人之庫自高也。今周見殷之僻亂也,而遽為之正與治,上謀而行貨,阻丘而保威也,割牲而盟以為信,因四內與共頭以明行,揚夢以說衆,殺伐以要利。以此紹殷,(今本《莊子》無此四字。)是以亂易暴也。吾聞古之士,遭乎治世,不避其任。遭乎亂世,不為苟在。今天下闇,周德衰矣。與其並乎周以漫吾身也,不若避之以潔吾行"。二子北行,至首陽之下,而餓焉。

三二、《莊子》雜篇《盜跖》云：

堯不慈，舜不孝，禹偏枯，湯放其主，武王伐紂，文王拘羑里。……堯殺長子，舜流母弟，疏戚有倫乎？湯放桀，武王殺紂，貴賤有義乎？

《吕氏·當務篇》：

以爲堯有不慈之名，舜有不孝之行，禹有淫湎之意，湯武有放殺之事。

三三、《莊子》雜篇《漁父》云：

故强哭者雖悲不哀，……强親者雖笑不和。

《吕氏·功名篇》：

强令之笑不樂，强令之哭不悲。

三四、雜篇《天下》云：

以天爲宗，以德爲本，以道爲門，兆于變化，謂之聖人。

《吕氏·下賢篇》：

以天爲法，以德爲行，以道爲宗，與物變化，而無所終窮。

三五、《莊子》佚文曰：

海人有機心，鷗鳥舞而不下（《宋書·謝靈運傳》《山居賦》自注）

又曰：

海上之人好鷗者，每旦之海上，從鷗游。鷗之至者，數百而不止。其父曰：“吾聞鷗鳥從汝游，（試）取來（吾欲）玩之。”明日之海（上），鷗舞而不下。（《世說新語·言語》注、《文選·江文通雜體詩》注。）

《吕氏·精諭篇》：

海上之人有好蜻者，每居海上，從蜻游，蜻之至者百數而不止，前後左右盡蜻也，（注：蜻，蜻蜓，小蟲，細腰四翅，一名白宿。古注非是。《御覽》九五〇引“蜻”作“蜻蛉”，亦涉此注而誤。）終日玩之而不去。其父告之曰：“聞蜻皆從女居，取而來，吾將玩之。”明日之海上，而蜻無至者矣。

三六、《莊子》佚文曰：

函牛之鼎沸，蟻不得指一足。(《後漢書·文苑傳》注、《御覽》九四七引。又見《淮南·詮言》篇。)

《呂氏·應言篇》：

函牛之鼎，不可以烹鷄。

三七、《莊子》佚文曰：

尹需學御三年，而無所得，夜夢受秋駕于其師。明日，往朝其師，其師望而謂之曰："吾非獨愛道也，恐子之未可與也。今將教子以秋駕。"(《文選·左太冲魏都賦》注，王元長《三月三日曲水詩序》注)

《呂氏·博志篇》：

尹儒學御三年，而不得焉。苦痛之，夜夢受秋駕于其師。明日，往朝其師，望而謂之曰："吾非愛道也，恐子之未可與也。今日將教子以秋駕。"尹儒反走，北面再拜曰："今昔臣夢受之。"

爲張湛辨誣

——《列子》非僞書考之一

陳廣忠

内容提要　張湛整理、注釋的《列子》,是先秦有影響的道家古籍。本文從保存異文、異注、古字,張氏對諸家版本的校勘,文義注疏的得失,注釋中的錯誤及存疑等諸方面的大量内證,有力地證明:張湛治學極爲嚴謹,《列子》並非僞書。梁啓超等人謂張湛"作僞"的説法,純屬無稽之談。

　　張湛是晉代著名的玄學家,曾有《文子注》、《莊子注》,今已失傳。惟《列子》八篇,流傳至今。而這樣一位對道家文化做出重要貢獻的學者,却被以種種不實之詞,扣上了僞造《列子》的帽子,以致影響至今。因此,正確評價張湛,爲張湛辨誣,應是學術界一項有意義的工作。

　　張湛在《列子·序》中對其整理做了這樣的記述:"先君所録中有《列子》八篇。及至江南,僅有存者。《列子》唯餘《楊朱》、《説符》、目録三卷。比亂,正輿爲揚州刺史,先來過江,復在其家得四卷。尋從輔嗣女婿趙季子家得六卷。參校有無,始得全備。"這裏明白告訴我們,他的整理主要資料來源主要有三處;而所據的版本内容有異有同,共有十三篇。

　　對這樣清清楚楚的問題,近人顧實《重考古今僞書考》(上海大東書局,1926年)中斷言:"據張湛《序》文,則此書原出湛手,其即爲湛托無疑。"梁啓超(1873—1929)《古書真僞及其年代》竟下這樣的結論:"有一種書完全是假的,其毛病更大。學術源都給弄亂了。譬如《列子》乃東晉時張湛——即《列子注》的作者——採集道家之言凑合而成。真《列子》有八篇,《漢書·藝文志》尚存其目,後佚,張湛依八篇之目,假造成書,並載劉向一序。""自編自注,果然大出風頭。"吕思勉(1884—1957)《列子解題》中也説:"湛蓋亦以佛與老、莊之道爲可通,乃僞造此書,以通兩者之郵也。"張湛果真造假了嗎?請看事實。

一、張湛注文中保存了五十餘條異文,可知張氏在整理過程中,確實參照了諸家流傳的版本。張氏忠實于原文,而不做輕易改動。爲了區别異文,張注中用"一本"、"或作"、"又作"、"一曰"、"諸家"等詞語,並引證有關字書、文字學家的記述,對異文加以説明。

《天瑞》中一條,"三年大壤。"張湛注:"又作攘。"(依諸子集成本,二十二子本)

《黄帝》中有二十四條,摘引六例:

"至人潛行不空。"張注:"一本作'窒,塞也。'"

"壹其性,養其氣。"張注:"一本作'真其氣'"。

"使弟子並流而承之。"張注:"音拯。《方言》'出溺爲承。'諸家直作'拯',又作'撜'。"

"吾處也若橜株駒。"張注:"'橜',本或作'撅',同其月反。"

"而以道與世抗。"張注:"抗,口浪反。或作'亢',音同。"

"子之先生坐不齋。"張注:"或無'坐'字。"

《周穆王》中二條,如:

"王閑恒[脱"有"],疑暫亡。"張注:"一本無'有'字。"

"幡校四時。"張注:"顧野王讀作'翻交四時'。"

《仲尼》有三條:

"果若欺魄焉。"張注:"字書作'欺顡,人面醜也。'"

"衍衍然若專直而在雄者。"張注:"一本作存。"

"子以公孫龍之鳴皆條也。"張注:"一本作'公孫龍于馬',並注

'無異于鳴'亦作'無異于馬'。云'馬'者,'白馬論'之義也。云'鳴'者,但鳴而無理趣取,為義則長矣。"按:知張氏所見有兩種差別較大的版本。

《湯問》中六條。如:

"一里老幼,悲愁垂涕相對。"張注:"一本作十里。"

"來丹之友申他。"張注:"一本作抱。"

"汝何蚩而三招予。"張注:"一本作'拈',奴兼反,指取物也。又音點。"

"彼其厭我哉?"張注:"本又作'壓',烏狎反。"

《楊朱》中八條,如:

"而美厚不可常猒足。"張注:"一本猒作餍,音同。"

"偶偶爾慎耳目之觀德。"張注:"一本作順耳。"

"欲以說辭亂我之心。"張注:"一本作為辭。"

"賓客在庭者日百住。"張注:"一本作往。"

"則踐鋒刃,入湯火。"張注:"踐,一本作蹈。"

《說符》中八條,如:

"孔子之勁,能拓國門之關。"張注:"一本作'招'。《淮南子》作'杓'。"

"若此者絕塵弭轍。"張注:"迹也。一本作'徹',言迅速之極。"

"夏日則食菱芰。"張注:"一本作芡。"

"民果作難。"張注:"一本作亂。"

"君遇而遺先生食。"張注:"一本作'過',或作'適'。"

從保存的大量異文可以清楚地說明,張湛治學態度嚴謹,校勘認真細緻,"造假"之說,純屬"子虛""烏有。"

二、張湛對注疏傾注了大量的心血,其中也擷取了郭象、向秀、郭璞、李頤、崔譔、司馬彪等諸家的研究成果。注疏中對與自己不同的見解,用"或云"、"一曰"、"一本"、"一說"、"又作"等詞語來加以說明,以存諸書異注之原貌。

《黃帝》:"眾昉同疑。"張注:"昉,分兩反。或云:昉,始也。"

《黄帝》:“鯢旋之潘爲淵。”張注:“旋音桓,盤桓也。一本作:旋,謂盤旋也。”

《周穆王》:“王實以清都、紫微、鈞天、廣樂,帝之所居。”張注:“清都、紫微,天帝之所居也。傳記云:‘秦穆公疾不知人,既寤,曰:我之帝所甚樂、與百神游鈞天廣樂,九奏萬舞,不類三代之樂,其聲動心。’一説云:‘趙簡子亦然也。’”

《仲尼》:“見南郭子,果若欺魄焉,而不可與接。”張注:“欺魄,土人也。一説云:‘欺頼,神凝形喪,外物不能得闚之。’”

《仲尼》:“龍叔謂文摯曰。”張注:“文摯,六國時人,嘗醫齊威王。或云:‘春秋時宋國良醫也,曾治齊文王,使齊文王怒而病癒’。”

《仲尼》:“臣之力能折春螽之股。”張注:“螽音終。一曰蝗也。”

《仲尼》:“烏號之弓,綦衛之箭。”張注:“《史記》云:‘綦國之竹。’晉均曰:‘衛之苑多竹篠’,烏號,黄帝弓;綦,地名,出美箭。衛,羽也。”按:對“衛”的解釋,歷來有争議。張注中保留二説。劉熙《釋名》云:“矢旁曰羽,齊人曰衛。”知爲張注所據。

《湯問》:“上古有大椿者。”張注:“木名也,一名櫄。”

《湯問》:“江浦之間生么虫。”張注:“么,細也,亡果反。字書云:‘么,小也’。”

《湯問》:“北國之人鞨巾而裘。”張注:“鞨音末。《方言》‘俗人帕頭’是也。帕頭,幧頭也。帕又作鞨,又作帓。”

從張注記載的衆多的異注中,可以清楚地説明,張湛的校釋之扎實,可謂一絲不苟。梁啓超謂其“自編自注”,這真是不負責任的信口開河。

三、張氏對《列子》的諸家版本的校訂、辨證極爲縝密,足以説明張湛知識面極爲廣博,功力特别深厚。他使用的校勘術語有“當作”、“當爲”、“宜作”、“本作”、“或作”等,全書校正版本誤五十餘處。

見于《天瑞》的有:

“天地終乎？與我偕終。終進乎？不知也。”張注：“‘進’當爲‘盡’。此書‘盡’字例多作‘進’也。”按：劉向《列子新書目録》云：“章亂布在諸篇中。或字誤，以‘盡’爲‘進’，以‘賢’爲‘形’，如此者衆。”此説明劉向、張湛校書中發現的問題相同，都做過認真的考訂。

“道終乎本無始，進乎本不久。”張注：“‘久’當爲‘有’。無始故不終，無有故不盡。”

“其人舍然大喜。”張注：“‘舍’宜作‘釋’，此書‘釋’字作‘舍’。”

見于《黄帝》的有近二十條，擇其數例：

“養正命。”張注：“‘正’當爲‘性’。”俞樾云：“正”當爲“生”，古字“生”與“性”通。《列子》原文本作“養生命”，蓋假“生”爲“性”，因誤爲“正”耳。

“朕之過淫矣。”張注：“淫當作深。”

“口庚言利害。”張注：“庚當作更。”

“凡重外者拙内。”張注：“本作拙。”

“被髮行歌，而游于棠行。”張注：“棠當作塘，行當作下。”

“亡，吾無道。”張注：“音無。本無此‘亡’字。”

“漚鳥之至者百住而不止。”張注：“住當作數。”

《周穆王》中二見：

“二曰蘁夢。”張注：“《周官注》云：‘蘁’當爲驚愕之‘愕’，謂驚愕而夢。”按：《周禮·春官·占夢》作“二曰噩夢。”

“悲心更微。”張注：“微，少也。作‘徹’者誤。”

《仲尼》中凡二見：

“矢來注眸子，而眶不睫。”張注：“本作‘睞’，目瞬也。”

“長幼群聚，而爲牢藉。”張注：“‘藉’，本作‘籍’、‘籍’謂以竹木圍繞，又刺也。”

《湯問》中較多，例如：

“鶗俞、師曠、方夜摘耳俯首而聽之，弗聞其聲。”張注：“師曠，晉平公時人，夏革無緣得稱之。此後著書記事者潤益其辭耳。”按：

此校正師曠、夏革爲不同時代之人。

"太形、王屋二山。"張注: "形當爲行。"

"跳往助之。"張注: "音調,躍也。或作'眺',誤也。"

"穆王薦之。"張注: "薦,當作進。"

"亞學視而後可。"張注: "本作'必學'。"

《力命》中有九例,如:

"朕衣則裋褐。"張注: "有(作)'短褐'者誤。"

"偊偊而步。"張注: "本或作'踽'。《字林》云:'疏行也'。"

"得亦中,亡亦中。"張注: "陟冲反,半也。下同。或陟仲反,非也。"

"怒馬棱車。"張注: "當作棧。《晏子春秋》及諸書皆作'棧車',謂編木爲之。棧,土限反"。

"唯事之恤,行假念死乎?"張注: "'行假'當作'何暇'。"

《楊朱》中有:

"密造[當爲'速']鄧析而謀之。"張注: "本作'造',七到反。"

《説符》中存有:

"智苟不足。"張注: "一本無'不'字。"

"明瓊張中,反兩擒魚而笑。"張注: "今本云'擒魚'者,是多一字也。據義用'鰈'不用'魚',用'魚'不用'鰈'字。按:《大博經》作'鰈,比目魚也'。"

"發于此而應于外者唯請。"張注: "'請'當作'情'。情所感,天遠而幽深。"

"俄而拍其穀而得其鈇。"張注: "一本作'相',非也。"

從張湛對版本的校訂考證中可以知道,張氏《序》文中所説"參校得失,始得全備",是真實可信的。

四、《列子》之書,成于戰國,保存了大量的奇説軼事。列御寇之博學,爲戰國諸子之最。由于時代久遠,則涉獵廣泛,注疏這樣的著作,並非易事。因此,張湛對文義的理解,或與《列子》觀點不盡一致,或截然不同,或曲説,或迂迴,或發揮。因此,把《列子》原文和張氏注疏進行對比研究,其中的同異便一目了然。當然,戰國道家與魏晉玄學,其時代、思想、社會差距甚遠,對比並非易事。僅就此足以説明,張湛對《列子》文義有如此的不同,根本不存在造假的問題。

張注、《列子》文義不同例:

《黄帝》:"山上有神人焉,吸風飲露,不食五穀。"張注云:"既不食穀矣,豈復須吸風飲露哉?蓋吐納之説,不異于物耳。"《黄帝》:"心如淵泉,形如處女。"張注:"盡柔虛之極者,其天姿自粹,非養而不衰也。"可知張氏不贊成文中所載神仙家"闢穀"、"吐納"等修煉方法,他認爲長壽來自"天姿",不可能"養而不衰"。

《湯問》中載公扈、嬰齊互換心臟的事,"……二室因相與訟,求辨于扁鵲。扁鵲辨其所由,訟乃已。"張注:"此言恢誕,乃書記少有。然魏世華佗能刳腸易胃,湔洗五臟,天下理自有不可思議者,信亦不可以臆斷,故存而不論。"按:張氏認爲換心臟的事是"恢誕"的,是"不可思議"的事。可知他對此是抱有懷疑態度的。

《楊朱》中載,楊朱曰:"伯夷非亡欲,矜清之郵,以放餓死;展季非無情,矜貞之中,以放寡宗。清貞之誤善之若此。"張注:"此誣賢負實之言。然欲有所抑揚,不得不寄責于高勝者耳。"按:張湛認爲,楊朱此言是對伯夷、展季這些"高勝者"的"誣賢"、"負實之言,"與《列子》文義截然不同。

《楊朱》中還説:"昔者堯舜僞以天下讓許由、善卷,而不失天下,享祚百年。"張注:"僞實之迹因事而生。致僞者由堯、舜之迹,而聖人無僞也。"按:《楊朱》中指出作"僞"的是堯、舜,而張注認爲"聖人無僞。"

張注對《列子》的曲解例:

《黄帝》中説:"凡重外者拙内。"張注:"唯忘内外,遺輕重,則無巧拙矣。"按:文義中説,凡是看重外物的人,它的内心就會笨拙,而不是張注所説的"忘内外"。

《黄帝》:楊子曰:"弟子記之,行賢而去自賢之行,安往而不愛哉?"張注:"夫驕盈矜伐,鬼神人道之所不與;虛己以循理,天下之所樂推。以此而往,孰能距之?"按:張氏曲說文義。楊子之語中强調"行賢"而"去自賢之行",就能得到人們的愛戴,而並未言及"鬼神。"

《仲尼》中有:"漫衍而無家。"張注:"儒墨刑名亂行而無定家。"按:文義指公孫龍思想任意發揮而不受拘束,沒有固定的學術流派。用"亂行"來解釋"漫衍",那就曲解文義了。

《湯問》:"兩小兒笑曰:'孰爲汝多知乎?'"張注:"所謂六合之外,聖人存而不論。二童子致笑,未必不達此者,或互相起予也。"按:張湛對孔子不能明確回答兩小兒的問題,閃爍其辭,用"聖人存而不論"來加以曲說。

張注迂迴,而不達《列子》之要領例:

《力命》:"仲父之病疾矣,可不諱云至于大病。"張注:"言病之甚,不可復諱而不言也。"按:"不諱"、"不可諱"、"可不諱"等,是"死"的委婉語,張氏之解,頗爲別扭,使人不知所云。

《黄帝》:"至人潛行不空。"張注:"不空,實有也。至人動止不以實有爲閡者也。"俞樾云:張注甚爲迂曲。《釋文》:"空,一本作'窒'。"當從之。《莊子·達生》正作"窒"。按:其義爲,至人潛行于水中,而不會窒息。張注使人不明其義。

《力命》:"召忽非能死,不得不死;鮑叔非能舉賢,不得不舉;小白非能用讐,不得不用。"張注:"此皆冥中自相驅使,非人理所制也。"按:公子小白、鮑叔牙與公子糾、召忽、管仲之間的搶權之爭,乃是時勢之必然,張氏說成是"冥中自相驅使",不知"冥中"所指爲何?又是如何"驅使"的?

張湛之注帶有鮮明的時代特色,對《列子》之文具有諸多的發揮,而往往遠離《列子》之義。例如:

《楊朱》:(衛端木叔者)"行年六十,氣于將衰,棄其家事,都散其庫藏、珍寶、車服、妾媵,一年之中盡焉。不爲子孫留財。及其病也,無藥石之儲;及其死也,無瘞埋之資。"張注:"達于理者,知萬物之無常,財貨之暫聚。聚之,非我之功也,且盡奉養之宜;散之,非我之施也,且明物不常聚。若斯人者,豈名譽所勸、禮法所拘哉?"按:張注闡發義旨,表達了道家淡泊名譽、財貨等的豁達的人生觀,這是對文義的進一步昇華。

《説符》:楊朱曰:"行善不以爲名而名從之,名不與利期而利歸之,利不與爭期而爭及之。故君子爲慎爲善。"張注:"在智則人與之訟,在力則人與之爭,此自然之勢也。未有處名利之冲,患難而不至者也。語有之曰:'爲善無近名',豈不信哉?"按:此文講"行善"→"名"→"利"→"爭"→"慎爲善"之間的連鎖關係,並沒有涉及"智"與"力"的問題,細繹注文,知是張氏對楊子之説的借題發揮。

五、張湛注釋十分慎重,對于人名、物名、典故、詞語中一些不能明瞭的問題,不是草率地下結論,而是用"蓋"、"無聞"、"未聞"、"疑"、"或云"、"恐"等加以言明,足見其行文之精審,而絶不像那些未曾深研《列子》及張注,自以爲是的"學者"那樣,亂潑污水。

張氏對人物的釋文,特別小心。例如對林類、楊朱、子羽、公孫龍、魼俞、夸蛾氏就是這樣:

《天瑞》:"林類年且百歲。"張注:"書傳無聞。蓋古之隱者也。"按:《淮南子·齊俗訓》:"林類、榮啓期衣若縣衰而意不慊。"許慎注:"林類、榮啓期,皆隱士。"當化自《列子》。

《黄帝》:"楊朱南之沛,⋯⋯至梁而遇老子。"張注:"《莊子》云楊子居,子居或楊朱之字,又不與老子同時,此皆寓言也。"《楊朱》中載:"楊朱游于魯。"張注:"或云字子居,戰國時人,後于墨子。"按:楊朱、楊子居是否爲一人,張湛未敢肯定。

《湯問》:"離朱、子羽,方晝拭皆揚眉而望之,弗見其形。"張注:"子羽未聞。"

《湯問》:"魼俞、師曠,方夜擿耳俯首而聽之,弗聞其聲。"張注:"魼俞未聞也。"

《湯問》:"命夸蛾氏二子負二山。"張注:"夸蛾氏,傳記所未聞,蓋神力者也。"

《仲尼》:"子以公孫龍之鳴皆條也。"張注:"平原君之客,字子秉。或云趙人。"

對書名的解釋也是如此。

《天瑞》:"《黄帝書》曰。"張注:"古有此書,今已不存。"按:可知張氏未見到此書。

對一些詞語的解釋也極爲謹慎。如:

《仲尼》:"孤犢未嘗有母。"張注:"不詳此義。"又下文:"孤犢未嘗有母,非孤犢也。"張注:"此語近于鄙,不可解。"

《説符》:"宋有蘭子者。"張注:"《史記》云:'無符傳出入爲蘭。'應劭曰:'蘭,妄也。此所謂蘭子者,以技妄游者也。'疑'蘭'與'闌'同。"

《湯問》:"肆咤則徒卒百萬。"張注:"肆,疑作叱。"

《湯問》:"視撝則諸侯從命。"張注:"視,疑作指。"

《湯問》:"南國之人祝髮而裸。"張注:"孔安國注《尚書》云:'祝者,斷截其髮也。'《漢書》云:'越人斷髮文身,以避蛟龍之害。'一本作'被',恐誤。"

對脱文、衍文,張湛也處理得特別細緻:

《天瑞》:"易無形埒。"張注:"不知此下一字。"按:正文此下有脱文,張氏爲保持版本原貌,並未隨意添加。

《力命》:"不可以生,不可以死,或死或生,有矣。"張注:"此義之生而更死,之死而更生者也,此二句上義已該之而重出,疑書誤。按:張注已發現此處與上文重複,懷疑有衍出,但未能明析。陶鴻慶云:"兩'不'字衍文。本作'可以生,可以死,或死或生,有矣。'張注是其所見本無兩'不'字。"

六、從保留衆多的古字中,也可以清楚地説明,張湛所依據的是相當古老的版本。有的古字,連漢代的一些語言學專著中都未收録。這當然給張湛識讀帶來了相當多的困難。不知那些口稱張湛僞托《列子》者,對此怎樣解釋。

《黄帝》:"色扞黚。"張注:"音每。諸書無此字。"按:張説可信。

《説文》等魏晉以前字書均無此字。清吳任臣《字匯補》方收此字。云:"黵,面黑氣也。《六書索引》與'黴'同。"

《周穆王》:"齔齠爲右。"張注:"音泰,篆作泝。上齊下合,此古字未審。"

《周穆王》:"右驂赤驥而左白㹁。"張注:"古義字。"

《天瑞》:"純雄其名稺蜂。"張注:"古稚字。"按:《説文》:"稺,幼禾也。"稺、穉異體字。

《周穆王》:"右服䮮騮而左緑耳。"張注:"古驊字。"

《楊朱》:"何以异哉?"張注:"异,異也。古字。"按:《説文》:"异,舉也。""異,分也。"《説文通訓定義》:"异,假借爲異。"知二字假借已見戰國。

《説符》:"俄而扣其穀而得其鈇。"張注:"胡没反。古掘字。"

以上從異文、異注、古字、校勘、疑缺、對比分析等六個方面,對張湛《列子注》進行了剖析,由此足以説明,張湛是保存、整理、研究、校注《列子》的一大功臣。

作者簡介　陳廣忠,1949 年生,安徽淮南人。淮南師專中文系副教授。著有《淮南子譯注》、《劉安評傳》、《淮南子會考》等。

《列子》三辨

——《列子》非偽書考之二

陳廣忠

内容提要 本文指出,柳宗元的《辨列子》,實則"不必辨",並考察了"繻"誤爲"繆"、"穆"的原因與過程;"火浣布"見于戰國、東漢之史實;列子及弟子是周穆王的傾心研究者,《穆天子傳》在戰國早、中期已成書,與列子時代相近,破除了馬叙倫《列子》偽書論的錯誤觀點。

在中國文化史上,有一種非常不幸的現象,就是對歷史人物、著作的隨意毁譽。列子及《列子》一書就是其中的不幸者之一。從中唐至戰國中期的一千多年間,《列子》適應時代的需要,不乏人研究整理,漢初成爲黄老思想治國理論的一個組成部份,"孝景時貴黄老術,此書頗行于世"(劉向《列子書録》)。唐玄宗開元十年(722年)設置玄學,研習《老子》、《列子》、《莊子》、《文子》,天寶元年(742年)給老子、莊周、列禦寇、文子、庚桑楚上"真人"之尊號,其書也冠以"真經"之名,可以説是盛極一時。然而,中唐後期的柳宗元寫出了《辨列子》,其命運就一天不如一天,繼而被近人指爲偽書,非議至今不絶。

一、柳宗元的"不必辨"

柳宗元的《辨列子》中,對唐代盛行的《列子》,曾這樣説:"其文辭類《莊子》,而尤質厚,少僞作,好文者可廢耶?"明言不是僞書,而是提出了《列子》時代的疑問:

"劉向古稱博極群書,然其録《列子》,獨曰'鄭繆公時人'。繆公在孔子前幾百歲,《列子》書言鄭國皆云'子産、鄧析',不知向何以言之如此?《史記》鄭繻公二十四年,楚悼王四年,圍鄭,殺其相駟子陽,子陽正與列子同時,是歲周安王三年……魯繆公十年,不知向言魯繆公時遂誤爲鄭耶?"

由此可知,他認爲:其一,列子是鄭繻公時代人;其二,鄭繆公疑爲魯繆公之誤。章士釗《柳文指要》云:"由鄭繆公訂爲鄭繻公,殆始于子厚,此文遂沿爲定論。"

柳宗元的結論之一,無疑是正確的。而其二,正如姚際恒《僞書考》所説,乃是錯誤的。問題是,柳宗元的正確的提法,是如章氏所説,是柳宗元的發現呢,還是沿襲他人呢? 事實上,在柳宗元之前大約一百五十年,就有人明確指出了這個問題,他就是初唐道士成玄英。

《莊子·逍遥遊》:"夫列子御風而行,泠然善也。"成玄英疏:"姓列,名御寇,鄭人也。與鄭繻公同時。師于壺丘子林,著書八卷,得風仙之道,乘風游行,泠然輕舉,所以稱善也。"(郭慶藩《莊子集釋》)而王先謙《莊子集解》亦明言:"成云:'列御寇,鄭人,與鄭繻公同時。'"

成氏研究《莊子》三十餘載(《莊子序》),注疏《莊子》在唐高宗永徽(650—655 年)年間,其時流放鬱州。在此期間注釋《老》、《莊》及有關著述。《新唐書·藝文志》載:"書成,道王元慶遣文學賈鼎就授大義,嵩高山人李利涉爲序,唯《老子注》、《莊子疏》著録。"其《莊子疏》爲《莊》學研究的力作。可知這個早已成型的結論,却被柳宗元加以"倒賣"，似乎成了他的發明。實際上，從中唐至今的許多學者，如果稍加留心成氏的研究，就不會打一千多年的筆墨官司了，更不會有人借此咬定《列子》是僞書了。所以王元美説："柳州之辨其所不必辨，尤可笑也。"

　　然而問題並未就此解決。劉向在"永始三年八月壬寅"（公元14年）上《列子書錄》時，這樣説："列子者，鄭人也，與鄭繆公同時，蓋有道者也。""鄭繻公"變成了"鄭繆公"，是劉向錯了呢？還是在金石、竹簡、帛書上輾轉刻寫、傳抄中發生了錯誤？

　　在鄭國歷史上，春秋時代有個鄭穆公，前627至606年在位。比孔子生年要早127年，比老子也要早百餘年。儘管"穆"、"繆"可以陰入對轉而通假，但這肯定不是列子的同時代人。班固《漢書·藝文志》道家類有《列子》八篇，自注云："名圄寇，先莊子，莊子稱之。"班氏所注，與《列子·説符》所載"子列子窮，容貌有飢色，客有言之于鄭子陽者，鄭子陽即令官遺之粟"；《史記·鄭世家》："繻公二十五年，殺其相子陽，二十七年子陽之黨共弑繻公"的時代完全一致。

　　我們知道，"劉向校經傳諸子詩賦"，"領校中五經秘書"（《漢書·藝文志》、《劉向傳》），匯集諸書叙錄，別爲一書，名爲《別錄》，"會向卒，哀帝復使向子侍中奉車都尉歆卒父業，歆于是總群書而奏其《七略》"（《漢志》），而班固的《藝文志》，即取自《七略》。可知向、歆、班是一脈相承的。篇中的"自注"舊文，乃採自向、歆父子，參以己意而成。因此可知，班氏"自注"，是三氏對列子之時代及學説的確認。班固不認爲列子是"穆"（或"繆"）公時代人，是很清楚的，這也體現了向、歆的觀點。那麼，問題的焦點便在"繆"字上。宋代學者林希逸撰有《列子口義》，認爲："其曰與鄭繆公同時，必'繻'字傳寫之誤。而鄭溪西《群書會紀》、晁氏《讀書記》并因之，又以'繆'爲'穆'，此皆未深考者。"

　　林氏所云可謂一語中的。"繻"、"繆"兩字篆文、金文形體相似，致使真僞難辨。

在金石、篆書、漢印的形體中，"羽"、"雨"幾乎相同，"而"與
"多"也有形似之處。例如："翜（翏，見《説文解字韵譜》）、鶸（繆，同
上）、繺（繆，《詛楚文》）、畾（翏，《翏成印》）、糦（樛，《樛福之印》）、胼
（膠，《膠西侯印》）"，"㢍（零，《説文解字韵譜》）、㢍（零，《楚曾侯
鐘》）、䩄（霝，《古今泉略》）、㗊（霝，《邾公釛鐘》）"，（以上並見《金石
大字典》）"耐（耐，《流沙簡·簡牘二·一六》）（見《漢語大字典》）。

　　由此可知，林氏所説"繻"誤爲"繆"，是有見地的。當然，"繻"
何時誤爲"繆"的，因爲《列子》傳抄、版本甚多，已難於考證。通過
以上分析可以認定，向、歆和班固之時，當是"繻"字；唐初成玄英
時確爲"繻"；中、晚唐殷敬順《列子釋文》、與殷氏相近的柳宗元所
見，已作"繆"；北、南宋之際的鄭樵、晁公武二人，把"繆"改成"穆"，
遂埋其本來面目。

二、"火浣布"之時代

　　《列子·湯問》中載："周穆王大征犬戎，西戎獻錕鋙之劍，火浣
之布。火浣之布，浣之必投于火。布則火色，垢則布色；出火而振
之，皓然疑乎雪。皇子以爲無此物，傳之者妄。蕭叔曰：'皇子果于
自信，果于誣理哉！'"

　　對于這個記載，馬叙倫《列子僞書考》中認爲："昔魏文著論，不
信有火浣布。明帝時有獻此者，遂欲追刊前論，疑即作僞者所本。"
劉汝霖《周秦諸子考》中斷言："可以知道《列子》所説'皇子'的事情
就是魏文帝的事情。"馬氏認爲"火浣布"後出，劉氏言"皇子"即魏文
帝，這便成爲《列子》僞書論者的得力證據。馬、劉二氏做出這樣
錯誤判斷的原因，是由于不精于史實所造成。

　　關于"火浣布"一段的注釋，張湛指出："此《周書》所云。"又説：
"《異物志》云：新調國有火州，有火及鼠，取其毛爲布，名曰火浣。"
這兩條資料告訴我們：切玉劍、火浣布，尚見于《周書》之中。至于
取火鼠"皮毛爲布"，説明古人科學知識的缺乏，對火浣布充滿了神

秘的色彩, 很自然傳説其有種種來源。

對于張湛的注釋, 岑仲勉《列子非晉人僞作》説得好: "如認爲火浣布一節爲僞撰, 則應旁推其僞撰于《周書》。"對于至爲重要的《周書》, 惜馬叙倫並未提及。《周書》多見于漢代著述之中。班固《漢書·藝文志》: "《周書》七十一篇。"自注: "周史記。"顔師古注: "劉向云: '周時誥誓號令也。蓋孔子所論百篇之餘也。今之存者, 四十五篇矣。"司馬遷《史記》及三家注中, 引用《周書》十九條, 其中正文涉及五條。如:《蘇秦列傳》: "《周書》曰: '緜緜不絶, 蔓蔓奈何? 豪氂不伐, 將用斧柯。'"《商君列傳》: "《書》曰: '恃德者昌, 恃力者亡。'"《索隱》: "此是《周書》之言, 孔子所删之餘。"比班固年輕二十餘歲的許慎, 曾親自向班氏求教, 他把"七十一篇", 取名爲《逸周書》, 以別于《尚書·周書》。《説文》中共引十條資料, 如: "祆, 明視目筭之。《逸周書》曰: '士分民之祆。'""俒, 完也。《逸周書》曰: '朕實不明目俒伯父。'"清人段玉裁注: "《逸周書》者,《漢志》七十一篇之《周書》也。"由此可知, 張湛所依據的是先秦古籍《周書》, 即班、馬所言之《周書》, 許慎名之《逸周書》。對其時代, 陳振孫《直齋書錄解題》中認爲,《周書》出于戰國人之所作。這就有力地説明,《列子》所載, 當與"孔子所删之餘"的《周書》或《逸周書》的資料相同, 而不是出于晉太康二年的《汲冢周書》之後。

《周書》所載, 保存于張華所著《博物志》之中: "《周書》曰: '西域獻火浣布, 昆吾氏獻切玉刀。火浣布汗, 則燒之則潔。刀切玉, 如臘布。' 漢世有獻者。"張華不僅引用《周書》的記載, 而且還用漢代西域貢獻火浣布的實例, 來給《周書》作出旁證。舊題陳涉博士孔鮒所著《孔叢子·陳士義》所引《周書》, 與《博物志》略同。並云: "秦貪而多求, 求欲無厭, 是故西戎閉而不致。"因爲秦的貪婪與閉道, 而中絶了西域火浣布進入中原。

除了《周書》所載, 尚有戰國時代"火浣布"的記載。王嘉《拾遺記》卷十: "燕昭王二年, 海人乘霞舟, 以雕壺盛數斗膏以獻昭王, 王坐通雲之台, 亦曰通霞台, 以龍膏爲燈光, 耀百里, 烟色丹紫, 國人望之,咸言瑞光。世人遥拜之,燈以火浣布爲纏。"燕昭王于前311年至279年在位。此時已有用"火浣布"作燈心的記載。

張華所説"漢世有獻者",此事見于傅玄的《傅子·附録》中:"梁冀作火浣布單衣,會賓客行酒食,杯而污之,僞怒,解衣而燒之。垢盡火滅,粲然潔白。"東漢梁冀專權二十餘年,殘暴荒淫,廣建苑囿。《後漢書·梁冀傳》:"冀遣客出塞,交通外國,廣求異物。"作爲順、桓二帝首要權貴的梁冀,擁有此罕見之物,故弄玄虚,向衆臣炫耀。值得注意的是,傅玄生于建安22年,歷經魏朝,卒于晉武帝咸寧4年(278年),距梁冀死去僅58年。在傅玄死後的279年,才有汲郡戰國魏墓竹簡出土,可知傅氏的記載與汲冢無關。

而正史所載"火浣布"的事,較早見于《三國志·魏志·齊王芳》:"景初三年正月丁亥朔,即皇帝位。二月,西域重譯獻火浣布。詔大將軍、太尉臨試,以示百僚。"這是239年的事。至于馬叙倫所云"魏文不信火浣布"事,見于《抱朴子·内篇·論仙》:"魏文帝窮覽洽聞,自呼于物無所不經,謂天下無切玉之刀、火浣之布。及著《典論》,嘗據言此事其間。未期二物畢至,帝乃嘆息,遽毀斯論。"干寶《搜神記》亦云:"漢時西域舊獻此布,中間久隔。至魏初,時人疑其有文無實。文帝以爲火性酷烈,無含育之氣,著之《典論》,明其不然。曰:'不然之事,絶智者之聽。'及明帝立,詔三公曰:'先帝昔著《典論》,不朽之格言。其利刊石于廟門之外及太學,與《石經》併,以爲永示後世'。至此,西域使至,始獻火浣布焉。于是刊滅此論,而天下笑之。"葛洪、干寶都批評那種"以指測海"、孤陋寡聞的行爲,而馬氏却咬定《列子》中"火浣布"事,必出"文帝"之後,豈不犯了同樣的錯誤?

"火浣布"的記載在戰國前後、東漢、魏晉,衍及唐宋,其史料有三十餘種。如《魏志》中説:"大秦國出火浣布"。《晉書》云"西域諸國獻汗血馬、火浣布","天竺獻火浣布",《異域志》説"昆吾國""産寶鐵,切玉如泥,及火浣布"。大秦、西域、昆吾,與周穆王所征之"西戎"地域相合,都是指今青海祁連山、阿爾金山等一帶地方,這裏與新疆的阿爾泰山，有極爲豐富的"火浣布"——石棉礦床，西北各族在周秦、漢魏就製出了精美的石棉布，並與中原進行物質文化交流，這無疑是中華各族對人類文明做出的一大貢獻。

"火浣布"的時代既明，"皇子"之事便迎刃而解了。這裏的"皇子"，指周穆王的兒子，而不是"魏文帝"。考建安22年10月至24年正月，曹丕立爲"太子"，時上有漢獻帝和魏王，曹丕不可能稱爲"皇子"。《魏志·文帝丕》："二十二年立爲魏太子。太祖崩，嗣位丞相，魏王。"同年，曹丕還作了《典論·太子》。西漢以後，"太子"是嗣君之稱，"皇子"是衆子之稱，這是涇、渭分明的。既使是後人追記前事，也只稱"太子"，不會降級稱其爲"皇子"的。《列子·湯問》中的"皇子"，疑即《穆天子傳》中的"皇人"，爲周穆王隨行之王族。"黄之池，其馬歕沙，皇人威儀；黄之澤，其馬歕玉，皇人受谷。"這是宫廷樂官所演唱，專門歌頌"皇人"的，可能就有"皇子"在内。由此可知，劉汝霖等人斷定"皇子"即文帝，是根本站不住脚的。

三、《周穆王》與《穆天子傳》

《列子·周穆王》載："王大悦。不恤國事，不樂臣妾，肆意遠游。命駕八駿之乘，右服驊騮而左緑耳，右驂赤驥而左白�，主車造父爲御，商餝爲右；次車之乘，右服渠黄而左逾輪，左驂盗驪而右山子，柏夭主車，參百爲御，奔戎爲右。……遂宿于昆侖之阿，赤水之陽，别日升昆侖之丘，以觀黄帝之宫。……遂賓于西王母，觴于瑶池之上。"

馬叙倫《列子僞書考》據此云："《周穆王篇》叙八駿見西王母瑶池事，與《穆天子傳》若合符節。《穆傳》出晉太康中，列子又何緣得知？"陳文波《僞造〈列子〉者之一證》贊同此説："書中《周穆王》一篇，溶合晉太康二年汲冢所出之《穆天子傳》而成。"（並見《古史辨》第四册）馬、陳二氏的結論未免太輕率武斷了。

周穆是周朝第五代國君。"穆王即位，春秋已五十矣。""穆王五十五年, 崩"(《史記·周本紀》)。穆王的特點是愛好"遠游"。這其中有友好交往, 也有對四方的征伐。《左傳·昭公十二年》:"昔穆王欲肆其心, 周行天下, 將皆必有車轍馬迹焉。"其中記載西征之事有:

> 穆王十三年, 西征, 至于青鳥之所憩。(《紀年》,《藝文類聚》卷九一引)
>
> 穆王十七年, 西征, 至昆侖山, 見西王母, 王母止之。(《紀年》,《藝文類聚》卷七引)
>
> 穆王十七年, 西征昆侖山, 見西王母, 其年來見, 賓于昭宮。(《紀年》)
>
> 王乃西征犬戎, 獲其五王, 遂遷戎于太原。(《後漢書·西羌傳》)

如果説張湛生活在太康二年汲冢出土的《穆傳》、《竹書紀年》之後, 那麼西漢時期司馬遷距汲冢竹書已近四百年, 他寫《史記》時是肯定沒有見到這批竹簡的, 但是, 在《史記》中却多次寫到周穆王西游之事:

> 造父以善御幸于周穆王, 得驥温驪、驊駵、騄耳之駟, 西巡狩, 樂而忘歸。(《史記·秦本紀》)
>
> 造父幸于周穆王。造父取驥之乘匹, 與桃林盜驪、驊騮、綠耳, 獻之繆王。穆王使造父御, 西巡狩, 見西王母, 樂之忘歸。(《史記·趙世家》)

太史公記述中的造父、八駿、西王母、周穆王等, 與《穆傳》大致相合:

> 用伸□八駿之乘, 以飲于枝詩之中, 積石之南河。天子之駿, 赤驥、盜驪、白義、逾輪、山子、渠黄、華騮、綠耳。……天子主車, 造父爲御。……吉日甲子, 天子賓于西王母, 乃執白圭玄璧, 以見西王母。西王母再拜受之。天子觴西王母瑶池之上。

按照馬、陳氏的邏輯, 司馬遷也"溶合"汲冢竹書而著文了。由此也可以知道, 西漢尚有《穆傳》在流傳, 疑即爲《史記》之所本。

如果説,《穆天子傳》和《列子·周穆王》有關内容有相同資料來源的話, 那麼列子和他的衆多弟子, 則是最有條件成爲《穆傳》的

傳抄、整理者。這是因爲:

其一,從地域上看,列子與周穆王雖相距五百餘年,但是天緣巧合,使二者建立了自然的聯繫。列子所居之地,是周穆王劃定的天子苑囿:

《列子·天瑞》:"子列子居鄭圃,四十年無人識者。"張湛注:"鄭有圃田。"釋文:"圃田,鄭之藪澤也,在今榮陽中牟縣。"即在今河南中牟縣西。

《仲尼》:"鄭人圃澤多賢。"張注:"有道德而隱默者也。"

《仲尼》:"圃澤之役有伯豐子者。""閱弟子四十人",從之處者,日(百)數而不及"。

《穆天子傳》中對"圃田"也有記載:

"天子于是射鳥獵禽,祭父自圃鄭來謁。"郭璞注:"鄭有圃田,因云圃鄭。"

"天子乃遣祭父如圃鄭。"

"丁丑,天子里圃田之路。東至于房,西至于□丘,南至于桑野,北盡經林煮□之藪;南北五十□十虞。"郭注:"盡規度以爲苑囿地而虞守之也。"

可知在列子身邊,聚集了一大批隱居的"賢"者。他們所居的鄭國的圃田,這個"東西四十里,南北二百里"(《水經注》)的規模巨大的自然景區,竟是周穆王的獵苑。既然這樣,他們對周天子這樣有影響的地域人物,進行資料的搜集、整理和研究,則具有最爲有利的條件。

其次,從《列子》書中記載來看,記述周穆王之事有四處,其中僅一處與《穆傳》相似,而有的重要內容,則未見其它古籍。

《列子·周穆王》:"周穆王時,西極之國有化人來,入水火,貫金石,反山川,移城邑,乘虛不墜,觸實不硋……。"此不見于《穆傳》。

"命駕八駿之乘,……主車則造父爲御,……至于巨搜氏之國,……遂宿于昆侖之阿,……遂賓于西王母。"與《穆傳》之四、之三略同。

《湯問》：“周穆王北游過其國，三年忘歸。”亦不見于《穆傳》。

《湯問》：“周穆王西巡狩，越昆侖，不（升）至弇山。”三句略與《穆傳》之三相同。

“反還，未及中國，道有獻工人名偃師。”未見《穆傳》。

《湯問》：“周穆王大征西戎，西戎獻錕鋙之劍，火浣之布。”當見于《周書》。

上述“西極化人”、“偃師”、“獻技等内容，皆是《列子》獨家所記載；而實際上，只有“西王母”一條與《穆傳》稍同。由此可知，列子與門徒對周穆王的史料搜集，可謂是頗費苦心的。

其三，從《穆傳》出土的墓主時代看，也與列子相仿。《晉書·束皙傳》：“太康二年（281 年），汲郡人不准盜發魏襄王墓，或言魏安釐王冢，得竹書數十車（按：《晉書·帝紀三·武帝》作：‘汲郡人不准掘魏襄王冢’，無‘安釐王’），……自周受命至穆王百年，非穆王壽百歲也。……《穆天子傳》五篇，言周穆王游行四海，見帝臺、西王母。”

魏襄王是魏國第五代國君，前 311 年至前 296 年在位。而鄭繻公殺其相子陽，是在前 398 年，就是說，魏襄王死時距子陽被殺已有百年。假定殺子陽時列子 40 歲的話，列子到前 296 年已 140 歲，正常人不可能這樣長壽的。所以，列子當生活在鄭繻公、魏文、魏武、魏惠文王的時代，即魏襄王之前。這個背景，說明《穆傳》成書也必定在此之前，才能葬于魏襄墓中。這與列子的時代完全吻合，這就爲《穆傳》的成書出于列子及弟子之手，提供了一定的可能性。

由此可知，《穆天子傳》是戰國前、中期就已流行的古籍，列子及學派對周穆王研究傾注了很大的精力，並把其事迹巧妙地運用在《列子》一書中，成爲列子思想的有機組成部分。馬氏等人僅憑一則記載，就認定《列子》是成于汲冢竹書之後的僞書，是十分幼稚而荒唐的。

　　附記:《爲張湛辨誣》、《列子三辨》完稿之後,欣喜得到陳鼓應
教授惠贈臺灣著名學者嚴靈峰先生《列子辨誣及其中心思想》一
書,獲益匪淺。此書乃《列子》研究的撥亂反正之作。

從古詞語看《列子》非僞

——《列子》非僞書考之三

陳廣忠

内容提要 從語言學角度研究《列子》,可以爲《列子》的斷代提供有力的證據。本文從《列子》張湛注、殷敬順《釋文》中所引證的文字、訓詁學資料,與《列子》相合者七十餘條古詞語作比較分析,可以有力地斷定,《列子》乃先秦古籍,而非出于晉人僞托。

楊伯峻《從漢語史的角度來鑒定中國古籍寫作年代的一個實例——〈列子〉著述年代考》(載《列子集釋》323 至 348 頁)中,列舉"數十年來"、"舞"、"都"、"所以"、"不如"五個詞語,認爲是"漢以後的詞匯,甚至是魏晉以後的詞匯"。因此,"除掉得出《列子》是魏晉人的贋品以外,不可能再有別的結論"。對此,嚴靈峰在《列子辯誣及其中心思想》中指出:"這是非常不科學的考證方法。"嚴氏所言有理,然意猶未盡。余從張湛注文及殷敬順《列子釋文》中摘取其中文字、訓詁學史料七十餘條,略加考釋,俾可有力地説明:《列子》乃先秦古籍。

一、 張湛注疏文字學史料考

張湛在對《列子》的校勘、釋義、疏證中,引用了大量的《爾雅》、《方言》、《説文》及《蒼頡》等先秦和兩漢的文字學、訓詁學、方言學資料,來詮釋《列子》中的古代詞語,其中不少爲《列子》所獨家使用。今選取《列子》與諸書同者三十例,足以表明,《列子》非出于魏晉。

《爾雅》是我國第一部訓詁學專著。對其編纂者及時代,有人説"孔子門人所作"(鄭玄《駁五經異議》),有説"周公……著《爾雅》"(張揖《上〈廣雅〉表》),有説"乃是秦、漢之間……博士解詁之言"(歐陽修《詩本義》),總之,最遲當于秦、漢間成書,因爲漢文帝曾置"《爾雅》博士"(趙岐《孟子題辭》),武帝初期犍爲文學有《爾雅注》問世。今本《爾雅》中搜集先秦古籍詞語 2091 條,其中除了儒家經典中的詞語外,也廣泛採集了《管子》、《莊子》、《楚辭》、《列子》、《山海經》、《吕氏春秋》中的詞語。《列子》中的許多詞語及張氏訓釋,便與《爾雅》相合。

《天瑞》:"子列子……將嫁于衞。"張注:"自家而出謂之嫁。"按:並見《爾雅·釋詁》:"嫁,往也。"《方言》卷一:"嫁,往也。自家而出謂之嫁。"此爲張氏所據。

《天瑞》:"居鄭圃。"張注:"鄭有圃田。"按:《爾雅·釋地》:"鄭有圃田。"並見于《周禮·夏官·職方氏》、《吕氏春秋·有始覽》、《淮南子·地形訓》。

《天瑞》:"老羭之爲猨也。"張注:"羭,牝羊也。"按:《爾雅·釋畜》:"牡,羖; 牝,羭。"即黑色的母羊。張説本《爾雅》。

《天瑞》:"胡蝶胥也。"張注:"胥,皆也。言萬物皆化也。"按:《爾雅·釋詁》:"胥,皆也。"《方言》卷七:"胥,皆也。東齊曰胥。"

《黄帝》:"不知斯齊國幾千萬里。"張注:"斯,離也。""齊,中也。"按:《爾雅·釋言》:"斯,離也。"《方言》卷七:"斯,離也。齊、陳曰斯。"《爾雅·釋言》:"齊,中也。"當通"臍"。並爲張注所本。

《黄帝》:"日月常明,四季常若。"張注:"若,順也。"按:《爾雅·釋言》:"若,順也。"正同張注。

《黄帝》:"趙襄子率徒十萬,狩于中山。"張注:"火畋曰狩。"按:《爾雅·釋天》:"宵田爲獠,火田爲狩。"郭璞注:"放火燒草獵亦爲狩。"此爲張氏所本。

《黄帝》："鯢旋之潘爲淵……是爲九淵焉。"張注："此九水名義見《爾雅》。"按：今本《爾雅·釋水》與此稍異。"濫水正出。沃泉縣出。氿泉穴出。湀闢，流川。過辨，回川。灉，反入。潬，沙出。汧，出不流。歸異而同流，肥。"其中有六條水名兩書相似。

《湯問》："朕以是知四海、四荒、四極之不異是也。"張注："四海、四荒、四極，義見《爾雅》。"按：並見《爾雅·釋地》："九夷、八狄、七戎、六蠻，謂之四海。觚竹、北户、西王母、日下謂之四荒。東至于泰遠，西至于邠國，南至于濮鉛，北至于祝栗，謂之四極。"

《周穆王》："遽而藏諸隍。"張注："無水池也。"按：《爾雅·釋詁》："隍，虛也。"正指無水之護城壕。《周易·泰象》："城復于隍，其命亂也。"義與此同。

《周穆王》："西王母爲之謡。"張注："徒歌曰謡。"按《爾雅·釋樂》："徒歌謂之謡。"《國風·園有桃》："我歌且謡。"毛傳："曲合樂曰歌，徒歌曰謡。"是爲張氏所本。

《仲尼》："立我蒸民，莫匪爾極。"張注："蒸，衆也。"按：《爾雅·釋詁》："烝，衆也。"《詩·烝民》："天生烝民，有物有則。"毛傳："烝，衆也。"蒸，通"烝"。

《湯問》："有革曰：'猶齊州也。'"張注："齊，中也。"按：《爾雅·釋言》："齊，中也。"通"臍"，引伸爲中央。

《湯問》："有水湧出，名曰神瀵。"張注："山頂之泉曰瀵。"按：《爾雅·釋水》："瀵，大出尾下。"並引《列子》爲證。瀵，泉水自地下噴涌而出。

《湯問》："一源分爲四埒，注于山下。"張注："山上水流曰埒。"按：《爾雅·釋山》："山上有水，埒。"亦引《列子》爲證。

《力命》："朕衣則裋褐。"按：《爾雅·釋詁》："朕，我也。""朕，身也。""朕，予也。"先秦上下皆稱"朕"。屈原《離騷》："朕皇考曰伯庸。"秦始皇以後，"朕"一般用于皇帝自稱。《史記·秦始皇本紀》："天子自稱曰'朕'。"歷代因之。《列子》、《爾雅》皆爲先秦之稱。

《楊朱》:"原憲窶于魯。"張注:"窶,貧也。"按:《爾雅·釋言》:"窶,貧也。"

《方言》是西漢末年揚雄所搜集、整理、編纂的以方言爲主要内容的訓詁學專著,把先秦兩漢全國各地方言與通語做了聯繫和對比的研究,其中保留了大量的古代語言資料,成爲漢語史研究的重要著作之一。張湛《列子注》中也引用了一些《方言》中的材料。

《周穆王》:"簡鄭衛之處子娥媌靡曼者。"張注:"娥媌,妖好也。"按:《方言》卷一:"秦晉之間凡好而輕者謂之娥,自關而東河濟之間謂之媌。"張注本《方言》。

《周穆王》:"且恂士師之言可也。"張注:"恂,信也。"按:《方言》卷一:"恂,信也。宋衛汝穎之間曰恂。"即相信義。《説文》:"恂,信心也。"爲誠信義。並爲張注所據。

東漢許慎的《説文解字》,是我國文字學的奠基之作,也是一部全面研究秦漢語言文獻資料的巨著。其書引證古代經籍至爲詳備,又博採通人,多引方言,所包含的古代文化、典章、名物、語言、風俗等資料極爲豐富。"萬物咸睹,靡不兼載"(《説文·自叙》)。張氏注疏中引證《説文》數量極多,足見其學識之淵博。

《黄帝》:"老子曰:'而睢睢,而盱盱,而誰與居。'"張注:"《説文》云:'盱,仰目視也'。"按:《説文》:"盱,張目也。"段注:"張載注《魏都賦》曰:'盱,舉眉大視也。'"與"仰目"義近。

《黄帝》:"姬! 將告汝。"張注:"姬,居也。"按: 當通"居"。朱駿聲《説文通訓定聲》:"姬,假借爲居。"即"坐下"義。《禮記·曾子問》:"居,吾語女。"其用法甚古。

《黄帝》:"見痀僂者承蜩,猶掇之也。"張注:"拾也。"按:《説文》:"掇,拾取也。"《詩·芣苢》:"薄言掇之。"鄭玄箋:"掇,拾也。"張從鄭、許説。

《周穆王》:"王執化人之袪。"張注:"袪,衣袖也。"按:《説文》:"袪,衣袪也。"即袖口。

《周穆王》:"具牛馬之湩以洗先王之足。"張注:"湩,乳也。"按:

《説文》：“乳汁也。”段注：見《列子》、《穆天子傳》。

《周穆王》：“鄭人有薪于野者，遇駭鹿，御而擊之。”張注：“御音訝，迎也。”按：通“迓”。迎接。《集韻》：“訝，《説文》相迎也。或作迓、御。”《詩·鵲巢》：“之子于歸，百兩御之。”鄭注：“御，迎也。”《釋文》：“本亦作訝，又作迓。”知其爲先秦用法。

《湯問》：“江浦之間生么蟲。”張注：“么，細也。字書云：‘么，小也’。”按：《説文·新附》：“么，細也。”《廣雅》：“么，小也。”《六經音義》卷七引《三倉》云：“么，微也。”知張説有據。

《仲尼》：“見南郭子，果若欺魄焉。”張注：“字書作欺魄，人面醜也。”按：《説文》：“顡，醜也。今逐疫有顡頭。”段注：“此舉漢事以爲證也。《周禮·方相氏》注云：‘冒熊皮者，以驚毆疾癘之鬼，如今魌頭也’。”王筠句讀：“顡頭即今假面。”其來歷甚古。

《仲尼》：“吾笑龍之詒孔穿。”張注：“詒音待，欺也。”按：《説文》：“詒，相欺詒也。”爲張注所本。

《力命》：“故迷生于俏，俏之際昧然。”張注：“際，猶會也。言冥昧難分耳。”按：《説文》：“際，壁會也。”張注爲《説文》之引申。

《説符》：“使遽人謁之。”張注：“遽，傳也。”按：《説文》：“遽，傳也。”《爾雅·釋言》：“遽，傳也。”郭注：“皆傳車驛馬之名。”張説與《爾雅》、《説文》同。

張注還引用了《蒼頡篇》中的資料，其書彼時尚存。《漢志》中有“《蒼頡》一篇”。班固云：“蒼頡七章者，秦丞相李斯所作也。”“漢興，閭里書師合《蒼頡》、《爰歷》、《博學》三篇，斷六十字以爲一章，凡五十五章，並爲《蒼頡篇》。”《蒼頡》三千五百字，“多古字”。是爲李斯“書同文”的典範文字教本。

《説符》：“人有亡鈇者。”張注：“鈇，鉞也。”按：《古今韵會舉要》引《蒼頡篇》：“鈇，斧也。”《墨子·備穴》：“爲鐵鈇。”張注與《蒼頡》同義。

二、殷敬順《釋文》訓詁史料辯證

　　《列子釋文》是目前注釋《列子》較好的版本。清乾隆年間學者任大椿在《列子釋文考異序》中説:"《通考》載《列子釋文》一卷,唐當塗縣丞殷敬順撰。(其書引《荀子》楊倞注,則憲宗以後人也。)書分上下二卷,體例仿陸氏《經典釋文》。凡所徵引多爲前代逸書。又于正文之下附載異文,率皆當時流傳舊本。"清人汪繼培《列子序》亦云:"湛注明簡,昔人方之王弼、郭象之注《老》、《莊》。唐殷敬順因湛爲《釋文》,二家各自爲書,元明以來,刊本皆以《釋文》入《注》,溷淆不別。"這裏告訴我們,殷氏《釋文》本之張注,而又採摘了"前代逸書"、"異文"、"流傳舊本",加以補充。張、殷二氏之注釋元明以後混雜在一起,任大椿、汪繼培等都做了細心的釐正。本節選取《釋文》所列古詞語四十餘條,並與秦漢文字訓詁學典籍相對照,從而可以確信,《列子》爲先秦古籍無疑。

　　《釋文》同樣引用了《爾雅》、《方言》、《説文》、《蒼頡》等,以訓釋《列子》;同時還探引了與張湛時代或前或後的語言學著作,來補證張注之不足。

　　殷氏《釋文》引用《爾雅》的如:

　　《天瑞》:"胡蝶胥也,化而爲蟲,生竈下,其狀若脱,其名曰鴝掇。"《釋文》:"郭注《爾雅》云:'脱謂剥皮也。'"按:《爾雅·釋器》:"肉曰脱之,魚曰斯之。"李巡云:"肉去其骨曰脱。"當爲殷注所本。

　　《黄帝》:"孔子觀于吕梁。"《釋文》:"《爾雅》曰:'石絶水爲梁'。"按: 今本《爾雅》與此異。《釋宮》:"堤謂之梁。"《詩·有狐》:"在彼淇梁。"傳曰:"石絶水爲梁。"《鴛鴦》:"鴛鴦在梁。"箋云:"石絶水之梁。"知爲先秦常語。

　　《黄帝》:"濫水之潘爲淵。"《釋文》:"《爾雅》云:'水湧出也。'"按:《爾雅·釋水》:"濫泉正出。正出,湧出也。"與《釋文》相同。

　　《黄帝》:"末聚禽獸虫蛾。"《釋文》:"《爾雅》云:'有足曰蟲,無足曰蛾。’”按：《爾雅·釋魚》：“有足謂之蟲，無足謂之豸。”豸，指無足的蚯蚓、蛇類。疑《列子》原文當作“蟲豸”。

《湯問》：“猶齊州也。”《釋文》：“《爾雅》云：‘距齊以南，戴日爲丹穴；北，戴斗極爲空桐。’”按：《爾雅·釋地》：“岠齊州以南戴日爲丹穴。北戴斗極爲空桐。”注文與《爾雅》同。

《湯問》：“周以喬陟。”《釋文》：“《爾雅》云：‘喬，高曲也。’又云：‘三山襲，陟。’郭璞云：‘重隴也。’”按：《爾雅·釋詁》：“喬，高也。”《釋木》：“句如羽，喬。上句曰喬。如木楸曰喬。”正與《釋文》同義。又《爾雅·釋山》：“山三襲，陟。”並引《列子·湯問》爲例。

《湯問》：“朽壤之上有菌芝者，生于朝，死于晦。”《釋文》：“崔譔云：‘糞土之芝也，朝生暮死。’”按：《爾雅·釋草》：“湏灌，菌芝。”“茵”是“菌”的壞字。湏灌，爲一種叢生的菌類。

《力命》：“進其茙菽。”《釋文》：“《爾雅》云：‘茙菽謂之荏菽。’即胡豆也。”按：《爾雅·釋草》：“戎叔謂之荏菽。”爲《釋文》所本。

《力命》：“諈諉。”《釋文》：“《爾雅》云：諈諉，累去也。”按：《爾雅·釋言》：“諈、諉，累也。”無“去”字。《說文》“諈諉”均訓“累”。並爲《釋文》所本。

《楊朱》：“昔人有美戎菽、甘枲莖芹萍子者。”《釋文》：“《爾雅》云：‘萍，蓱也。’又‘苹，藾蕭也’。”按：《爾雅·釋草》：“萍，蓱。”即浮萍。“苹，藾蕭。”即蒿類植物。郭注云：“今藾蒿也。初生亦可食也。”

殷敬順《列子釋文》引證《方言》的有：

《黃帝》：“顧見商丘開年老力弱，面目黎黑，衣冠不檢，莫不眲之，既而狎侮欺詒，擋㧙挨抌，亡所不爲。”《釋文》：“眲，《方言》云：‘揚越之間，凡人相輕侮以爲無知謂之眲。眲，耳目不相信也。’”“《方言》相欺亦曰詒”。“擋，《方言》：‘今江東人亦名推爲擋。’又音晃，捶打也。”“㧙，《方言》：‘凡相推搏曰㧙。’”“抌，《方言》：‘擊背也。’一本作抗，違拒也。”

按：眲，《方言》卷十：“揚、越之郊，凡人相欺侮以爲無知，謂之眠。眠，耳目不相信也。"詒，《説文》："相欺詒也。"《仲尼》："吾笑龍之詒孔穿。"張注："詒，欺也。"未見《方言》，擋，《方言》卷十："拟、扰，推也，沅、涌、澬幽之語或曰擋。"拟，《方言》卷十："拟，推也。南楚凡相推搏曰拟。"扰，《方言》卷十："扰，推也。"《説文》："扰，深擊也。"眠、擋、拟、扰四字之義，《列子》所載爲獨家之史料。

《黃帝》："以黃金摳者惛。"《釋文》："惛音昏。《方言》'迷，殙也'。"按：《説文》："惛，不憭也。"即糊塗不明之義。又《説文》："殙，瞀也。"亦神志昏亂不清義。未見《方言》。

《黃帝》："使弟子並流而承之。"《釋文》："《方言》：'出溺爲承。'"按：同抍（拯），《説文》："抍，上舉也。"《易·艮》："不承其隨。"陸德明《釋文》："承，音拯救之拯。馬云：'舉也。'"知其用法甚古。

《黃帝》："則户外之屨滿矣。"《釋文》："關西呼履謂之屨。"按：《方言》卷四："自關而西謂之屨。"《説文》："屨，履也。"段注引晉蔡謨曰："今時所謂履者，自漢以前皆名屨。"

《黃帝》："食狶如食人。"《釋文》："楚人呼豬作狶。"按：《集韻》："狶，豬也。《方言》：'南楚謂之狶。'"

《湯問》："北國之人，鞨巾而裘。"《釋文》："《方言》：'俗人帕頭。'是也。帕頭，幞頭也。帕又作鞨，又作帓。"按：《洪武正韻》："鞨，《方言》：'鞨巾，俗人帕頭是也。'"正與《釋文》同。爲束髮的巾。僅《列子》有此記載。

《力命》："朕衣則褆褐。"《釋文》："《方言》：'褆，複襦也。'"按：《方言》卷四："襜褕，其短者謂之褆褕。"韋昭注《王命論》云："褆，謂短襦也。"與《釋文》引義近而詞稍異。

《力命》："墨尿。"《釋文》："墨尿，江淮之間謂之無賴。"按：《方言》："譅尿，獪也。江湘之間，凡小兒多詐而獪，謂之譅尿。"《釋文》與《方言》基本相同。

《力命》："譅怰。"《釋文》："《方言》：'譅，吃也；怰，急也。謂語急而口吃。'又云'疾也'，急性相背也。"按：《集韻》："《博雅》：'吃也。'或作'讓'。"僅見《列子》。

《力命》："眠娗。"《釋文》："《方言》：'眠娗，欺慢之語也。'"按：《方言》卷十："眠娗，欺謾之語。楚郢以南，東揚之郊通語也。"

殷氏採摘《說文》以訓詞義的有：

《天瑞》："馬血之轉爲鄰也。"《釋文》："《說文》作'燐'，又作'粦'，皆鬼火也。《淮南子》云，'(久)血爲燐'也"。按：《說文》："粦，兵死及牛馬之血爲粦，粦，鬼火也。"段注僅引《列子》以證之。

《黃帝》："指撝無痟癢。"《釋文》："《說文》云：'痟，疼痛也。'"按：《說文》："痟，酸痟，頭痛也。《周禮》曰：'春時有痟首疾。'"與今本《說文》略異，而與《列子》義同。

《黃帝》："吾處也若橜株駒。"《釋文》："《說文》作'櫫，木本也'。"按：今本《說文》作"櫫，弋也"。即爲木椿之類。詞異而義同。

《湯問》："貉渡汶而死。"《釋文》："《說文》云：'貉，狐類也。'皆生長丘陵旱地。今江邊人云：狐不渡江。是明逾大水則傷本性遂致死也。"按：貉，本字作"貈"。《說文》："貈，似狐。善睡獸也。"則與《說文》略近。

《湯問》："齊輯乎轡銜之際。"《釋文》："《說文》'輯，車輿也'。"按：段注《說文》："輯，車輿也。"各本作"輯，車和輯也"。大誤。殷氏引《說文》未誤。依《釋文》可校證今本《說文》之誤。

《力命》："朕衣則褞褐。"《釋文》："許慎注《淮南子》云：'楚人謂袍爲褞。'《說文》云：'粗衣也'。又'敝布襦也'。又云'褡褕短者曰褞褕'。"按：今本《說文》："褞，豎使布長襦。"《廣韻》："褞，敝布襦也。""《說文》：'褐，一曰粗衣。'""又云"爲《方言》之文。

《力命》："嘽咺。"《釋文》："《說文》云：'咺，寬閒心腹貌。'"按：《集韻》："嘽咺，迂緩皃。"《方言》、《廣韻》均收有"嘽咺"，爲恐懼貌。與"迂緩"不同。《說文》有"咺"而訓釋與上文異。

《力命》："凌誶。"《釋文》："凌誶謂好凌辱責罵人也。《說文》：'誶，責讓也。'"按：《說文》："誶，讓也。"多一字而義同。

殷氏還數引《字林》來訓釋《列子》。《字林》爲西晉呂忱所撰。

呂忱搜集群書異字，補充《説文》之漏略。“《説文》所無者，是忱所益”。其書收字比《説文》還多 3471 字。《字林》問世後，長期與《説文》齊名，成爲當時隸書的典範書體。唐代科擧考試，“明書”科須考《説文》、《字林》。唐李賢《後漢書注》、李善《文選注》、陸德明《經典釋文》等，均廣引《字林》入注。敬順《釋文》也不例外，如：

《黄帝》：“心如淵泉，形如處女，不偎不愛，仙聖爲之使。”張注：偎，亦愛也。《釋文》：不偎不愛，謂或隱或現。《山海經》曰：‘北海之隅，其人水居偎愛。’隱，偎也。《字林》云：‘偎，仿佛見不審也。’”按：今本《山海經·海内經》作“北海之隅，其人水居，偎人愛之”，郭注：“偎亦愛也。”《説文》：“傀，仿佛也。《詩》曰：‘傀而不見’。”《説文》無“偎”字。《字林考逸》：“偎，仿佛貌，不審也。”可知“愛”通“傀”，與“偎”義近。“偎”此古義僅見《列子》、《山海經》。

《黄帝》：“口所偏肥，晉國黜之。”《釋文》：按《説文》、《字林》並作“嵍”，又作“圮”，皆“毀”也。字從其省。按：嵍，當作“嵍”。《説文》：“嵍，崩也。”清錢大昕《十駕齋養新録》卷四：“嵍，義與毀同。”圮，《説文》：“毀也。《虞書》曰：‘方命圮族。’”《爾雅》：“圮，毀也。”知《説文》、《字林》引作“嵍”，作“圮”者爲異體。“肥”乃“嵍”的省略。其形罕見，其義甚古。

《力命》：“偊偊而步。”《釋文》：“《字林》云：‘疏行也。’”按：《集韵》：“偊，偊偊，行皃。”與《字林》義近。

《力命》：“婰研。”張注：“婰研，不解悟之貌。”《釋文》：“婰研，容止峭巇也。《字林》云：‘婰，齊也’。”按：《集韵》：“婰研，不解悟皃。”《廣雅》：“婰，齊也。”與《字林》同，然與《列子》文義不符。

《力命》：“讓愜。”《釋文》：“《字林》云：‘愜，吃也’。”按：《説文》：“愜，疾。”與“急”同義，因“急”而口吃。

《廣雅》爲三國魏張揖所編，爲增廣《爾雅》而作。他認爲《爾雅》“未能悉備也”，于是廣泛搜尋，對“不在《爾雅》者，詳録品核，以箸于篇”（上《廣雅》表）。王念孫亦云：“蓋周秦兩漢古義之存者，可握以證其得失；其散逸不傳者，可藉以闚其端緒。則其爲之爲功

于訓詁也大矣"(《廣雅疏證序》)。殷氏《釋文》也幾次引用《廣雅》的訓釋,以疏解《列子》。如:

《力命》:"墨㞐。"《釋文》:"《廣雅》云:'墨音目,㞐作欺。'"按:《廣雅》:"嚜㞐,欺也。"

《力命》:"多偶。"《釋文》:"《廣雅》云:'偶,諧也'。"按:今本《廣雅》無。《爾雅》:"偶,合也。"《字匯》:"偶,諧也。"皆融洽、和諧之義。

《力命》:"郁郁芊芊。"《釋文》:"《廣雅》云:'芊芊,茂盛之貌。'"按:《廣雅·釋訓》:"芊芊,茂也。"

《楊朱》:"鄉有處子之娥姣者。"《釋文》:《廣雅》云:"好也。"按:《廣雅·釋詁》:"姣,好也。""娥,美也。"殷說有據。

除此之外,殷氏還徵引魏李登《聲類》、南朝何承天的《纂要》、齊梁時隱士阮孝緒《文字集略》等學者的文字、訓詁學著作,來詮釋《列子》。因數量較少,兹不贅述。

由此可知,張湛、殷敬順訓釋《列子》,引用了《蒼頡篇》、《爾雅》、《方言》、《說文》、《廣雅》、《字林》等著述中的古詞語約七十餘條,其中許多爲《列子》所單獨使用的詞匯,也有不少爲先秦通語,不會有人認爲,這些古詞匯出自魏晉以後,而是屬于張湛的僞托。除此之外,還有大量的採集非文字、訓詁學著作,包括儒家、諸子學說以及通人的說解,本文尚未涉及。"例不十不立法"。通過這些特別是秦、漢時代文字、訓詁、方言學典籍與《列子》中相同詞語的分析對比,可以"立"下這樣的"法":《列子》是一部真正的先秦典籍。

《管子·水地》新探

魏啓鵬

内容提要 本文認爲《管子·水地》篇的命題"水爲萬物本原"及相應觀念,淵源于南方吳越文化。

《水地》是《管子》書中頗具獨特思想光彩的一篇著作。本世紀二十年代,吕思勉先生指出"此篇文尚易解,語多荒怪;然頗有生物學家言,亦言古哲學者可寶之材料也"[①]。五十年代,郭沫若先生認爲此篇乃受戰國中後期"五德終始"説影響,"遞興廢,勝者用事",他在《管子集校》中案曰:"其極讚水德者,自戰國以來有此議論。《吕氏春秋·應同篇》言周以火德王,代火者必將水,天且先見水氣勝。水氣勝故其氣尚黑,其事則水。水氣至而不知備,數將徙於土。其後秦並天下,即採用此説而見諸實施。秦亡之後,楚漢繼之,政朔服色,均未及改,故此篇仍稱水爲神,稱水爲'具材'也。"本文試就《水地》篇在思想史上的地位,其與五行學説的關係,其學術淵源如何,加以探索考察,請讀者和專家批評指教。

古老的哲學命題

《水地》開篇曰:"水,具材也。"意即水的品性通流天地,周藏於

---

① 吕思勉《經子解題》第 148 頁,商務印書館,1926 年。

萬物,具備了一切,構成了一切。這就提出了一個重要的哲學命題: 水是萬物的本原。末段寫道:

> 是故具者何也? 水是也。萬物莫不以生,唯知其托者能爲之正。具者,水是也。故曰: 水者何也? 萬物之本原也,諸生之宗室也,美惡、賢不肖、愚俊之所産也。

由此我們不能不聯想到泰勒斯(Thales),世所公認的希臘的亦即西方哲學史上的第一位哲學家。泰勒斯約生活在公元前七世紀的最後三十年至六世紀前半期,相當於中國東周時從周襄王至靈王在位間。泰勒斯首先提出了自然界萬物的本原是甚麽的問題,並綜合了若干事實的理由第一次給予了答案:"水是本原。"就是這樣一個最單純的命題,成爲西方哲學史的開篇。據亞里斯多德論述[1]:

> 在第一批作哲學思考的人中,大多數人只把質料之類的東西當作萬物的本原(arkhe)。一切存在着的東西由它而存在,最初由它生存,毀滅後又復歸於它……人們説,這就是一切存在着的東西的元素和本原。……這種哲學的奠基人和領袖(arkhegos)泰勒斯認爲是水,他因而宣告大地浮在水上; 他之所以作出這一論斷,可能是因爲他看到了萬物都要靠水分來滋潤。熱本身也來自它並依賴它而得以維持。由於這一點,再加上萬物的種子本性都是潮濕的,所以,水就成了潮濕東西的自然本原。(KRS 85)

而《水地》篇對這一古老命題的論證,與泰勒斯之説頗爲相似。首先是天地萬物,水無不滿,水無不居,滋潤着、充盈着萬物,構成了世界。"集於天地而藏於萬物,産於金石,集於諸生,故曰水神。集於草木,根得其度,華得其數,實得其量。鳥獸得之,形體肥大,羽毛豐茂,文理明著。萬物莫不盡其幾,反其常者,水之内度適也"。水是"諸生之根菀",萬物盡其生機而"反其常",也就是"歸根復命"[2],依靠的仍然是在它們内部充盈適度的水份。

---

① 漢語譯文引自苗力田主編《古希臘哲學》第20頁。中國人民大學出版社,1990年。

② 參看《老子》第十六章:"夫物芸芸,各復歸其根。歸根曰静,是曰復命,復命曰常。"

其次，"熱也來自水並賴其維持"，《水地》言水集於草木，肥其鳥獸，而鑽木取火，佃獵果腹，傳説時代的燧人氏、包犧氏已經初知這種熱量轉換關係，故《水地》篇不復贅述。但論列水生神物，則明言"龜生於水，發之於火，於是爲萬物光"，無異於强調了水能轉化爲火，光熱之本原仍爲水。

泰勒斯認爲"大地浮在水上"，《水地》篇中是否也有類似觀念呢？不必在中國古代神話傳説或繪畫中尋找旁證推繹，"具者，水是也"就包含着這種觀念。"大地浮在水上"，換言之即水托載着、托舉着大地萬物。而在古文字中，"具"字字形爲雙手托舉一鼎，甲骨文作𦥑（甲3365）、金文作𦥑（函皇父𣪘），陳夢家《西周銅器斷代》説："具字從鼎，郭沫若所釋：以爲'古從鼎作之字後多誤爲貝。'字像兩手舉鼎之形，舉、具古音亦相近。"由此可見，在上古漢語中，"具"有托舉之義。當古代哲人稱水爲"具材"、"具者"時，就已包含了水托舉天地，載浮萬物的意思，"唯知其托者能爲之正"。

"水爲萬物本原"這個古老的命題，兩三千年前的希臘和中國如此密切相通，是無庸驚疑的。遠隔重洋，不同民族，不同國度的哲學思想，往往在其"童年"時期更多相同相似之處，可能是因爲人類思維發展的共同規律，在樸實無華的"童年"更容易顯現出來。我們研究《水地》的獨特思想光彩，不應忽視其中古老的、初始的烙印及其後的餘輝遺迹。將相同哲學命題下《水地》篇之説與泰勒斯之説加以比較，還有利於對《水地》學術淵源、成書年代的考索，所以後文我們會再次回顧這一中西比較。

水與五量、五色、五味

從戰國到西漢，逐漸形成了一個以四時配五行、五方、五色、五音、五帝、五神、五祀、五數的陰陽五行系統，作爲人法天地的世界圖式，最完整的表述見於《吕氏春秋》十二紀和《禮記·月令》，以及《淮南子》中《時則》、《天文》二篇。那麽，《水地》篇所列"五量"、"五色"、"五味"是否也納入了上述五行系統呢？需要逐一考察。

> 準也者,五量之宗也。素也者,五色之質也。淡也者,五味之中也。是以水者,萬物之準也,諸生之淡也,韙非得失之質。

"五量"。廣義言之,指測定長度、面積、重量、容量的用器,如《孔子家語·五帝德》王肅注五量爲"權衡、升斛、尺丈、里步、十百"。或如《管子·揆度》所説"權也,衡也,規也,矩也,準也,此謂'正名五'。"《水地》所言,當指窄義的容器,即《漢書·律曆志》云"量者,龠、合、升、斗、斛也",又指出"量者……以井水準其概"。孟康曰:"概欲其直,故以水平之。井水清,清則平之。"顏師古注:"概,所以概平斗斛之上者也。"帛書《經法·四度》亦云"水之[上]曰平"。可見,《水地》所論"準爲五量之中",是指用水校驗容量之器的準確性,與陰陽五行系統了不相涉,更不同於《時則訓》所反映的秦漢時"陰陽大制有六度：天爲繩,地爲準,春爲規,夏爲衡,秋爲矩,冬爲權",只不過是以水爲諸量之準。

"素爲五色之質"。五色當爲青、黃、白、黑、赤,而水清澈透明,無色,故爲五色的基礎,如孔子所説的"繪事後素"。"素"的古義:質也,樸也,本也。從較深的層面體會,此語關係到春秋時期以來中國哲人討論的"文"、"質"問題,孔子有"質勝文則野,文勝質則史"和"文猶質也,質猶文也,虎豹之鞟猶犬羊之鞟"的意見,而《水地》所論似乎更近於道家"見素抱樸"之説,五色成文而以素爲本,"必有其質,乃爲之文","文不勝質之謂君子"①。

淡者五味之中"。《説文》:"淡,薄味也。"而尹知章注云:"無味謂之淡。水雖無味,五味不得不平也,故爲五味之中也。"厚味荼毒,故《老子》云"五味令人口爽"(12 章),又云"爲無爲,事無事,味無味"(63 章),論述大道亦以"淡"爲譬喻:"道之出口,淡乎其無味,視之不足見,聽之不足聞,用之不足既"(35 章)。《水地》以"淡"之無味爲酸、辛、鹹、苦、甘五味之中,親和五味,又爲五味之極,深

---

① 參看《老子》第 19 章、《淮南子·本經訓》、《繆稱訓》。

合道家思維方式。這使人還聯想到莊子的名句"游心於淡, 合氣於漠"(《應帝王》), "君子之交淡若水, 小人之交甘若醴; 君子淡以親, 小人甘以絶"(《山木》), 而與陰陽五行系統則很難掛上鈎來。

《水地》論水與五量、五色、五味之關係問題, 前人以郭嵩燾《讀管札記》的闡釋較爲平實可觀: "準以明水之用, 質以著水之體(引者案: "質"字疑當爲"素"字), 淡者水之本原也。"以陰陽五行説爲釋, 或以圖讖説解, 都與《水地》的原意不合。由此看來, 認爲《水地》受戰國時"五德終始"説影響, 也是大可懷疑的。

《水地》與帛書《胎産書》

水爲萬物之原, 人同樣是由水構成的。《水地》篇的這個觀點, 與漢代以來流行的"女媧摶土作人, 劇務, 力不暇供, 乃引絙於泥中, 舉以爲人"的神話傳説大異其趣[1]。《水地》篇裏有傳世中國古籍有關人的胚胎怎樣形成和發育成熟的最早論述:

> 人, 水也。男女精氣合, 而水流形。三月如咀。咀者何? 曰五味。五味者何? 曰五藏。酸主脾, 鹹主肺, 辛主腎, 苦主肝, 甘主心。五藏已具, 而後生五内。脾生膈, 肺生骨, 腎生腦, 肝生革, 心生肉。五内已具, 而後發爲九竅。脾發爲鼻, 肝發爲目, 腎發爲耳, 肺發爲竅。五月而生, 十月而成。

據《五行大義》、《太平御覽》引文校勘, 這段文字有異文和脱文, 但不影響我們討論五味主五藏所涉及的五行系統問題。《水地》所論與《黄帝内經》論列的五行系統頗有出入。《素問·陰陽應象大論》謂"木生酸, 酸生肝。火生苦, 苦生心。土生甘, 甘生脾。金生辛, 辛生肺。水生鹹, 鹹生腎", 與《今文尚書》歐陽説同。

章太炎《管子餘義》就《水地》此文指出: "五藏之配五行, 舊有兩説。《異義》曰《今文尚書》歐陽説: 肝, 木也, 心, 火也, 脾, 土也,

---

[1]　《太平御覽》卷 78 引《風俗通》。

肺,金也,腎,水也;《古文尚書》説: 脾,木也,肺,火也,心,土也,肝,金也,腎,水也。及讀此篇,則又自爲一説,以味準行,則脾,木也,肺,水也,腎,金也,肝,火也,心,土也。按肝膽同居而膽汁味苦,則謂苦主肝者,優於今古二文説矣。"①

　　章氏之説甚辯,力圖將《水地》五味五藏納入一個有特色的五行系統。但章氏可能忽略了至遲從戰國後期以來,陰陽五行系統儘管無所不包,可以去框説一切,但不外乎木火土金水相生説與土木金火水相克説這兩種程式,二者可以朝反方向推衍互證,故鄒衍在齊主張五行相生説,在燕宣傳五行相勝説,今古文《尚書》的五藏配五行雖分配有差異,但都是依照五行相生的程式,而章氏將《水地》篇"酸、鹹、辛、苦、甘"五味和"脾、肺、腎、肝、心"五藏配以木、水、金、火、土,既不相生亦不相克,不成系統,只能再一次證明《水地》不存在陰陽五行系統。章氏在依據五行相生的程式作"以味準行"時,毫不考慮《水地》的五味、五藏爲何有不同順序,令人遺憾。

　　這裏我們要提起與《水地》上述内容近似的一個出土文獻,即馬王堆漢墓帛書《胎産書》。該書述胚胎的形成和發育,云"一月名曰流形","二月始膏","三月始脂","四月而水授之,乃始成血","五月而火授之,乃始成氣","六月而金授之,乃始成筋","七月而木授之,乃始成骨","八月而土授之,乃始成膚革","九月而石授之,乃始成毫毛","十月氣陳"而出生,呱呱墜地。

　　從四月到七月,以水、火、金、木、土、石與血、氣、筋、骨、膚革、毫毛六者的形成相配,其中如以水類血、木類骨、土敷爲膚革,喻象比類的意義頗清楚,九月之"石"則需説明,因爲中國古代醫學有以石爲糧的認識,如《神農本草經》上品中的滑石、五色石脂、禹餘糧,都有"久服輕身不饑長年"的效果,此文之"石"當爲喻代穀物糧食,稻穀之實皆有芒,故文中有"石(穀)"授而毫毛成的説法,《醫心方》卷二十二所載《産經》闡發《胎産書》古義,稱"九月穀入胃",也爲

---

　　① 　參看《禮記·月令·孟春》:"祭先脾。"孔穎達《正義》引許慎《五經異義》。

"石"喻代穀提供了旁證。明白了這一點, 就可以發現帛書《胎產書》的水、火、金、木、土、石(穀), 與《左傳·文公七年》却缺解釋《夏書》稱"水、火、金、木、土、穀, 謂之六府"①, 二者完全吻合。所以後來北齊徐之才論逐月養胎,《產經》、《諸病源候論》説解四至九月養胎, 以三焦經配水, 以脾經(土)配火, 以胃經配金, 以肺經(金)配木, 以大腸經配土, 以腎經(水)配石, 顯得非常矛盾, 就是因爲後人依據的今文陰陽五行系統, 與《胎產書》五行六府古義完全不符。分析《胎產書》還啓發我們, 假如《水地》有五行觀念, 那麼也一定與《洪範》、《左傳》一樣, 尚未具備五行相生或相勝的含義, 對五種基本物質的認識尚處於樸素的初始階段。

從呂不韋到董仲舒、班固, 陰陽五行系統完成了由雛形而完備, 最終凝結爲一整套固定程式的過程, 受到帝王的遵從, 成爲社會的統治思想。董仲舒以"五行莫貴於土", "木, 五行之始也; 水, 五行之終也; 土, 五行之中也"②。班固云"水位在北方。北方者陰氣, 在黄泉之下, 任養萬物。水之爲言準也, 陰化沾濡任生木", "火易, 君之象也; 水陰, 臣之義也"③。雖然如此, 西漢至三國, 我們仍然可以聽見《水地》篇古老命題的餘響:

曾與董仲舒在漢武帝面前辯論, "處事分明, 仲舒不能難"的韓嬰, 盛贊水"似有德者, 天地以生, 群物以成, 國家以平, 品物以正"。"此智者所以樂於水也"。語見《韓詩外傳》卷三第二十五章。

李尋向漢哀帝進言, 則强調"五行以水爲本, 其星玄武婺女, 天地所紀, 終始所生。水爲準平, 王道公正修明, 則百川理, 落脈通"④。仍以《水地》篇"聖人之化世也, 其解在水"立論。

三國時魏人管輅, 著名的方術家, 有"水上應五星, 下同五藏"之説, 猶存《水地》篇"人, 水也", 水流形而生五藏的餘義⑤。

---

① 楊伯峻先生指出, 六府即日常不可缺少六物。
② 《春秋繁露·五行對》、《五行之義》。
③ 《白虎通德論·五行》。
④ 《漢書·李尋傳》。
⑤ 據《五行大義》卷一轉引。

《水地》篇本身不存在陰陽五行系統的義蘊,然而它的古老思想在陰陽五行學說發展進程中產生過一定的影響,則是應當確認的。

《水地》學術探源

水爲"道之室,王者之器",聖人治世,"其樞在水",《水地》篇稱"管子則之","管子以之"。可是追溯《水地》的學術淵源,就發現齊國未必就是源頭所在。從《水地》學術的兩大特點——崇拜水、貴玉德分析,其發源地域的人們一是善水習水,慣於水上生活,以水爲都居,二是對玉的產地、種類、質地、品格,有深刻的把握和體驗,兩者缺一不可。

而齊雖屬被帶山海的大國,"自泰山屬之琅邪,北被于海,膏壤二千里","人民多文彩布帛魚鹽","其俗寬緩闊達,而足智,好議論,地重,難動搖,怯於衆鬥,勇於持刺,故多劫人者"①,不具備上述兩個條件。從《管子》書中可以看出,齊人患水。桓公問國準,管子對曰:"孟春且至,溝瀆阨而不遂,溪谷障上之水不安於藏,內毀室屋,壞墻垣,外傷田野,殘禾稼,故君謹守泉金之謝物,且爲之舉。"海水淹滯的土地,亦占齊地的五分之一。(《輕重丁》)故管仲以水爲五害之首,"五害之屬,水最爲大",人受水害傷困則輕法,不孝不臣,故國難治。(《度地》)在戰爭中,齊人恐懼水戰,故有管仲提出使齊人學游泳,"不避吳越"的傳說。(《輕重甲》)再者,齊國所用玉,非本地出產,而是"禺氏之玉"(《揆度》),舊注說"禺氏,西北戎名,玉之所出",據王國維考證,禺氏即原在中國之北,後西徙大夏的月氏②。《水地》稱"水集於玉而九德出焉",而齊人有玉勝水的觀念,"玉者陰之陰也,故勝水,其化如神"。(《侈靡》)可見,《水地》學術源頭不在齊,當轉移研究的角度尋求,至於文中稱"管子則之",殆爲

① 參看《史記·齊太公世家》、《貨殖列傳》。

② 《觀堂別集補遺·月氏未西徙大夏時故地考》。

稷下學者傳承整理時所增。

　　研究者認爲,泰勒斯提出萬物的本原是水,同米利都人的海上活動很有關係,同時也從神話世界觀裏吸取了思想成份,正如亞里斯多德所指出的那樣,那些遠古的最初對神聖事物進行過思考的人,就把海神夫婦當作創造萬物的祖先,而神靈們對着起誓的見證也是水,而人們對着起誓的東西是最古老最受尊崇的東西[①]。

　　而在中國古代的方國和民族中,最善於在江湖水網和海上生活、征戰的,首推吳、越。中國上古神話中的水神,也居住在後來的吳越之地。加之一種優秀的玉器文化,在這塊土地上有相當悠久的歷史。可見,吳越具備了《水地》學術發源地的一切條件。下文就此三方面考述:

　　a.吳居蘇南,越處浙北,並在長江三角洲;古來就是河道縱橫、湖澤衆多的水鄉澤國。故范蠡謂勾踐曰:"與我爭三江五湖之利者非吳耶! "伍子胥亦謂夫差曰: "吳之與越,仇讐敵戰之國也。三江環之,民無所移,有吳則無越,有越則無吳矣。……員聞之,陸人居陸,水人居水,夫上黨之國,我攻而勝之,吾不能居其地,不能乘其車; 夫越國,吾攻而勝之,吾能乘其舟。"范、伍之言,清楚地說明了吳越地理形勢。

　　吳、越其人多習於舟楫,兩國軍隊亦多舟師。《越絕書·外傳記地傳》載勾踐曰:"越性脆而愚,水行而山處;以船爲車,以楫爲馬; 往若飄風,去則難從。鋭兵任死,越之常性也。"《水經·河水注》引《竹書紀年》:"魏襄王七年(公元 312 年),四月越王使公師隅來獻乘舟,始罔及舟三百,箭五百萬。"《左傳·哀公十年》載,"齊人弑悼公",夫差命"徐承帥舟師將自海入齊"討伐。由吳循海道入齊,海行數千里,吳舟師之强,可以想見。吳、晉相争於黄池時,越王海江兩路并舉以攻吳,其舟師或較吳更具規模。滅吳後,范蠡"自與其私徒乘舟浮海以行",至齊國。表明不僅吳越官府能浮海

---

　　① 　引自楊適《哲學的童年》第 82、83 頁,中國社會科學出版社,1987 年。

征戰,大夫之家亦能作浮海出齊的遠航。(以上說詳蒙文通先生
《吳、越之舟師與水戰》)這也是吳越文化北傳的重要途徑和歷史背
景。

　　b.天吳是中國上古神話中的水神。《山海經·海外東經》載:
"朝陽之谷,神曰天吳,是爲水伯。在䖺䖵北兩水間。其爲獸也,八
首人面,八足八尾,皆青黃。"而朝陽之北是青丘國,"其狐四足九
尾"。案: 朝陽之谷雖不可確指,但其比鄰的青丘國,史籍有載。
《逸周書·王會》:"青丘狐九尾,周頭輝觝。"孔晁注云:"青丘,海東
地名。周頭,亦海東夷。"王褒《四子講德論》:"昔文王應九尾狐而
東國歸周。"青丘及朝陽,與黑齒、雕題皆爲周之東土,即海東之國。
春秋初,海東之國朝服於徐,吳、越勃興後,先後歸屬吳、越。天吳
也可以視爲吳越區域古老的海神,吳越的水崇拜和海洋崇拜,殆肇
源於此。

　　c.吳越區域的先民,創造了良渚文化,其年代約爲距今4000
年左右,大致和中原地區龍山文化相當。在浙江的良渚、雙橋和江
蘇的草鞋山、寺墩、張陵山等地的良渚文化遺址中,曾出土了大量
磨製細膩、雕刻精細、花紋圖案精美、種類繁多的玉器,如璧、瑗、
琮、璜、玦、珠、管、墜、鐲、蟬等。玉琮上雕刻着似獸面的圖案,十分
莊嚴。有些玉器製作之精細和花紋之美觀,已達到製玉工藝的空
前水平①,令現代研究者驚嘆。李學勤先生指出,餘杭反山出土的
一件白色琮形器,側視如琮,俯視如璧,正像天圓地方,似乎有關的
觀念和禮制當時已經有了②。如果就"玉有九德"觀念追本溯源,
與其向北方的禹氏之玉中尋找,不如回溯良渚文化玉器。

　　總上所述,我們認爲《水地》的古老命題"水爲萬物本原"及其
相應觀念,其學術淵源在南方的吳越文化。由于"三代以來大一
統"觀念的束縛,研究中國古代文化學術的傳統方法往往強調中原

① 引自安金槐主編《中國考古》第143頁,上海古籍出版社,1992年。
② 李學勤《文物研究與歷史研究》,《中國文物報》1988年第10期。

對四方周邊的影響和文化傳播,而不注意周邊"四裔"文化學術與中土諸國的對流,似不利於研究工作的拓展和深入。有感於此,試作新探。

本文《水地》學術源出吳越之説,還有一點意見,録供探討。郭沫若先生説,《水地》文末分析齊、楚、越、秦、晉、燕、宋等地之水而及於民性。對齊、越、秦、晉、燕等地之水均有微辭,而獨讚楚水楚民兼及宋水宋民,戰國文獻對于宋人每加鄙視,此篇贊楚而美宋,不能無故,"余以爲此乃西楚霸王都彭城時作品。項羽乃下相人,下相與彭城均古宋地,而楚則項羽之故國而有天下之號也"①。謹案:　文末所列七國之水,除燕以外,皆一度爲春秋時爭霸之國,所缺者惟吳國,故疑此段文字成於春秋戰國之交,越滅吳之後,三家分晉之前。而吳、越曾先後領屬淮泗之間的楚、宋之地。《史記・越世家》載勾踐北上會盟後,即"以淮上地與楚,歸吳所侵宋地於宋,與魯泗東方百里。"《越絶書・外傳本事》云:"勾踐之時,天子微弱,諸侯皆叛。於是勾踐抑强扶弱,絶惡反之於善,取捨以道,沛歸於宋,浮陵以付楚,臨沂、開陽復之於魯,中國侵伐,因斯衰止。"②《水地》讚楚、宋之水,多少從側面襯托和表彰了勾踐歸還吳所侵楚宋之地的正義之舉。至於郭以讚民性爲尺度考證作者,似不可從,前文 a 段引勾踐語即自認越民之性劣,讚宋民則因其俗有堯、舜、湯先王遺風,郭校改楚民之性"輕果而賊"爲"輕果而敢",亦與《史記・貨殖列傳》載西楚"其俗剽輕,易發怒"不合。我們推測,《水地》篇祖本的作者,當爲戰國初年由南而入齊的越人。

越族作爲號稱"龍子"的水上民族,他們世代傳述的歷史,有一個"以玉爲兵"的時代,玉作爲水德精粹的體現,被置於耀眼的歷史高峰上。《越絶書・外傳記寶劍》云:

> 神農赫胥之時,以石爲兵,斷樹木爲宮室,死而龍臧,夫神聖主

---

①　《郭沫若全集》歷史編第 6 卷,474 頁,人民出版社,1984 年。

②　參看蒙文通《越史叢考》,第 138 頁,人民出版社,1983 年。

使然。至黃帝之時,以玉爲兵,以伐樹木爲宮室、鑿地。夫玉亦神物也,又遇聖主使然,死而龍臧。禹穴之時,以銅爲兵,以鑿伊闕,通龍門,決江導河,注於東海……。

"以玉爲兵"劃分了一個歷史時代,爲他書所無。而研究良渚文化玉器[1],剖析《水地》學術,有助於對越人古史傳說中玉兵時代的理解。

在吳越故土,《水地》的古老命題也沒有失傳,西晉初年的會稽學者楊泉,作《物理論》曰:

> 所以立天地者,水也。夫水,地之本也。吐元氣,發日月,經星辰,皆由水而興。(引自《太平御覽》卷第五十九)

"水是本原",保持了如此悠久的思想魅力,在楊泉的《五湖賦》也有體現。

吳越作爲《水地》學術思想的發源地,可以説是當之無愧的。

作者簡介　魏啓鵬,1944 年生,四川巴縣人。四川大學歷史系副教授,主要著作有《太平經與東漢醫學》、《黃帝四經思想探原》、《馬王堆漢墓帛書〈德行〉校釋》、《馬王堆漢墓醫書校釋》等。

---

[1]　已有專家指出,良渚文化玉器的原料,皆產於吳越本地。西周時,越玉亦致貢於周,《尚書・顧命》載周成王喪禮,西序"越玉五重",馬融注云:"越地所獻之玉也。"

《呂氏春秋》道家説之論證

牟鍾鑒

内容提要 《呂氏春秋》一書的學派歸屬問題, 歷來衆説紛紜。本文從三個方面: 一、《呂氏春秋》崇尚黄老學説; 二、以道爲本體的宇宙論、以貴因爲旨的行爲論、以重生理護養爲主旨的養生論, 構成了《呂氏春秋》一書的基本内容; 三、《呂氏春秋》中道家作品所占比重最大, 全面論述了《呂氏春秋》當屬道家學派。並對學界流行的關于《呂氏春秋》的雜家説、儒家説、墨家説、陰陽家説等觀點分别進行了具體否定。

秦相吕不韋主編的《呂氏春秋》, 作爲中國思想史上第一部有計劃的集體著作和先秦時期最後一部系統的理論著作, 其史料價值是舉世公認的。它以質樸的文字保存了先秦諸子的豐富思想資料, 它後來没有佚失, 亦没人僞托, 以其本來的面貌對中國學術的發展産生影響。但是有兩種情況妨礙人們對它作出公允準確的評價。第一種情況是它的作者衆多, 學派傾向各異, 使得該書諸家並存, 多姿多彩, 總體的學派歸屬不易劃定。這就向研究者提出兩個問題: 首先, 這部書是以拼盤的方式將各家思想雜凑起來的呢? 還是在多樣性中有主導傾向存在呢? 其次, 假如本書確有主旨存在, 那麼它主要傾向于哪一家? 許多分歧意見由此而生。第二種情況是它是秦朝的作品, 而秦朝作爲一代暴政的典型在漢代及以後的多數學者心目中已有定評。城門失火, 殃及池魚, 人們無暇細考吕不韋與秦王政之間在政見上有多麼不同,對他們都無好感,加以吕不韋出身商賈,以計謀而取秦國,似乎來路不正,便取輕蔑的態度,即使暗中吸收其書的思想營養(如《禮記·月令》取之《吕氏春秋》十二紀已有公論),也決不播揚它的名聲。這樣一來,《吕氏春秋》便長期遭受冷落,本來就不够清晰的思想面貌就更加模糊難辨了。漢唐宋明間的目錄學家將該書列入雜家類,"雜家"帶有貶義,即没有中心思想。有清以來,諸子考據學興起,一些學者試圖給《吕氏春秋》摘掉雜家的帽子,歸屬到某一學派,却歧見紛出,莫衷一是。《四庫提要》認爲它"大抵以儒爲主,而參以道家、墨家";學者盧文弨則認爲"《吕氏春秋》一書,大約宗墨氏之學,而緣飾以儒術"(《書吕氏春秋後》);近人郭沫若認爲,"在大體上它是折衷着道家與儒家的宇宙觀和人生觀,尊重理性,而對于墨家的宗教思想是摒棄的"(《十批判書》);張岱年認爲"《吕氏春秋》是'雜而不雜',是一個綜合學派"(《中國哲學史史料學》);陳奇猷認爲"吕不韋之指導思想爲陰陽家,其書之重點亦是陰陽家説"(《吕氏春秋校釋·附録》);王範之認爲吕不韋"輯合百家九流之説,在原則上是兼收並蓄,以道家爲主,以儒家爲輔的"(《吕氏春秋研究》)。歸納起來,有儒家説,墨家説,折衷儒道説,綜合説,陰陽家説,道家説,竟然有六種之多,可見事情混亂到何等程度。我以爲造成如此狀態,並不是《吕氏春秋》本身太複雜,太難辨,而是研究者對先秦和秦漢的學術派別史研究不够,是在觀念和方法上存在問題,才把本來不够複雜的問題複雜化了,所以要結合歷史加以澄清。嘗試爲之。

先秦秦漢無雜家

先秦諸子有"百家"之稱,以示其多,實際可觀者不出十家。《莊子·天下》、《荀子·非十二子》、《淮南子·要略》對先秦學術派別各有自己的歸類評判,互有出入。相比之下,司馬談《論六家要旨》標出六家，最爲精當，後世重之，誠有以也。六家之中並無雜家。西漢以前無雜家之説。我認爲歷史上從來没有存在過雜家學派，"雜家"純屬虛構。百家爭鳴，互有短長，要之應有特色，方能成一家之言；雜家無主，何以稱家？故雜家非家。

　　"雜家"之説，肇始于《漢書·藝文志》，後世因之，習焉不察，遂使陋説成定論。《漢志》在司馬談論六家基礎上增加四家，即：縱横、雜、農、小説，于是成十家之説，它有豐富六家説的作用，但"雜家"的設立有其不當處，其觀察力和概括力是不如司馬談的。從"雜家"類所列書目看，有些本應歸爲别家，如《伍子胥》、《子晚子》、《尉繚子》、《吳子》均可列爲兵家，《尸子》可列爲法家，《博士臣賢對》可列爲儒家，《吕氏春秋》、《淮南子》内外篇均應列爲道家（説詳後），其餘不敢妄言。《漢志》把這些彼此差異甚大的書統歸爲一類是没有道理的，似乎不便于歸屬其預設的九類之中的書均可列爲雜家，這只能是一種權宜的做法，不是嚴格的學術分類，作者不如實説明，却硬要歸納出一個"雜家"學派的特點來，而這個所謂的特點與其下許多書目並不對應，不能不給人以"主觀設定"的感覺。《漢志》作者的"道家"觀念較之司馬談要狹窄得多，它認爲道家主要指老莊之學和冠以黄帝之言的學説，其特點是清虚自守；凡超出早期道家隱逸性格，能够積極入世並容納諸家之學的新道家，統視爲"雜家"，故將《吕氏春秋》和《淮南子》劃歸"雜家"。他不懂得道家發展到秦漢之際，已經出現了一個强大的具有綜合傾向、主張治世的新派别，即黄老學派，漢初的黄老之術就是這樣的道家。司馬談却看到了道家的變化和擴展，他所説的道家並不只是老莊之學，而且包括不失老莊本旨又能博採廣容的秦漢道家，所以《論六家要旨》指出，道家之術乃是"因陰陽之大順，採儒墨之善，撮名法之要"，又説："其術以虚無爲本，以因循爲用，無成勢，無常形，故能究萬物之情。"司馬談認識到，道家正是由于能够以虚無爲本、以因循爲用，故能廣大包容，也就是説道家内在的具有發展成綜合家的趨勢，在所有諸子百家中，道家最没有門户界限。一些學者認爲的秦漢綜合學派,其實正是道家學派的發展主流,離開道家的綜合學派是没有的。《漢志》是這樣解説"雜家"的:"雜家者流,蓋出于議官,兼儒、墨,合名、法,知國體之有此,見王治之無不貫,此其所長也。及蕩者爲之,則漫羡而無所歸心。"諸子出于王官説暫且不議,僅就雜家出于議官説而言,則查無所據。吕不韋、劉安及其門客皆非議官。而"兼儒、墨,合名、法"不正是司馬談所揭道家的特色嗎?司馬談懂得道家以無爲體、以有爲用,故能動態地全面地理解道家;《漢志》則分離體用,割裂道家,一歸之道,一歸之雜,實不足取。《吕氏春秋》和《淮南子》是不是"漫羡無所歸心"呢? 也就是説,它們是不是既能包容又不失老莊本旨呢? 下面將有細論。

自《漢志》開"雜家"一説,後之史志,紛起盲目效法,遂造成目録學分類上的長期混亂。例如《隋志》在雜家類中,除將《吕》、《淮》列入外,還列入《論衡》(其天道觀是道家)、《昌言》(應屬儒家)、《傅子》(應屬儒家)、《抱朴子外篇》(應屬道家)等,皆明顯歸類不當;説王充、仲長統、傅玄、葛洪是雜家,實難令人信服。《隋志》雖沿襲《漢志》立雜家類,却又説雜家"出于史官",與《漢志》"議官"説矛盾,這都因觀念混亂而隨意立論,不值得特別重視。新舊《唐書》以後,子部雜家類書目有增無減,有些本應歸爲別類,不知何故判爲雜家,有些根本不成子家,只是雜著而已。《明史・藝文志》更是粗率,取消名、法諸家,把不易歸類者統統劃歸雜家,使雜家類成爲歷代書典之"無家可歸者"的收容站,因此也愈加暴露了在子部立雜家的不合理。

總之,先秦秦漢無雜家,隋唐以下有雜著而無雜家。書的内容雜而多端有時是需要的,甚至是故意而爲之,只是不必任意將之提升爲"家","家"是要有内在理論體系的。即如諸史志所列雜家類書目舉例而言,《皇覽》、《類苑》、《書鈔》等,可稱類書,不能歸爲子部;《雜記》、《雜説》、《雜略》等是隨筆、雜著,更不能歸爲子部;《風俗通》、《靈感志》等是民俗類書典,亦不宜升爲子部。

《吕氏春秋》崇尚黄老

　　在我們着手研究《吕氏春秋》學派特徵的時候,最好聽聽最早研究該書的學者的意見。在中國思想史上最先系統整理該書並爲之作序的人是東漢學者高誘。他在序中説:"此書所尚,以道德爲標的,以無爲爲綱紀,以忠義爲品式,以公方爲檢格。"大家知道,當時的"道德"概念是指老子《道德經》之道德,並非後來儒家"仁義道德"之道德,故前兩句均指道家,"忠義"句指儒家,"公方"句指法家。高誘指明,《吕氏春秋》以老子道家學説爲最高目標和全書綱領,同時在人倫上吸收儒家忠義以爲法式,在政治上吸收法家公方以爲準則。高誘距《吕氏春秋》的時代較近,他的觀察比較真切,而他又同時研究《淮南子》(在史志書目中它與《吕》書總是並列在一起),認爲《淮》書"旨近老子",而兩書又有内在聯繫。高誘的見解,理應受到充分的尊重。

　　讓我們首先考察一下《吕氏春秋》的序言,序言代表主編吕不韋的思想,對全書的編寫起指導作用,因而它對全書的學派屬性具有決定意義。該書留下的序言即是《序意》一篇,看來有殘缺,幸好它記載了門客爲寫十二紀向文信侯吕不韋請示和吕不韋的指示。吕不韋説:

　　　　嘗得學黄帝之所以誨顓頊矣,爰有大圜在上,大矩在下,汝能法之,爲民父母。蓋聞古之清世,是法天地。凡十二紀者,所以紀治亂存亡也,所以知壽夭吉凶也。上揆之天,下驗之地,中審之人,若此則是非可不可無所遁矣。天曰順,順維生;地曰固,固維寧;人曰信,信維聽。三者咸當,無爲而行。行也者,行其數[①]也。行其[②]數,循其理,平其私。夫私視使目盲,私聽使耳聾,私慮使心狂。三者皆私設精則智無由公。智不公則福日衰,災日隆,以日倪而西望知之。

---

① 原文爲"行其理也",據陶鴻慶改。
② 原文無"其"字,據劉咸炘補。

這是全書直接表述吕不韋思想唯一的一段話,也是全書的大綱大
法,其基本格調不是儒家的,因爲没有祖述堯舜、憲章文武、宗師周
孔、褒揚五經、倡導仁義一類的語言; 也不是陰陽家的,因爲没有
天人感應、五德終始一類的思想; 更不是墨家的,因爲没有兼愛、
非攻、節用的突出論點; 而是道家的,特別是黄老道家的,因爲它
崇尚黄帝,旨取老子,有一種道家的精神。《序意》的要義是"法天
地",即"上揆之天,下驗之地,中審之人",合于老子"人法地,地法
天,天法道,道法自然"的原則。這裏雖然講天地人,似乎同于儒家
"三才"的思想,但人應對待天地取因循的態度,即順其自然,故曰
"無爲而行",是道家的理論風格; 而儒家講三才,强調人要"成己
成物"、"贊天地之化育"、"與天地參",主動參予客觀過程,這才是
儒家。吕不韋講爲公去私,其方式也是道家的不是儒家的。儒家
論公强調君臣大義和克己復禮,道家則能突破宗法倫理的範圍,從
最一般的意義上講有容乃大、至公能久。《序意》要人們"平其私",
它用老子的口氣批判"私視使目盲,私聽使耳聾,私慮使心狂"。可
以看出,《序意》所載吕不韋的言論,從頭到尾都浸潤着道家的理
念,主要是道家的無爲論和貴公論,也正是這種道家的理念指導了
《吕氏春秋》的編寫,並影響了大部分篇章的思想。

　　《吕氏春秋》不僅崇尚黄帝,而且褒揚老子,正合于黄老之學的
特徵。書中凡是提到老子同時又提到孔墨和諸子的地方,總是將
老子置于最高位置,以示老學爲諸子之先。例如《不二》叙述先秦
十家,其順序是:"老聃貴柔,孔子貴仁,墨翟貴兼①,關尹貴清,子
列子貴虛,……",老子處于首位。關尹早于墨子而居墨子之後,可
知十家的順序不是時間先後,而是高低有等。《貴公》記述荆人遺
弓的故事,説:"荆人有遺弓者而不肯索,曰:'荆人遺之,荆人得之,
又何索焉?'孔子聞之曰:'去其荆而可矣。'老聃聞之曰:'去其人而
可矣。'故老聃則至公矣。"荆人的心胸至于荆,孔子的心胸至

---

① 原文爲"墨翟貴廉","廉"應爲"兼",形近而誤。

于全人類,老子的心胸能包容宇宙,故曰至公。這不僅説明老子在作者心目中的地位高于孔子,而且也印證了《序意》中貴公論是道家的。《有度》批評了儒墨二家:

> 孔墨之弟子徒屬,充滿天下,皆以仁義之術教導于天下,然而無所行,教者術猶不能行,又況乎所教。是何也? 仁義之術外也。夫以外勝内,匹夫徒步不能行,又況乎人主。唯通乎性命之情,而仁義之術自行矣。

作者以孔墨之學爲外,以老莊之學爲内,何以知之? 所謂"通乎性命之情",即是老子説的輔萬物之自然而不敢爲,莊子説的不失萬物性命之情,因其固然而然之。作者並不反對仁義之術,但認爲它要依賴于萬物自然本性的順暢才能實行,而後者正是道家的主張。這種態度與漢代道家"先黄老而後六經"的觀念是一致的。

《吕氏春秋》立于道家

《吕氏春秋》博採諸家,而其哲學基礎只有一個,即是道家。這可以從其宇宙論、行爲論和養生論三方面考察。

在宇宙論上,"道",又稱"太一"或"一",是宇宙的本源和本體。《大樂》説:"道也者,至精也,不可爲形,不可爲名,强爲之(名),謂之'太一'",又説:"萬物所出,造于太一,化于陰陽。"這個説法顯然從老子"道生一,一生二,二生三,三生萬物"衍化而來。"太一"形容至道原始混沌,不可形容,然後分爲陰陽,化生萬物。這是典型的道家宇宙生成論公式,後來《淮南子》又把它發展了。《圜道》説:"一也者至貴,莫知其原,莫知其端,莫知其始,莫知其終,而萬物以爲宗。聖王法之,以令其性,以定其正,以出號令。"這個"萬物以爲宗"的"一"就是道。《論人》説:"凡彼萬物,得一後成。故知一,則應物變化,闊大淵深,不可測也; 德行昭美,比于日月,不可息也; 豪士時之,遠方來賓,不可塞也; 意氣宣通,無所束縛,不可收也。"這是從本體論上説"道",上承老子"萬物得一以生"的觀點而有所發揮。道是事物存在的根據,是事物健康發育的正途; 得道者應物變化,無事不成,無物不通。道無形中從宇宙本體又成爲價值本源,我們可以稱它爲宇宙真理。宇宙真理具體表現爲天道、地道、人道,如"天道圜,地道方"(《圜道》),"主道約,君守近"(《論人》)。治國、養生都有道在其中發揮作用,順之者生,逆之者亡,道是須臾不可離的。

在行爲論上,《呂氏春秋》主貴因論。貴因從老子無爲論發展而來,其要義是尊重和順應事物的本性和客觀趨勢而爲之,不贊成胡作妄爲和過分的人力干預。書中有《貴因》一篇,系統闡述"因"的内涵,賦予"因"以深刻的哲學意義,並把貴因的思想廣泛運用到天人關係的各個領域。《貴因》説:

> 三代所寶莫如因,因則無敵。禹通三江五湖,決伊闕,溝回陸,注之東海,因水之力也。舜一徙成邑,再徙成都,三徙成國,而堯授之禪位,因人之心也。湯武以千乘制夏商,因民之欲也。如秦者立而至,有車也,適越者坐而至,有舟也; 秦越遠塗也,竫立安坐而至者,因其械也。

> 夫審天者,察列星而知四時,因也。推曆者,視月行而知晦朔,因也。禹之裸國,裸入衣出,因也。墨子見荆王,錦衣吹笙,因也。孔子道彌子瑕見厘夫人,因也。湯武遭亂世,臨苦民,揚其義,成其功,因也。故因則功,專則拙,因者無敵。

《貴因》把"因"作爲一個重要哲學概念提出來,把它的多重内涵逐步加以揭示。"因"的含義主要有: 一、順應地勢,改造山河,爲人造福,如大禹治水,有路乘車,有水行舟; 二、掌握天道,以明曆法,如察列星而知四時,視月行而知晦朔; 三、順乎民心而建功立業,如堯舜禪讓,湯武革命; 四、隨順異域風俗習慣,如禹之裸國,墨子見荆王; 五、因事制宜,方便行事,如孔子見厘夫人。這五個方面的共同點是強調人的行爲要順應客觀情勢,在這個前提下,參予改造自然、變革社會的活動; 有老莊的精神,又比老莊更積極,這正是黄老一派道家的特色。《貴因》提出"因者無敵"的口號,恰與孟子"仁者無敵"的口號相對待相補充,反映出道家和儒家的不同性格,可以成爲兩家各自的學派標幟。

貴因的思想在《貴因》篇以外也處處見得到,它似乎成爲全書論社會行爲的一般準則。如貴因是君王之道,《任數》說:"因者君術也,爲者臣道也",《知度》說:"有道之主,因而不爲,責而不詔,去想去意,静虚以待;不代之言,不奪之事,督名審實,官使自司";貴因又是游說之道,《順說》說:"善說者若巧土,因人之力以自爲力,因其來而與來,因其往而與往";貴因還是用兵之道,《決勝》說:"凡兵貴其因也:因也者,因敵之險,以爲己固;因敵之謀,以爲己事。能審因而加,勝則不可窮矣。"總之,各種重大社會行爲皆需貴因,使行爲多一些客觀性和可行性,少一些主觀性和盲目性,這樣做,事業才能够成功。

在養生論上,儒家偏重德性修養而道家兼重生理護養,《吕氏春秋》近于後者。書中有許多篇幅講去病健身、衛生長壽之道,有關論文可成系列,而多受老子的影響。其養生論要點如下:第一,重生輕物。個體生命至貴,"論其貴賤,爵爲天子,不足以比焉;論其輕重,富有天下,不可以易之;論其安危,一曙失之,終身不復得"(《重己》),"帝王之功,聖人之餘事也;非所以完身養生之道也"(《貴生》),這正是老子"名與身孰親?身與貨孰多?得與亡孰病?"(44章)的發揮。第二,嗇精。人要"嗇其大寶"(《先己》),"知早嗇則精不竭","尊酌者衆則速盡"(《情欲》)。老子提出"治人事天莫若嗇"(59章)的原則,"嗇"就是愛惜精力,不僅不浪費,還要積精累氣,使生命深根固柢,達到長生久視。《吕氏春秋》就是繼承了道家收斂、聚積的養生之道。第三,節欲全性。《本性》認爲一些人物欲膨脹太過,從而損害身體健康,這是顛倒了主次關係,故云:"物也者,所以養性也,非所以性養也。"《本性》發揮老子少私寡欲和生生之厚足以害生的思想,指出:"出則以車,入則以輦,務以自佚,命之曰招蹷之機;肥肉厚酒,務以自强,命之曰爛腸之食;靡曼皓齒,鄭衛之音,務以自樂,命之曰伐性之斧。"這些都是警世良

言,而世人多不識之。第四,去甚去泰。飲食、情緒、環境都要調節
適當,不可太偏。飲食要定時定量:"食能以時,身必無災;凡食之
道,無飢無飽,是之謂五臟之葆"(《盡數》),還要去烈性厚味,不吃
"大甘、大酸、大苦、大辛、大鹹"(《盡數》)。精神上要祥和平静,避
免"大喜、大怒、大憂、大恐、大哀"(《盡數》)。居住環境要氣候適
宜,防止"大寒、大熱、大燥、大濕、大風、大霖、大霧"(《盡數》)。上
述這些生理衛生理論和知識,大都是道家文化系統積累的成果。

《吕氏春秋》以道家作品比重最大

現存《吕氏春秋》160篇,彼此間在學派傾向上是有差異的。
若將它們按學派特徵分類,大致可分成九家,即:道、儒、墨、法、陰
陽、名、兵、縱横、農。這裏要説明三點:一是分類是相對的粗略
的,因爲各家互相吸收,你中有我,我中有你,都不夠純粹,只能"大
致"劃分;二是道家至戰國末年已形成若干支派,如老學、莊學、關
尹、楊朱、子華子、田駢、列子、宋尹、詹何、黄老等,宋鈃、尹文"以禁
攻寢兵爲外,以情欲寡淺爲内"(《莊子·天下》),當屬道家,凡此種
種,在統計時均不細分,而統稱道家。墨離爲三,儒分爲八,亦只分
儒與墨。三是有些篇章内容上數家並重,難分軒輊,則實事求是地
指出某篇乃某家與某家合,或者稍偏重于某家。
　按我的考察和歸類,道家爲主共有43篇,它們是:《本生》、《重
己》、《貴公》、《去私》、《貴生》、《情欲》、《盡數》、《論人》、《圜道》、《用
衆》、《大樂》、《異寶》、《序意》、《去尤》、《本味》、《必己》、《順説》、《貴
因》、《觀世》、《樂成》、《察微》、《君守》、《任數》、《勿躬》、《知度》、《不
二》、《執一》、《重言》、《精諭》、《離俗覽》、《用民》、《長利》、《知分》、
《達鬱》、《察賢》、《審爲》、《自知》、《博志》、《貴當》、《似順論》、《別
類》、《有度》、《分職》。道家成分很重,但别家成分亦不夠的共38
篇。其中道儒合者有22篇:《古樂》、《制樂》、《當務》、《介立》、《誠
廉》、《謹聽》、《諭大》、《慎人》、《遇合》、《慎大覽》、《知接》、《去宥》、

《愼應覽》、《舉難》、《行論》、《驕恣》、《期賢》、《求人》、《原亂》、《愼
小》、《士容論》、《務大》；道法合者有9篇:《先己》、《首時》、《義
賞》、《長攻》、《察今》、《審分覽》、《爲欲》、《察傳》、《知化》；道兵合
者6篇:《決勝》、《順民》、《精通》、《上德》、《適威》、《過理》；道陰陽
合者1篇:《當賞》。以儒家爲主共26篇:《功名》、《勸學》、《尊
師》、《誣徒》、《侈樂》、《適音》、《音律》、《音初》、《異用》、《不侵》、《務
本》、《孝行覽》、《先識覽》、《悔過》、《正名》、《具備》、《高義》、《貴
信》、《恃君覽》、《觀表》、《愼行論》、《無義》、《貴直論》、《直諫》、《雍
塞》、《處方》。以陰陽家爲主有18篇:《孟春紀》、《仲春紀》、《季春
紀》、《孟夏紀》、《仲夏紀》、《季夏紀》、《孟秋紀》、《仲秋紀》、《季秋
紀》、《孟冬紀》、《仲冬紀》、《季冬紀》、《明理》、《至忠》、《有始覽》、
《應同》、《召類》、《開春論》。墨家爲主有3篇:《當染》、《節喪》、
《安死》。兵家爲主有11篇:《蕩兵》、《振亂》、《禁塞》、《懷寵》、《論
威》、《簡選》、《愛士》、《知士》、《審己》、《不廣》、《貴卒》。名家爲主
有5篇:《聽言》、《淫辭》、《不屈》、《應言》、《愛類》。農家爲主有4
篇:《上農》、《任地》、《辯土》、《審時》。縱橫家爲主兩篇:《不苟
論》、《贊能》。

　　從以上統計和分類可以看出,道家思想不僅是《呂氏春秋》的
指導思想,而且在論文的數量上也占有明顯的優勢。其他各家的
數量都無法與道家相比,而且它們基本上也不與道家發生對立,可
以並行,可以相通,甚至可以成爲黃老道家的組成部分。

《呂氏春秋》墨、儒、陰陽説辨正

　　墨家説除了清人盧文弨主張外,罕有人附合,因爲全書中有墨
子學派顯著特徵的論文確實不多。當然,墨家精神在書中是有一
定影響的。墨家宗旨是兼愛、非攻、上義、節用、非樂,又注重尚賢
和察辯,與儒家較爲接近。《呂氏春秋》許多地方講仁愛利民,有專
章講節葬,講上義與尚賢處也所在多有,而《正名》、《離謂》、《淫

辭》、《應言》數篇,多取後期墨家察辯之學,善于類比推理。不過墨
學上述思想已被融化到各家之中了,起不到基礎或綱領的作用。
況墨家是團體精神極强的學派,與《呂氏春秋》廣採博收的精神甚
爲不合。而且《呂氏春秋》批評非樂、非攻,正面推出系統的音樂理
論和軍事理論。所以墨家説很難成立。

　　《四庫提要》的儒家説有一定道理但不充足。《呂氏春秋》多次
用尊敬的口吻提到孔子,肯定儒家明君臣父子夫婦之分的思想。
《孝行覽》推崇孝道,認爲孝爲"萬事之紀"。又主張"行德愛人"
(《愛士》),以音樂配合教化。在教育上,提倡疾學尊師。可以説全
書的政治論、道德論、教育論三者,儒學的成分居多或頗重。但是
儒學仍然不是貫徹全書始末的基本指導思想,它沒有給全書提供
一個哲學基礎,而儒家的宗法倫理和仁禮體系未能成爲全書的主
幹,反而常常被籠罩在道家的光環之下,多少發生了一些變異。
《孝行覽》論孝,孤懸覽首,而其覽下屬七篇論文均與孝行無直接關
聯。全書極少談論天命和禮儀問題,人文主義色彩淡而自然主義
色彩較濃。《正名》與《審分覽》的"正名"概念,主要内涵並非孔子
講的"君君、臣臣、父父、子子",而是循名責實的人君南面之術。治
國論的爲君之道,講君無爲而臣有爲,吸收儒家却旨近黃老。其人
性論强調人生而有欲有情,不可改變,只能順應和利用,這不同于
儒家,亦不同于老莊,但從其主張順性而導之這一點看,更符合道
家自然主義的精神。由于上述情況,不宜將《呂氏春秋》歸爲儒家,
最多只能説它綜合儒道而偏重于道。

　　陳奇猷先生是《呂氏春秋》陰陽家説的力主者,他在《呂氏春秋
校釋·附錄》中刊載他的《呂氏春秋成書的年代與書名的確立》文
章及《補論》,系統論證了陰陽説。其主要理由是:第一,"在位置
上,陰陽説安排在首位",如十二紀每紀的首篇就是陰陽家説,八覽
的首覽首篇《有始》,六論的首論首篇《開春》,也是陰陽家説;第
二,"數量上則陰陽説占有最多的篇章",比任何一家的都多得多;
第三,《序意》中"呂不韋答良人之問","也是陰陽家説";第四,十

二紀各篇，"大抵春令言生，夏令言長，秋令言殺，冬令言死，蓋配合春生夏長秋收冬藏之義，正是司馬談所指陰陽家重四時大順、天道大經之旨"。我認爲這樣的論證是有問題的。

首先要問：何謂陰陽家？是否如陳先生所説，凡是"重四時大順、天道大經之旨"的，都是陰陽家呢？我認爲這是道家和陰陽家共有的理論傾向，不是陰陽家獨有的特徵。這裏似乎應該把陰陽思想和陰陽家學派加以區别。陰陽思想産生很早，影響廣泛，並不單獨屬于某家。老子有"萬物負陰而抱陽"之説。《國語》載伯陽文用陰陽觀點論地震。《易經》含有陰陽對立的思想，至《易傳》形成系統的陰陽哲學。這些都不算是陰陽家。先秦的陰陽家學派確切指戰國後期形成于齊國的鄒衍學派。鄒衍的著作今已不存，據《史記》的《孟荀列傳》、《封禪書》和李善的《文選·魏都賦注》，鄒衍學派的思想要點是：一、"深觀陰陽消息"，即用陰陽消長説明四時的更替，也就是重四時大順，這是它與道家的共同處；二、"禨祥度制"，即天人感應説，道家不言此；三、"五德轉移"，或稱"終始五德"，以五行相生相勝解釋朝代的更替，道家亦不言此。第二、三條是陰陽家學派所特有的。司馬談《論六家要旨》指出陰陽家"序四時之大順，不可失也"即是上述第一條，他又説道家"因陰陽之大順"，可見這一條是兩家所共有。按照這個標準去衡量《吕氏春秋》，十二紀紀首不僅講陰陽消長、四季變化，而且講天人感應，屬于陰陽家無疑。此外，《應同》、《召類》等六篇屬于陰陽家已如前文所述，其餘就很難找到主屬陰陽家學派的作品了。陳先生把陰陽家泛化了，所以滿眼都是陰陽家，甚至認爲"黄帝之説，本是陰陽家説之一部分"。其實應該顛倒過來説，陰陽家本于道家又吸收民間文化和五行學説而形成。《序意》"法天地"之言本于道家，又可爲陰陽家所認同。

應該承認，由于十二紀的存在，陰陽家學説在全書占有顯著地位。陰陽與五行相配合，構成龐大的貫通天人的理論框架，這個框架在漢代發生巨大影響，並且通過不斷豐富給整個中國思想史和文化史染上東方神秘文化特有的情調。但是它在當時,在該書中,却還只是一個框架形式,還没有來得及貫徹到全書。十二紀紀首與屬下的六十篇論文中多數,彼此間只有論題範圍上的相應相屬關係,但缺少思想上的内在聯繫,各篇論文的具體論點並不受月令中陰陽五行思想的約束。至于八覽、六論,大多數論文與陰陽五行無明顯關聯,首篇與其下的論文相脱節。所以陰陽五行學説在《吕氏春秋》書中雖然重要,却仍屬局部現象,形式上的作用大一些,不具有真正的支配地位。

　　最後,補充説一點。從秦漢學術思潮的宏觀發展來看,《吕氏春秋》與《淮南子》屬同一思潮的不同階段,歷來目録學家將兩書並列不爲無據,只是判斷性質上有誤。所以從《淮南子》一書的學派屬性反觀《吕氏春秋》,不失爲一種合理的考查方法。無論在内容上還是在形式上,《淮南子》是以《吕氏春秋》爲藍本而寫成的,前人早已發現了這個秘密①。不過《淮南子》是《吕氏春秋》的深化、發展、提高。《吕氏春秋》是用黄老思想制定的治國方略,秦始皇不能實行,没曾想却在漢初六七十年中付諸實踐了。而《淮南子》則是將黄老治道進一步系統化理論化,形成西漢時期道家學術的一個理論高峰②。除爲《淮南子》作注的高誘明確肯定《淮南子》"旨近道家"外,清人章學誠、近人劉文典、胡適、梁啓超、張岱年等學者,皆將其歸于道家,因其崇揚黄老、闡發大道,多有建樹,道家色彩頗爲濃重,比較容易做出判斷。《吕氏春秋》處在黄老學派綜合百家之初級階段,對于大道的闡述還不够系統,所以容易引起誤解,發展到《淮南子》,誤解大爲減少。從高級形態反觀初級形態,我們就比較容易發現,《吕氏春秋》的基本傾向和發展趨勢是黄老道家的思潮,不然它不會發展到《淮南子》。肯定《吕氏春秋》的道家學派

　　①　如宋代高似孫説:"及觀《吕氏春秋》,則《淮南王書》殆出于此者乎?"(《子略》)。胡適説:"《淮南王書》與《吕氏春秋》性質最相似,取材于吕書之處也最多"(《淮南王書》)。

　　②　詳論參見拙作:《吕氏春秋與淮南子思想研究》,齊魯書社,1987年出版。

屬性,不僅是研究該書必須解決的一個問題,而且有助于我們梳理清楚秦漢之際的中國思想史的發展線索,使我們對于道家思想的來龍去脈,有比較準確的把握。《呂氏春秋》的位置安排不當,不免引起許多混亂,寫好秦漢思想史就有困難。

作者簡介: 牟鍾鑒,1939 年生,山東烟臺人。現任中央民族大學哲學系教授。主要著作有《呂氏春秋與淮南子思想研究》、《中國宗教與文化》、《道教通論》(主編)等。

道、玄與二程理學

蔡方鹿

内容提要 本文分析了道家、道教及玄學與二程理學的關係。文章認爲，它們之間的關係表現爲：二程對道、玄的批評和二程對道、玄的吸收這兩個方面。

北宋思想家程顥、程頤創立的理學思想體系，是中國儒學乃至中國文化發展史上的一個重要環節和重要的發展階段，它與道家、道教及玄學有着密切的聯繫。二程與它們之間存在着相同相異之處，或批判排斥，或吸收借用，或繼承發展，在聯繫中體現了中國文化發展過程中儒道融合的趨勢和中國文化的多元複合體綜合型文化的特徵，並影響了中國後期封建社會文化發展的格局。

道家是中國文化的重要派別。先秦道家創始人老子提出以道爲宇宙本體、萬物本原的思想，這對中國哲學影響極大。老子"道法自然"（《老子》25 章）和"道常無爲"（同上 37 章）的思想，排除了春秋時期天道有爲的神秘主義思想，它雖有忽視人的主觀能動性的因素，但其崇尚自然的精神與儒家尚仁義的思想形成鮮明的對照，並對中國文化產生了深遠的影響。

道教作爲中國本土生長的宗教，孕育時間較長，而産生于東漢。道教尊老子爲教主，奉《老子》爲經典，依托道家的理論，故與道家有不可分割的緊密聯繫。但道教又改造道家，其宗教神學的神仙崇拜和長生成仙説與作爲世俗學術派別的道家存在着明顯的不同。雖然道家與道教既有緊密聯繫, 又有明顯區別, 但由于後世道教附會道家, 人們往往把道教與道家統稱爲道家, 或稱老氏。二程也是如此稱呼, 而不大注意區分二者。儘管先秦道家思想被後世道教所吸取並改造, 但不可否認, 道家的一些重要理論亦被儒家尤其是理學所吸收, 從而使先秦道家思想融合在包括道教、理學等各家各派的中國文化的大系統之中, 而不僅僅被道教所繼承。

　　玄學是魏晉時期, 折衷儒、道, 而以道爲主的學術思潮。玄學家以道爲無, 以無爲體, 以有爲用, 把老子"有生于無"(《老子》40章)、道生萬物的宇宙生成論發展爲體用論哲學, 試圖解決宇宙萬物的本質和統一性問題。王弼指出: "天下之物, 皆以有爲生。有之所始, 以無爲本。將欲全有, 必反于無也。"(《老子注》40 章) 這種體用論哲學對後世及二程理學産生了影響。

　　道、玄與二程理學的關係, 主要表現爲二程對道、玄的批評與吸取, 以及道、玄對二程理學的影響等方面。

一、二程對道家、道教及玄學的批評

　　由于二程不注意區分道家、道教, 所以對道家、道教也聯繫起來一併批評。

(一) 對道家、道教的批評

　　對待道家、道教, 二程雖不像對佛教那樣嚴厲, 但也站在儒家正統和理學的立場上, 對道家、道教提出了批評。二程説: "今異教之害, 道家之説則更没可闢, 唯釋氏之説衍蔓迷溺至深。今日是釋氏盛而道家蕭索。"(《二程集》中華書局 1981 年 7 月版, 第 38 頁, 《遺書》卷二上) 把道家列入"異教"之列而主張排斥之。這裏所説的"道家", 實際上是指道教。二程並客觀地指出了當時佛教盛而道教蕭條的情況。

　　二程對道家包括道教批評的要點是駁斥老氏脱離儒家仁義道德而論道的思想。指出: "如揚子看老子, 則謂'言道德則有取, 至如掘提仁義,絕滅禮學,則無取'。若以老子'剖斗折衡,聖人不死,大盜不止',爲救時反本之言,爲可取,却尚可恕。如老子言'失道而後德,失德而後仁,失仁而後義,失義而後禮',則自不識道,已不成言語,却言其'言道德則有取',蓋自是揚子已不見道,豈得如愈也?"(同上第5頁,《遺書》卷一)二程引用揚雄批判道家不講仁義,絕滅禮學的言論,實際上表明了自己對道家毀棄仁義的批評態度。二程認爲老子講道德處仍不可取,由此不同意揚雄對老子"言道德則有取"的評論。指出老子脫離仁義而言"道德",是不識道的表現。這是二程對老子"大道廢,有仁義"(《老子》18章),道與仁義不並存思想的否定。

二程之所以批評道家和道教,其分歧點在于儒家的仁義與道家的自然之間的矛盾。可以説,崇自然與尚仁義之爭是中國文化發展的主要線索之一。幾乎各個時期、各家各派的思想,都可從它是偏重于倫理或側重于自然來確定它的性質和學派特徵。這是儒道兩家共同對中國文化的發展所形成的重大影響。或問:"學者何習莊、老之衆也?"程頤答:"謹禮而不達者,爲其所膠固焉;放情而不莊者,畏法度之拘己也,必資其放曠之説以自適,其勢則然。"(《二程集》第1196頁,《粹言》卷一)認爲莊子的放曠任達之説,正好滿足了人們不願受禮法約束的思想,這是造成習莊、老之説者甚衆的原因。從思想及社會根源上解釋了道家思想及道教流行的原因。

對道教的宗教神學,二程也作了批評。程頤説:"釋氏與道家説鬼神甚可笑。道家狂妄尤甚,以致説人身上耳目口鼻皆有神。"(同上第289頁,《遺書》卷22上)把佛教道教的鬼神説聯繫起來批判,正好反映了二程反對宗教有神論的無神論思想。二程並批評了道教的成仙之説。問:"神仙之説有諸?"程頤答:"不知如何。若説白日飛升之類則無,若言居山林間,保形煉氣以延年益壽,則有之。"(同上第195頁,《遺書》卷18)明確反對道教的成仙之説,對其氣功則表示贊同。道教在其產生過程中形成的神仙崇拜是道教信仰的核心，由此而提出的長生成仙説又是道教區別于其他宗教的基本教義。二程對道教的神仙崇拜及成仙之説提出批評，反映了作爲非宗教的理學與神仙道教的本質區別，這也是世俗文化與宗教文化的差異所在。

（二）對玄學的批評

魏晉時期，玄學家展開了一場名教與自然之辯。争論的目的是企圖解决儒家的名教與道家的自然的相互關係問題，具有廣泛、深刻的政治、文化背景。二程站在儒家義理之學的立場上，對魏晉玄學崇尚自然而廢棄禮法的思想提出批評。程頤説：

> 秦以暴虐，焚《詩》、《書》而亡。漢興，鑒其弊，必尚寬德崇經術之士，故儒者多。儒者多，雖未知聖人之學，然宗經師古，識義理者衆，故王莽之亂，多守節之士。世祖繼起，不得不褒尚名節，故東漢之士多名節。知名節而不知節之以禮，遂至于苦節，故當時名節之士，有視死如歸者。苦節既極，故魏、晉之士變而爲曠蕩，尚浮虛而亡禮法。禮法既亡，與夷狄無異，故五胡亂華。（《二程集》第236頁，《遺書》卷18）

指出魏晉名士崇尚浮虛，即批評玄學以無爲本，以有爲末；以自然爲本，以名教爲末，而使禮法喪失，與夷狄無異。從而造成内亂不已，各少數民族上層貴族乘機起兵，導致中原大亂的局面出現。雖然二程批評了玄學廢棄禮法之弊，但也揭示了玄學的産生是針對漢代名教提倡的過頭，"苦節既極"而反。可見，二程在對玄學産生的原因的分析中，既肯定儒家名教名節，又批評名節過分提倡以至于苦節的流弊。在批評玄學"尚浮虛而亡禮法"的同時，注意尋找其弊病産生的原因以克服之。應該説，二程的批評是比較有説服力的。

二程還批判了魏晉玄學的清談之風，認爲清談導致國家衰落。指出："嗚呼！清談甚，晉室衰，况有甚者乎？"（同上第1196頁，《粹言》卷一）反對脱離實際的清談玄風。這表明，二程理學的創立，並不是以清談爲宗旨，而是反對清談，提倡窮經致用以達于政事的。

　　此外,二程對玄學以道家思想解釋儒家經典也持批評態度。指出:"自孔子贊《易》之後,更無人會讀《易》。先儒不見于書者,有則不可知; 見于書者, 皆未盡。如王輔嗣、韓康伯, 只以莊、老解之,是何道理?"(同上第374頁,《外書》卷五)程頤批評了王弼等以老莊思想解釋《周易》的治經路數,從而表明理學與玄學對待儒家經典的不同態度。

二、道、玄對二程理學的影響

　　道家、道教及玄學與二程理學的關係,除表現爲二程對道、玄的批評外,也體現在道、玄對二程理學的影響及二程對道、玄思想的吸取上。

(一) 關于道本論和道法自然的思想

　　二程對道家、道教思想的吸取主要是接受了以"道"爲宇宙本體,以及"道法自然"的思想。舊儒學缺乏哲學本體論作依據,而道家、道教以"道"爲宇宙本體的思想則啓發影響了二程。二程在創立天理論哲學體系時,既以"天理"爲宇宙本體,又吸取了道家及道教以道爲宇宙本體、道生萬物的思想。程頤説:"道則自然生萬物,……道則自然生生不息。"(同上第149頁,《遺書》卷15)認爲"道"是宇宙萬物的本原,道生萬物是自然而然的。並把道與理等同,二者同爲宇宙本體。又問:"天道如何?"曰:"只是理,理便是天道也。"(同上第290頁,《遺書》卷22上)認爲理所具有的儒家倫理的涵義,道也同樣具有。"且如五常, 誰不知是一個道"(同上第223頁,《遺書》卷18)。既吸取了道家、道教哲學的本體論,又把儒家倫理注入道的内涵。這是對道家、道教不講儒家倫理的本體論哲學的改造。由此可知,二程接受道家、道教的道論,吸取的是其哲學本體論的形式,而另以儒家倫理作爲道的基本内容。

　　二程在批評道家關于道與仁義不並存思想的同時,對道家哲學的道本論形式備加讚賞。指出:"莊生形容道體之語,盡有好處。

老氏‘谷神不死’一章最佳。”(同上第 64 頁,《遺書》卷三)認爲莊子
之學雖然無禮無本,不講禮義道德,但對道體的論述却比較得體。
並指出《老子》“谷神不死”一章最佳。所謂“谷神不死”,即老子認
爲“道”(谷神)永恒存在,它是萬物産生的總根源,具體事物有限,
而産生萬物的道却是無盡無限的。二程對《老子》書“谷神不死”章
的肯定,即是對道本論哲學的吸取。

除吸取道家、道教以道爲宇宙本體,道是萬物産生的本原的思
想外,二程還受到老子“道法自然”思想的影響,把人間倫理與天道
自然結合起來,以加强儒家倫理的客觀性和必然性。如前所述,二
程不僅認爲“道則自然生萬物”,道生萬物是自然而然的,而且認爲
天理也具有自然的屬性,“天理自然當如此”(同上第 30 頁,《遺書》
卷二上),把儒家倫理綱常説成是自然而然的天理,世人只能自然
地順應,而不得違背它。排除了人爲的私意。

二程把道家的自然原則引進天理論,認爲人類社會的道德規
範就是自然界的普遍規律,它不以人的意志,即便是堯這樣的聖人
或桀這樣的惡人的意志爲轉移,“不爲堯存,不爲桀亡”(同上第 31
頁),這就加强了儒家倫理的自然權威。儒家倫理便是客觀的自然
規律,天下之人都不得違背。這與董仲舒把“王道之三綱”本之于
有意志的神學之天的思想相比,的確進了一步。

(二) 關于體用論及以義理解《易》的思想

魏晉玄學的體用論哲學對二程理學産生了客觀的影響。受其
影響,二程尤其是程頤在體用一源的前提下,講體用二分,指出:
“至微者理也,至著者象也。體用一源,顯微無間。”(《二程集》第
689 頁,《易傳序》)認爲理爲體,象爲用,理者至微無形,象者至著
有形。理蕴藏在象中,雖然理是象之所以存在的根據,但無形之理
因有形之象得以體現。理與象之間的這種體用顯微關係是相互融
合,不可分離的。這顯然受到了王弼以無爲體,以有爲用的體用論
哲學的影響。與王弼有所不同的是,程頤的體是理,而不是無。雖
然“理無形也”,但理却是實理,有實實在在的内容。並且程頤“因

象以明理"(同上第 271 頁,《遺書》卷二十一上),強調體用不相脱離的思想,與王弼"得意在忘象"(《周易略例·明象》),認識本體世界"無"(意)在于超越現象世界"有"(象)的割裂體用的思想相互區別。儘管如此,程頤在建構理本論哲學的過程中,仍受到了王弼體用論思想的影響。其"體用一源,顯微無間"命題的哲學意義在于,整個宇宙的本質與現象的關係都可用體用顯微關係來概括之。"體"代表理的世界,"用"代表現象世界,引申爲物即氣的世界,這構成程頤理本論哲學理氣關係説的基本框架。朱熹哲學正是沿着這一路子走下去,建立起邏輯嚴密的理本氣末論哲學體系,這對中國哲學以至中國文化的發展,產生了深遠影響。溯其源,與程頤吸取王弼的體用論有關。

王弼以義理解釋《周易》的思想對程頤產生了影響,儘管王弼的義理與程頤的義理有所不同。在王弼的影響下,程頤對王弼易學盡黜象數,以義理解《易》的觀點持讚賞態度,並要求學者讀王弼的《周易注》。他説:"若欲治《易》,先尋繹令熟,只看王弼、胡先生、王介甫三家文字,令通貫,餘人《易》説,無取枉費勁。"(《二程集》第613 頁,《與金堂謝君書》)程頤在百餘家《易》説中,要求學者看王弼、胡瑗、王安石三家易説。因這三家都屬于義理學派,其中王弼解《易》,獨宗義理,一掃術數,開易學義理派之先河,使《周易》由占筮之書變爲哲理書,對易學發展影響很大。但王弼尚玄學,其義理之中雜有老莊思想。

程頤既吸取借鑒了王弼以義理解釋《周易》的觀點,又對王弼以老莊思想解《易》提出批評。他説:"王弼注《易》,元不見道,但却以老、莊之意解説而已。"(同上第 8 頁,《遺書》卷一)也就是説,雖然王弼與程頤同屬易學中的義理學派,但程頤倡導的義理却與王弼主張的義理有別。程頤倡導的義理是儒學的義理,即理學的天理,而王弼主張的義理則是老莊、玄學的義理。就其都反對漢易之象數學而言,雙方的易學同屬義理學派,具有相似性,這是玄學對二程理學影響的表現; 就其各自主張的義理不同而言,雙方的思想又有差異性,各自代表了不同的義理學派。

三、餘論——儒道融合

　　唐宋之際,儒、佛、道三家在既排斥又融合中,逐漸出現"三教歸一"的趨勢,這爲宋代理學的産生準備了條件。在這種大背景下探討道、玄與二程理學的關係,對認識中國文化史上的儒道融合及其對中國文化發展的影響,具有重要意義。

　　宋代理學的形成和興起,除與佛學有密切關係外,道家、道教及玄學對理學的影響也不容忽視。二程對道、玄的批評,表明儒、道在中國文化史上分屬不同的文化派別,各自具有不同的文化屬性和質的規定性,由此而相互排斥鬥爭;道、玄對二程理學的影響以及二程對道、玄思想的吸取,又表明在中國文化發展的歷史過程中,儒、道思想具有密切的聯繫,它們之間的融合和互補的趨勢體現了中國文化的一個重要特徵。

　　儒道融合及互補在魏晉時期已現端倪,這成爲宋代理學儒道融合的先驅。先秦時,孔孟貴名教,老莊明自然,使中國文化形成了兩條旨趣各異的發展線索。漢初倡自然,是爲其無爲政治服務;武帝標名教,開儒術獨尊之先河。進入魏晉,王弼認爲儒家名教以道家自然爲依據。嵇康則蔑視禮法名教,以老莊爲師,提出"越名教而任自然"的思想,認爲儒家名教違背人的自然本性,要求從名教的束縛和壓抑中解放出來,以恢復人的自然本性。"越名教而任自然"的思想客觀上成爲魏晉名士"放浪形骸"的依據,從而形成不拘禮節的"放達"之風。裴頠"深患時俗放蕩,不尊儒術",從而提出"重名教"的思想。郭象爲了調和名教與自然的矛盾,提出"名教即自然,自然即名教"的思想,熔儒家名教與道家自然于一爐,爲後來儒、道思想的溝通與融合,起了先導的作用。這對二程理學産生了影響。

　　二程在創立理學的過程中,一方面批判了佛、道出世主義的宗教以及道家、玄學不講社會治理,"亡禮法","放情而不莊",有悖于儒家倫理的思想; 另一方面又企圖解決儒學歷來抽象思辨能力不強和儒家倫理綱常缺乏哲學本體論作依據的問題。他們認爲,道、玄雖有弊,但其精致的思辨哲學却可資借用。于是,二程在批道、玄的同時,以儒家倫理爲本位,吸取了道家及道教的道本論哲學、道法自然的思想,玄學的體用論,以義理解《易》等思想,並結合時代的需要,把儒道思想融爲一體,從而把傳統儒學發展到宋代理學的新階段,在哲學理論的思辨性上更加精致、完善,逐步走向成熟。

標誌着中國文化史上第二個發展高潮的兩宋文化,是融合了儒、道兩家中國固有的傳統文化思想,與外來佛教文化既排斥又交融所創造出來的。在理學——新儒學的演進、發展的過程中,儒、道兩家的排斥、吸取與融合實占有不容低估的地位,體現了中國固有文化的分野、融合和發展的趨勢。這種趨勢,經魏晉隋唐時期的演變,至宋代二程等批判和吸取道、玄思想而臻于成熟。並影響了中國後期封建社會哲學、宗教、政治、倫理、文學、藝術、教育發展的格局。

需要指出: 儒、道融合或儒、道互補,在宋代體現爲倫理與自然的融合、哲學本體論與儒家倫理學的結合。儒、道兩家互相影響,不僅道教吸取了儒家的仁義觀念,而且二程等理學家也接受了道家的自然思想。儘管如此,儒、道仍以側重于倫理或自然而互相區別。也就是說,雖然二程在一定程度上接受、吸取了道家的自然的思想,並將其納入其天理論的哲學體系之中,但二程的融合儒、道,與玄學的折衷道、儒仍有所不同。玄學折衷儒、道是以道家自然爲主;而二程融合儒、道,則以儒學義理爲主。

作者簡介　蔡方鹿,1951 年生,四川眉山人,現任四川省社科院哲學所副研究員,主要著作有《張栻哲學》、《魏了翁評傳》等。

王陽明的良知説與道家哲學

陳少峰

王陽明的良知説基于本體與主體合一的原理,並經良知的自然發用而完成體用合一的圓融方法論。其哲學結構與方法受道家(尤其玄學)哲學的影響清晰可辨。本文通過考察王陽明關于良知本體基本性質及其自然爲用的闡説,分析其道德哲學智慧化與道家殊途同歸之方法論依據。

一

王陽明的本體説與陸象山一樣,棄程頤和朱子的理一分殊之義,主張本體周延性和極一性。但他又與象山不同,因將本體與主體合一化而進于認識論上的實在論。

本體之觀念源自《莊子》的"本根"及本和體等概念,並由後兩個概念組合而成一概念。本和體經玄學發揮而成爲統一本質論與宇宙構成論的本體之論①。在道家哲學中,殊少將"本"、"體"合而爲一。而王陽明則直接使用本體概念。值得注意的是,王陽明使用"本體"一辭,其中的"本"是與末相對應之本根,而"體"是與用相對應之道體。這種用法與玄學並無二致。玄學的本體論是對于老、莊哲學中道本,尤其是《莊子》本體之義的發揮,其基本要義是

---

① 《左傳》中亦有"本根",但並非哲學概念。

道之絕對性與無限性。王陽明雖將道與主體等置, 從而將心之自
爲能力視爲本體第一義; 但心即道, 而道被描述爲無方體形象、無
窮盡止極的絕對, 因而陽明的本體性質與道家二者的理旨並無大
差異。當然, 由于陽明將倫理賦予本體, 從而又與道家的自然本體
在趣味上有別。

　　在道家哲學中, 本體是寂然不動而又超乎動靜的。王弼注
《易》、《老》, 強調道之靜, 注乾卦《彖》曰"靜專動直, 不失大和"。其
義爲濂溪所本而又爲陽明所稱是。陽明主張理者靜也, 又取周子
之說而注明良知實兼賅動靜:

> 在贛州親筆寫周子《太極圖》及《通書》, 末云:"按濂溪自注'主
> 靜', 云'無欲故靜', 而于《通書》云: '無欲則靜虛動直', 是主靜之
> 說, 實兼動靜。'定之以中正仁義', 即所謂'太極', 而'主靜'者, 即
> 所謂'無極'矣。舊注或非濂溪本意, 故特表而出之。"後學餘姚王守
> 仁書。[1]

本體在性質上是靜的, 但當其爲主體所契悟而體現爲心之能力時,
則能兼動靜。心之良知本體動而非動, 靜而非靜, 因而能極盡萬象
而又自在澄明。

　　在王陽明那裏, 道有而未曾有, 無而未曾無; 不可言說, 不爲
一定可執。"道不可言也, 強爲之言而益晦; 道無可見也, 妄爲之
見而益遠。夫有而未曾有, 是真有也; 無而未曾無, 是真無也; 見
而未曾見, 是真見也。予未觀于天乎? 謂天爲無可見, 則蒼蒼耳,
昭昭耳, 日月之代明, 四時之錯行, 未曾無也; 謂天可見, 則即之而
無所, 指之而無定, 執之而無得, 未曾有也。夫天, 道也; 道, 天也。
風可捉也, 影可拾也, 道可見也"[2]。此處關于道的形容, 自明顯可
見道家哲學的自然、絕對之道。而道即天, 無必顯現爲有。然顯現
非道之本體, 故道可志慕而不可言說。心之本體與道同功, 心之活

---

　　① 《語録》(據日本《陽明學報》第一百五十三號補),《王陽明全集》1184頁, 上海
古籍出版社, 1992年12月版。下引該書, 只注篇名頁數。

　　② 《見齋說》(乙亥), 262頁。

動無疑即道之活動的具體化；從道之顯現爲萬象和心體良知的道
德功能可證,道可見也。

　　如是,陽明在此一道本之論方面,將道本與良知相統一。王陽
明的良知概念自是其哲學的核心,而道本即是良知,絕對性與能動
性同爲根本義。道即天理,天理是性之本體、心之本體、良知之本
體。就其主宰處説,便謂之心;就其秉賦處説,便謂之性。陽明將
本體主體化,良知就是主體,就是得于天而同于天的能知覺的靈
明。良知即是天理而又超越了天理。其能動性超越了天理。即其爲
天理而言,則"天命之性,具于吾心,其渾然全體之中,而條理節目
森然畢具,是故謂之天理。天理之條理謂之理"①。此即是心體。
心體之理側重于指稱義理,故所知不假見聞,重在心體之體認:

　　　問:"道一而已。古人論道往往不同,求之亦有要乎?"先生曰:
　　"道無方體,不可執着。却拘滯于文義上求道,遠矣。如今人只説
　　天,其實何嘗見天? 謂日月風雷即天,不可; 謂人物草木不是天,亦
　　不可。道即是天,若識得時,何莫而非道? 人但各以其一隅之見認
　　定,以爲道止如此,所以不同。若解向裏尋求,見得自己心體,即無
　　時無處不是此道。亘古亘今,無終無始,更有甚同異? 心即道,道即
　　天,知心則知道、知天。"又曰:"諸君要實見此道,須從自己心上體
　　認,不假外求始得。"②

心體即道,無方所形象,不可執于爲有一定之狀態。其意本于莊子
的道無所不在,而又將它置于心中,則亘古亘今之天道無所不在,
良知之無始無終之本體性質昭然若揭。欲識本體,即在體認良知。
在陽明的心之本體學説中,心之義有二:其一是天理之全而性質
爲靜;其二是知覺能力,尤其是知善知惡的分辨是非能力。此能
力的發揮無分于動靜,也無分于內外。前者與道家的界説無別,後
者則既取儒家心學傳統之義而加以發展。

　　由于陽明將如上二義經由良知概念而統一起來,故主張即體
即用之説。關于此點,下文詳述。這裏想辨析的是,陽明的心學實

　　①　《博約説》,266 頁。
　　②　《傳習録》上,21 頁。

際上並不條貫。由于他設定了心具天理和心之靈明,故良知能知善知惡。儘管陽明在認識論上很接近于實在論的立場①,但從"格物致知"的新解來看,他顯然張大義理之"知"而輕視物理之識。正因其如此,他賦予了本體道德性質甚至道德規範內容。然而,即使如此,王陽明強調體認良知的無所不知無所不能,但良知並非道德意志,故他的所謂體認良知,也正是要求確立善良意志。但陽明雖然隨處強調確立善良意志,却並沒有一個概念相當于善良意志。"意"不是,心之本體天理不是,良知也不是。他有一個表示道德主體的主宰,這一主宰使致良知于事事物物,使知行合一成爲可能。也正是由于陽明的良知不能自我確立善良意志,故其修養論不離"立其大者"之説。但他的學説中却因此包含一根本性的困難。這一困難即在于,既然良知不能自我推動"意"之自正,則即體即用之説實際上並不能成立。而如此一來,良知做爲道本體的"自然"性質也就難于得到確認。

　　當然,如上所述,由于陽明設定人與萬物一體,天理即心體;而良知是一種知覺能力,其知覺無分于內外,故他既反對求外明內,也反對內外之分:

　　　　良知者,心之本體,即前所謂恒照者也。心之本體,無起無不起,雖妄念之發,而良知未嘗不在,但人不知存,則有時而或放耳。②
　　　　先生曰:"人必要説心有內外,原不曾實見心體。我今説無內外,尚恐學者流在有內外上去。若説有內外,則內外益判矣。況心無內外,亦不自我説。明道《定性書》有云:'且以性爲隨物于外,則當其在外時,何者爲在內?'此一條最痛快。"③

從主體—本體的立論出發,此説自是確當。心體遍照之説,同于王

───────────

　　① 王陽明説,天地萬物離却了我的靈明,便沒有天地萬物了。這裏的天地萬物指"我"所知覺的天地萬物。易言之,沒有了我的靈明,則對我而言,就不存在天地萬物。但陽明又説,離却了天地萬物,同樣沒有了我的靈明。它與感覺論的實在論之絶對主觀唯心論有別。

　　② 《傳習録》中,61 頁。

　　③ 《傳習録拾遺》(51 條之 20)(佐藤一齋、陳榮捷輯録),1173 頁。

弼。程明道將它用于心性之自然,對于心學產生了極大的影響。然若將智慧化主體之洞解能力用之于道德主體,則必有窒礙,此即,至善之把握雖能通解,而分理(道德准則)的所知所行的恰到好處無疑不能。陽明與象山一樣,克服了程伊川、朱晦庵之把握絕對至善方面的困難,却入于以至善替代條理的窘境。

蓋陽明崇道家本體自然之説,而道體之主體化自是可能的;但一涉入道德本體,則道體之主體化便不能運轉。因爲道體是無善無惡的,悟入道體的主體就没有好善惡惡。陽明于此並不陌生。他亦云,性之本體原是無善無惡的,"……然不知心之本體原無一物,一向着意去好善惡惡,便又多了這分意思,便不是廓然大公。《書》所謂無有作好作惡,方是本體。"①由此而言,雖然可説(設定)本體純然至善②,但因心之本體之理乃是静的理,不能主宰行爲,同樣可謂無善無惡。四句教中"無善無惡心之體",自已了然。但陽明本以傳承儒家修身養性之教,不能僅此而足。于是秉隨循天理之説以啓迪天下。在這方面,他很讚賞被朱子所批評的程明道關于不窮索之見,即主無意于好善好惡之義:"誠意只是循天理。雖是循天理,亦着不得一分意。故有所忿嚏好樂則不得其正,須是廓然大公,方是心之本體。"③然着不得一分意,則善良意志便不能確立。

至此,王陽明便和程明道一樣求助于孟子的"勿忘勿助"之説。但陽明將"勿忘勿助"解釋爲隨順本心之天理而勿間斷,以此隨時就事上致其良知。但隨順天理自已着意矣。陽明的不着意之"意"自是指私意,且他以"忘是忘個什麽,助是助個什麽"的警醒來告誡

---

① 《傳習録》上,34頁。

② "天命之性,粹然至善,其靈昭不昧者,此其至善之發見,是乃明德之本體,而即所謂良知也。至善之發見,是而是焉,非而非焉,輕重厚薄,隨感隨應,變動不居,而亦莫不有天然之中,是乃民彝物則之極,而不容少有擬議增損于其間也。"(《大學問》,頁969)

③ 《傳習録》上,30頁。

不要只做個沉空守寂,但其本體自然在這裏已告終止,而代之以念念不忘確立善良意志矣。

　　陽明強調心本體之無一息或停來證明它同于天地生生不息之仁。然生生不息之"仁"雖是仁者以萬物爲一體之出發點, 但此仁並非道德之仁。從陽明視良知本體仁之根據在于天地之運化而來,則不離道家莊子"天地與我並生, 而萬物與我爲一"的世界觀。自張載開始, 所謂"仁者以萬物爲一體", 即是持此一世界觀而發明了隨後儒家延綿不絕的天人合一之論。此一"以"字, 恰是理學家將本體道德化之關鍵處, 並由此而形成泛道德主義的世界觀。而陽明強調本體理靜而善, 以及性無善惡,仍然保留了道家道體之靜的性質;將"仁"描述爲本體(樸)之善, 由此決定其哲學之方法必同于道家的自然而然、莫之爲而爲, 反對離本飾末之有爲于用智。

二

　　陽明將本體與主體合一,良知即天地之心,至極而無形。他論良知,特別強調其本體之義,故屢屢以太虛爲喻。"太虛"概念源于《莊子・知北游》,其後歷代用之,至張載以之爲表示本體的概念。陽明認爲,良知即道,其性質如同太虛。夫惟有道之士,真有以見其良知之昭明靈覺,廓然與太虛而同體。太虛之中,何物不有,而無一物能爲太虛之障礙。良知之妙,真是周流六虛,變通不居。本體非有,即無有;然本體能因有以爲用。本體即無,而有因無以爲大用。此王弼哲學理旨。陽明之說,與王弼言異而旨同:"有只是你自有,良知本體原來無有,本體只是太虛。太虛之中,日月星辰,風雨露雷,陰霾饐氣,何物不有?而又何物得爲太虛之障?人心本體亦復如是。太虛無形,一過而化,亦何費纖毫氣力?"[1]此正王弼所說天地雖廣、以無爲心, 以及道氾濫無所不適、可左右上下周旋

────────────

① 《年譜三》,1306 頁。

而用等等之義。陽明稱，良知之妙用，所以無方體，無窮盡，語大天下莫能載，語小天下莫能破也；良知即是易，其爲道也屢遷，變動不居，周流六虛，上下無常，剛柔相易，不可爲典要，惟變所適。（王弼《明卦適變通爻》云："是故用無常道，事無軌度，動靜屈伸，唯變所適"）此亦正是莊子形容道之性質和王弼描述本體能柔能剛、能陰能陽之意①。因陽明以道家本體説訓良知，故張大良知之絶對性。

陽明之良知本體説極盡任自然之義。他批評仙、佛不能得太虛之真性云：

> 先生曰：仙家説到虛，聖人豈能虛上加得一毫實？佛氏説到無，聖人豈能無上加得一毫有？但仙家説虛，從養生上來。佛氏説無，從出離生死苦海上來，却于本體上加却這些子意思在，便不是他虛無的本色了，便于本體有障礙。聖人只是還他良知的本色，更不着些子意在。良知之虛，便是天之太虛；良知之無，便是太虛之無形。日月風雷山川民物，凡有貌象形色，皆在太虛無形中發用流行，未嘗作得天的障礙。聖人只是順其良知之發用，天地萬物，俱在我良知的發用流行中，又有一物超于良知之外，能作得障礙？②

此處雖是批評仙、佛二家，實是破檟取珠。他所批評之兩端俱爲道家和佛教哲學之末而已。其學理仍不離王弼以無爲體、莊子以自然爲體而天地萬物因之以爲大用之見。同時固亦已如佛家明鏡照物而無所住其心之喻。此點陽明自認無諱："聖人致知之功至

---

① "夫良知一也，以其妙用而言謂之神，以其流行而言謂之氣，以其凝聚而言謂之精，安可以形象方所求哉？真陰之精，即真陽之氣之母；真陽之氣，即真陰之精之父；陰根陽，陽根陰，亦非有二也。苟吾良知之説明，則凡此類皆可以不言而喻。"《傳習錄》中，62頁。

"'未發之中'即良知也，無前後内外而渾然一體者也。有事無事，可以言動靜，而良知無分于有事無事也。寂然感通，可以言動靜，而良知無分于寂然感通也。動靜者所遇之時，心之本體固無分于動靜也。理無動者也，動即爲欲。循理則雖酬酢萬變而嘗動也；從欲則雖槁心一念而未嘗靜也。動中有靜，靜中有動，又何疑乎？有事而感通，固可以言動，然而寂然者未嘗有增也。無事而寂然，固可以言靜，然而感通者未嘗有減也。動而無動，靜而無靜，又何疑乎？"同上，64頁。

② 《傳習錄》下，106頁。

誠無息,其良知之體皦如明鏡,略無纖翳。妍媸之來,隨物見形,而明鏡曾無留染。所謂情順萬事而無情也。無所住而生其心,佛氏曾有是言,未爲非也。明鏡之應物,妍者妍,媸者媸,一過而不留,即是無所住處。"①程明道稱情順萬物而無情,即本于王弼應物而無累于物之義。陽明得佛教明鏡之喻和道家大智順物之説,並能够以之批評佛、道未盡其極,甚是有趣。

陽明太虛之喻,自取其虛而能應物,于心體無累之旨。他同時批評沉空守寂之態度和念念不忘一循于天理之有外。儘管它不同于老子的"致虛極,守靜篤"之説,却不離王弼"無心以爲有"之義。且王弼承莊子順性命之情而加以發揮,成就"不害其欲,使其無心于欲"的理論②。陽明指出,七情之自然非有關于善、惡,然不可有着于欲:

　　問:"知譬日,欲譬雲,雲雖能蔽日,亦是天之一氣合有的,欲亦莫非人心合有的?"先生曰:"喜怒哀懼愛惡欲,謂之七情。七情俱是人心合有的,但要認得良知明白。比如日光,亦不可指着方所;一隙通明,皆是日光所在,雖雲霧四塞,太虛中色相可辨,亦是日光不滅處,不可以雲能蔽日,教天不要生雲。七情順其自然之流行,皆是良知之用,不可分別善惡,但不可有所着;七情有着,俱謂之欲,俱爲良知之蔽;然才有着時,良知亦自會覺,覺即蔽去,復其體矣!此處能勘得破,方是簡易透徹功夫。"③

由此可知,陽明重在修本,而不在息斷人情。有詩爲證:"珍重江船冒暑行,一宵心話更分明。須從根本求生死,莫向支流辨濁清。久奈世儒橫臆説,競搜物理外人情。良知底用安排得?此物由來自渾成。"④百姓日用即道,體認良知即是聖人。

在王弼那裏,以聖人"體沖和以通無"、"應物而無累于物"來表

　　① 《傳習録》中,70頁。
　　② 王弼又曰:"夫無私于物,唯賢是與,則去與來皆無失也。"(《王弼集校釋》上册,262頁。中華書局,1987年2月)
　　③ 《傳習録》下,111頁。
　　④ 《居越詩三十四首·次謙之韵》,785頁。

示自然無礙之智慧與德性境界。而向秀、郭象的《莊子注》亦主張
"無心于順有"。程顥甚有得于玄學之理蘊。他在批評張載拒物修
養的《定性書》中稱:"夫天地之常,以其心普萬物而無心;聖人之
常,以其情順萬事而無情。故君子之學,莫若廓然而大公,物來而
順應。"①陽明深契此義。其聖人不離廓然大公、物來順應之性。
廓然而大公,既如嵇康所謂氣静神虚,心不存乎矜尚;體亮心達,
情不繫于所欲②。

　　陽明以太虚喻本體,本體固瑩徹通明,即是廓然而大公。此非
棄物,而是以物付物。他説,到天理精明後,有個物各付物的意思,
自然静專,無紛雜之念。老子有以天下觀天下之説,莊子明示不徇
物,玄學謂無心應有,邵雍主以物觀物,與陽明交篤的湛甘泉亦强
調物各付物,皆既表示智慧觀照,又突出不逐于外的德性境界。此
境界即是本體。陽明説:

　　　　澄問:"好色、好利、好名等心,固是私欲。如閑思雜慮,如何亦
　　謂之私欲?"先生曰:"畢竟從好色、好利、好名等根上起,自尋其根便
　　見。如汝心中,決知是無有做盜賊的思慮,何也?以汝元無是心也。
　　汝若于貨色名利等心,一切皆如不做劫盜一般,都消滅了,光光只是
　　心之本體,看有甚閑思慮?此便是寂然不動,便是廓然大公!自然
　　感而遂通,自然發而中節,自然物來順應。"③

廓然而大公,則必淡然而平懷,則必任自然而無我,亦能灑落。然
如陽明所説,君子之所謂灑落者,非曠蕩放逸,縱情肆意之謂也,乃
其心體不累于欲,無入而不自得之謂也。心體不累于欲,則其理在
得于內而有融融之樂:"每日閑坐時,終方嚚然,我獨淵默;中心融
融,自有真樂,蓋出乎塵垢之外而與造物者游。"④與造物者游,真
乃莊子之徒也。

---

　　①　《二程集》(二),460頁,中華書局,1981年7月版。
　　②　公私之分,與處物相關,其辨起始于玄學。嵇康《釋私論》可謂主張無私于己,
宜乎大公的代表作。
　　③　《傳習錄》上,22頁。
　　④　《示徐曰仁應試》(丁卯),911頁。

顯然,就陽明崇道家本體之說而論,其必隨其物化天游之逍遥趣味:"內盡于己,而外同乎物,則一矣。一則吻然而天游,混然而神化,同歸而殊途,一致而百慮,天下何思何慮矣。"①正因爲深契陽明此理,王畿述良知發用"動而天游,握其機以達中和之化"②。契悟本體,隨順良知,則物莫非己用;無心于順有,則崇本而能舉末。陽明哲學蓋不外于道家之本體、方法之智慧。

三

王陽明認爲,聖人之道,吾性自足。因此,他批評求外明內爲捨本逐末。吾性自足特指德性根于自性,天理具于吾心,不假外求。學者學爲聖人,聖人之本在純乎天理,而非無所不知、無所不能③。他批評說,後世不知作聖之本是純乎天理,却專去知識才能上求聖人。以爲聖人無所不知,無所不能,我須是將聖人許多才能逐一理會始得。故不去天理上着工夫,徒弊精竭力,從册子上鑽研,名物上考索,行迹上比擬,知識愈廣而人欲愈滋,才力愈多而天理愈弊④。聖人生而知之,然此知非禮樂名物之屬,即義理耳。

因此,他主張崇簡易之體認良知方法,而不騖于多聞博識。如不能立其大而又逐于求外,則反蔽害良知:"聖賢垂訓,固有書不盡言,言不盡意者。凡看經書,要在致吾之良知,取其有益于學而已。則千經萬典,顚倒縱横,皆爲我之所用。一涉拘執比擬,則反爲所縛。雖或特見妙旨,開發之益一時不無,而意必之見流注潛伏,蓋有反爲良知之障蔽而不自知覺者矣。"⑤陽明本言意之辯的玄學義蘊,將它運用于救弊。即,聖人之爲聖,並非因有代代相傳之經典

---

① 《淡然子序》,1040 頁。
② 《刻陽明先生年譜序》,1360 頁。
③ 蘇東坡曾言聖人與賢人之別在聖人之善而好之,而賢人則無所不知無所不能。
④ 《傳習録》上,28 頁。
⑤ 《答季明德》(丙戌),212 頁。

籍要,乃在于他能致良知行道德。後世儒者之抱殘守缺,如莊子所謂得魚荃、兎蹄而忘魚、兎,亦如向秀、郭象之所謂得其迹而不知其所以迹。

聖人之學簡易廣大。如陽明所説,"易簡"出于《繫辭》。但陸象山和陽明所提倡的易簡,都具有學派哲學之意味。陽明批評朱子教人逐外而繁瑣,而支離,具有方法論的意義。陽明崇易簡,蓋涵三義。其一是徒取聖人之迹而失其所以迹。其二是文盛實衰,争飼辭章而離亂淳樸。此蓋同于向秀、郭象《莊子注》所説的"詩禮者, 先王之陳迹也","尚之, 則失其自然之素","故雖聖人有不得已也"等等①。求索陽明言語之"所以迹",道家之意趣益然活躍:

> 愛曰:"世儒著述,近名之意不無,然期以明道;擬經純若爲名。"先生曰:"著述以明道,亦何所效法?"曰:"孔子删述《六經》,以明道也。"先生曰:"然則擬經獨非效法孔子乎?"愛曰:"著述即于道有所發明。擬經似徒擬其迹,恐于道無補。"先生曰:"子以明道者使其反樸還淳而見諸行事之實乎? 抑將美其言辭而徒以澆澆于世也? 天下之大亂,由虚文勝而實行衰也。使道明于天下,則《六經》不必述。删述《六經》,孔子不得已也。自伏羲畫卦,至于文王、周公,其間言《易》如連山、歸藏之屬,紛紛籍籍,不知其幾,《易》道大亂。孔子以天下好文之風日盛,知其説之將無紀極,于是取文王、周公之説而讚之,以爲惟此爲得其宗。于是紛紛之説盡廢,而天下之言《易》者始一。……天下所以不治,只因文盛實衰,人出己見,新奇相高,以眩俗取譽。徒以亂天下之聰明,塗天下之耳目,使天下靡然争務修飼文辭,以求知于世,而不復知有敦本尚實、反樸還淳之行: 是皆著

---

① 《莊子注》中對于"迹"和"所以迹"的分辨十分突出。又如《逍遥游》注曰:"堯實冥矣,其迹則堯也。自迹觀冥,内外異域,未足怪也。世徒見堯之爲堯,豈識其冥哉? ……若乃歷然以獨高爲至,而不夷乎俗累,斯山谷之士,非無待者也,奚足以語至極而游無窮哉?"擬其迹則遺俗累,且未能得其事。陽明又深契此説:"問: '後世著述之多,恐亦有亂正學?'先生曰: '人心天理渾然,聖賢筆之書,如寫真傳神,不過示人以形狀大略,使之因此而討求其真耳; 其精神意氣言笑動止,固有所不能傳也。後世著述,是又將聖人所畫,摹仿謄寫,而妄自分析加增,以逞其技,其失真愈遠矣。'"(《傳習録》上,11—12頁)

　　述者有以啓之。"①

返樸還淳，道家隨順本體之方法。陽明之説，參合如上所述，則又不離王弼修本廢言、則天而行化之意。陽明批評程頤、朱熹支離以及陋儒守經不化的方法上的依據，明顯地承接了道家哲學的創獲。

　　陽明易簡之第三義，即是反對逐物難返，強調悟入本體，隨順良知。易簡功夫，不落于外，莫非致良知于事事物物；若就從朱子格物之見，則未能得聖人之真義：

> 若着了一分意思，即心體便有貽累，便有許多動氣處。……世儒惟不知此，捨心著物，將格物之學錯看了，終日馳求于外，只做得個義襲而取，終身行不着，習不察。②

陽明將道家的殉物之義用以批評格物窮理和知識之自傲，突出了道德實踐的儒家傳統，明確了道家哲學與儒家基本價值觀的統一。

　　陽明主崇本息末，強調順樸善而安命若性，期于成就人人自足其內而又德性自然的社會："唐、虞、三代之世，……當是之時，天下人熙熙皞皞，皆相視如一家之親。其才質之下者，則安其農、工、商、賈之分，各勤其業以相生相養，而無有乎希高慕外之心。……蓋其心學純明，而有以全其萬物一體之仁，故其精神流貫，志氣通達，而無有乎人己之分、物我之間。"③亦是不用智而樸善和美之世："羲、黄之世，其事闊疏，傳之者鮮矣。此亦可以想見其時，全是純龐樸素，略無文采的氣象。此便是太古之治，非後世可及。"④此種理想，與嵇康等人之德性自然的世界何其相似乃爾："古之王者，承天理物，必崇簡易之教，御無爲之治。……蕩滌塵垢，群生安逸，自求多福，默然從道，懷忠抱義，而不覺其所以然也"⑤；"静默無文，大樸未虧。萬物熙熙，不夭不離"⑥。

────────

①②④　《傳習録》上，6—8、29、9頁。

③　《傳習録》中，頁54—55。

⑤　《聲無哀樂論》。

⑥　《大師箴》。

在王弼哲學中，對于用智、飼華而言，強調崇本息末；對于體用而言，則主張崇本舉末。陽明之論亦復如是。内自足而順良知，則又如嵇康所謂"體清神正，而是非允當"矣。

<h1 style="text-align:center">四</h1>

然陽明雖重本根而同于崇本舉末之義，却説法有所不同，認爲本末惟一物。同理，體用關係上亦是即體即用。本心自足，天理俱在，不假外求：

> 心之本體即是天理，天理只是一個，更有何可思慮而得？天理原自寂然不動原自感而遂通，學者用功雖千思萬慮，只是要復他本來體用而已，不是以私意去安排思索出來；故明道云："君子之學莫若廓然而大公，物來而順應。"若以私意去安排思索，便是用智自私矣。何思何慮正是工夫，在聖人分上便是自然的，在學者分上便是勉然的。伊川却是把作效驗看了，所以有"發得太早"之説。既而云"却好用功"，則已自覺其前言有未盡矣。濂溪"主静"之論，亦是此意。①

何思何慮既是本體，又是工夫。格物致知即是致良知于事事物物，良知即是知行本體。他批評程頤、朱熹的格盡萬物而窮其理之説，以爲求定理則失其本而支離：

> 人惟不知至善之在吾心，而求之于其外，以爲事事物物皆有定理也，而求至善于事事物物之中，是以支離決裂，錯雜紛紜，而莫知有一定之向。今焉既知至善之在吾心，而不假外求，則志有定向，而無支離決裂、錯雜紛紜之患矣。無支離決裂、錯雜紛紜之患，則心不妄動而能静矣。心不妄動而能静，則日用之間，從容閑暇而能安矣。能安，則凡一念之發，一事之感，其爲至善乎？其非至善乎，吾心之良知自有以詳審精察之，而能慮矣。能慮則擇之無不精，處之無不當，而至善于是乎可得矣。②

---

① 《傳習録》中，58 頁。
② 《大學問》，970 頁。

　　即體即用之説，基于良知的義理性質之自然分辨能力。良知
不由見聞而有，而見聞莫非良知之用，故良知不滯于見聞，而亦不
離于見聞。見聞之際，良知自能分辨是非而自擇，並因主體之從容
中道而安閑，而不殉于物。但良知之知即本體之自然，若不被"意"
所左右，則爲道德之我的完滿體現，毋須格物之功，即毋須私我之
煩。此即孔子從心所欲不逾矩和道家德性自然的要義。

　　然陽明之良知，重爲智慧觀照，而此顯然與德性自然有別。他
强調，無知無不知，本體原是如此；譬如日未嘗有心照物，而自無
物不照。即是良知之知覺應物能力。它當然也是道德直覺能力。
良知是天理之昭明靈覺處，故良知即是天理。思是良知之發用。
若是良知發用之思，則所思莫非天理矣。良知發用之思自然明白
簡易，良知亦自能知得。此即聖人生而知之之説："問：'聖人應變
不窮，莫亦是預先講求否？'先生曰：'如何講求得許多？聖人之心
如明鏡，只是一個明，則隨感而應，無物不照；未有已往之形尚在，
未照之形先具者。……學者惟患此心之未能明，不患事變之不能
盡。'曰：'然則所謂"冲漠無朕而萬象森然已具者"，其言如何？'曰：
'是説本自好，只不善看，亦便有病痛。'"[1]因此，儘管良知具有道
德直覺能力，但它並非具有善良意志之良能。而陽明錯以之爲良
能："七情順其自然之流行，皆是良知之用，不可分別善惡，但不可
有所着；七情有着，俱謂之欲，俱爲良知之蔽；然才有着時，良知
亦自會覺，覺即蔽去，復其體矣！此處能勘得破，方是簡易透徹功
夫。"

　　所謂覺即蔽去，即是將良知視爲具有爲善去惡自覺的良能。
至此，陽明完全以智慧代德性之培養，亦同于道家德性自然的方法
論。"爾身各各自天真，不用求人更問人。但致良知成德業，謾從
故紙費精神。乾坤是易原非畫，心性何形得有塵？莫道先生學禪
語，此言端的爲君陳"。[2]其詩咏此。在他看來，確立良知本體，則

―――――――――

①　《傳習録》上，12 頁。
②　《示諸生三首》之一，790 頁。

餘皆爲我所用:"張元冲在舟中問:'二氏與聖人之學所差毫厘,謂
其皆有得于性命也。但二氏于性命中有些私利,便謬千里矣。今
觀二氏作用,亦有功于吾身者。不知亦須兼取否?'先生曰:'説兼
取便不是。聖人盡性至命,何物不具? 何待兼取? 二氏之用,皆我
之用。即吾盡性至命中完養此身,謂之仙;即吾盡性至命中不染
世累,謂之佛。但後世儒者不見聖學之全,故與二氏成二見耳。
……聖人與天地民物同體,儒、佛、老、莊皆吾之用,是之謂大道。
二氏自私其身,是之謂小道。'"①如此,則必以智慧代道德。天泉
證道即有此説。利根之人直從本源上悟入。人心本體原是明瑩無
滯的,原是個未發之中。利根之人一悟本體,即是功夫,人己内外,
一齊俱透了。

　　因張智慧,故必至于以覺悟代修養,亦必得出聖人可學而不可
至的結論。在程頤、朱熹的學説中,聖人既秉性清明、天生而具德
性之厚,又直在聰明、睿智之上,故宜其爲聖人。陽明之説,即同于
此。

　　陽明自然强調此心純然天理。無有遮蔽本體之明,無有自私
而用智,則樸善自然發露。體清神正、心體亮達,則所行誠信忠篤。
陽明至此之議論,不離道家之説。然道家之德性形上學基于德性
先于禮義的原理,陽明雖在此處接受了"迹"和"所以迹"的德性形
上學原理,但他畢竟在目標上欲繼承儒家正傳,故不能僅限于此。
因此,他就與朱子一樣在本體上設定天理條目畢具的補充説明。
如此,隨順良知,則自能順應君臣、父子之倫理,以此反過來批評道
家和佛教之未能無心以順有,逃離人倫或欲棄禮,陷于有執之弊,
未能明覺自然。正如他批評外心求理,則無理可求。譬如孝,是自
己心中有孝之規範,始能盡孝。

　　將倫理條理設具于心,使陽明自覺其得即體即用之不二之旨。
然如果人心本體清明而又倫理條理畢具,天生而聖,後天因有私欲

----

①　《傳習録拾遺》(51 條之 45),1179—1180 頁。

所蔽而轉爲凡，其結論却又不離朱熹等所論。而如此契入本體，隨順良知，在方法上不離道家尤其玄學所謂篤信而後至淳樸之美。但陽明實際上未能將他關于條理具足的設定貫徹到底，因爲即使心中純然天理，孝親在温清之節上仍必須加以學問思辨，否則仍有失于毫厘之間之患。他不能不承認並表達了這一常識性的真理。

這樣，很顯然，陽明即體即用之說，既體現了道家哲學的影響，也反應了將道家哲學運用到倫理學上的困難。其一，陽明哲學中體現了道家哲學本末體用一貫的自然理論，體現了道家哲學以智慧和德性合一的特點。二者的聖人都是智慧和德性融通的聖人。其二，將這種方法論貫徹到底，自可克服程（頤）、朱支離之蔽，但必然入于以智慧代道德，或走向明哲保身，違反自己的純粹道德義務論；或否定道德知識的意義、放棄道德判斷能力的提高以及忽視修養的過程性原理。

陽明的道德形上學發展了直覺主義。他繼承了道家關于價值判斷相對性的主張，強調價值判斷不能達致至善，由此拔高道德直覺的智慧能力，將它推向神秘主義：

> 侃去花間草，因曰："天地間何善難培，惡難去？"先生曰："未培未去耳。"少間，曰："此等看善惡，皆從軀殼起念，便會錯。"侃未達。曰："天地生意，花草一般，何曾有善惡之分？子欲觀花，則以花爲善，以草爲惡；如欲用草時，復以草爲善矣。此等善惡，皆由汝心好惡所生，故之是錯。"曰："然則無善無惡乎？"曰："無善無惡者理之靜，有善有惡者氣之動。不動于氣，即無善無惡，是謂至善。"曰："佛氏亦無善無惡，何以異？"曰："佛氏着在無善無惡上，便一切都不管，不可以治天下。聖人無善無惡，只是無有作好，無有作惡，不動于氣。然遵王之道，會其有極，便自一循天理，便有個裁成輔相。"曰："草既非惡，即草不宜去矣？"曰："如此却是佛、老意見。草若有礙，何妨汝去？"曰："如此又是作好作惡？"曰："不作好惡，非是全無好惡，却是無知覺的人。謂之不作者，只是好惡一循于理，不去又着一分意思。如此，即是不曾好

惡一般。"曰:"去草如何是一循于理,不着意思?"曰:"草有妨礙,
理亦宜去,去之而已。偶未即去,亦不累心。若着了一分意思,
即心體便有貽累,便有許多動氣處。"曰:"然則善惡全不在物?"曰:
"只在汝心循理便是善,動氣便是惡。"①

所謂一循于理,即是完全無我,同于道體。然則完全無我是不可
做出價值判斷的。因此,《莊子》主張不遣是非,是其所是,非其
所非。然陽明則如嵇康所説心無所尚而是非允當,循此而進于神
秘的直覺主義。

但即使陽明完全堅持了直覺主義的立場,却不能不顧其所批
評的格物之説的合理之處。易言之,即體即用之説是就本體的絶
對性而言的,就過程而言,則陽明必須强調不能一概不管,不能
不認同今日格一物明日格一物的有意于講求,同樣不能不顧念念
不忘存天理克人欲的義務自覺。

五

陽明將格物致知解釋爲致良知,即確立純粹的善良意志並使
善良意志體現于行爲過程中。儘管他從良知引出良能,認爲按照
本體之義,良知自能向外推致,只因"意"動而生出人情、欲望,
從而使良知不能自然推致;但事實上,他的善惡起源的設定無非
是爲了使自己的良知融貫而已:

知是心之本體,心自然會知:見父自然知孝,見兄自然知弟,
見孺子入井自然知惻隱,此便是良知不假外求。若良知之發,更
無私意障礙,即所謂"充其惻隱之心,而仁不可勝用矣"。然在常
人不能無私意障礙,所以須用致知格物之功勝私復理。即心之良
知更無障礙,得以充塞流行,便是致其知。知至則意誠。②

顯然,即使没有私欲障礙,良知也不能決定行爲之善惡;因爲知
善並不決定行善。也就是説,知識就是美德是錯誤的。然而,

①② 《傳習録》上,29、6頁。

陽明却因此而得出知行合一的結論。在他的這一結論中，他對于
"知"已做出了自己獨特的解釋。

首先，他將意志之向善視爲知的内容，或者説，他認爲道德
知識意義上的知僅僅是第二義，其第一義正是確立善良意志：

> 鄭朝朔問："至善亦須有從事物上求者?"先生曰："至善只是此
> 心純乎天理之極便是，更于事物上怎生求? 且試説幾件看。"朝朔
> 曰："且如事親，如何而爲温清之節，如何而爲奉養之宜，便求個
> 是當，方是至善，所以有學問思辨之功。"先生曰："若只是温清之
> 節、奉養之宜，可一日二日講之而盡，用得甚學問思辨? 惟于温
> 清時，也只要此心純乎天理之極；奉養時，也只要此心純乎天理
> 之極。此則非有學問思辨之功，將不免于毫厘千里之謬，所以雖
> 在聖人猶加'精一'之訓。若只是那些儀節求得是當，便謂至善，
> 即如今扮戲子，扮得許多温清奉養的儀節是當，亦可謂之至善
> 矣。"①

因此，陽明哲學本來的重點是以立志爲綱要的："問立志。先生
曰：'只念念要存天理，即是立志。能不忘乎此，久則自然心中凝
聚，猶道家所謂結聖胎也。此天理之念常存，馴至于美大聖神，
亦只從此一念存養擴充去耳。'"②但他把立志而確立善良意志視
爲"知"，而且是"真知"：

> 愛因未會先生"知行合一"之訓，……以問于先生。先生曰：
> "試舉看。"愛曰："如今人盡有知得父當孝、兄當弟者，却不能孝、
> 不能弟，便是知與行分明是兩件。"先生曰："此已被私欲隔斷，不
> 是知行的本體了。未有知而不行者。知而不行，只是未知。聖賢
> 教人知行，正是安復那本體，不是着你只恁地便罷。故《大學》指
> 個真知行與人看，説'如好好色，如惡惡臭'。見好色屬知，好好
> 色屬行。只見那好色時已自好了，不是見了後又立個心去好。"③

未有知而不行者，正是陽明將良能賦予良知的根據。但知而不行
乃爲常識所説明，不能即知而斷其能行。爲了解決這一問題，陽
明排斥了常識，將"知"做爲自己獨特的道德概念加以新的闡釋。

---

①②③ 《傳習録》上，3、11、3—4頁。

即，“知”在道德上包含知解和喜好二層意思。

其次，陽明既已將知限定爲知而又好之，則自然指向行。因爲知已涵括了行的前提(行之之意志)。故他得出知行合一，轉而批評其友甘泉知行並進之説。他認爲，失却知行本體，故有合一並進之説。如即體即用，將隨順本體視爲知，則良知發用流行之説就得以成立。但陽明原來主張良知自然發用，亦即良知自致爲本體主體化的體現，好德是良知的本質；而基于道德實踐上的困難，他只好强調安復那本體，提出好德如好好色的修養論。知行合一的關鍵在此。

再次，陽明認爲，不爲惡即是善。即體即用，不生私欲，即是純然天理。如是，則無有自我即是大公，而無有生即能無累。他説，學問功夫，于一切聲利嗜好俱能脱落殆盡，尚有一種生死念頭毫髮掛帶，便于全體有未融釋處。人于生死念頭，本從生身命根上帶來，故不易去。若于此處見得破，透得過，此心全體方是流行無礙，方是盡性至命之學。易言之，無善無惡，即是至善；無有作好作惡，即是無累。不徇于物，隨順良知天然之則，則知行合一，更無疑義矣。陽明終于不能不和道家一樣，提出德性的至極完滿之境界在于無累。只有無累，才能好德如好色。然好德與好色皆有累。智慧與德性不能共同體現爲本體的自然之義，陽明在儒家價值觀方面吸取道家哲學智慧的努力，終于留下了一個中國道德哲學待解的難題。

概而論之，知行合一是道家樸性自然觀念的發展，與道家關于聖人任性而行主張相契合。但由于常人之良能與良知不能統一而自覺，因此在其應付道德境遇的複雜性時，陽明不能棄支離之弊；當其存意于道德義務時，陽明不能貫通“自然”的普遍性。就陽明哲學的歸趣立論，則至善與樸性相通，儒、道的一致性也就不局限于哲學方法，而是進至于價值理想的性質了。

儘管陽明哲學在方法上也與佛家“無所住而生其心”相通，主張契悟、覺悟，但不若應物而無累，返本歸真、樸善以爲美，無

心以順有等等融貫真切。同時，其哲學在結構上與道家之合契之
處，甚至于社會理想之性質的同貫，皆可證明本文之題義。

作者簡介　陳少峰，1964 年 7 月生，福建漳浦人，北京大
學哲學博士，現爲北大哲學系副教授，《原學》主編，著有《生命
的尊嚴》等。

謝靈運山水詩與道家之關係

王 玫

内容簡介　六朝山水詩的形成與道家思想影響密不可分。本篇文章從謝靈運生平思想、山水詩中山水成分與玄理感悟之聯繫、表現山水的方式、以及審美主體與審美客體的關係等方面討論道家思想觀念對謝靈運思想創作的滲透，由此認識晉宋山水詩在其形成過程受道家思想沾溉的事實。

謝靈運無疑是中國古代山水詩之大家，也是晉宋山水詩的當然代表。

自先秦以至魏晉，經過漫長的發展過程，山水描寫逐漸從遊子思婦、懷鄉念遠、登臨遊覽、公宴行旅、遊仙招隱等題材中獨立出來，在晉宋之際形成一個面貌獨具而影響深遠的詩歌流派。如果說在此之前一些山水之作只是這一源遠流長的大河中的一篙浪花，謝靈運山水詩則是一段廣闊的河床。（誠然，歷史發展至晉宋之際，即使不是謝靈運，而是其他詩人，甚至沒有天才人物出現，山水詩的產生已成爲定勢，但是晉宋山水詩的氣質風貌和創作成績可能又是另一種模樣。）大謝的出身經歷、思想修養、文學才華，以及他所憑依的現實生活基礎無不影響，也規定了晉宋山水詩的格局韵調。無可疑義，謝靈運開闢出一個山水詩創作的自覺時代。考察謝靈運其人其詩有助於我們進一步了解晉宋山水詩的精神内蘊之形成，尤其是道的觀念對中國山水詩的產生具有不可忽視的作用。

一

　　從謝靈運一生經歷來看，他在政治上一直未能找到適合自己的位置，最後還是因爲政治上微妙原因被處以極刑。南朝以後，謝氏家族子弟遭此厄運者誠非靈運一人，繼謝混、靈運之後，還有謝晦、謝世基、謝朓、謝超宗、謝綜等，他們的死因大都是涉嫌謀反，或者由于原來依附的一方在政治上被對手擊敗而受牽連；或者直接與當政者分庭相抗，終致傾覆。由此不難得見士族政治地位在南朝已呈衰頹之勢，這也是南朝士庶政治力量發生新對比在現實鬥爭中觸目驚心的反映。只是謝氏子弟却以其一貫的態度處世，于現實政治必然有所不容，謝靈運的遭遇尤是如此。

　　據《宋書》本傳記載，靈運爲謝玄之孫，"少好學，博覽群書；文章之美，江左莫逮"。這種高貴血統和天賦才華顯然使靈運甚爲自信。貴族的自矜加上文人的狂傲，無形中便養成靈運狂放不羈、恃才傲物的作風，故史書稱他"好臧否人物"，保身之道不足，性格頗爲桀驁不馴。在晉宋易代，士庶力量發生新對比之際，心高氣傲的靈運仍然以爲可以在政治上一展懷抱，參與權要，可是劉宋統治者對之只以"文義相接"，于是失落、不滿由此滋生，加上"爲人偏激，多愆禮度"，進而肆無忌憚，出言不遜，結怨于人，以致進退失據。

　　靈運個性中的狂傲放任甚至褊狹尖刻難免帶有衰落時期華族高門的怪癖和無奈。一方面，貴族世胄的傲慢自尊由于政治勢力的削弱而異乎尋常地趨于強烈；另一方面，士族政治地位雖然在南朝以後日見式微，但是社會地位却愈益高漲，這使他們由政治上的失勢所造成的心理傾斜有所補償，一反常態地維持着家族的自尊自傲自矜。然而，個性孤傲的靈運却不善調整自己在現實中的位置，與游山玩水乃率性而行一樣，對于政治，謝靈運也有點吾行吾素的意味，即使在官職不可謂不顯貴的任上，他也無心于自己份内的職守,他的天性中更多自由放任的資稟,只適合于山水,不適合于政治,這跟他的思想受道家影響密切相關。

謝靈運的思想比較複雜,儒道釋三家兼有,這是封建文人典型的思想模式,但是在玄風盛行,佛學漸興時代,靈運思想内質更多道佛因素,尤其是道。比起務實進取的儒家,道家講清虛通脱;比起消極厭世的佛家,道家則重在立足現實,追求精神的自由解放。立足于現實又超越現實是道家的特色。在兵連禍結,綱紀崩弛,人心渙散,而人們又不能完全抛離這個世界而去的現實面前,道家思想最易深入人心,這也是魏晉以來道玄學説廣泛流行的原因。晉宋之際,佛學已逐漸從道玄中獨立出來,並開始産生影響,謝靈運固然在佛學方面頗有造詣,但是佛學尚未成爲他的思想主導,其思想中應以"道"占據主要比重,並作用于他的人生。

首先,從靈運對待仕途的態度看,他既非入世,又非厭世,更非出世。史書説靈運不見知于劉裕,"常懷憤憤",事實上靈運對政治並不熱中,靈運對劉宋統治者之不滿並非他仕進的道路行不通,而是他世襲的利益遭到威脅,甚至剥奪,更明白地説,靈運所需要的是他這個家族所應享有的榮譽、權位,它們具體表現爲雲龍風虎的君臣際遇,如其長輩然。他認爲這是他理所當然應該得到的,並非他果真有什麼從政的熱情。遺憾的是今不如昔,靈運的行爲也就乖張起來,因爲不被重用意味着不被重視,而後者更令他不可忍受。他之"偏激"、"多愆禮度"顯然不甚符合儒家規範,更具有道家個性自由,放任不羈的特徵。並且靈運亦非棄人世而去,對待現實,他是處于入世與出世之間,所謂"遊世":在朝爲官不甚得志或不適意,便出任地方,遊放山水,鑿山浚湖;窮其幽峻,淡漠處世,但非逃向虛空。此其一。其二,靈運所任官職,如散騎常侍、侍中等,多爲閑散之官,無大實權,然地位不可謂不顯貴,可是他似乎又不以此爲然,也不見有何積極的舉措以踐行他的"理想",雖然曾上書《勸伐河北》,但由于没有回響又很快失望了,于是穿池植援,尋山陟嶺,不亦樂乎。元嘉三年,徐羨之、傅亮被誅之後,文帝請他出任秘書監,他仍猶豫再三,才出任就職,在隱顯進退之間,靈運不無矛盾,但最終還是清虛自守,專意山水之遊。當然,靈運更非厭世,也不曾完全出世。他的内心常常充滿情緒的騷動,有人據此認爲靈運缺少道家淡泊虛静,清心寡欲,論斷靈運思想不屬于道家(若此更不屬于佛家)。其實道家思想在靈運那裏不是用于處世,而是用以任性,靈運之"偏激",狂傲多屬于個性方面,而非思想上的。其三,靈運對仕進不甚關懷和任性自然的道家思想傾向也表現于他在政治上選擇的對象仍然從自我性情出發。劉毅、劉義真曾是靈運政治上投靠的人物,二劉皆雅好文學,善于以文交友,劉毅"愛才好之士,當世名流莫不輻輳"(《資治通鑒》卷115);劉義真"聰明愛文義,而輕動無德業"(《宋書·劉義真傳》),可是二人皆不長于權術,以致敗亡。靈運未必不曾對他們寄予政治幻想,但是更主要還是從個人志趣出發,結交同好。由此可見靈運個性中十分率真的一面,不會審時度勢,政治上頗爲幼稚,所以劉義真許諾即帝位後當任靈運爲宰相,靈運竟然信以爲真。

　　其次,如果説靈運對現實政治不無熱情,這種有爲實則有所不爲顯然帶有更多道家的色彩。靈運甚爲推崇魯仲連等人"功成身退",幾番表示要追隨前賢遺風。實際上這也是謝氏家族中人一貫的從政態度:謝安在東晉政治舞台上叱咤一時,,最後仍是告老還鄉,隱居東山;靈運祖父謝玄,雖是"淝水之戰"中功勛卓著的將領,但他在政治上仍然頗知進退。靈運在《述祖德》等詩中對謝家這些前輩的態度是十分贊許的,甚至表示欲加以效法。"功成而弗居"正是老莊所主張的求仕之道。謝氏家族乃東晉時興起的望族,其家學門風受玄學濡染尤深,靈運顯然亦不可免,故其《述祖德》詩云:"達人貴自我,高情屬天雲。兼抱濟物性,而不纓垢氛。……遺情捨塵物,貞觀丘壑美",頗有謝鯤"一丘一壑,自謂過之"的餘風。這種家風自然形成謝家子弟廓落清虛的精神氣質,這在多思善感的詩人靈運身上體現得更加完全,所以靈運的日常行爲大都表現出任性放達、適意暢遊的特徵,較少顧及現實的清規戒律,官宦生

涯之中, 志意有違, 則置朝廷規矩于不顧, "多稱疾不朝……, 出郭
遊行, 或一日百六七十里, 經旬不歸, 既無表聞, 又不請急"。遊山
玩水之時, 左呼右擁, 尋山開徑, 驚天擾人。只是靈運所處已非謝
鯤、謝安的時代, 麻煩也就難免了。

　　再次, 靈運在仕途失意之後以山水爲皈依; 顯然不無道家精
神的啓迪。六朝山水詩得以形成本與道家關係極大, 道家主張崇
尚自然, 魏晉以來務虛尚玄風氣盛行必然導向大規模的山水之遊,
從而藉山水而悟道。謝氏家族中第一位令人矚目的人物謝鯤, 便
是以愛好山林丘壑而著稱, 這是時風, 也是謝氏家風。這時期山水
詩人不少出自謝家絕非偶然, 山水與玄理已構成謝家人物精神生
活的重要部分, 由山水之遊悟自然之道, 進而作山水之章, 這幾乎
是種必然。因此靈運往往在山川漫遊中思索人世窮通休戚變化之
理, 從而表示要適性自得, 與道逍遙。尤其值得注意的是, 靈運幾
乎是專心致意地遊覽山水, 其山水詩章所表現意態之恬静, 心境之
超拔, 與他現實生活中的偏激傲慢甚不相侔, 或許更能真實地展示
靈運的内心世界。誠然, 在靈運山水詩清虛高蹈之中不無隱藏着
"塊壘", 所謂"豈唯玩景物, 亦欲攄心素"(白居易《讀謝靈運詩》)。
"心素", 不僅是個人仕途失意的牢愁, 而是由家族興衰, 世事窮達
所激起的更加浩闊的人生感慨, 山水形象已凝聚着他對更廣大的
宇宙自然人生的深沉思考和蒼茫情懷, 這既是當時特定的歷史時
期和靈運個人天賦才能氣質修養所決定的, 也是道家思想影響所
致。甚至, 由于道家思維方式所決定, 靈運山水詩還無法做到讓景
物自身完全具足, 不時還拖着"玄言尾巴", 所以他的山水詩不及王
維那麼剔透。大謝與王維山水詩之差别正是"道"與"禪"之不同。

<h2 style="text-align:center">二</h2>

　　謝靈運思想中濃厚的道家成分必然在其山水詩創作中有所體
現。靈運筆下的山水詩境, 清虛遠逸, 不染塵雜, 仿佛可見詩人静

淵止水般的深心,如果詩人內心當爲世俗功名欲望糾纏,很難創造出如此高蹈的山水境界。因此在詩人的現實生活和藝術創造活動之間必須完成兩種轉換:一是從本體高度看待和超越日常的悲歡,將人生的榮辱休戚提高到哲學根本上來認識,做到遺情去俗;二是從審美視角看待自然山水,不再視山水爲客觀的物質存在,而是視之爲具有某種精神意義的實體。這兩方面共同建立在超越現實的心理基礎,無論現實人生還是山水實體都須從物質轉向精神,從現實轉爲藝術,這便是"道"的整體統攝結果。道的思想根柢使得這兩種轉換導向山水鑒賞的自覺,同時也帶來對世俗情感的漠視冷淡,所謂"寡情",這是大謝山水詩以極精細工緻之筆描繪自然山水的狀貌聲色,却不介入詩人情感的思想根源。唯有"遺情捨塵物",方能"貞觀丘壑美",大謝詩中的山水成爲其遺情去俗心志的寫照,而非人間情感的陪襯,山水描寫既客觀又細緻,處處比照出哲理的深邃和情感的寡淡。

　　首先,在山水描寫中體悟玄理爲大謝山水詩的一大特色,詩人由山川草木激發而起的並非是人間切實的悲歡離情,而是對更加浩闊的宇宙自然之理的沉思。其實大謝山水詩並非毫無感情,只不過他已不限于市俗生活的小悲小樂,而是從日常經歷或自然山水中感知思考宇宙人生的深悲至樂,所謂"千念集日夜,萬感盈朝昏";"節往感不淺,感來念已深";"感往慮有復,理來情無存",日月如梭,宇宙茫茫,凝聚着詩人幾多感慨,幾多深情。因此靈運山水詩常由眼前美景想及人生短暫,命運無常,從而表示要安時處順,適性自得,在山水描繪中隱約透露出人生憂患感,只是人生憂患往往被化解到對更廣闊的精神境界的追求之中。

　　請看《七里瀨》:

　　　　羈心積秋晨,晨積展游眺。
　　　　孤客傷逝湍,徒旅苦奔峭。
　　　　石淺水潺湲,日落山照耀。
　　　　荒林紛沃苦,哀禽相叫嘯。

　　　　遭物悼遷斥，存期得要妙。

　　　　既秉上皇心，豈屑末代誚。

　　　　目睹嚴子瀨，想屬任公釣。

　　　　誰謂古今殊，異代可同調。

秋深了，羈客的心情也漸至深沉，在秋晨裏向山水舒展開放。可是逝水無情衝擊着崖岸，激起獨遊客子的感傷。水流日落，山川顛躓不免令人產生孤旅之悲和世路艱危之感。杳無人迹的荒林空山，樹葉寂寞地墜落，山林間迴蕩着禽獸哀怨清亮而舒長的叫喚。面對此景此情，詩人聯想及萬物的遷謫斥逐而悲悼不已，這些生命的存在或寂滅無不體現着自然運化之理，顯然只有"湛然安靜"，就可長存不亡，以明澈之心去體悟宇宙自然生生不息遷化不止，便能領悟微妙要道。如今，既然我已能與上古聖哲心心相通，又何懼于末代的譏誚？眼前的嚴子瀨，不禁使人想到嚴光山高水長的風格，又聯想到任公子垂釣東海的豪舉，儘管百代之隔，古今殊異，可是我心與他心，此時與彼時，却是可以潛潛相通。詩中由眼前"七里瀨"的風光想及自然造化的遷流斡運，從中領悟大道的深義，原來孤旅客游之悲也化入生命與自然相融更恢宏的境界中去了。

　　又如《晚出西射堂》

　　　　步出西城門，遥望城西岑。

　　　　連障叠巘崿，青翠杳深沉。

　　　　曉霜楓葉丹，夕曛嵐氣陰。

　　　　節往慼不淺，感來念已深。

　　　　羈雌戀舊侶，迷鳥懷故林。

　　　　含情尚勞愛，如何離賞心！

　　　　撫鏡華緇鬢，攬帶緩促衿；

　　　　安排徒空言，幽獨賴鳴琴。

詩人晚出西城門遠眺，但見暮色之中，峰巒重叠，山黛杳深。冬日晨霜染紅了楓葉，落日的迴光返照與山嵐相濛相蒸，融成一片浮動的陰靄。節序遷移，季候變易，致令詩人感喟羈旅漂泊，思念契闊。

眼前,失群無依的禽獸尚且眷戀着舊時的情侶,迷路的鳥兒也在尋找自己棲息的故巢,何況有情的人生。在黃昏萬物思歸的時刻,怎麼不牽動內心的情愛,不思想遠方的友人? 人生苦短,歲月如刀,生命也在無聲消減之中! 面對明鏡,撫摸着華髮漸生的雙鬢,憂思愁恨無不催逼着衣帶日緩。如此真實而不可挽留的流光逝景,即使以莊子所謂"安排而去化,乃入于寥天一"(《大宗師》)來自我寬慰,恐怕也是難以消解憂愁的"空言"吧,幽居的孤獨只有借助琴聲來排遣了。

　　詩人由眼前景聯想及浩茫無邊的宇宙運化道理,深感到個體生命在永恒時空面前無所適從的悲哀,甚至以爲老莊順運安排的心理自我調節也無法驅除這種至深的悲凉。詩中仿佛對莊子觀點有所否定,其實不然,而是表現詩人此番對世事滄桑的至深感觸,以至平時用以撫慰心靈的老莊玄理也難消解哀傷,便是琴聲其實也未必能去除深憂。由此不難見出靈運並非"寡情",而是有深情,有大悲,這種深哀濃情使他一定程度上突破了玄學理遣的約束,玄理對于他,已不限于流風所及的表面文章,更是化入生命底部的大交流。

　　其次,山水之遊于靈運,無異于現實的精神之遊,由山水感悟玄理,使得靈運尋獲到精神與道俱化般的自由解放,大道之玄虛曠蕩在自然山水中體現無遺。因此,靈運山水詩往往表達他遊歷山川、理悟玄道所獲得的愉悦,意態甚爲恬淡自適。像《石壁精舍還湖中作》:

　　　　昏旦變氣候,山水含清暉,
　　　　清暉能娛人,遊子憺忘歸。
　　　　出谷日尚早,入舟陽已微,
　　　　林壑斂暝色,雲霞收夕霏;
　　　　芰荷迭映蔚,蒲稗相因依。
　　　　披拂趨南逕,愉悦偃東扉。
　　　　慮澹物自輕,意愜理無違。

寄言攝生客,試用此道推。

詩人遊覽石壁巫湖等處山水,心情甚爲歡洽,孤旅之悲、時不我與之感在此悉除。石壁地方的山水隨着朝昏變化所呈現出種種清妍動人的景象深深吸引着詩人。早晨山行出游,日暮泛舟歸來,只見遠處林壑間聚斂着暝色,雲霞光靄也隨着暮色漸濃而消散;近處湖面菱蔓荷葉交叠掩映,在水中倒映出一片葱蔚,葛蒲之類的水草在流水晚風中搖蕩相依。捨舟登岸,穿過草木葳蕤的小徑南歸,閑臥東軒,心情甚爲愉悦自得。此番山水之游使詩人深感到只要清思少欲則外物自輕,内心暢快滿足,這樣也就不悖離道家所謂的理,甚至由此可以告訴那些講求養生的人,道家所説的養生之道可以試從這裏去推求的。詩人從遊遨經歷中直接獲得與道逍遥的感悟,整首詩充滿慮澹意愜,寧静恬逸的氣氛,顯然這是詩人藉山水遊覽獲得道家玄理啓示的結果。

再看《從斤竹澗越嶺溪行》:

> 猿鳴誠知曙,谷幽光未顯。
>
> 岩下雲方合,花上露猶泫。
>
> 逶迤傍隈隩,迢遞陟陘峴。
>
> 過澗既厲急,登棧亦陵緬。
>
> 川渚屢徑復,乘流玩迴轉。
>
> 蘋萍泛沈深,菰蒲冒清淺;
>
> 企石挹飛泉,攀林摘葉卷。
>
> 想見山阿人,薜蘿若在眼。
>
> 握蘭勤徒結,折麻心莫展。
>
> 情用賞爲美,事昧竟誰辨。
>
> 觀此遺物慮,一悟得所遣。

詩人居住深山幽谷不知天曉,只聽窗外一片猿啼才知天色已亮。于是清晨整裝出遊,但見雲屯岩際,旭日初升,花葉上昨宵露珠仍然盈盈流轉。順着山水斜曲前行,跂山陟嶺,褰裳渡水,溪流彎曲忽續忽斷,在山灣迴繞,更有浮萍漂浮于深潭,菰蒲搖漾着清流。

遂行山中，企石挹泉，攀林摘葉，不禁使人想起《楚辭·山鬼》的詩篇，依稀想見披着薜蘿的高士逸人在深山幽隱。可是採來盈把的香蘭，折來疏麻的花蕊，欲贈無由，徒有一番殷切！山間獨遊，令人興發思友之情，一絲惆悵油然而生，但是詩人終究還是收拾幽思冥想，將精神專注于眼前美景的欣賞，何況《九歌》中山鬼的故事或許就是一個無法分辨的傳說，即使眼前面對的只是一草一木，其中亦具有真美，可是這個道理隱微不顯，不易爲常人所分辨。美景當前，在靜觀賞鑒之時，可以將世間思慮排除而盡，甚至達到無所不遣的精神境界。整首詩由山川行遊所獲得的精神愉悅導向對某種玄理的探悟，詩人正是在體道悟玄的過程中尋獲心靈的自得自適。

　　由山水之遊獲得精神自由解放，並由此體悟大道的玄虛曠蕩，達到與天地同游、萬物並生的精神境界，或者對這種境界的熱切向往，靈運詩中這類感受還有不少：

　　　　感往慮有復，理來情無存。

　　　　撫化心無厭，覽物眷彌重。

　　　　居常以待終，處順故安排。

這些詩句往往被視作大謝山水詩中的"玄言尾巴"，遭到不少攻訐。實際的情形又是如何呢？這就須涉及到靈運山水詩創作受道家思想影響的第二方面，即道的整體意識。

三

　　大謝詩中的山水描寫充滿道的整體意識。具體表現在兩方面：一是山水描寫的整體方式；二是道的觀念對山水詩中情與景的整體籠罩。

　　整體把握山水的方式，在大謝山水詩中表現爲對仗的普遍使用，並且這些對仗句式傳達出很強的時空意識。公宴詩以來詩中對仗句式不斷增多，到了晉宋之際更是大量出現，而且運用更爲自

覺,此即劉勰所謂"儷采百字之偶"。有人將之歸結爲形式主義風
氣盛行的産物,在我看來,這不僅僅是詩歌形式上進一步要求美化
的需要,其思想根源應是道的觀念介入,引起山水觀照態度的變
化,即山水觀賞的時空感增强了,山水描寫的時空意識也大大自
覺。魏晉初期,詩中已有不少對仗句式,但是用以對仗的景物通常
兩兩對舉,上下方位頗爲含糊,時空感不强,如"華星"對"丹霞";
"飛鳥"對"浮雲";"瓊林"對"碧樹",所舉的事物幾乎是同一方位
或同一性質,顯示不出時間或空間的變化。魏晉以後詩中景物描
寫方位感、距離感明顯加强,以至大謝山水詩用對仗形式表現山水
時空意識成爲一種相當自覺的行爲,這些對仗句式多用以表現上
下、遠近、朝昏、旦暮等時空距離,相應的是景物的輕重濃淡動靜等
色彩音響對比。詩人試圖以整飭的對仗傳達出山水觀照的整體意
識,這正是道的整體觀念在詩人腦中的自覺反映。像前面所引《石
壁精舍還湖中作》,中間幾句寫景幾是對仗,或叙早出晚歸所見早
晚天氣的變化:"出谷日尚早,入舟陽已微";或者寫山行泛舟所
見,其中各自又有遠望近觀的差別,而"林壑斂暝色,雲霞收夕霏",
前句爲近處所見的下方景色,後者爲遠望中所見的上面景象。至
如泛舟近觀,又有層次之別:"芰荷迭映蔚,蒲稗相因依",寫出四角
菱,荷花,葛蒲,以及同類的水草互相叠映依護的層次感。它如《過
白岸亭》、《游南亭》等詩則直接以遠、近、疏、密、俯、仰、早、晚、朝、
夕等字眼點明空間布局和時間推移,即使有時不用相應的字眼點
出,也能見到完整的時空框架:

近澗涓密石,……………………………………………………	近
遠山映疏木。……………………………………………………	遠
密林含餘清,……………………………………………………	近
遠峰隱半規。……………………………………………………	遠
俯濯石下潭,……………………………………………………	下
仰看條上猿;……………………………………………………	上
早聞夕飆急,……………………………………………………	早

晚見朝日暾。…………………………………………………… 晚

俯視喬木杪，…………………………………………………… 低

仰聆大壑淙。…………………………………………………… 高

晨策尋絕壁，…………………………………………………… 早

夕息在山棲。…………………………………………………… 晚

用對仗句式多方位多角度地刻劃山水，正是爲了寫出山水景象在不同時間或不同空間裏的變化和分布狀況，這使得大謝山水詩的景物描寫顯得"繁富"，亦即白樂天所謂"大必籠天海，細不遺草樹"，以及其他評論所説的"寓目輒書"，"富麗精工"，實際上這是道的整體觀念在起作用，詩人仿佛想從上下遠近，朝昏旦暮，以及四時遷移，草木榮衰之中，感悟宇宙自然的運轉，領悟大道運化的真義，這種整體觀念統攝着大謝山水詩創作。不妨再看《于南山往北山，經湖中瞻眺》：

朝旦發陽崖，景落憩陰峰。

捨舟眺迥渚，停策倚茂松。

側逕既窈窕，環洲亦玲瓏。

俯視喬木杪，仰聆大壑淙，

石橫水分流，林密蹊絕蹤。

解作竟何感? 升長皆豐容。

初篁苞綠籜，新蒲含紫茸；

海鷗戲春岸，天鷄弄和風。

撫化心無厭，覽物眷彌重。

不惜去人遠，但恨莫與同!

孤游非情嘆，賞廢理誰通。

全詩寫景之句全用對仗，開頭兩句點明出游的時間、地點，即"于南山往北山"，並指出清晨出發，晚間到達。以下便是用對仗句式描述了詩人出游的行程和所見的景物，"捨舟"，"停策"，分別寫登山眺湖，挂杖倚松，點明"經湖中瞻眺"，這時展現眼前的是剛剛走過的那條小道，還有腳下巫湖的千頃烟波。在山中行遊，俯視喬木樹

梢,仰聽大壑水喧,舉目遠望,又見石截水流,林絶人蹤。俯仰之
間,視聽之内,原來《周易》中所説的萬物滋生的道理,從草木的生
長茂盛中是可以獲得啓示的:新竹抽筍,緑蒲含茸,海鷗嬉游春岸,
天鷄舞弄和風,無不孕育着自然的生機。面對這些自然景象,詩人
覺得自己的思想與生命已隨着自然萬物變化而融化于中,所謂“萬
物萬化亦與之萬化”(郭象《莊子》注),對萬物的顧念也更加深切,
在物我合一境界中,自己的思想仿佛已和古人相接,不受時空阻
隔,遺憾的是不能生當同時,未得同游。而今詩人獨自遨游,雖然
也獲得與道俱化的感動,不再爲世情而喟嘆,可是其中自得的賞悟
之理又是誰能通曉呢? 整首詩力圖拓展出一個上下統一完整的空
間,以説明詩人思想上早已存在着的道家玄理,山水、草木、禽鳥組
成一個和諧的自然整體,詩人從中領悟萬化流轉的規律,達到與道
俱遊的境界。對仗在此已不僅是手法運用上的需要,更是爲了表
達一種觀念,這便是道的整體觀念。

　　整體把握山水的方式也表現在大謝山水詩中情感理思對自然
山水的整體籠罩。許多文章認爲大謝詩中自然山水與玄學理悟分
爲兩截,即“玄言尾巴”。從面上看,靈運詩固然有“景”與“理”的分
界,這也是道家思維不及佛家透徹的表現。但是從内在精神觀之,
景與理却是統一的,大謝筆下的自然山水已不僅是具有實在意義
的自然山水,也是高度思辨與心靈體驗的對象物,山水統一于玄
理,玄理藉山水而顯現,二者是一個整體。正如王夫之論大謝詩中
情與景關係所道:“言情則于往來動止,縹緲有無之中得靈蠁,而執
有象; 取景則于擊目驚心、絲分縷合之際貌固有,而言之不欺。而
且情不虚情,情皆可景; 景非滯景,景總含情。”(《古詩評選》卷五)

　　靈運詩中自然山水已成爲大道精神的形象體現,與老莊所言
的道之境界,道之玄理一樣,都是詩人“釋域中之常戀”的精神對象
和追求目標,所以“貞觀丘壑”在于“遺情去累”,也只有“遺情去累”
才能“貞觀丘壑”。無論是貞觀丘壑,還是遺情去累,都是爲了求得
精神的釋放解脱,將對人生宇宙之理的感悟包籠全篇,融山水與玄

理于虛明恬淡的精神境界之中。這使大謝山水詩整體上顯示出高蹈遺俗的氣質。

比如《過白岸亭》：

> 拂衣遵沙垣,緩步入蓬屋。
> 近澗涓密石,遠山映疏木。
> 空翠難强名,漁釣易爲曲。
> 援蘿聆青崖,春心自相屬。
> 交交止栩黃,呦呦食蘋鹿。
> 傷彼人百哀,嘉爾承筐樂。
> 榮悴迭去來,窮通成休戚。
> 未若長疏散,萬事恒抱樸。

詩中前面寫景,後面叙理抒懷,白岸亭周圍的山光水色與榮悴窮通無常的慨嘆及抱樸存真的企望似乎是互不關聯的兩截,但是顯而易見,詩人則以大道至理貫穿始終。近澗密石,遠山疏木,山色空翠,漁釣樂吟,無不使人聯想到玄秘深遠,至大無邊的道之精神,而"交交黃鳥"則由眼前停留在櫟樹上黃鳥的鳴聲想到秦穆公殉葬三良(奄息、仲行、鍼虎)之事,以及秦人對他們的哀悼;"呦呦鹿鳴"又使人想及君臣宴饗封賞之樂。詩人由此激發起對人世窮通榮悴的或憂或喜,而人生悲歡不定,休戚無常,還是保持自己淡泊樸散的本性與宇宙自然精神相融爲一,達到忘我、自化的境界。大美無言的自然山川,不問功名的江湖漁釣正與詩人散淡素樸的心意協調一致。

四

由于道的整體觀念作用,靈運山水詩表現出强烈的時空意識和整體把握自然山水的方式,以及將情或景統一于理的特徵。除此之外,靈運山水詩中主客體之關係也明顯受道之觀念影響而由兩個層面具體展開。

　　一是主體自身的審美感悟，即"遺情捨塵物，貞觀丘壑美"。老莊泯滅物我、物物的道之觀念深刻影響着靈運的山水審美觀照，所以他一再強調靜心除欲，遺情去累，以審美心態進入山水鑒賞活動之中，由此深入把握山水精神，進而達到與物俱往、與造化同遊的境界，這在他的山水作品中有具體表現，像《石門岩上宿》：

　　　　朝搴苑中蘭，畏彼霜下歇。

　　　　暝還雲際宿，弄此石上月。

　　　　鳥鳴識夜棲，木落知風發。

　　　　異音同至聽，殊響俱清越。

　　　　妙物莫爲賞，芳醑誰與伐?

　　　　美人竟不來，陽阿徒晞發。

詩人通過苑蘭、石月、鳥鳴、木落等吹萬不同的色彩音響力圖傳達出大自然自在的生機，而對于詩人來說，則以虛寂淡泊之心悄然應之，在物我交融之中，物我、物物的界限取消了，萬物與我在道境中驀然相遇，物我俱化。儘管詩人在退思冥想中難免還有些許知音難得的惆悵落寞，但是臨風晞發的悠然還是超越了世俗悲歡。這是詩人由山水審美獲得人生感悟的心理寫照。理從景出，情因理見，人與物化，心與境化，大謝山水詩多有此特點，只不過他的多數作品時常將這種審美感悟用理語直接道出，這首詩則以形象可感的畫面動作隱約表達。靈運山水詩中所表現詩人對"道"的體悟是他觀照自然山水情感活動過程的抽象，審美感受的昇華。

　　二是客體對象的審美啓示使主體獲得審美超越，即"觀此遺物慮，一悟得所遺"。在遺情去累的審美觀照過程中，靈運山水詩又表現出詩人善於通過感應萬物進一步把握心靈的虛明恬靜，以獲得一種人生的解脱，達到審美的超越。像前面所引的《過白岸亭》，詩中描繪了白岸亭周圍的自然風光：近處水流潺潺，澗石磊磊；遠處春山含翠，林木扶疏。只是眼前美景勾起詩人對人生的無窮感慨，詩人從秦之三良被害和權臣受寵聯想到現實中忠奸不辨，賢愚不分，自己的命運偃蹇不遇，興嘆人生榮悴交替，窮通無常，一如眼前春山空濛, 非言辭所能形容。那麼, 如何超脫于世事困擾, 那就是"未若長疏散, 萬物恒抱樸"。不以世務縈懷, 宅心玄遠, 由"悟道"而"遺物", 由景物欣賞尋獲審美啓示或人生感悟, 從而達到審美超越或人生解脫, 主體與客體在道的境界中冥合而一。

"遺情捨塵物, 貞觀丘壑美"與"觀此遺物慮, 一悟得所遺"是道之觀念作用于靈運山水詩主客體關係的兩個層面。山水景物是主體遺情去累, 虛心澄懷觀照的對象, 不是與生命品格無關的客觀物質存在, 而主體在山水中獲得的是理思的滿足及與道同體的歡悅。詩人以其審美情感和審美認知在觀照和表現自然山水的審美活動中, 把個人對人生的深刻理解, 對宇宙本體精神的内在把握深入到觀照對象的精神之中, 創造出一個充滿情感活力、具有深度思維能力、物我、情景相融的境界。所以只要深入尋繹大謝山水詩的精神世界, 不難看出其山水詩情與景、景與理是内在和諧統一的, 這也是道家思想對之全面滲透的結果。

道家思想影響大謝山水詩創作還表現在大謝山水詩多處化用老莊理詣。就詩歌的特性而言, 這種發議論談玄理的做法有可議之處, 甚至造成詩中山水形象與玄理說明的隔裂, 但是由此恰恰説明靈運是從道的角度去看待理解自然山水的。有人對靈運山水詩引用老莊及《周易》的詞句作了統計, 其中"三玄"以《莊子》最多, 共67次(包括郭象等人的注); 用《易》次之, 共27次; 《老子》第三, 共16次(包括王弼注)[①]。至于佛教經典的引用, 謝詩中也有, 但比例顯然少得多。

誠然, 靈運在佛學方面亦頗有造詣, 不僅寫了不少與佛徒交往的詩作, 而且他本人還是當時佛理研究的專家, 著有《辨宗論》、《佛法銘贊》、《釋曇隆誄》、《釋玄敬誄》, 尤其《辨宗論》是篇研究晉宋佛教理論和流傳的要著。佛學修養必然也會作用于靈運的人生與創作, 但是比起道玄影響就不及。靈運山水詩由山水遊覽不時泛起

---

① 轉引自管雄《説"莊、老告退而山水方滋"——關于謝靈運的山水詩》, 見《文學遺産》增刊十七輯。

人生感慨顯然不是屬于佛教，而且詩歌表現方式也未具備更爲透脫空靈的效果，這不僅是思想認識與藝術表現尚未統一協調的緣故，更是認識方式上未曾透徹究竟的結果，這是"道"而不是"佛"。當然，固執一端，純粹剔除佛理對大謝山水詩的影響，正如壓別佛道在本時期的界限一樣，是相當困難且無其大必要的。

　　考察大謝山水詩主要受佛還是道影響並非是種無意義的工作，因爲通過這種考察有助于我們了解東晉玄學自然觀向山水審美觀轉化的思想依據。有人認爲晉宋山水詩之産生，從哲學思想根源來説是佛學新觀點的建立，更直截點説即東晉名僧支遁"物物不物于物"觀點的啓示。姑且不説支遁之説比起向郭理論更接近莊子原意，從謝靈運山水詩創作已不難見到晉宋山水詩更多受惠于道家哲學的沾漑，作爲晉宋山水詩創作當然代表的謝靈運，他的山水之作無疑顯示了晉宋乃至六朝山水詩的創作實績，由此可見山水詩在其形成過程承受道家思想浸淫的歷史事實。

　　作者簡介　王玫，1957 年生，福建福州人。1982 年畢業于廈門大學中文系，現爲廈門大學中文系講師。撰有《古典文學與接受美學隨想》等論文。

道家哲學的現代理解

——以嚴、章、梁、王、胡爲例

王中江

人類思想發展的基本方式之一,是對開創其思想理念源頭的最早文本即"原典"不斷作出解釋。數起來,人類思想的"原典"並不多,但其解譯却不計其數,並仍在無限制地累加着,形成了一條"原典"解釋之鏈。中國哲學的發展,更突出地體現了這種方式,可以說,主要是通過對"原典"的不斷解釋來實現的。儒家是這樣,道家也是這樣。道家哲學的最重要"原典"是《老子》和《莊子》。在漫長的時間長河中,對這兩部原典的重讀和重解,一直連續不斷。19世紀末,中國哲學同西方哲學開始有了較多的接觸,外來的觀念被輸入進來,構成了哲學家們新的"先見",一些人用這些新的先見或外來觀念去觀察道家原典,從而對道家原典作出了一些新的理解,豐富了道家原典的解釋方式[①]。在這方面,開風氣的人物有嚴復、章太炎、梁啓超、王國維和胡適等。

一 對道家人物和原典的考論

在考察現代諸人物對道家哲學的現代理解之前,我們先就他

[①] 當然,中國已有的思想資源,仍扮演有解釋範式的功能。如章太炎和梁啓超運用佛學的觀念看待道家哲學。

們對道家原典和人物的討論作一介紹。

關于這一點, 嚴復説的不多, 他關心的主要是道家的思想觀念。但在個別地方, 也偶有論及。如他推測, 莊周就是孟子七篇中所批評的楊朱。他的根據是, 莊周與楊朱都主張爲我。莊周與孟子所處的時代接近, 但兩人毫無互相評論的文字, 這是不好理解的。從語言文字上看, 莊與楊爲叠韵, 周與朱爲雙聲, 所以, 莊周與楊朱可能就是一個人(見《嚴復集》第四册, 第 1125 頁)。把莊子與楊朱看成一個人, 不只是嚴復的看法, 蔡元培也持此見, 他的理由是古音莊與楊, 周與朱都相近, 就像荀卿亦作孫卿一樣(見《蔡元培全集》第二卷, 中華書局, 1984 年, 第 29 頁)。

章太炎肯定老子曾是一個史官("道家老子, 本是史官"), 老子通過對歷史經驗的充分了占有和把握, 認識到社會中的成敗禍福, 都取决于人事, 非來自外在力量(如鬼神)的支配。老子哲學的中心旨趣, 也主要來自其史官經驗。在對歷史的研究和對政治現實的觀察中, 老子深深感到, 帝王君主都有强烈的私心, 爲了實現自己的私心, 往往設置陰謀以害人, 製造了一系列驚心動魄的殘酷歷史事件。這些事件在老子的意識中, 打上了深深的印記, 形成了爲他的膽怯心理。老子的哲學思想和政治理念, 如柔弱不争, 以卑賤自持, 不爲帝王和教主, 都是出自這一膽怯心理。章太炎肯定, 孔子曾受學于老子, 老子以其權術授之孔子, 老子無疑是孔子的老師, 老子思想是儒家思想的先導。如老子不爲帝王, 只求輔佐, 孔子和儒家深得這一主旨, "儒家所希只在王佐, 可謂不背其師説矣"(《論諸子學》,《章太炎選集》, 上海人民出版社, 1981 年, 第 367頁)。孔子不僅得到了老子的權術(有過之), 而且把老子徵藏的舊書都詐取無餘。由于儒道形式有異, 又怕老子揭露, 孔子就不尊奉老子爲本師。對此, 老子雖然憤憤不平, 想把真相揭發出來公布于衆, 但孔子之徒, "遍布東夏", 老子無可奈何, 只得到無儒的秦地以避儒家的迫害, 並在那裏寫出了《道德經》。章太炎推論説, 如果《道德經》早出, 老子必有殺身之害。有關莊子的學承, 照章的説法,從權術看,莊子似乎與老子是相同的,但其精神却完全不一樣。《天下篇》在對諸家的討論中,已把莊子和老子的思想作了區分,"其裂分爲二者,不欲以老子之權術自污也"(同上書,第371頁)。一種説法認爲,莊子之學出于儒家,理由是田子方承教子夏,而莊子又承教于田子方。但是,章反駁説,照《莊子》一書的記載,庚桑楚、徐無鬼、則陽等,都是莊子所推重的人物,决非田子方一人。如果因推重田子方,就認爲其學必出于此,這樣的話,徐無鬼、南郭子綦不就都成了莊子的老師嗎?

　　王國維對老子和老子之書也有所討論。在他看來,老子這個人"不可得而詳云"。他只是説,老子名儋,是周時的一位太史。汪中有《老子考異》,對以往有關老子生平的説法,提出了一些疑問,他利用《列子》、《説苑》、《禮記》和《史記》等文獻,肯定老子比孔子早,孔子問禮的人,就是聃,是周守藏室之史。《史記》中所説的儋,就是老聃。老萊子之稱自孔子始,實即老子。但是,阮元則持不同的看法。在這兩種不同的看法中,王國維贊同汪中的説法,認爲它是根據于事實,而阮元的説法有想像的成分。關于《老子》這部書,王國維肯定它是一部古書,其成書時間在戰國初期。因爲從語言文字上看,此書有三個特點:一是書中多叶韵,可證爲古書;二是以"仁義"之並稱,不能判定爲孟子以後所作。因爲據《大戴記》和《左傳》,曾子和左丘明都已説"仁義","仁義"合稱並不始于孟子。而老子生年與曾子、左丘明相近,其稱"仁義",應在情理之中。三是《老子》一書的文體簡單純一,後人所插入的文字甚少。對于列子思想與老子的關係,王國維論之甚詳。照他的説法,列子以關尹子、壺丘子林、老商等爲師,而這三個人的思想,都出于老子,因此,列子無疑爲老子學派的後繼者。王國維從自然説、虛静説等方面具體申論了列子對老子思想觀念的承襲。但是,列子却把老子的觀念推到了極端,把老子隱微積極的一面統統消解掉了。他説:"列子之説則實取老子之自然説、虛静説,充之于極端之地,而于老子之隱微的積極的一面竟抹殺之,故面目似同實異。易言以明之,則列子之學説不過取老子之根本思想,以遊戲的娱樂的擴充之,而其結果所在,遂與佛教之厭世的寂静説,與莊子之無止無界之思想相近云爾。又,老子之書多以簡潔有力之格言體發表其思想,而列子則多以叙事的寓言表現之,是亦其相異之端也。"(同上書,第106—107頁)

　　説到胡適,他對老子的考論,影響較大,曾引起了一場爭論。在他的劃時代的《中國哲學史大綱》中,他把老子作爲中國哲學史上的第一位哲學家放在孔子之前。他肯定老子名耳,字聃,姓李氏,認爲孔子到周向老子問禮的記載是可信的,到周的時間當在公元前518年以後,見老子大概在前518年至前511年之間。老子比孔子至多不過大20歲,當出生于公元前570年左右。老子去世的時間,不知何時,他至多不過活了90多歲。老子既然名耳字聃姓李氏,何以有老子之稱呢? 對所謂的"生而皓首,故稱老子"和"以其年老,故號其書爲《老子》"等看法,胡適認爲都不可信,在他看來,有兩種可能,一是,"老"或是字,因爲春秋時人們往往把字用在"名"的前面。又古人的字後可加"子",故有老子之稱。二是,"老"或是姓。古代有氏姓的區别,普通的老百姓各從其所來爲姓,而貴族在姓之外,還有氏。老子未曾作過大官,或源出于大族,故姓老而氏李。胡適説,這兩種解釋都説得通,但尚没有根據,不能肯定究竟屬于哪一種。關于《老子》一書,他認爲原本是一種雜記體的書,没有結構組織,今本所分篇章,乃後人所爲。書中有重複的話,説明後人有妄加之處。對楊朱和莊子,胡適有簡略的説明。他指出,楊朱的年代,有的説上可以見老子,下可以至梁王。《孟子》批評楊朱,説明楊朱一派的哲學已能與儒墨三分天下,他當時大概已經死了,《楊朱篇》還記載有墨子弟子禽子與楊朱的答問。據此,胡適推測,楊朱的年代應當在公元前440年與前330年之間。對《列子》這部書,胡適認爲是最不可信的,只有《楊朱篇》似乎可靠(其中有些話可能是後人加的)。因爲,楊朱的爲我主義是有旁證的(如《孟子》);書中討論名實的幾處不是後世討論的問題;

八篇中只有《楊朱篇》專記一個人的言行。可能當時已有這一本書，後來編《列子》的人，把它也拉了進去，湊成八篇。關于莊子，胡適據《史記》的説法，説他名周，是蒙人，曾作過漆園吏，他和齊宣王同時，死在惠施之後，其時間當在公元前 275 年左右，在惠施和公孫龍兩人之間。

　　胡適對老子的説法，一些人並不同意，梁啓超就是其中之一。他對較早的歷史記載，特別是《史記》，一連提出了六個懷疑，最後他認爲《老子》這部書可能很晚，胡適把老子作爲中國哲學史上第一位哲學家，似乎來歷不明。他指出，胡適對諸子時代考核精細，是疑古的急先鋒，但不知何以對老子的年代卻沒有疑問，他還説："胡先生聽了我這番話，只怕要引爲同調。"（《評胡適之《中國哲學史大綱》，《梁啓超哲學思想論文選》，北京大學出版社，1984 年，第361 頁）但是，梁的預測落空了，面對反對意見，胡適仍堅持自己的見解，認爲老子這個人和《老子》這部書的年代，不必更動，堅持認爲老子比孔子大，是孔子的先生。他强調，《老子》一書，從文字上看，沒有理由把它放得很晚。《論語》中的"無爲而治"、"無言"、"以德報怨"、"犯而不校"等説法，都受到了老子的影響。胡適還從方法論上，對梁啓超等人的考定提出了批評。關于《楊朱篇》的時代，梁啓超也不同意胡適的看法，認爲它與《列子》中的其他篇一樣，都是漢以後的作品，因爲此篇的内容，完全是晉代清談家的頽廢思想，而周秦諸子都是積極的精神，這種沒出息的虛無主義，決不會出現，所以，梁勸胡適把這一篇也割掉，不要再去偏愛它。

二　在科學的視角下

　　不言而喻，在嚴復那裏，科學觀念和精神整體上是西方近代的産物，它是中國必須加以發展的最重要的東西之一。但是，對嚴復來説，科學觀念同中國傳統又不是完全無緣的，二者之間實際上存在着契合的地方，具體到道家哲學，就更是如此。《老子》四十八章

説:"爲學日益,爲道日損",嚴復立即把它同科學的兩種方法聯繫
了起來,認爲"日益"和"日損",分別指科學認識中的歸納和演繹活
動。這種解釋的可靠性令人懷疑,因爲老子對具體的知識,並不熱
心。同時,我們很容易聯想到他在儒家經典中所得到的同樣發現。
司馬遷曾就《周易》和《春秋》評論説:"《易》本隱而之顯,《春秋》推
見至隱。"對此,嚴復的解釋是,"本隱之顯"就是演繹,"推見至隱"
就是歸納,強調這兩種方法早爲中國傳統所擁有,只是沒有被後世
發揚廣大。不管如何,在這一點上,嚴復似乎不夠嚴謹。

　　對嚴復來説,道家哲學不僅具有科學的一般觀念,而且在具體
的科學領域中還有驚人的發現,最引人注目的是在生物進化論方
面。《老子》五章説:"天地不仁,以萬物爲芻狗;聖人不仁,以百姓
爲芻狗。"嚴復認爲,這是"天演"開宗語,它概括了達爾文進化論的
基本原理,"此語括盡達爾文新理"(《嚴復集》第四册,中華書局,
1986年,第1077頁)。《莊子·至樂篇》有"種有機"的説法,把萬物
的變化,説成"皆出于機,皆入于機"。在嚴復看來,莊子的這一説
法,可以同近代西方生物學家的發明相互印證。當然,嚴復承認,
莊子所用的觀念和表述,不夠恰當,而且比較籠統。但是,那麼早
就提出與近代科學接近的觀念,是極爲可貴的,嚴説:"此章所言,
可以之與挽近歐西生物學家所發明者互證,特其名詞不易解釋,文
所解析者,亦未必是。然有一言可以斷定者,莊子于生物功用變
化,實已窺其大略,至其細瑣情形,雖不盡然,但生當二千餘歲之
前,其腦力已臻此境,亦可謂至難能而可貴矣。"(同上書,第1130
頁)與此類似,嚴復還極爲佩服莊子所説的"無窮"觀念,認爲它與
近代天文學、地質學有一致的地方,他這樣説:"今科學中有天文地
質兩科,少年治之,乃有以實知宇宙之博大而悠久,回觀大地與夫
歷史所著之數千年,真若一映。莊未嘗治此兩學也,而所言如此,
則其心慮之超越常人,真萬萬也。"(同上書,第1142-1143)我們無
須再舉更多的例子,嚴復在科學的視野下觀察道家哲學的方式,已
給我們留下了很深的印象。

用科學來觀察道家哲學,決不只是嚴復一人,胡適在這一方面,也很典型。在他看來,進化是先秦哲學的中心問題之一,老子、孔子都已經有所討論,只是他們"都不曾有完備周密的進化論,又都不注意生物進化的一方面"(《中國哲學史大綱》,第256頁)。但墨子以後,研究生物進化論的人就多了起來。墨子、惠施、公孫龍都有具體的看法,而最詳細、最重要的看法,則是莊子和《列子》一書。如上所說,胡適認爲,《列子》八篇主要是後人的作品,有不少言論互相衝突,並不一致。就是進化論也有兩種。《列子·天瑞篇》說:"夫有形者,生于無形,則天地安從生? 故曰: 有太易,有太初,有太始,有太素。太易者,未見氣也;太初者,氣之始也;太始者,形之始也;太素者,質之始也。氣形質具而未相離,故曰渾淪。渾淪者,言萬物相渾淪而未離也。視之不見,聽之不聞,循之不得,故曰易也。易無形埒,易變而爲一,一變而爲七,七變而爲九。九變者,究也,乃復變而爲一。……"胡適斷定這一段話出自《易·乾鑿度》,而《乾鑿度》決不是先秦的書,是後人硬拉到《列子》中的,它反映了秦以後的一種進化觀念。另一種進化觀念則是屬于先秦的,它以《列子·天瑞篇》中的另一段話爲代表,即"有生不生,有化不化。不生者能生生,不化者能化化。……不生者疑獨,不化者往復。往復,其際不可終;疑獨,其道不可窮。……故生物者不生,化物者不化。自生自化,自形自色,自智自力,自消自息,……"胡適特別注意其中的"疑獨"二字,認爲"疑"是指"定",而"疑獨"是說永遠單獨存在,它是天地萬物借以自生自長的原質。由于天地萬物都是自生自息的,所以天也不再具有支配性,萬物之間就成爲一種並生競存的關係,"天地萬物與我并生,類也。類無貴賤,徒以大小智力而相制,迭相食;非相爲而生之。人取可食者而食之,豈天本爲人生之? 且蚊蚋噆膚,虎狼食肉,非天本爲蚊蚋生人、虎狼生食者哉?"(《列子·說符篇》)胡適評論說,這一段話,與生物學家所說的優勝劣敗,適者生存是比較接近的。

說到莊子的生物進化論,胡適認爲,莊子的"自化"觀念非常重要, 它排除了造物主的存在, 把生物的進化納入到了自然的過程中。《莊子·寓言篇》説: "萬物皆種也, 以不同形相禪。……"胡適認爲這十二個字, 就是一篇《物種由來》。《莊子·至樂篇》提出"種有幾"、"萬物皆出于機, 皆入于機"等命題, 對生物的演化過程, 作了具體的描述, 胡適指出, 這一段話, 自古至今都沒有人能解, 他自己也不敢説就理解了, 他强調了三點: 其一, "種有幾"的"幾"字, 決不能作幾何的幾講, 而是幾微的幾。作爲幾微的幾, 這裏是指物種最初時代的種子, 也就叫作元子。其二, 莊子所列舉的動植物的名字, 雖不能細考了, 但他所講的動植物的演化過程則是可信的, 即種子得水後變成微生物, 到了水土交界之後變成一種下等生物, 到了陸上後, 又變成一種陸生的生物。以後, 一層一層的進化, 最後進到高等的人類。其三, "萬物皆出于機, 皆入于機"的兩個"機"字, 本作"幾", 而誤作"機"。而整句話的意思是, 極細微的幾, 一步一步的, "以不同形相禪", 變成人, 人死後又化成細微的幾。但是, 對胡適來説, 莊子的生物進化論仍有其局限性。按照近代生物學的理論, 生物的進化, 都是由于所處的環境有種種需要, 所以不得不變化形體, 以適應環境, 適應的就生存, 否則就被淘汰。但是適合有兩種, 一種是被動的, 全靠天然的偶合, 其存滅完全是通過"自然選擇"實現的。另一種是自動的, 即本不適合環境, 但靠自己的努力, 製造出種種器物制度, 以求生存。莊子的生物進化論, 完全是被動的天然的生物進化論。

三　哲學觀念的整合

哲學雖然有中西之分, 但這並不意味着它們沒有共同的觀念。隨着中西哲學的交流, 人們開始發現, 二者具有相互説明和相互理解的可能性。就嚴復的整個傾向來説, 他是一位科學主義者, 但他並不否認有超越科學之上的形上學本體, 並對此保持着一定興趣。在他看來, 道家哲學提供了能與西方形上觀念打通的"本文"。斯

賓塞承認在科學之外有"不可思議的對象",嚴復認爲,道家哲學的
"道"就是這種對象。斯賓塞區分相對的事物和絕對的實體,認爲
認識所能達到的只是前者,"如果事物……是相對的,我們自然只
能認識有限的和局部的事物。絕對、初始因或無限,不能爲人所認
識,因爲它不能同任何別的東西相似或區別"(梯利:《西方哲學史》
下册,商務印書館,1979 年,第 308 頁)。與此類似,道家哲學也有
相對和絕對的區分,而認識所及者也只是相對的領域,而絕對則是
不可思議的。《老子》二章指出了有無、美惡、高下、長短等事物的
相對性關係,嚴復理解説:"形氣之物,無非相對。非對待,則不可
思議。故對待爲心地止境。"(《嚴復集》第四册,第 1076 頁)《莊
子·齊物論》强調彼此關係的相對性,提出了"非彼無我"的命題,
嚴復揭示説:"彼是對待之名詞,一切世間所可言者,止于對待,若
真宰,則絕對者也。"(同上書,第 1106 頁)對嚴復來説,老子的道,
是超越相對的絕對,不僅與佛教的"自在"、"涅槃"有同質性,而且
與西方文化中的形上觀念也相通,换言之,人類其他文化中的超越
性本體,都能與道家的道坐在一起,握手言歡,"老謂之道,《周易》
謂之太極,佛謂之自在,西哲謂之第一因,佛又謂之不二法門"(同
上書,第 1084 頁)。由于對超越性的追求構成了人類思想活動的一
個重要部分,所以道家哲學向往的也正是西方哲學的努力方向,
《老子》一章説:"同謂之玄,玄之又玄,衆妙之門。"嚴復的批注是:
"西方哲學所從事者,不出此十二字。"(同上書,第 1075 頁)這樣,
嚴復在相對領域中所遇到的競争和鬥争,在絕對領域中被化解得
一乾而淨。"

　　形而上學、實體分别都是對西方哲學概念的翻譯,當王國維用
二者去分析中國哲學的時候,他首先把它們與道家哲學聯繫在一
起。在他看來,孔子和墨子的思想都不能當形而上學之名,而只有
老子的哲學,才具有形而上學的性質,老子是探求宇宙究竟根本的
第一位中國哲學家,王國維説:"孔子于《論語》二十篇中,無一語及
形而上學者,其所謂'天'不過用通俗之語。墨子之'天志',亦不過

欲鞏固道德政治之根柢耳,其'天'與'鬼'之說,未足精密謂之形而
上學也。其說宇宙之根本爲何物者,始于老子。"老子"于現在之宇
宙外,進而求宇宙之根本,而謂之曰'道'。是乃孔墨二家之所無,
而我中國真正之哲學,不可不云始于老子也。"(《老子之學説》,《王
國維哲學美學論文輯佚》,第 107 頁)道是宇宙的根本,是一,也就
是絕對,而宇宙中的萬物,則都是相對的。沿着老子的形而上學,
列子討論了實體與現象的關係,討論了宇宙生成問題。《列子·天
瑞篇》說:"有生不生,有化不化。不生者能生生,不化者能化化。生
者不能不生,化者不能不化,故常生常化。"又説:"夫有形者生于無
形,則天地安從生? 故曰:有太易,有太初,有太始,有太素。太易
者,未見氣也;太初者,氣之始也;太始者,形之始也;太素者,質
之始也。氣、形、質具而未相離,故曰渾淪,渾淪者,言萬物相渾淪
而未相離也。"如上所述,胡適從生物進化論的觀念來看這兩段話,
而王國維則把它們統攝到形上學和宇宙論之下,並與西方哲學家
的看法作了比較。他認爲,列子所説的由"渾淪"産生萬有之次第,
借用斯賓塞的話説,就是"由同質之狀生異質之物"。列子在實體
與萬物之間,設置了許多階段,這種實體與現象觀,在希臘哲學中
能找到相似者,王國維説:"此與《易》及老子之説、新柏拉圖之分出
論的思想,恰同一轍。然尚有宜注意者,列子所指實體,全屬物質
的,與老子之'道'之稍含精神的意義者不同,又與新柏拉圖派之
'神'以智的精神的屬性勝者又不同,寧與希臘初大哲學家雅克訥
希曼多羅(按,即阿那克西曼德)之'脱雅擺倫'(按,即"無限定")相
似。"(同上書,第 106 頁)

四　尋找政治智慧

　　在嚴復集中解讀道家哲學之前,他已經通過許多場合表達了
他在西學中所認知到的新的政治智慧,並揭示了中國傳統與這種
智慧的緊張,如在《論世變之亟》中,他説:"夫自由一言,真中國歷

古聖賢之所深畏,而從未嘗立以爲教者也。"他雖然偶而也談到道家哲學與新的政治智慧的關係,但却非常有限。然而,在《〈老子〉評語》和《〈莊子〉評語》中,他得到了把新的政治智慧同道家哲學聯貫起來的最好機會,他認定"自由"、"民主"和"個人主義"這些新的政治智慧,與道家哲學具有很大的親和性,從而爲道家哲學打上了新的印記。

　　《老子》一書的性質,歷來爲解讀者所論爭,其中影響較大的一種說法是,認爲它講的是"君人南面之術",即統治術,用現在的話說,它是一部政治學著作。嚴復沒有仔細考察這個問題,但他也認爲,它所談的爲"治道","老子言作用,輒稱侯王,故知《道德經》爲言治之書"(《嚴復集》第四册,第1091頁)。說到"治道"的具體内容,嚴復則把它同西方的民主觀念作了對比。孟德斯鳩區分三種政體:民主、君主和專制,認爲三者各有不同的政治原則。君主和專制分別以榮譽和恐怖爲政治原則,與二者不同,民主的政治原則是品德。嚴復承認,民主作爲一種制度,在中國歷史上並不存在,但是,民主的思想或適合于民主政體的觀念,則已爲老子所申述。老子所說的"失德而後仁"、"失義而後禮",其"德"和"禮",就分別相當于民主之德和君主之禮。嚴復還引伸說,按照老子的邏輯繼續推演,下面就應是"失禮而後刑",而刑就是斯氏所說的專制之恐怖。《老子》46章說:"天下有道,却走馬以糞;天下無道,戎馬生于郊。"嚴復說,這純粹是民主主義,認爲只要讀一下《法意》,就能明白他的說法是正確的。對《老子》57章的"以正治國,以奇用兵,以無事取天下",嚴復解釋說:"取天下者,民主之政也。"(同上書,第1097頁)從老子的民主主張出發,嚴復否定老子有"愚民"的思想,《老子》64章說:"古之善爲道者,非以明民,將以愚之。民之難治,以其智多。故以智治國,國之賊,不以智治國,國之福。"嚴復認爲,老子這裏所言,決不是"愚民主義","老之爲術,至如此數章,可謂吐露無遺者矣。其所爲,若與物'反對',而其實以至'大順'。而世之讀《老》者,真痴人前不得說夢也"(同上書,第1097頁)。《老子》雖有民主的觀念,但這與當時乃至後來的中國政治是格格不入的,嚴復說:"夫黃、老之道,民主之國之所用也,故長而不宰,無爲而無不爲;君主之國,未有能用黃老者也。漢之黃、老,貌襲而取之耳。君主之利器,其惟儒術乎!"(同上書,第1079頁)因爲中國不曾有民主之制,所以老子不明白他所要求的治道只能在民主政體中才能實行,而試圖在君主政體中求之,結果行不通,最後把他設置在小國寡民的社會中,"于是道德之治,亦于君主中求之;不能得,乃游心于黃、農以上,意以爲太古有之。蓋太古君不甚尊,民不甚賤,事與民主本爲近也。此所以下篇80章有小國寡民之說。……如是之世,正孟德斯鳩《法意》篇中所指爲民主之真相也。世有善讀二書者,必將以我爲知言矣。嗚呼!老子者,民主之治所用也"(同上書,第1091-1092頁)。

談到自由,嚴復則更把它與道家哲學打成一片。在他看來,《莊子》之擁有自由主義是不言而喻的。他說:"挽近歐西平等自由之旨,莊生往往發之。詳玩其說,皆可見也。"(同上書,第1146頁)根據嚴復的批語,《應帝王》,幾乎成了中國自由主義一部最早的宣言,"此篇言治國宜聽民之自由、自化,……凡國無論其爲君主,爲民主,其主治行政者,即帝王也。爲帝王者,其主治行政,凡可以聽民自爲自由者,應一切聽其自爲自由"(同上書,第1118頁)。嚴復認爲,莊子不僅把自由視之爲人類享有的尊嚴,而且肯定了自由亦是人類在競爭中獲得勝利的保證,評語又說:"自夫物競之烈,各求自存以厚生。以鳥鼠之微,尚知避矰弋薰鑿之患。人類之智,過鳥鼠也遠矣!豈可束縛馳驟于經式儀度之中,令其不得自由、自化?"(同上)而且,在嚴復看來,莊子的自由觀還注意到了與義務的關係,即只有在享受自由的條件下,人們才會去盡義務,沒有自由,也就沒有義務可言,自由"而後國民得各盡其天職,各自奮于義務,而民生始有進化之可期"(同上)。對莊子所說的"上必無爲而用天下,下必有爲爲天下用",嚴復說,前半句的意思是,"凡一切可聽民自爲者,皆宜任其自由也",後半句是說,"凡屬國民宜各盡其天職,各自奮于其應盡之義務也"(同上書, 第 1128—1129 頁)。

　　與上述解釋相關, 嚴復還在《莊子》那裏發現了以"爲我"爲中心的個人主義。由于嚴復推定莊子就是楊朱, 所以楊朱的"爲我"觀念也就順理成章地爲《莊子》所擁有, "莊周吾意即孟子所謂楊朱, 其論道終極, 皆爲我而任物, 此在今世政治哲學, 謂之個人主義 individulism"。(同上書, 第 1126 頁) 孟子曾對楊朱的個人主義有所批評, 認爲是自私自利, 嚴復則反其道而行之, 爲楊朱辯護, 郭象注《在宥》説: "人皆自修而不治天下, 則天下治矣, 故善之也。"嚴復認爲, 這一注解深得莊子之意, 是楊朱學説的精義, 孟子批楊, 是作表面文章。但是, 嚴復對莊子的個人主義, 仍有保留態度, 表現出某種非一致性。很顯然, 莊子的個人主義與重視個體的生命("不以身移天下")有密切關係, 嚴復擔心, 這會導致個人對社會的無責任性和道德價值的失落, 他感嘆説: "夫莊生《人間世》之論, 固美矣。雖然, 盡其究竟, 則所言者, 期于乘物而游, 托不得已以養中, 終其天年而已。顧所聞之, 人之生于世也, 俯仰上下, 所受于天地父母者至多, 非人類而莫與。則所以爲萬物之靈者, 固必有其應盡之天職, 由是而殺身成仁, 捨生取義之事興焉。……且生之爲事, 亦有待而後貴耳。使其禽況獸息, 徒日支離其德, 亦何取焉。此吾所以終以老莊爲楊朱之學, 而溺于其説者, 未必無其蔽也。"(同上書, 第 1109 頁)

　　對章太炎來説, 道家哲學不僅具有西方的政治智慧, 而且更爲理想。他認爲老子就象一個大醫, 爲治病提供了各種藥方, 他的政治觀念, 也具有多樣性, 既有民主的傾向, 也有君主獨裁的成份, 任人所用, 各成其效。他説: "余嘗謂老子如大醫, 遍列方齊, 寒暑攻守雜陳而不相害, 用之者則因其材性, 與其時之所宜, 終不能盡取也。其言有甚近民治者, 又有傾于君主獨裁者, 觀韓非《揚權篇》, 義亦如是。是所謂遍列方齊, 任人用之者也。漢世傳其術者甚衆, 陳平得之爲陰謀, 蓋公得之爲清静, 汲黯得之爲卓行, 司馬遷父子得之爲直筆, 數子者材性不同, 而各以成其用。與夫墨氏之徒, 沾沾守一隅之術者異矣。夫民治之與獨裁,其道相反,獨孝文能兼用之。處承平之世,獨裁如商君、武侯,民治如今遠西諸國可也。"(《老子政治思想概論序》,《章太炎全集》第五,上海人民出版社,1985年,第146—147頁)平等、自由是西方近代以來政治觀念的核心,這種觀念也影響了章太炎,但是,當他把這種觀念與莊子的思想比較時,他認爲,西方所説的平等主要是指人與人的平等,所説的自由主要是指人們互不干涉,這都不够理想。與此相比,莊子的平等,超出了人的限制,要求人與物平等,要求打破是非之别,"近人所謂平等,是指人和人的平等,那人和禽獸草木之間,還是不平等的。佛法中所謂平等,已把人和禽獸平等。莊子却更進一步,與物都平等了。是平等,他還以爲未足;他以爲'是非之心存焉',尚是不平等。必要去是非之心,才是平等。莊子臨死有'以不平平,其平也不平。'一語,是他平等的注脚"(曹聚仁編:《國學概論》,第64—65頁)。在莊子那裏,真正的自由是"無待",即無所依賴,如果有待,有依賴,就不自由。章太炎説:"近人所謂'自由',是在人和人底當中發生的,我不應侵犯人底自由,人亦不應侵犯我底自由。《逍遥游》所謂'自由',是歸根結蒂到'無待'兩字。他以爲人與人之間的自由,不能算數,在飢來想吃、寒來想衣的時候,就不自由了。就是列子御風而行,大鵬自北冥徙南冥,皆有待於風,也不能算'自由'。真自由惟有'無待'才可以做到。"(同上書,第64頁)

　　梁啓超和胡適也在道家哲學中,發現了新的政治智慧。梁認爲,老子、楊朱、許行都反對干涉,主張極端的放任,乃至走向了無政府主義。與梁的説法接近,胡適認爲,老子開創了以不干涉爲中心的自由主義、無政府主義哲學,如老子説:"我無爲而民自化;我好静而民自正;我無事而民自富;我無欲而民自樸。"在老子的心目中,最理想的政府,就是人們不知道它的存在("太上,不知有之")。胡適指出,老子的這種不干涉主義,在世界政治思想史上也是最早的,歐洲18世紀的不干涉主義,可能也受了老子的影響。

五　與進化歷史觀的緊張及文明批判

對嚴復來説,道家哲學並不都是與西學觀念相合的,二者之間存在有緊張之處。當他用進化歷史觀去解讀道家的時候,他感到道家有一種深深的"復歸主義"的傾向。我們知道,老子面對社會現實的大量異化現象,極爲痛心,他要把人類從異化的深淵中拯救出來,使之達到與道相統一的理想世界。但是,老子不把這種理想設置在不斷發展着的將來,而是把它定位在歷史的過去,要求向歷史的過去復歸。在嚴復看來,老子的這種歷史觀是與歷史進化論格格不入的,他説:"老子哲學與近世哲學異道所在,不可不留意也。今夫質之趨文,純之入雜,由乾坤而馴至于末濟,亦自然之勢也。老氏還淳返樸之義,猶驅江河之水而使之在山,必不逮也。夫物質而强之以文,老氏訾之是也。而物文而返之使質,老氏之術非也。何則?雖前後二者之爲術不同,而違其自然,拂道紀,則一而已矣。"(《嚴復集》第四册,第1082頁)説起來,老子是反對非自然的,要求遵循自然。但他所要求的自然,是質樸,回到自然,即是回到質樸的狀態中。但是,對嚴復來説,從質樸到文明恰恰是自然,而返樸則是非自然,因而嚴復的理想目標是在未來,而不是在過去。他相信通過"物競天擇"的過程,社會就會走向理想的境界,"自由,則物各得其所自致,而天擇之用存其最宜,太平之盛可不期而自至"(同上)。

由于相信社會歷史的理想只能在未來,嚴復認爲道家所説的遠古理想盛世只是一種虛構。對《莊子》所描寫的至德之世,嚴復批評説:"所謂至德之世,世間固無此物。而今日非、澳諸洲,内地未開化之民,其所當乃至苦,如是而曰至治,何足慕乎?"(同上書,第1123頁)道家把遠古社會理想化的傾向,使嚴復聯想到盧梭。在盧梭那裏,自然狀態也被理想化。嚴復認爲,道家的"至德之世",與盧梭的"自然狀態"具有同質性,但徵諸事實,都是一種幻

想,"此説與盧梭正同,然而大謬"(同上)。"此篇所持,極似法之盧
梭,所著《民約》等書,即持此義,以初民爲最樂,但以事實言之,乃
最苦者,故其説盡破,醉心盧氏之説者,不可不知也"(同上書,第
1121頁)。

　　道家追求返璞歸真,是與對文明的批判聯繫在一起的。嚴復
不同意道家哲學的復論,但却對道家的文明批判,產生了某種共
鳴。這是自然的,歐洲現代文明所帶來的弊病,已在嚴復那裏留下
了深深的記憶,"近世歐洲詐騙之局,皆未開化之前所未有"(同上
書,第1082頁)。所以,當他看到道家對文明批判的時候,他就很容
易把這種批判與現代文明掛起鈎來,"今之所謂文明,自老子觀之,
其不爲盜誇者,亦少矣"(同上書,第1097頁)。但是,進化歷史觀在
嚴復那裏太强烈了,對他來説,文明有弊病,那也是歷史進步所必
須所付出的代價,"科學昌明,汽電大興,而濟惡之具亦進,固亦人
事之無可如何者耳"(同上書,第1122頁)。"其所謂絶聖棄智,亦做
不到。世運之降,如岷峨之水,已下三峽,滔滔而流入荆揚之江,乃
欲逆而挽之,使之在山,雖有神禹,亦不能至。禹所能爲,毋亦疏之
瀹之,使之歸海而無爲氾濫之患而已。此言治者所不可不知也"
(同上書,第1124頁)。因此,道家要求抑制文明的觀念,最終又是
嚴復所不能接受的,"然而以爲大盗所利用之故,謂斗斛權衡符璽
不必設,設而于人無所利焉,此又過激之論,而不得物理之平者矣"
(同上書,第1123頁)。我們所能做的只是把歷史進步的代價降到
最低點。特別是在中國被異族侵略失去自由和獨立的情形下,還
去往後退縮,其結果必然是在競爭中被淘汰。因此,對嚴復來説,
中國迫切需要的是向上不已的"浮世德精神",是每個人都最大限
度地發揮自己的潛能。

　　梁啓超對道家的"不爲天下先"、"委曲求全"的説法,不無微
詞,但對道家的文明批判,則有共鳴。在梁看來,文明並不完美,它
有許多弊病: 如古今以來,所謂文明,大都成爲擁護强者利益的工
具; 隨着文明的日益成熟,它往往流爲形式,成爲虚僞等。而道家

哲學清楚地認識到了文明的毒害,毫不留情地加以批判,這使人耳目一新,有利于創造新的文明,這是道家哲學的其中一個價值。道家哲學的另一價值,是要求抛棄卑下的物質生活,外生活,追求高尚的精神生活,内生活。這種精神生活、内生活,以生活爲目的,不以生活爲任何目的手段,即爲生活而生活,使生活藝術化。

　　近代進化歷史觀,把歷史看成一種不斷進步的過程,强調野蠻和文明的嚴格對立。章太炎對此深爲不滿。他借莊子的《齊物論》來與這種歷史觀對抗。在他看來,文野的區别,已成爲强者侵略弱者的工具,"志存兼併者,外辭蠶食之名,而方寄言高義,若云'使彼野人獲與文化'。斯則文野不齊之見,桀跖之嚆矢明矣"。因此,當務之急,就是破除文野之别,"應務之論,以齊文野爲究極"(《齊物論釋》,第43頁)。而莊子的《齊物論》在此可大有作爲,"向令《齊物》一篇方行海表,縱無减于攻戰,與人之所不與,必不得借爲口實以收淫名明矣"(同上書,第42頁)。文野之别,還導致了對物質的追求,而這則以不斷强化人的勞動爲前提條件,違背了"齊物"。對章來説,文野的區别,不僅在價值上是消極的,而且它也没有學理上的根據,正如莊子所説的没有正處、正味、正色一樣,文野也完全是相對的。總之,在莊子的齊物觀念下,文明和野蠻的界限,也就不存在了。

　　作者簡介　王中江,1957年生,北京大學哲學博士,現爲河南省社會科學院哲學所副研究員。著有《嚴復與福澤諭吉——中日啓蒙思想比較》、《理性與浪漫——金岳霖的生活及其哲學》等。

金岳霖論"道"

胡　軍

　　内容提要　　金岳霖雖然在哲學方法上主要受西方分析哲學的影響，但就其哲學觀而言，他的思想處處閃爍着道家哲學的光彩。金岳霖自覺地利用西方哲學中的强烈邏輯意識來改造傳統道家哲學，在此基礎上創造性地構造出一個現代新道家的形而上學思想系統。

　　金岳霖以擅長哲學分析而聞名于中國現代哲學界。但我們却不能簡單地將其歸入分析哲學家的陣營，雖然他本人承認休謨和羅素的哲學思想對他曾有過巨大的影響。因爲就其哲學觀而言，把金岳霖稱之爲新道家似乎更爲合宜。金岳霖認爲，形而上學是全部哲學的基礎，而他建構的形而上學系統的最核心的概念和最高境界便是道。所以他的形而上學思想系統，相對于傳統的道家哲學，可簡稱之爲新道論。

　　金岳霖認爲"道是哲學中最上的概念或最高的境界"[①]。他把道看成是中國文化的象徵，指出每一文化區都有各自的中堅思想，而中國文化的中堅思想便是道。他說："中國思想中最崇高的概念似乎是道。所謂行道、修道、得道，都是以道爲最終的目標。思想與情感兩方面的最基本的原動力似乎也是道。成仁赴義都是行

　　[①]　金岳霖《論道》，商務印書館，北京，1987 年，第 19 頁。以下凡引此書，只在行文中夾注。

道；凡非迫于勢而又求心之所安而爲之，或不得已而爲之，或知其不可而爲之的事，無論其直接的目的是仁是義，或是孝是忠，而間接的目標總是行道。"(第16頁)與道相比，仁義忠孝並不是最高的，最基本的，而是統攝于道。金岳霖這樣來理解的道恰恰就是傳統道家哲學中所謂的道。而且在此，道有着强烈的形而上的超越的意義，這種意義上的道似乎也只有道家哲學中的道所獨有的。

"道"是中國文化的中堅思想，是哲學中的最高境界。"道"也是金岳霖形而上學思想體系中的中堅思想和最高境界。金岳霖把表述這一思想的著作稱之爲《論道》。

但金岳霖《論道》一書中的"道"已不是純粹的道家哲學傳統中的"道"，嚴格說來，它應該是道家哲學和希臘哲學所表現出來的强烈的邏輯意識的創造性的綜合。

在《論道》一書中，道是"式"與"能"這兩個最基本的分析成分構成的。"能"是不具備任何性質或沒有任何規定性的"純材料"。"式"則是"析取地、無所不包的可能"(第22頁)。可能是容納能的框架或樣式。"能"之有不依賴可能，但"能"必定要在可能之中。"可能"是表示邏輯方面的可以，無矛盾即是可以，只要架子或樣式沒有矛盾，它就是可能，它就可以容納"能"。可能雖可以有能，而事實上却"不必有"能。所謂"不必有"就是說，事實上它可以有能，也可以沒有能。如果可能事實上已有"能"在其中，那麼它就不僅是可能，而且也是"實的共相"。如果可能事實上沒有"能"在其中，那麼它則是"空的概念"，如"鬼"、"超人"等。這些空的概念雖然事實上沒有"能"，但這並不妨礙它們仍爲可能，因爲在理論上或邏輯上它們依然可以容納"能"。可能在理論上可以有無量之多，說"式"是無所不包的可能，就是說"式"窮盡了所有的可能，也就是說，凡是可能都在式之中。把所有的可能按"或"的方式排列起來就是析取的意思。金岳霖認爲，"'或'非重要，它是可以兼而又不必兼的'或'"(第23頁)。"式"既窮盡了一切可能，而窮盡可能爲必然，那麼"式"就是必然。邏輯研究的對象爲必然。所以，"這裏的式就是邏輯底源泉"(第24頁)。或者説,"式"就是邏輯,"式"就是必然。

如果可能有能,就是"實的共相"。所謂"實的共相"就是與個別事物相對待的共相。可能是死的、静止的,而能是活的、動的。能跑進一可能之中,就形成一類事物。這一類事物以能爲其物質材料,以可能爲其性質或關係。我們知道,能和可能是道的兩個基本成分。而道又是形成世界上萬事萬物的源泉或本體。

能和可能或式是不同質的,能之有不依賴可能,可能之有也不依賴能,但這兩者却又緊密相聯,不可分離。金岳霖對"式"或"可能"的規定已決定了"能"必然地要落在可能之中。這一思想概括地表述在金岳霖的下述命題之中,"無無能的式,無無式的能"(第24頁)。"能"與"式"或可能的不可分離是必然的,所以"能"必然會從潛能向現實轉化,可能也必然會現實,因此現實世界及其中的個體事物的形成也就是必然的。

"能"與"式"具有必然的不可分離的關係,而式又是廣大無邊、無窮無盡、包羅萬象的,所以式中必然有能。可見,"式"與"能"的結合是必然的。它們的結合就是道。金岳霖説:"道是式—能"(第19頁),又説:"道是二者之'合',不單獨地是'式',也不單獨是'能'"(第38頁)。

"能"與"式"的綜合爲道。"式"是析取地、無所不包的可能。在此,式可作兩種解釋: (1) 式是可能。既是析取,則取其中任何一可能就可稱之爲式;(2) 式窮盡了所有的可能,所以式又不同于任何一可能,須是窮盡可能才能成爲式。與此相應,道也就有了以下幾個含義: (1) 任何一個體事物都是由能和可能組成的,那麼每一事物中都有道在其中,或者説每一事物本身就是道;(2) 式窮盡了可能,可能在數量上又是無限之多,而所有的能又都老在式之中,所以,道又指無始無終、無邊無際、無限的宇宙。

就《論道》一書中道的上述兩層含義説,金岳霖所謂的道就酷似于《莊子》書中的"無所不在"的道。《莊子·知北游》載:

東郭子問于莊子曰:"所謂道惡乎在?"莊子曰:"無所不在"。東

郭子曰:"期而後可。"莊子曰:"在螻蟻。"曰:"何其下邪?"曰:"在稊
稗。"曰:"何其愈下耶?"曰:"在瓦甓。"曰:"何其愈甚邪?"曰:"在屎
溺。"東郭子不應。莊子曰:"夫子之問也,固不及質,正獲之問于監
市履狶也,每下愈況。女唯莫必,無乎逃物。至道若是,大言亦然。
周遍咸三者,異名同實,其指一也。"

　　在莊子看來,一切物皆不能離道而存在,道是無所不在的。在
《論道》一書中,道既可以分開來說,也可以合起來說。"無極是道,
太極是道,無極而太極也是道","宇宙是道",這些統統都是合起來
說的道;"天地日月山水土木也莫不是道",這就是分開來說的道。
可見,在《論道》中,道也是"無所不在"的,一切物皆不能離道而存
在的。在金岳霖看來,道不是虛空不實,純粹形而上的。金岳霖形
而上學思想系統中道的這一含義是由構成道的另一成分能所決定
的,因爲能是物質材料,所以由此構成的一切物都不是空幻不實
的。這就使得道無處不在。因此,《論道》說:"最崇高概念的道,最
基本的原動力的道決不是空的,決不會像式那樣空。"(第17頁)
　　由於"式"就是邏輯,可能有"能"就成爲了共相,共相與共相之
間有至當不移的關聯,所以每一事物就既得遵守邏輯,又得遵守共
相的關聯。"共相底關聯成一整個的圖案,這整個的圖案是道,各
共相也是道。"(第221頁)這樣,道又有了規律、秩序的含義。所以
金岳霖說:"個體變動均居式而由能。""居式"表示能老在式之中,
"由能"表示能老出入于可能之中,出入于何種可能雖然毫無限制,
但它總得遵守式這一邏輯框架的限制和共相關聯的束縛。這樣的
具有規律、秩序含義的道本來就是道家哲學傳統中的道。如老子
說,"反者道之動"(40章)、"有物混成,……周行而不殆,……強字
之曰'道',強爲之名曰'大'。大曰逝,逝曰遠,遠曰反"(25章),又
說:"夫物芸芸,各復歸其根。歸根曰靜,是謂復命。復命曰常,知
常曰明。不知常,妄作凶。"(16章)但在金岳霖的《論道》中,道的
含義似乎較傳統道家哲學的要來得豐富,因爲構成道的兩個基本
成分中的式就是邏輯,這樣一來,"道"也就自然而然地具有了古希

臘哲學所謂的邏格斯的含義。

金岳霖認爲,希臘文化是十足的理智文化。這種文化的理智特色表現爲發展各種觀念,把觀念按排得井然有秩序,發展出一套追求思想明確性的邏輯科學,並進而把邏輯的知識冷漠無情地搬到種種崇高偉大的事情上去,去作嚴格的審察,冷靜的批判。邏輯雖不能替代各門科學,但各門科學却必須遵守邏輯的格式。所以,金岳霖認爲:"希臘底 Logos 似乎非常之尊嚴,或者因爲它尊嚴,我們愈覺得它底溫度有點使我們在知識方面緊張;我們在這一方面緊張,在情感方面難免有點不舒服。"(第19頁)追求思想的明確性固然是希臘哲學的一大優點,但隨之而來的却是思想過于沉悶和不自由、不舒服的感覺。這種感覺就是金岳霖所謂的冷的感覺。

古希臘的邏格斯在金岳霖看來似乎太直、太窄、太冷,界限太分明。而中國傳統道家哲學中的道就没有這種毛病。金岳霖認爲,中國傳統哲學缺乏希臘哲學那種使後世思想家羨慕不已的驚人明確性,所以明顯地表現出邏輯和認識論意識不發達這一不足。這種狀況固然是科學在中國不出現的一部分原因。但在另一方面,它却使中國傳統哲學没有打扮出理智的款式,也没有這種款式的累贅和悶氣。他以莊子哲學爲例來説明這一點。他説:

> 比莊子哲學更土氣的哲學是幾乎没有的。然而約翰·密德爾敦·墨雷(John Middleton Murray)曾説過,柏拉圖是個好詩人,黑格爾則是個壞詩人。根據這個説法,也許應該把莊子看成大詩人甚于大哲學家。他的哲學用詩意盎然的散文寫出,充滿賞心悦目的寓言,頌揚一種崇高的人生理想,與任何西方哲學不相上下。其異想天開烘托出豪放,一語道破却不是武斷,生機勃勃而又順理成章,使人讀起來既要用感情,又要用理智。可是,在慣用幾何模式從事哲學思考的人看來,即便在莊子哲學裏,也是既有理智的寒光,而又缺少連貫。這位思想家雖然不能不使用演繹和推理,却無意于把觀念編織成嚴密的模式。所以,他那裏並没有訓練有素的心靈高度欣賞的那種系統完備性。[1]

---

[1]　金岳霖《中國哲學》,載《金岳霖學術論文選》,中國社會科學出版社,北京,1990年。

　　在此,金岳霖以莊子哲學爲例説明中國傳統哲學不是没有邏輯和認識論的意識,而是這種意識不够發達,没有得到長足的進步。這固然是中國傳統哲學的缺點,但在同時它也幾乎是只有中國傳統哲學才具有的一大特色。因爲思想越明確就越不具有暗示性,也就越不具有詩意的靈光。中國傳統哲學並不刻意追求思想的明確性,它非常簡潔,很不分明,所以觀念彼此聯結,因此它的暗示性幾乎無邊無涯,充滿着詩意的光輝。這就是金岳霖之所以特别賞識莊子哲學的主要原因。與金岳霖相知甚深的馮友蘭曾説過,金岳霖最喜歡莊子。這一點,我們從上引的材料便可一眼望之①。

　　儘管如此,没有發達的邏輯意識畢竟是一大缺點,所以中國傳統哲學中的道必須得到希臘哲學中的强烈的邏輯意識的補充。以邏輯意識補充中國傳統道的思想,是金岳霖對道的思想的一大推進。由于式就是邏輯,所以《論道》一書中的"道也許是多少帶一點冷性的道"。但畢竟金岳霖所説的道也上承道家哲學的思想,所以"'道'不必太直,不必太窄,它底界限不必十分分明;在它那裏徘徊徘徊,還是可以怡然自得"(第19頁)。金岳霖又説:"'式'雖冷而道不冷,至少不會冷到使我們在知識方面緊張底程度上去,也不至于冷到使我們在情感方面不自在底程度上去。"(第41頁)道的這

────────────

　　①　金岳霖喜歡莊子、喜歡道家,還可以從他對道家政治思想的態度中可以窺見。他説:"在政治思想方面,可以説道家所鼓吹的同儒家相比是消極的。它認爲儒家鼓吹的那類政治準則是人爲的,只會製造問題而不解決問題。這種消極學説自有其積極基礎。道家的政治思想是平等和自由,甚至可以説都推到了極端。它把一切皆相對的學説搬到政治領域,根本反對硬扣標準,而政治準則就是以某種方式硬扣標準。標準可以有,却不必硬扣標準,因爲事物的本性中本來就有不可改變的標準,根本不必硬扣,需要硬扣的標準必定與引起硬扣的情况格格不入。道家的政治思想是政治上自由放任,它的消極意義僅僅在于譴責政治上過分硬扣的做法,並不在于不採納任何政治目標,道家和儒家一樣有自己的政治理想。我們可以把那種理想描述爲可以在盧梭的自然狀態中達到的自由平等境界,再加上歐洲人那種自然而然的不屈不撓的精神。"(《中國哲學》)從中我們可以看出金岳霖對道家思想有準確、深入的理解及其對道家思想的推崇的態度。

種"怡然自得"的感覺在充滿着十足的理智文化特色的西方文化中很難尋找得到。但金岳霖是一個在中國文化傳統中成長起來的人,雖不以研究中國思想爲己任,然而他對中國傳統思想尤其是道家思想仍有很深入的理解,自覺地把中國思想傳統中的道看成既是整個民族文化也是自己文化生命的最基本的原動力,他認爲形而上學體系的建立,不僅要能滿足冷靜客觀的理性的追求,而且也還必須要得到情感上的滿足。在古希臘哲學的邏格斯意識上發展起來的分析哲學傳統能夠滿足金岳霖的哲學理性的執着追求,而要在情感上得滿足只能自然而然地從中國哲學傳統中去尋覓。

　　金岳霖認爲,道是中國思想傳統的象徵。他説:"不道之道,各家所欲言而不能盡的道,國人對之油然而生景仰之心的道,萬事萬物之所不得不由,不得不依,不得不歸的道才是中國思想中最崇高的概求,最基本的原動力。對于這樣的道,我在哲學底立場上,用我這多少年所用的方法去研究它,我不見得能懂,也不見得能説得清楚,但在人事底立場上,我不能獨立于我自己,情感難免以役于這樣的道爲安,我底思想也難免以達于這樣的道爲得。"(第 16 頁)此處金岳霖所説的道實質上乃是道家哲學中的道。"不道之道"即老子所説的"道可道非常道"的意思,可言説的道不是永恒的道。而"萬事萬物之所不得不由,不得不依,不得不歸的道"更是道家形而上思想系統的特色。金岳霖自覺地與道家哲學認同。《論道》一書中的道便是與道家哲學中的道相通的。

　　把"道"看成是中國思想的最崇高的概念和最基本的原動力是驅使金岳霖向往和追求道家哲學中的道的最根本的原因。在道家哲學中,"道"是最高的永恒的真實存在。所有形而上學體系的建立者,所有愛好完美勝于愛好生命的人們執着追求的就是這樣的真實存在,因爲它能够滿足人類追求永恒的真實的東西的本能要求。而追求永恒的真實的東西的願望始終是真誠地進行形而上學沉思的根本動力。在這一點上,金岳霖與老子、莊子是相通的。追求、探索這種終極意義上的永恒存在的全部目標就在于把自己全

部的思想和情感托付給它,使之成爲人類精神的家園。只有在這
人類精神的家園之中,人的生命價值才能得到最終的認可和實現,
才能收到如金岳霖所説的"動我底心,怡我底情,養我底性"的實
效。對于這種最高的真實存在不能只站在客觀的立場上作純理智
的分析。金岳霖認爲,研究知識論"我可以站在知識論底對象的範
圍之外,我可以暫時忘記我是人,凡問題之直接牽扯到人者我可以
用冷靜的態度去研究它,片面地忘記我是人適所以冷靜我底態
度"。但研究形而上學則不一樣,"我雖可以忘記我是人,而我不能
忘記'天地與我並生,萬物與我爲一',我不僅在研究底對象上求理
智的了解,而且在研究底結果上求情感的滿足"(第 17 頁)。研究
形而上學或哲學的最終要求就是要使哲學和哲學家打成一片、融
爲一體。在這一點上,金岳霖是一個典型的中國傳統意義上的哲
學家,而不同于分析哲學家的哲學追求。

　　能滿足金岳霖形而上學追求目標的只能是中國傳統哲學中的
"道"。"道"是無限的永恒的,"道"能提升人的境界。因爲形而上
學沉思的出發點,在道家哲學中,便是"道"的無限性。通過"道"的
無限性,自我的界限便不斷擴大,便逐漸消失在道的無限性之中。
也正是通過道的無限性,那個對道作形而上學探索的心靈,也便分
享了宇宙的無限。可見,正是道的無限和偉大,才使心靈變得無限
和偉大起來,因此心靈才能夠和那成爲至善的道結合在一起,也才
能夠達到金岳霖向往的"天地與我並生,萬物與我爲一"的崇高的
道德境界。

　　這種道德境界是形而上的道在人類精神中的落實。這就是爲
什麼從老子哲學的形而上的道到了莊子哲學中則演化出一種心靈
境界。超越的人生境界的基礎全在于超越的形而上的道。這是只
有道家哲學才有的特色。儒家哲學雖然也强調道德境界的提升,
但由于它缺乏道家哲學的那種超越的形而上的道,所以其境界遠
不及道家的崇高和偉大。

　　在金岳霖的《論道》中,形而上的道不只是萬物的本原,也是一

至真、至美、至善、至如的人生境界。金岳霖認爲,無極是道,太極
是道,無極而太極也是道。道無始,亦無終,但在理論上它總有個
極限。無始的極限叫無極,無終的極限叫太極。道演的歷程就是
從無極而至太極。無極爲混沌,在太極則理勢合一。金岳霖説:
"太極爲至,就其爲至而言之,太極至真,至善,至美,至如。"(第
212頁)他認爲,在日常的生活中,我們維持生活的方法的一大部
分主要靠辨別能力。我們的生活既是辨別的生活,所以真、善、美
總是分開來的。但在太極,情形就完全不一樣了,因爲在太極勢歸
于理,理勢合一,所以"所有的命題都四通八達地呈現共相底關聯,
所以只要真就一致,只要一致也就真,而一致就是真,真就是一致。
可是,就真説真仍是分別地説真,而不是綜合地説太極。果然綜合
地説太極,太極底真就是太極本身,太極底善與美也就是太極本
身,太極本身總是太極本身,所以它們没有分別。我們要知道在日
常生活中,真、善、美有分別,因爲它們都是相對的,他們所相對的
既不同,它們本身也有分別。太極是絶對;勢歸于理也可以説是萬
歸于一。在這種情形之下真就是美,美就是真,而它們也都是善"
(第213頁)。金岳霖的道論是一個地地道道的形而上的天道觀的
思想體系,而很少談及人倫日用。但在整個的道演歷程中,總會有
人類出現。對于有意志的人類來説,"太極爲綜合的絶對的目標"
(第211頁)。這一絶對的目標就是真、善、美統一的理想目標,它
是人生的最高境界。太極是絶對的超越的,這一人生境界也是絶
對的超越的。這一真、善、美統一的理想目標實質上乃是金岳霖的
新道論所包含的内容的全面展示,也是其道論推演的極至。也可
以説金岳霖所説的道也就是"天地與我並生,萬物與我爲一"的人
生境界。

　　這樣,我們就可以看到,金岳霖雖然在哲學方法上主要地是受
了西方分析哲學的影響,但就其哲學觀而言,他的思想處處閃爍着
道家哲學的光彩。或許這樣説會更合適一些,即金岳霖在自覺地
利用西方哲學中的强烈的邏輯意識來改造傳統道家哲學,在此基

礎上創造性地構造出一個現代新道家的形而上學思想系統。

作者簡介 胡軍,1951 年生,上海人。北京大學哲學博士,現爲哈爾濱師範大學政教系教授,著有《金岳霖》等。

重建本體論：熊十力與道家哲學

李維武

　　中國哲學對本體問題的思考和對形上境界的追求始自道家。道家哲學對中國哲學本體論的發展產生了相當深遠的影響。熊十力先生在 20 世紀上半葉所開啓的重建中國哲學本體論的工作，固然以"現代新儒家"爲其標誌，以"新唯識論"稱其體系，並對老莊思想多有批評，但與道家哲學的聯繫則是不可否認的。這種聯繫主要體現在兩個方面：一是道家哲學給熊十力重建本體論以智慧的啓迪，一是熊十力在建構本體論中融入了道家哲學的思想資料。而在實際中，這兩個方面是常常聯在一起、難以分開的。熊十力在談到《新唯識論》一書時即稱："《新唯識論》雖從印土嬗變出來，而思想根柢實乃源于《大易》，旁及柱下漆園，下迄宋明巨子，亦皆有所融攝。"[1]"讀本書者，若于佛家大乘學及此土三玄（《大易》、《老》、《莊》）並魏晉宋明諸子，未得其要，則不能知本書之所根據與其所包含及融會貫通處。"[2]要深入地理解和評價新唯識論體系，一個重要的方面，就是深入地考察熊十力與道家哲學的內在聯繫。

一

　　熊十力曾提出"孔家經籍研究底程序"："在哲學或元學思想方

---

[1]　熊十力《十力語要》，廣文書局 1977 年版，第 658 頁。
[2]　熊十力《新唯識論》，中華書局 1985 年版，第 245 頁。

面,《大易》爲根本巨典,誠不宜忽。《論語》、《三禮》、《詩》、《書》、《孟子》,俱當參互以求。《老》、《莊》則《易》之別派,並宜搜討。"[1]一方面從學術源流上貶抑道家,把道家視爲儒家的分支,另一方面又從學術思想上重視道家,强調道家哲學的價值,可以説是熊十力的道家觀的兩個基本點。這兩個基本點,對熊十力來説並不矛盾。《老》、《莊》以《易》爲元典,固然有尊儒的意味,但也並不斥道,反而肯定了儒道兩家有共同的根柢,把道家哲學歸入了中國哲學文化的話語系統。

在熊十力看來,道家對中國哲學智慧的發展、特別是對于中國傳統哲學本體論的形成和發展,作出了重要貢獻。中國傳統哲學本體論的基本性格,主要是由儒道兩家哲學共同塑造的。儒道兩家哲學,雖然各有其特質和風貌,但由于處于同一哲學文化的話語系統中,又必然有其相似相通之處,從而以其合力規範了中國傳統哲學本體論的發展。

例如,中國哲人的形上境界,强調個體與宇宙相融、生命與自然爲一,就是儒道兩家所共同主張的。熊十力説:"據我推測,大概中國人生在世界上最廣漠清幽的大陸地方。他底頭腦深印入了那廣漠清幽的自然,他底神悟直下透徹了自然的底蘊,而消釋了他底小我,易言之,他底生命與自然爲一。儒家'與天地合其德,與日月合其明',老子底'返樸',莊子底'逍遥游',這些話都是表示他大徹大悟大自在的真實境界。"[2]這種"天人合一"的形上境界,是儒道兩家共同追求的,而成爲中國傳統哲學本體論的一大特點。

又如,中國哲人的形上境界,不是外在于人的,而是内在于人的;中國哲人對于形上境界的開闢,不是立足于向外格物,而是立足于反己自識。這也是儒家、道家、中國化的佛教哲學所共同主張的。熊十力説:"中國三大學派,如儒、如道、如自印度輸入之佛,大概不約而同,皆以反己爲不二法門。三家爲道之學,都由參究人

---

① 　熊十力《十力語要》,第109頁。
② 　熊十力《十力語要》,第85頁。

生,而上窮宇宙根源,以解釋人生所由始,以決定人生修養之宜與其歸宿。"①"吾國先哲,重在向裏用功,雖不廢格物,而畢竟以反己爲本。如孟子所謂'君子深造之以道,欲其自得之也',又言'萬物皆備于我',程子言'學要鞭闢近裏切着己',此皆承孔子'古之學者爲己'之精神而來。老莊虚静之旨,其爲用力于内不待言。此皆與西人異趣者。"②這種通過反己自識來開闢形上境界的努力,是中國傳統哲學本體論的又一特點。

　　與上面兩點相聯繫,中國哲人總是關注人世問題,重視倫理實踐,而很少有純自然理論,使科學知識不易發展。這對儒道兩家來説,也是相同的。熊十力説:"中國哲學,若三玄,可謂致廣大、盡精微矣,然其言無不約之于人事。即程朱陸王諸大師,其思想亦莫不廣淵深邃,蓋亦博涉物理事變,而後超然神解,未可忽視,然而彼等絶不發抒理論,只有極少數深心人可由其零散語録,理會其系統脈絡及其精微之藴而已。蓋彼等不惟不作理論文字,即其語録,亦只肯説倫理上底實踐工夫。此等精神固甚好,然未免過輕知識,則有流于偏枯之弊。"③中國哲學的這一特點,既有其長處,又有其局限。

　　除了揭示道家哲學與儒家哲學的共性、説明它們對中國傳統哲學本體論的一致作用外,熊十力更注意道家哲學自身的特點及其啓迪,力圖在重建中國哲學本體論中對此重新闡釋,吸取融匯,使之成爲自己哲學智慧的思想來源和有機内容。熊十力對本體論的幾個重大問題的探討和思考,如哲學與科學的關係問題、本體與現象的關係問題、"性智"與"理智"的關係問題,都融入了道家哲學的思想資料。這一方面,更具體更深刻地體現了熊十力與道家哲學的内在聯繫,下面將作較詳盡的説明。

---

① 　熊十力《體用論》,中華書局 1994 年版,第 273 頁。
② 　熊十力《十力語要》,第 519 頁。
③ 　熊十力《十力語要》,第 603 頁。

二

熊十力對中國哲學本體論的重建,是從解決哲學與科學的關係問題入手的。《新唯識論》(語體文本)的開頭,便明確提出:"學問當分二途: 曰科學,曰哲學(即玄學)。"[1]在他看來,哲學與科學的關係問題,是 20 世紀中國哲學所面臨的一個重大問題。只有解決好這個問題,才能爲重建中國哲學本體論提供一個可靠的基礎。

哲學與科學的關係問題,在 20 世紀中國哲學界受到重視並引起論爭,始于 1923年至 1924 年間的科學與玄學論戰[2]。熊十力對這個問題的重視,固然受到這場論戰的直接影響,但同時也與道家哲學的啓迪密不可分。

老子是中國哲學史上第一個把世界二重化的哲學家。他提出"道"作爲最高存在範疇,把人所面對的世界一分爲二,一是"萬物"的現象世界,一是"道"的本體世界。世界的二重化,也使人的認識、理解、把握世界的活動發生了分化。在老子看來,既有現象世界與本體世界的區分,那麼人的認識、理解、把握世界的活動也就表現爲兩種不同的路向,一是"爲學",另一是"爲道"。"爲學"是以現象世界的"萬物"爲對象,"爲道"則是以本體世界的"道"爲對象。"爲學"與"爲道"是相互對立的:"爲學日益",強調不斷擴大對具體事物的認識,但由于具體事物並不能反映世界本質,其結果只會離世界本質愈來愈遠;相反,"爲道日損",強調超越具體事物而直接把握"道",由于"道"體現了世界本質,因此,把握"道"便能真正發現世界本質。這也就是說,"爲學"雖以具體事物爲直接認識對象,但實際上根本無法正確認識具體事物;"爲道"雖以"道"爲直接認識對象,但卻能正確認識具體事物。老子認爲,正確的認識、理解、

---

① 　熊十力《新唯識論》,第 248 頁。

② 　詳見拙著《二十世紀中國哲學本體論問題》(湖南教育出版社 1991 年出版)第二章。

把握世界的路向, 只能是"爲道"。因此, 老子又把這一路向稱之爲
"既得其母, 以知其子"。

　　莊子承繼和發展了老子的思想。《莊子·天下篇》中所紀錄的
惠施與黃僚對"天地所以不墜不陷, 風雨雷霆之故"的探討, 惠施所
表現的"不辭而應, 不慮而對, 遍爲萬物説"的學識, 以及莊子對惠
施的批評: "惠施之才, 駘蕩而不得, 逐萬物而不反, 是窮響以聲, 形
與影競走也。""弱于德, 强于物, 其途隩矣。由天地之道觀惠施之
能, 其猶一蚊一虻之勞者也。"這些都鮮明地表現出"爲學"與"爲
道"的區別。顯然, 在莊子看來, 惠施是主張"爲學", 他自己是主張
"爲道"。

　　熊十力認爲, 老莊對"爲學"與"爲道"的區分具有重大意義, 實
際上提出了科學與哲學的關係問題。所謂"爲學", 即今日之科學;
所謂"爲道", 即今日之哲學。他説: "老子平章學術, 有日益、日損
之分。余據此以衡定古代哲學與近世科學各爲一類, 庶幾允當。"
"科學格物是日益之學。古時爲道之學, 今亦稱哲學。"[1]至于惠施
與莊子, 恰好代表了兩類不同的學者, 一位是"逐物"的科學家, 一
位是"體道"的哲學家。莊子批評惠施"逐萬物而不反", "弱于德,
强于物, 其途隩矣", 正揭示了科學的特點、優點及局限。

　　由此出發, 熊十力主張對科學與哲學進行劃界, 確定科學與哲
學各自的出發點、研究對象、研究目的、研究方法和意義範圍。

　　從出發點看。科學在于認識、理解、把握現象世界, 因此, "科
學根本從實用出發, 易言之, 即從日常生活的經驗裏出發"[2]。哲
學則在于對萬化大原、人生本性、道德根底進行探討, 因此, "古今
玄學界大哲, 在其始學時, 對宇宙人生根本問題而希求解決"[3]。

　　從研究對象看。科學以現象世界的具體事物爲對象, 所屬目

---

① 熊十力《體用論》, 第179頁、第178—179頁。
② 熊十力《新唯識論》, 第248頁。
③ 熊十力《摧惑顯宗記》, 台灣學生書局1988年版, 第19頁。

用心者在于萬物及萬物間的相互關係,而決不問及萬物的根源。哲學則以本體世界爲研究對象,所屬目用心者在于本體問題,强調應該深窮萬物的根源。科學認爲自己的研究對象是離主體而獨立存在的,哲學則認爲自己的研究對象不能離主體而獨立存在。熊十力説:"科學承認有外界獨存,自科學言之,固應假定如此;而哲學家談本體者,亦將本體當做外界的物事來推度,却成顛倒。"①

　　從研究目的看。科學在于使"知識精嚴、細密、正確、分明,得物理之實然",進而"操縱、改造、變化、裁成、征服、利用乎萬物"②。哲學則在于"參究人生而上窮宇宙根源,以解釋人生所由始,以決定人生修養之宜與其歸宿"③。也就是説,科學的目的是爲了認識萬物和改造萬物,哲學的目的是爲了認識人生和修養人生。

　　從研究方法看。"科學方法,以實測爲本。即玄想所及,特有發明,仍須驗之于事物,方足取信于人,否則亦難自信也。但一言及于實測,即有物矣。若談到宇宙本體,則無形無象,一切科學儀器所不能見,不可以實測求也。"④哲學對于本體的探求,只能用"反求自證"⑤的方法,也就是主體的自我體驗、自我修養、自我超越。對哲學來説,工夫與本體是不可分的,"有本體,自有工夫;無工夫,即無本體"⑥;"只是一直向外求索,而自無可據之本"⑦。

　　根據科學與哲學的上述特點,熊十力認爲:"科學之爲學,是知識的。哲學之爲學,是超知識的。"⑧這裏的"超知識",並不含有什麼神秘主義的成份,而是説哲學須超越客觀知識的範圍,而指向本體世界,指向宇宙人生的根本問題。這也就是説,"科學假定外界獨存,故理在外物,而窮理必用純客觀的方法,故是知識的學問。哲學通宇宙、生命、真理、知能而爲一,本無内外,故道在反躬,非實

---

① 　熊十力《新唯識論》,第 243 頁。
②③ 　熊十力《體用論》,第 181、第 273 頁。
④ 　熊十力《十力語要》,第 503 頁。
⑤⑥⑦ 　熊十力《新唯識論》,第 682、571、582 頁。
⑧ 　熊十力《十力語要》,第 85 頁。

踐無由證見, 故是修養的學問。"①因此, 科學與哲學各有自己的意義範圍與存在價值。科學的意義範圍在現象世界, 能探索和改造客觀事物; 哲學的意義範圍在本體世界, 能認識和完善人的生命存在。這兩個方面都是人類存在與發展所不可缺少的。人們既不能用哲學代替科學, 也不能用科學代替哲學。

熊十力強調, 儘管隨着科學的發展, 許多原來屬于哲學研究的東西逐漸變成了由科學探討的東西, 哲學的意義範圍日益縮小; 但是, 哲學中仍有不可能變成科學的內容, 這就是本體論。對于本體論來説, 它不是建立在經驗之上的, 不是獨立于主體而存在的, 不是可以用實測方法來研究的。科學無論發展到何種程度, 都沒有辦法把本體論納入自己的意義範圍, 而只能把這個領域永久地留給哲學。他説:"哲學自從科學發展以後, 他底範圍日益縮小。究極言之, 只有本體論是哲學的範圍, 除此以外, 幾乎皆是科學的領域。"②"哲學所以站脚得住者, 只以本體論是科學所奪不去的。"③在這個意義上, 可以説"哲學所窮究的, 即是本體";"哲學建本立極, 只是本體論"④。本體論是哲學的根基與立足點, 不應當離開本體論去談哲學。

通過對哲學與科學關係問題的探討, 熊十力爲重建哲學本體論奠定了基礎。他十分感謝道家哲學對他的啓迪, 説: 對于哲學與科學的各自特點,"余懷此想良久, 忽觸及《老子》書中有言'爲學日益, 爲道日損'云云, 乃嘆曰: 吾思之而未得者, 老子早發之于遠古矣。"⑤同時, 他對老莊強調"爲道"而貶抑"爲學"也提出了批評, 認爲道家有一種反知識的傾向, 不利于科學的發展。他説:"中國道家反知識, 惡奇技淫巧, 此在今日, 不可爲訓。"⑥"老莊之反知主義, 將守其孤明, 而不與天地萬物相流通, 是障遏良知之大用, 不可以爲道也。"⑦在他看來, 哲學與科學、"爲道"與"爲學", 都有各自

①⑥⑦　熊十力《十力語要》, 第 107、105、475 頁。
②③④　熊十力《新唯識論》, 第 248、250、248 頁。
⑤　　熊十力《體用論》, 第 178 頁。

的合理性，都應得到重視和發展。

三

　　熊十力重建本體論的基本思路，在于對本體與現象的關係問題作出新的闡釋。他指出：“哲學上的根本問題，就是本體與現象，此在《新論》即名之爲‘體’‘用’。”[①]然而，在傳統哲學中，總是將本體與現象加以割裂和對置。“許多哲學家談本體，常常把本體和現象對立起來，即是一方面把現象看做實有的；一方面把本體看做是立于現象的背後，或超越于現象界之上而爲現象的根源的。”[②]這種情況，在西方傳統形而上學中尤爲突出。“西洋哲學談實體，似與現象界分離，即計現象之背後有其本質，説爲實體。”[③]熊十力深爲之困惑，也深爲之思考。他曾回憶説：“憶昔在舊京，與友人數輩聚西直門外某寺中，專爲討論西洋哲學上現象與實體一大問題。大家的意見皆以爲，如本體是潛在現象界之背後而爲現象作依托，則有現象與本體兩界對峙之嫌，且現象界何須要個依托，亦無從説明。如果説本體是發生現象的根源，則現象既是實有的，何必爲他另找根源；既另有根源，仍是兩界對峙。當初有主張只承認現象界，不談本體，但又覺得現象界分明是變動不居的，宇宙人生不應如此虛幻無實際。當時大家反覆論難，終付之闕疑，不可得一結論。自後，余常念念不忘此問題。”[④]經過深入思考之後，熊十力提出了“體用不二”的著名命題，要求把本體還原爲現象，在現象中把握本體，以此來解決本體與現象的關係問題。

　　熊十力提出“體用不二”，無疑受到了中國傳統哲學的啓迪，道家哲學可以説是一個重要來源。中國傳統哲學與西方傳統哲學相比，沒有那樣明顯地把本體與現象相割裂、相對置，沒有那樣絕對

---

①②④　熊十力《新唯識論》，第 465、297、657—658 頁。
③　熊十力《十力語要》，第 216 頁。

地把世界二重化。如道家所講的"道",就不是一種純粹的超現象世界的存在。它既高于萬物,是萬物之本,又與萬物不可分離,存在于萬物之中。"道"在這裏不表現爲一種實體形式,而表現爲一種社會準則、人生準則,與社會治亂、百姓日用不可分割。《老子》書又把"道"稱爲"一",説:"天得一以清,地得一以寧,神得一以靈,谷得一以盈,萬物得一以生,侯王得一以爲天下貞。"認爲"道"存在于現象世界之中,對現象世界起一種規範和主導作用。《莊子》書則明確地提出"道"是"無所不在"的。在《知北游》篇中,有一段東郭子與莊子的對話,生動地揭示了"道"即存在于萬物之中:"東郭子問于莊子曰:'所謂道,惡乎在?'莊子曰:'無所不在。'東郭子曰:'期而後可。'莊子曰:'在螻蟻。'曰:'何其下邪?'曰:'在稊稗。'曰:'何其愈下邪?'曰:'在瓦甓。'曰:'何其愈甚邪?'曰:'在屎溺。'"總之,"物物者與物無際",不可能在"道"與"萬物"之間劃一截然分明的界限。

老莊的這些思想,深受熊十力的重視。他説:"老子所謂道,決不是超脱現象界之外而别有物。乃謂現象界中,一切萬有皆道之顯現,易言之,一切萬有皆以道爲其體。强以喻明,如一切冰相皆以水爲體,非離水而别有冰相之自體。即冰以水爲體,則水固非離冰而别有物。一切萬象,以道爲體,則道固非離一切萬有而别有物。若謂道果超越于一切萬有之外者,則道亦頑空,而何得名爲宇宙實體邪?老子之後學莊周,曾有妙語云'道在屎尿',可見道不離一切萬有而獨在也。"[1]"老子開宗,直下顯體;莊子得老氏之旨而衍之,便從用上形容。《老》《莊》二書,合而觀之,始盡其妙。"[2]通過對老莊的"道"的解釋,熊十力進一步論證了"體用不二"的合理性。

從"體用不二"的思想出發,熊十力又指出,既然體用相即,于用顯體,那麼所謂本體就不是一個凝固不變的絶對實體。儘管本

①②　熊十力《十力語要》,第216—217、89頁。

體不是空無，有其自體，但"不能把本體底自體看做是個恒常的物事"①。他反覆説："本體自身是個生生不息的物事"；"本體底自身是個變化不可窮竭的物事"②。只有真正地領悟了這一點，才能真正把握"體用不二"，克服世界的二重化。"因爲，于體上唯説恒常不變，則此不變者，自與萬變不居之現象對峙而成二界"③。對于這個問題，即使是高揚辯證法的黑格爾也未能很好解決。唯有新唯識論，强調"體用不二"，强調"本體自身即此顯爲變動不居者"，"非離變動不居之現象，而別有真常之境可名本體"④，才真正解決了這一問題。

在這裏，熊十力也無疑受到道家哲學的深刻影響。《老子》書講："道生一，一生二，二生三，三生萬物，萬物負陰而抱陽，冲氣以爲和。""反者道之動，弱者道之用。天下萬物生于有，有生于無。"熊十力吸取其思想資料，來論證、説明本體的生化流行。他説："《易》之'太極'，《老子》之'道'，皆本體之目。《老》曰'道生之'，又曰'道生一'云云，又曰'道常無爲無不爲'，《易》曰'太極生兩儀'，皆未嘗于本體只言寂静，而不言生化也。"⑤"吾書根本意思，要在于變易而見真常，于反動而識冲和（《老》曰："反者道之動"。冲和即仁也），于流行而悟主宰，其于黑格爾氏，自有天壤懸隔處。"⑥這種生化流行的過程，是本體的自己的展開，是本體由潜能而現實的運動。"譬之一粒穀子，生機全具，自其胚胎、萌芽，以至開花結實，漸次擴充，皆由穀子内部本具生機之擴充不已也。"⑦

爲什麽"體"與"用"會流行變化、生生不息呢？熊十力認爲，這是因爲"本體現爲大用，必有一翕一闢"⑧，從而使"每一功能都具有内在的矛盾而成其發展"⑨。所謂"翕"，是凝于物化的動勢，具有固閉、下墜等德性，爲"闢"所依據以顯發之具，其動向與本體相反。所謂"闢"，是不可物化的動勢，具有剛健、開發、升進、昭明等

---

①②⑥⑧⑨　　熊十力《新唯識論》，第 468、437、244、323、444 頁。
③④　熊十力《十力語要初續》，樂天出版社 1971 年版，第 7 頁。
⑤⑦　熊十力《十力語要》，第 529、312 頁。

德性,爲運"翕"而轉之主,代表了本體的動向。"翕闢兩極,以其互相反而恰互相成。""每一功能都具翕闢兩極,没有一個功能只是純翕而無闢,或只是純闢而無翕的。"①正是"翕"與"闢"的相互作用,造成了"體"與"用"的流行變化、生生不息。熊十力又指出,所謂"翕",也就是"物";所謂"闢",也就是"心"。"心"與"物"相比,具有主動性、創造性,從而使得"翕闢成變"不是如機械的動作,而"其間宛然有一種自由的主宰力"②。在物質宇宙發展過程中,在自然界一切物的内部即有一種向上而不物化的勢用——"闢"潛存着;及到有機物發展階段,這種勢用逐漸顯盛起來,顯示出主宰物的作用;至于人類,則使這種主體性得到充分發揚。因此,他反對離"心"去談本體。但同時,他並没有完全否定"物"。他是在"翕""闢"融合爲一、"心""物"不可分割的前提下,肯定"闢"、"心"的主體性、能動性、創造性的。

熊十力的這一思想,從來源上看,一是受《易傳》的啓發,一是受《老子》的啓發。他對《老子》的"無名,天地之始;有名,萬物之母"的"無"與"有"作了新的解釋,認爲:"無名"是指精神。"精神者,運而不已,而未始有形,故説爲無。"③"有名"是指由精神凝攝而顯現爲形本。"形本者,形之始成而微者也。形本生而衆形已具。異無形故,應復説有。緣有起名,故云有名。"④這就將"無"與"有"看作是"心"與"物"的關係。他進而指出,從《老子》關于"無"與"有"的論述中可以看出,"神"與"形"、"心"與"物"、"無"與"有"是不可分離的。"夫神之必資于形也,無之必待乎有也。""常無而常有,常有而常無,此道體之本然也。其在于人,則謂之本心。此心不住諸相,故常無;行一切相,故常有。"⑤正是"神"與"形"、"心"與"物"、"無"與"有"的相互作用,特別是"神"、"心"、"無"所顯發的主體性、能動性、創造性,造成了"體"與"用"的流行生化。這個流行生化的"體用不二"的世界,就是人的生活的世界。

①② 熊十力《新唯識論》,第 444 頁。
③④⑤ 熊十力《十力語要》,第 218、222 頁。

　　基于此,熊十力也對道家哲學提出了批評。他認爲,《老子》固然提出了"反者道之動",把整個世界看作是運動變化的,但又主張"弱者道之用",所講的運動變化重在任其自然,缺乏一種剛健的精神。這落實到人生觀上,必有頹廢之失。因此,《老子》所講的人的生活世界與《易傳》所講的人的生活世界相比,有自身的缺陷。"道家不言剛健,此其與儒家異處。"①他説:"余主張萬物與吾人各各以自力發展其本體之潛能,其開拓豐富,無有窮盡;其變化日新,不守故常。"②這種充滿了剛健精神的人的生活世界,是《易傳》所開闢的人的生活世界,也是熊十力所憧憬的人的生活世界。

四

　　如何認識本體? 這是熊十力十分注意探討的問題。在《新唯識論》中,他把關于本體論的部分稱爲《境論》,把關于認識論的部分稱爲《量論》。《量論》旨在説明認識本體的問題。但這一部分終未成書。只是在熊十力有關境論的闡述中,提出了他關于量論的一些基本思想。

　　熊十力在把人的學問分爲科學與哲學的同時,又把人的認識活動分爲"理智"與"性智"。"理智"是科學的認識活動,"性智"是哲學的認識活動。"理智"具有知識論的意義,"性智"具有本體論的意義。

　　所謂"理智",又稱爲"量智"。這是"思量和推度,或明辨事物之理則,及于所行所歷,簡擇得失等等的作用"③。"這個理智,祇從日常經驗裏面歷練出來,所以把一切物事看作是離我的心而獨立存在的、非是依于吾心之認識他而始存在的。"④"理智"所獲得的是關于外界的知識。科學作爲知識之學,所憑藉的認識工具是"理

<hr/>

　① 　熊十力《十力語要》,第 529 頁。
　② 　熊十力《體用論》,第 267 頁。
　③④ 　熊十力《新唯識論》,第 249、248 頁。

智"。隨着"理智"不斷向外探求,運用的領域逐漸擴大,科學所獲得的知識就日益增長。因此,"理智"具有相當大的作用。但是,"理智"的運用也有其範圍,這就是離我的心而獨立存在的物質宇宙,而不是非離我的心而獨立存在的本體。關于本體、關于形而上學問題,是不能運用"理智"來認識的。熊十力説:"理智""只是一種向外求理的工具。這個工具若僅用在日常生活的宇宙即物理的世界之内,當然不能謂之不當。但若不慎用之,而欲解決形而上的問題時,也用他作工具,而把本體當做外在的境物以推求之,那就大錯而特錯了。"①

所謂"性智",與"理智"不同。"性智者,即是真的自己底覺悟。此中'真的自己'一詞,即謂本體。"②這種覺悟是不離感官經驗、而又不滯于感官經驗的,是一種"自明自覺,虛靈無礙,圓滿無缺"③的認識活動。只有具備這種覺悟,人們才能真正認識本體。"性智"是通過實證顯現出來的。這種實證不是指經驗對知識的證實,而是"性智"的超越知識的自知自識。"這種自知自識的時候,是絶没有能所和内外及同異等等分别的相狀的,而却是昭昭明明内自識的,不是渾沌無知的。我們只有在這樣的境界中才叫做實證。而所謂性智,也就是在這樣的境界中才顯現的"④。因此,"性智"實際上是一種哲學的直覺。這種直覺使"心與物冥會爲一,即心物渾融,能所不分,主客不分,内外不分"⑤,從而發現"吾人生活的源泉":"這個在我底生活的源泉,至廣無際,至大無外,至深不測所底,至寂而無昏擾,含藏萬有,無所虧欠,也就是生天生地和發生無量事物的根源。"⑥這就真正認識了本體。在熊十力看來,"性智"的這種對本體的認識,如同宋詞所云:"衆裏尋他千百度,驀然回頭,那人却在燈火欄珊處。"表現爲一個從"理智"到"性智"、從探求知識到超越知識的飛躍。

對于"理智"與"性智"的區分,熊十力也明顯地受到道家哲學

①②③　熊十力《新唯識論》,第 254、249 頁。
④⑤⑥　熊十力《新唯識論》,第 254、495、254 頁。

的啓迪。他指出，《老子》所言"不出戶，知天下。不闚牖，見天道。其出彌遠，其知彌少"，就提出了兩種不同的認識活動。一是"出戶，闚牖"的認識活動。這是"以知能爲務者，必用客觀方法"。"出戶名外，即設定外界事物，而行質測之術，此求知者之所尚也。闚牖，一隙之明也，此喻致曲之功。曲者，部分也。致曲者，即于各部分致其精析，以爲綜觀會通之地也，此又求知者所必由之術也。"①這是說，"出戶，闚牖"的認識活動在于獲得關于"萬物"的知識，因此所用方法在于對外界事物進行觀察和實測，由分析而綜合。另一是"不出戶，不闚牖"的認識活動。"不出戶，知天下，是不待外求，即不由客觀方法，而自知天下之大本也。不闚牖，見天道，是不待向事物散殊處作解析，而自見天道之渾全也"②這是說，"不出戶，不闚牖"的認識活動在于獲得關于"道"的真理，因此所用方法在于反求自證，這是非分析的和超知識的方法。《老子》所講的這兩種認識活動，一種認識的是現象世界，一種認識的是本體世界，各有自己的合理性範圍。"夫知能緣析物而起，即由其衆著，以綜觀通理。要所謂通理，終限于對待之域。若夫至真之極，獨立絕待，寂兮寥兮，無方無相，此可以向外析物之術求之耶？"③不難看出，熊十力對《老子》的這些解釋，有其自己的發揮之處，與《老子》肯定"不出戶，不闚牖"而否定"出戶，闚牖"的本義不盡相同。

　　熊十力又指出，《老子》對反求自證的方法作了許多富有啓發性的說明，從而揭示了"性智"的認識論特點。例如，他在解釋《老子》所說"知常曰明"時，認爲："'知常曰明'之'知'，即吾心之明覺。東方學者即于此明覺認識本體。蓋此明覺即道心呈顯。捨此，無所謂本體。吾人所以生之理，即此明覺昭顯者是；宇宙所以形成之理，亦即此明覺昭顯者是。何以故？就明覺的本體言，吾人與宇宙無內外可分故。"④"質言之，吾人必須有內心的修養，直至明覺澄然，即是真理呈顯。"⑤這就是說，對于本體的認識，在于使人的自

---

①②③④⑤　熊十力《十力語要》，第 233、234、240—241、214 頁。

我意識達到一種澄明之境,從而使宇宙人生的大本大源直接得以呈顯。所謂"性智",就在于走向澄明之境。

五

　　熊十力哲學是一種什麼樣形態的哲學:是傳統形態中國哲學,還是現代形態中國哲學? 這是一個頗有爭議的問題。一些研究者認爲,熊十力哲學實質上是傳統形態中國哲學的承續與延伸。如李澤厚説:"從譚嗣同、章太炎到熊十力,標誌着近代中國第一代知識者企圖站在傳統哲學的基地上,來迎接新的世界和創造新的哲學。"新唯識論"那活潑的動態、感性、人本精神和直觀智慧也許仍可能給後人以詩意的啓迪,但就整體説,這晚熟的産品只能以博物館奇珍的展覽品的意義,存留在中國現代思想的歷史上"①。另一些研究者則認爲,熊十力哲學從形式上看似爲傳統形態中國哲學的伸延,但實際上是現代形態中國哲學的創造。如張岱年説:"我認爲中國熊十力的哲學思想的深沉淵奥決不亞于海德格爾。"②"以他的哲學著作和現代西方一些著名哲學家的著作相比,實無遜色。"③

　　通過對熊十力與道家哲學的聯繫的考察,我們可以看到,熊十力哲學儘管與傳統哲學有着密切的聯繫,但從總體上講,是具有現代哲學意義的體系。熊十力創造新唯識論體系,旨在通過區分哲學與科學,對本體與現象的關係作出新的闡釋,以解決傳統哲學、特別是西方傳統哲學本體論所存在的世界二重化問題。同時,我們還看到,包括道家哲學在内的中國傳統哲學智慧,在現時代仍有其生命力,仍對現代哲學發展發生着啓迪作用。現代哲學智慧

---

　　①　李澤厚《中國現代思想史論》,東方出版社 1987 年版,第 269、279 頁。
　　②　張岱年《關于中國現代哲學史》,《中國哲學史研究》1988 年第 1 期。
　　③　張岱年《卓然成一家之言的哲學家》,《回憶熊十力》,湖北人民出版社 1989 年版,第 32 頁。

的創造,應當善于從中國傳統哲學智慧中、從道家哲學資料中吸取營養。這一點,不僅有熊十力開其先河,而且也引起了像海德格爾這樣的西方現代哲學大師的注重。一位美國哲學家說:"如果在過去歷史中找一件跟海德格爾的存有觀念最相近的東西,可能就是中國哲學裏面的'道'了。"①

作者簡介　李維武,1949 年生,湖北武漢人,哲學博士,現在武漢大學哲學系任教。主要著作有《二十世紀中國哲學本體論問題》等。

---

①　威廉·白瑞德《非理性的人》,黑龍江教育出版社 1988 年版,第 238 頁。

馮友蘭"境界説"的精神與傾向

金春峰

中國哲學的特色之一是講境界：修養境界、精神境界。

和西方哲學不同,中國哲學是實踐性的哲學,以天人合一、主客合一、内外合一爲特徵。實踐性格突出了主體、主體精神的地位。主體與客體之統一成爲境界劃分的尺度,故諸境界中最高的境界是天地境界。

對于境界,馮先生有系統的研究與新説。學術界通常認爲馮先生關于境界的説法是其哲學思想之爲新程朱、新儒學的鮮明的標誌,實際上,事情完全不是如此。弄清馮先生境界思想的内容實質及其傾向、源頭,是有意義的,有助于我們吸收中國哲學關于境界思想的珍貴遺産和馮先生境界説的經驗、教訓,更好地發展中國哲學。

下面分三節予以論述：

一　與程朱陸王有本質的不同

馮先生自認他的新理學是接着程朱講的,是新程朱。學術界亦認爲馮先生關于境界的思想是接着與發揮程朱陸王的。實際上,馮先生關于"境界"的思想與程朱陸王有着本質原則的不同。這種不同表現在：

1. 對天的看法不同。

2．對人的看法即人之本質所在的看法不同。

3．由此而達到“天地境界”、完成人之爲人的“最高極致”的方法不同。

在朱熹或宋明理學看來, 儒家的天地境界是一即道德而超道德的境界。所以是即道德而超道德, 是因爲天與人本質上是道德的, 是至善。按朱熹的説法, 天地以生物爲心。因其以生物爲心, 故是至善, 是誠。朱熹講太極、理世界, 理世界的核心即是“生物之心”。但此生物之心, 並非人格神之心、意識之心, 而是無心之心, 其表現爲天之元亨利貞四德。由四德而有春夏秋冬及萬物的生長收藏、生生不息, 成爲一鳶飛魚躍、生機益然、萬物並育的世界。人得天地之心以爲心, 故人有仁心、有愛人利物之心, 而表現爲人之道德、德行。王陽明不講“天地生物之心”, 講人是天地之心。而人之心即理, 亦是道德的。

人有心, 行仁踐義, 這是人的道德境界, 天地有心而無心, 是即道德而超道德的。人自覺地行仁踐義、存天理、滅人欲, 或“窮理”“致知”, 擴充本心所生而秉有、生而即知的仁義道德及良知, 使之無物不到, 無物不照, 而皆得其理。如此, 用力之久, 一旦豁然貫通, 人欲淨盡, 天理流行, 則“衆物之表理精粗無不到, 吾心之全體大用無不明”, 達到天地境界與天爲一而成爲“聖人”。《傳習録》載:

> 愛問: 盡心知性, 何以爲生知安行? 先生曰: 性是心之體, 天是性之源, 盡心即是盡性。惟天下至誠能盡其性, 知天地之化育。存心者, 心未有盡也。知天, 如知州知縣之知, 是自己份上事, 已與天爲一。事天如子之事父、臣之事君, 須是恭敬奉承, 然後能無失, 尚與天爲二, 此便是聖賢之别。(《傳習録》上)

這裏, 聖人之天地境界, 根本特點是: (1)生知安行; (2)知天地之化育; 知天地之化育爲性分之不由己。因此知不是覺解而是知州知縣之知, 也即以“化育”爲生命、性命之本職與本分。“化育”, 在天地是化育萬物, 在聖人是化育生命, 即齊家治國、平天下。

聖人以此爲性分之不容已,故其性分是至善、是誠。此是性分之不容已,故不需修養、不需特別的後天努力,而是"生知安行",即知而不知其爲知,行而不知其爲行,覺解亦不知其爲覺解。而這并非無知冥行,而是一最高的知、自然的行與最新的覺解。在常人這是永遠不能企及的。此境界中,天與人合一,天與人的本質、本性都得到最自由、完全的發揮與發展。

此境界又稱爲"鏡明",爲"情順萬物而無情"。王陽明説:

> 聖人之心如明鏡,只是一個明,則隨感而應,無物不照。
>
> 聖人致知之功,至誠無息,其良知之體,皎如明鏡,略無纖翳。妍媸之來,隨物見形,而明鏡曾無留染,所謂情順萬物而無情者也。"無所住而生其心",佛氏曾有是言,未爲非也。明鏡之應物,妍者妍,媸者媸,一照而皆真,即是生其心處。妍者妍,媸者媸,一過而不留,即是無所住處。(《傳習録》下)

朱熹説:

> 聖人之心未感于物,其體廣大而虛明,絶無毫髮偏倚,所謂天下之大本者也。及其感于物也,則喜怒哀樂之用,各隨所感而應之,無一不中節者,所謂天下之達道也。蓋自本體而言,如鏡之未有所照,則虛而已矣;如衡之未有所加,則平而已矣。至語其用,則以其至虛而好醜無所遁其形。以其至平而輕重不能違其則。此所以致其中和而天地位、萬物育,雖以天地之大而舉不出乎吾心造化之中。(《文集》卷六十七)

明鏡的特點: (1)不脱離物僅爲自我而存在,而是在照物應物中顯現與反映自我之存在; (2)不是"有心"于照物,而是"廓然大公,物來順應"。妍者自妍,媸者自媸,,賞者自賞,刑者自刑。因而照而無所照,明而無所明,用而不知其爲用。"明鏡"自身只是一天理準則。這也就是"情普萬物而無情"。

在中國哲學史上,荀子講心是"大清明",但荀子僅僅從心之虛而能知,心之認知功能講心,朱熹、王陽明則賦予了心之虛明以良知、準則、天理、廓然大公之先驗道德屬性,故而既是一中性無色的認知系統,又是一先驗道德的良知系統,因而與荀子不同。聖人的心,生而即無毫髮偏倚、纖翳,故其境界既是人,又是天,常人之心體則常爲私欲物欲所蔽,暗而不明,有偏倚纖翳,不能物來而順應,廓然而大公,故須不斷克私滅私,復其心體之本然,才能同于天。在理學家看來,聖人基本上是天生的,生而即有大智大慧與至德善行。非後天所能真正達到的。

程顥説:

夫天地之常,以其心普萬物而無心,聖人之常,以其情順萬物而無情。故君子之學,莫若廓然而大公,物來而順應。

聖人之喜,以物之當喜,聖人之怒,以物之當怒。是聖人之喜怒,不繫于心而繫于物也。

程顥的説法吸收了老子道家的自然思想,更繼承了王弼"聖人體冲和以應物"的觀點。但王弼强調"任自然而物自生"(《周易注·坤卦·六二爻辭》)。認爲天之生物應爲並不是天地與聖人的"大德"與"職分",理學則强調化育萬物、長養萬民是天地與聖人的大德與職分,兩者在精神上迥然不同。故程顥之"無情",實際上是有情,是一種强烈的天然的與萬物"一體"之情。所謂"仁者以天地萬物爲一體,莫非己也"。"手足痿痺爲不仁"、"大人之能以天地萬物爲一體也,非意之也,其心之仁本若是……"(《遺書》卷二上)"非意之也",更在本體上明確指出了"情順萬物而無情",不是僅憑後天的"覺解"所能達到的。

"無所住而生其心"是佛教的説法,王陽明加以引用,顯然受到了佛教的影響。但佛教"無所住而生其心"是一句話,一件事。"無所住"爲了"無生其心"。"無生其心"是目的,"無所住"是方法。王陽明則講聖人"生其心"。情順萬物,與萬物一體,即是"生其心"。"無所住"只是"生其心"的方法,目的是"生其心"。一者爲求自性清淨,一者則爲了修齊治平,故辭句相同,精神迥異,亦是不能混淆的。

馮先生完全不同意宋明理學的這些基本觀點。

馮先生否認天、宇宙是道德底,是誠;否認天地以生物爲心,也

否認人有先驗的道德、良知。馮先生説:

> 照宋明道學家的看法,宇宙是一個道德的宇宙,它本身是道德底,没有一點不道德底或非道德底成分在内。因此它是無妄,因其無妄,所以是誠。

> 宋明道學家以爲宇宙的主動者是道德底理性,所以他們的形而上學中,多用道德學中底名詞。海格爾以爲宇宙的主動者是理智底理性,所以他的形上學中,多用邏輯學中底名詞。宋明道學家的形上學與道德學混,海格爾的形上學與邏輯學混。(《新世訓》)

馮先生認爲,自然、宇宙既不是道德底,也不是理智與精神底。它的實質是一純粹的自然物,因此人的事天、奉天、知天,本質上也不具道德的意義,而只是一認知之事,覺解之事。

馮先生説:

> 道德境界及天地境界是精神的創造,不是自然的禮物。自然境界及功利境界是自然的禮物,人順其自然底發展,即可得到自然境界或功利境界,但任其自然底發展,人不可能得到道德底境界或天地境界。

荀子説:"水火有氣而無生,草木有生而無知,禽獸有知而無義,人有氣有生有知亦且有義,故最爲天下貴也。"(《荀子·王制篇》)荀子認爲人以前的水火、草木、禽獸都是自然物,惟人有生、有知、亦且有義,故超出于自然而爲一最高最貴的存在。但人之有義,是人之知覺靈明的創造,是人之精神的創造。人在最初階段,與禽獸一樣,也是處于自然與功利境界之中的,故人群自相爭奪與殘殺。以後,人之智慧才使之自覺建立起社會政治組織與制度,建立法籍禮義,使人能群。從而在和自然、和禽獸的鬥爭中居于優勢,人亦由此而超出于禽獸而成爲人。故"義"是人之爲人之理。道德——禮義——即這種義,是人自己創造建立以使自己成爲人者。馮先生的説法正是承荀子而來,故人之爲人之理——社會的一份子,爲社會盡義務等等,其"理"完全不具有理學家所謂"性理"、"天理"的意義。它是用歸納法,根據人之"社會"的特徵概括出來的,猶如荀子從水火到人的系列是歸納概括得到的一樣,因此, 在不同時期對人的不同狀況進行歸納、概括, 人之理就可能完全不同。例如原始時期, 人過爭奪的生活時, 人之理就不包括義之理。人之社會生活、組織, 由理性、智慧而産生。因此人之理, 本質上仍然是"理性""智慧"之一表現, 與理學家所謂"道德"是完全不同的。

馮先生説:

> 蜂蟻的定義, 涵藴其是有群底動物, 人的定義, 涵藴其是社會動物, 此即是説, 蜂蟻的理涵藴有群底動物底理; 人的理涵藴社會動物底理。一個人不能只是單獨底是一個人, 而必須是社會的一份子, 這是人之理中應有之義。(《新原人》第六章《道德》)

人之社會與群的區別, 在于蜂蟻的"群"是自然的, 人的"社會"則是人自己精神與智慧的創造。

馮先生特別强調"社會性"是人之爲人的基本點。

儒家孔孟也强調人的社會性, 但核心、基礎是人作爲人自然具有的血緣家庭關係(國家、社會是家族的擴大)。家族、家庭關係本質仍然是個人的, 以個人爲中心。荀子、法家所講的社會性(國家)則以斬斷這種血緣家族關係爲基礎。荀子説: "禮起于何也? 曰: 人生而有欲, 欲而不得, 則不能無求, 求而無度量分界, 則不能不爭。"(《荀子·禮論》)荀子認爲, 所謂"社會性"、"禮", 就是先王制定的這種"度量分界"。故作爲人之理的這種"社會性", 本質上是法籍制度。其中的"道德", 實質也是法籍制度。它們本質上都是控制人的。道家中, 老莊批判這種度量分界、禮儀法度, 但由道家分化而成的黄老刑名及申韓法術則把它引向"以吏爲師, 以法爲教", 引向君主專制、賞罰並用。它以富國强兵、社會安定有序爲目標, 也説是"利他"的。但其利它與儒家提出的"仁愛"、"愛人"、己欲立而立人、己所達而達人等等, 毫無共同之處。馮先生所説人之理的社會性, 强調人的政治性: "人必須在政治底組織中, 始能有完全底發展。"(《新原人》第六章《道德》)强調"國家社會的組織以及法律道德的規則"的重要; 强調"如蜂蟻一樣", 人在其社會組織中, "都

有其應盡的倫與職", (此倫與職不是儒家以之爲基礎的五倫之倫
與職, 而是如蜂蟻社會那樣的倫與職) 所以馮先生心目中的人之理
的社會性, 本質上是與荀子、黄老、申韓及其自然論系統相聯繫的;
與孔孟及宋明理學的精神則恰恰是對立的。

　　所以建築在對這種社會性——人之理的覺解基礎上而形成的
道德境界, 其本質也就與宋儒所談的覺解及道德境界絕然不同。
馮先生説:

　　　　蜂蟻雖有其社會及其在社會中的倫與職, 但對之並無覺解。人
　　則不但有其社會, 不但于其中有其倫與職, 並且可對之有覺解, 或有
　　甚深底覺解。對于倫與職有甚深底覺解, 即知各種底倫與職, 都有
　　其理想的標準。其理想的標準即是其理。人在實際上所處的底或
　　所任底職, 都應該完全合乎其理。這"應該"的完全達到, 在倫謂之
　　盡倫, 在職謂之盡職。是社會底是人的性, 倫與職是社會中應盡的
　　事, 所以盡倫盡職都是盡性。(同上)

　　孟子及理學高揚存心盡性、知性知天, 以之爲道德踐履、修養
與覺解的中心。其中盡心存心是基礎。馮先生借用了這些説法,
但馮先生不講"盡心"、"存心", 而只講"知性", 講"知性", 又完全從
理性上的瞭解、覺解立論, 因此儘管借用了理學盡性的説法, 其精
神實質則恰恰相反。

　　朱熹説"聖賢論性, 無不因心而發"(《已發未發説》文集卷六十
七), "合性與知覺, 有心之名, 張子言之矣。言心則合知覺與性而
言"(《論語集注》)。王陽明説: "心之體, 性也。性之源, 天也。"(《傳
習録》上) 因此盡性完全以存心、盡心爲前提與基礎。這是仁義内
在、道德本于内心的説法。馮先生以蜂蟻式的盡倫盡職爲盡性, 不
僅是告子義外、荀子人之道(人之理)在于"有辨"之説, 而且由于强
調對此應有自覺的覺解, 即自覺地認爲它是自己的性之所在, 可以
説比告子更加告子, 比荀子更加荀子。這樣地"盡性"所完成的道
德的人格, 在宋明理學家看來, 當然不僅不是道德的, 不是"有己",
不是完成了人之爲人, 相反是殲滅人性, 放逐"自我", 使人不再成

其爲具有獨立人格與個人尊嚴之人的。充其量不過是一完全覺解其應爲蜂蟻之一蜂蟻而已。

宋明理學家講覺解,"覺解"是覺解仁義道德、愛人利物是自己的本性,蹈仁行義即是行自己性分之不容已,即是復自己本質、心體之本然,覺解的實質是把自己從物欲私利之污泥濁水與自然之動物性中超拔出來,達于人之爲人的崇高之境。像馮先生所強調的那種蜂蟻式的盡性之覺解,在理學家看來,要以之進入道德境界,可以説是"緣木求魚"、"南其轅而北其轍"的。

馮先生説:

> 在道德境界中底人,對于人生中底規律,尤其是道德底規律,有較深的瞭解。他瞭解這些規律,並不是人生的工具,爲人所隨意規定者,而是都在人的"性分"以內底。遵守這些規律即所以"盡性"。在天地境界中底人有進一步底瞭解,他又瞭解這些規律,不僅是在人的"性分"以內,而且是在"天理"之中。遵守這些規律,不僅是人道,而且是天道。(同上)

這樣地把"遵守""規律"當成"性分",不僅當成"性分",而且當成"天理"、"天道",當成"盡性""同天",可以説真正是把黑暗當成光明,鳥籠當成自由,窪井當成大海了。這樣的境界,無寧是精神麻醉的加深,而不是自由的提升與擴大。

二　哲學覺解與境界的困境

馮先生説:"宗教使人信,哲學使人知,上所説宇宙或大全之理及理世界,以及道體等觀念都是哲學底觀念。有這些哲學底觀念,他即可以知天,知天然後可以事天、樂天,最後至于同天。"同天的境界,是天地境界中的人的最高的造詣,……知天、事天、樂天等,比較起來,都"不過是得到此等境界的一種預備"(同上)。

馮先生所講的"哲學",實際上是西方關于思的哲學,又特別是新實在論的純邏輯之思的哲學,而不是中國以天人合一爲特徵與目標的哲學。用西方哲學的思與邏輯的方法,以達到與獲得最高的精神境界,實際上如同在見聞之知的基礎上求取道德一樣,所走的路是根本不通的。

就西方哲學説,哲學確是一種最高的思,此最高的思即對思想所作的"反思",或思之思。黑格爾説:"哲學是思想要求它自身之最高的内在的滿足于思想中,而以思想爲它的對象。"(《小邏輯》第63頁,賀麟譯,三聯1955年6月版)哲學是"將思想本身單純不雜地,作爲思考的對象"(第43頁)。馮先生在《中國哲學史新編》第一册《全書緒論》中論《什麽是哲學》時,説:"哲學是人類精神的反思。……人類的精神生活的主要部分是認識,所以也可以説,哲學是對于認識的認識。對于認識的認識,就是認識反過來以自己爲對象而認識之。"(第一册第11、12頁,蘭燈文化公司出版.1991年)在《新原人》中,馮先生説:"哲學是由一種自反的思想出發,所謂自反者,即覺解自覺解其自己,所以哲學是由高一層底覺解出發者。亞里士多德謂:思以其自己爲對象而思之,謂之思思。思思是最高底思。哲學正是從思思出發底。科學使人有瞭解,哲學使人覺解其覺解。……科學底格物致知,不能使人透過夢覺關,而哲學底格物致知,則能使人透過此關。"(《新原人》第二章《心性》)雖然名詞有所變化,"認識"、"思"變成了覺解,但實質則是一樣的。即:"覺解",最高的覺解,和西方哲學一樣,是以思、思之純理性的認知、反思等爲内容和特徵的,與宋明理學所説德性之知及以德性之知爲基礎與内容的覺解完全不同。由西方哲學的思及對思的反思所成就的,是種種哲學體系,如亞里士多德、康德、黑格爾哲學等等。不管這些哲學如何標誌着"最新底覺解"、"最高底覺解"、"覺解底最高成就",但其性質全都屬于"認識"、"理性"範疇,與修養、道德及人格境界無關。

以黑格爾而言,《小邏輯》與《精神現象學》是他對于人類已往全部精神活動及哲學之思所作的反思。在兩本著作中,他看出人類之純思的活動,以思想、精神爲對象的反思的活動,在歷史上經歷了一個由低到高的發展過程,而哲學史上每一哲學系統均是人類精神與思想在當時期與時代所達到的一特殊成果與特殊階段。它在歷史上的發展序列,即是它自己把自己展開、豐富與發展提高的過程。因此,在哲學史上,那最早出現的哲學系統,是最抽象、也是最貧乏的,經歷不斷的推陳出新,不斷的揚棄,到黑格爾這裏,哲學、也即人類精神與思想的發展,才達到了最高的水平與階段,它自己完成了自己。形式上它回到了自己的出發點: 原始的精神的完整性。但它是以自覺認識、自覺覺解的形式回到了自己,復歸到了自己,因而似乎是一種天人合一。但這種"合一"其内容是概念的發展,與道德修養及即道德而超道德的天地境界,完全不能混爲一談。理解了黑格爾的哲學,可以提高我們思的水平及對思作反思的水平,亦可以使我們對人類哲學思想之發展史以及世界歷史獲得新的認識。但不可能使我們得到儒家或道家、佛教所講的高的人格及精神境界。

康德哲學亦是如此。

就馮先生自己的新理學哲學説,馮先生自己認爲,"新理學"所闡明的宇宙、大全的觀念,理及理世界、太極的觀念,道體的觀念,"雖不能予人以積極底知識……但可以使人們所作的事、所見的事,對于他都有一種新意義,此種新意義,使人有一種新境界,此種新境界即天地境界"(《新原人》第八章《學養》)。但實際上,"新理學"的這些觀念是純邏輯的觀念,是用純邏輯的抽象方法,抽空所有關于存在、關于理、關于變化運動的具體内容而達到的。它並不涉及任何實際。因此,它真正能提高人的是邏輯思維的能力與智慧,而不是任何道德與人格的修養。例如"大全"的觀念,馮先生説:"哲學中所謂大全,所謂一即是宇宙的觀念。道學家所謂天地亦是指這個觀念。伊川説: '人多言天地之外,不知天地如何説内外,外面畢竟是個甚? 若言著外,則須似有個規模。天地安有内外? 言天地之外,便是不識天地也。'人能有這個觀念,可以説是人智的一個很大的進步。這個觀念,總括萬有,可以説是'範圍天地'。人能有這個觀念,即以這個觀念總括萬有,可以説是'智周萬物'。……它可以使人'開拓萬古之心胸'。"(同上)但實際上,這個觀念,只可以説是人之理性思維能力與邏輯概括能力的極大的提高之標誌。比之于不能做此概括、得此觀念者,在理性、哲學思維水平之發展上,是一個"飛躍"。他的眼界由具體進入了一"智周萬物"的"抽象";但此不同,是智的境界之不同,不是道德境界的不同。因此,"開拓萬古之心胸",如果指的是跳出個人、族群、民族、國家的圈子而獲得一"人類""大宇宙"的胸懷,以之指導自己的行動而有一偉大的人類與宇宙精神,則此觀念的獲得是絶不可能有此大功的。惠施説:"至大無外謂之大一,至小無内,謂之小一。"(《莊子・天下篇》)惠施早就有了大全、大一的觀念。能否説惠施的人格精神境界是"天地境界"呢? 顯然是不能的。

　　朱熹的太極觀念、理世界的觀念,確能幫助人提升精神境界。因爲朱熹的理世界不是平鋪放着的一衆理之存有的世界,而是"理一分殊",以仁之理爲核心、爲根基的理世界。而仁之理——太極,實質上即"天地生物之心"。朱熹有此真誠的信仰與覺解,並相信天人一體,"人得天地生物之心以爲心",故朱熹能由此而存心盡心、知性知天,能由對此的覺解而存天理、減人欲,而致知窮理,達于"吾心之全體大用無不明"、"衆物之表裏精粗無不到"的天地境界。馮先生的理世界與太極觀念則没有任何實質内容。其中人之理不僅是人自己的精神的創造(社會性),而且並無固定的内容。因此它之不能提升人的道德與精神境界,不能如朱熹的太極心性思想具有道德的提升能力,也是很自然的。

　　人類歷史上,"覺解"對于人的精神境界確有巨大的作用。各種宗教如基督教、佛教;如儒家、道家,對人類精神與道德修養之所以能産生巨大的作用,都是基于它們的創始人、奠基者對宇宙、人生有特殊的巨大的覺解。以中國的儒、道、佛而言:

　　儒家的根本覺解是:"人而不仁,如禮何。人而不仁,如樂何?""我欲仁,仁斯至矣"。"人之有四端,猶其有四體也","萬物皆備于我,反身而誠,樂莫大焉"。"中也者,天下之大本也,和也者,天下之達道也,致中和,天地位焉,萬物育焉"。本着這些覺解,儒家發展成爲影響與支配中國民族文化思想的巨大體系。無數人得此覺解而成爲一真正的人、有崇高道德境界甚或天地境界的人。抛開這些基本覺解而談一般哲學的覺解,人就只能成爲一"知覺靈明"的自然人了。

道家也有自己的根本覺解,這覺解是"道可道,非常道,名可名,非常名"。"人法地,地法天,天法道,道法自然"。"至人無己,聖人無名,神人無功"。世俗、現存的禮樂名物、度數、"度量分界",都是與道相對立、與人之精神之自然本性相對立的。因此,惟有藐視、傲視,擺脱它們的局限,不爲它們所困、所牢籠,人,才可能成爲真人。本着這些覺解,道家發展成爲深深影響中國民族精神、智慧的巨大文化思想力量,無數的人得此覺解而成爲批判虚僞禮教的鬥士、精神自由的高歌者、倡導者與典範。

佛教、禪宗給予民族文化以巨大影響。理學的産生可以説得力于佛禪思想的消化與吸收。它的根本覺解如神秀所説:

性是菩提樹,心是明鏡台,時時勤拂拭,莫使染塵埃。

如六祖慧能所説:

菩提本無樹,明鏡亦非台,本來無一物,何處染塵埃。

人已經出家了,進入寺院,擺脱了名利、俗務的束縛,神秀的教導要他們進一步修煉,淨化心靈,使心如明鏡,性體——佛性真如能呈現出來而得到精神的解脱與自由。朱熹、王陽明的"因心發性"、"心之體性也"、"性即理也"、"存天理,滅人欲"、"致良知"等,實際上都是神秀説法的吸收與運用。

慧能否認心有性體。認爲存在的只是心,而心無自體,只是一念。"不是幡動,不是風動,是仁者心動"。仁者心動只是此時此刻此瞬之"心動",不是有一心體在動,故"煩惱即菩提。前念迷即凡夫,後念悟即佛。前念著境即煩惱,後念離境即菩提"。"念念若行,是名真性,悟此法者,是般若法。修此行者,是般若行。不修即幾，一念修行，自身等佛。"(《壇經·般若品第二》)故功夫只在"覺解"自悟。慧能有此真實的覺解，故發展成一大宗派，造就了無數精神自由、自得、灑脱無羈的名僧。

這些"覺解"，都是真正的覺解，對世界、對人生、對人生價值之所在，有真正徹悟，不是戲論，不是空論，不是西方哲學"以思爲對象而反思之"之所得，故能提高人的精神與價值境界。一旦進入西方哲學的思——反思的領域，這些覺解及其導致的精神境界也就不能産生、不能立足了。

馮先生在哲學上完全西化了，建立了一完全西化的新理學哲學體系，以純粹的思——概念爲對象，以純邏輯的抽象方法爲方法，在境界、道德價值系統上却欲繼承中國儒道佛的豐富遺産。本意雖在于匯通，實際上則陷入了"離之則二美，合之則兩傷"的困境。其結果，儒道佛關于境界、道德、人格等等的上述真正有價值的遺産資源，都被閹割、截取，成了没有生命與靈魂的軀殼了。

這是我們可以于中吸取真正的教訓的。

三　源頭與傾向是《齊物論》與玄學

馮先生認爲"境界"的實質是"覺解"的高低，而覺解的最高境界是哲學的思與反思，以這樣的觀點去觀察與總結先秦儒道天人境界的思想，結果，不僅不能幫助人們達到正確的了解，相反，把它們的精神完全扭曲了。

例如《莊子》。

《莊子》關于天地境界、有精闢的覺解與論述。其中心是崇尚"自由"的人格，與世俗之虛僞、禮教、仁義道德、名利、名分完全對立。故要達到一高尚的自由精神境界，必須有藐視與擺脱世俗、名利、道德、禮教之束縛的決心與勇氣。

《逍遥遊》説：

　　故夫知效一官，行比一鄉，德合一君，而徵一國者，其自視也亦若此矣,而宋榮子猶然笑之。且舉世譽之而不加勸,舉世非之而不加沮,定乎内外之分,辨乎榮辱之境,斯已矣,彼其于世,未數數然也。雖然,猶有未樹也,夫列子禦風而行,泠然善也。旬有五日而後反,彼于致福者,未數數然也。此雖免乎行,猶有所待也。若夫乘天地之正而御六氣之辯以遊無窮者,彼且惡乎待哉?!故曰至人無己,神人無功,聖人無名。

追求功、名與自我滿足的人,"知效一官,行比一鄉,德合一君,而徵一國",精神完全爲一鄉、一官、一國所奴役,不過是一個"俗物"。宋榮子"舉世譽之而不加勸,舉世非之而不加沮",表現出反世俗的巨大毅力與勇氣。但對是非毀譽仍然有着考慮與計較,只是能不爲所動,故亦不能成就最高的人格、精神。只有完全超乎世俗之得失、榮辱、是非、毀譽、名分、功利,而能在自我完全的精神自由中逍遥自得的人,才是真正的"至人"、"神人"、"聖人",他們"乘天地之正而御六氣之辨","無己"、"無名"、"無功",其形象之高大完美,是游方之内、爲方所限的世俗者所不能望其背項的:

之人也,之德也,將磅礴萬物以爲一世蘄乎亂,孰弊弊焉以天下爲事。(《逍遥遊》)

實際是超乎堯舜之上的至德與至治。

所以《莊子》對世俗之虛僞、禮教、是非、名分、擎跽曲拳之"人之徒"及支離其形與支離其德以縛取私利榮華官爵的人,進行猛烈的抨擊,而崇尚有真性情的"真人"、真世界,崇尚游方之外者。

在藝術上,莊子提倡藝術創作的自由境界,其要義也是與世俗、名利、爵禄徹底決裂。如梓慶造鐻:

梓慶爲鐻,鐻成,見者驚猶鬼神。何以如此?梓慶説:臣將爲鐻,未嘗敢以耗氣也,必齊以静心。齊三日,而不敢懷慶賞爵禄;齊五日,不敢懷非譽巧拙;齊七日,輒然忘吾有四肢形體也。當是時也,無公朝,其巧專而外滑消,然後入山林,觀天性,形軀至矣,然後成見鐻,然後加手焉,不然則已。則以天合天,器之所以疑神者,其是歟?!(《莊子‧達生》)

就是説,完全排除世俗之是非、巧拙與慶賞利禄的干擾。"視公朝若無”，“視官祿如糞土”，而一任其自由創造精神之自由地發揮，才能有真正的藝術、上乘的藝術産生出來。

　　庖丁爲文惠君解牛，手之所觸，肩之所倚，足之所履，膝之所踦，砉然響然，奏刀騞然，莫不中音，合于桑林之舞，乃中徑首之善。

　　解牛，對于庖丁成了一種藝術，一種音樂與舞蹈的演出。在此演出中，庖丁與其藝術創作過程完全融合爲一，精神達到了高度自由。何以能如此？庖丁説：

　　臣之所好者，道也，進乎技矣。始臣之解牛之時，所見無非牛者，三年之後，未嘗見全牛也。方今之時，臣以神遇而不以目視，官知止而神欲行，依乎天理，批大郤，道大窾，因其固然，技經肯綮之未嘗，而況大軱乎。良庖歲更刀，割也，族庖月更刀，折也；今臣之刀，十九年矣，所解數千牛矣，而刀刃若新發于硎。彼節者有間，而刀刃者無厚，以無厚入有間，恢恢乎于游刃，必有餘地矣……提刀而立，爲之四顧。爲之躊躇滿志。（《莊子·養生主》）

　　所謂“道”，就是精神的完全自由與自得。除此之外，功名利祿、權勢，一切都不在考慮之内。“提刀而立，爲之四顧，爲之躊躇滿志”，其視文惠公、視朝庭、視名位如“無物”，只求在自我之藝術、精神之自由中得到享受、愉快，而油然歡悦之情，躍然紙上。

　　所以莊子借顔回“坐忘”，南佰子葵外物，外天下等以得“道”之寓言描述，其精神都是與世俗之追求徹底決裂。其“外天下”即以儒家鼓吹的“治天下”爲外；其“外物”即是與身外之物如名利、聲色等追求決裂；其“外生死”即是外身、外物質形體之身而一意追求精神的自由。要之，至人、聖人、神人之人格、精神白璧無瑕，如一天然之藝術品，任何俗氣、規矩、方内，都是與之格格不入的。

　　這就是莊子之天地境界的精神。但馮先生却把莊子天地境界的這一精神割掉了。

　　馮先生説：

　　道家的人心齋坐忘。佛教的人參禪入定。他們都注重于方外底人的静。但人必須在社會中始能生活。這些人雖生活而却不做社會中的事，這就是一種矛盾。（《新原人》第七章《天地》）

就是説莊子講的至人、聖人、神人、天地境界,都是逃避社會,到深山老林,求精神安静。與莊子精神,真可謂失之遠矣。

馮先生又説:

> 因爲要忘分別,所以要去知,去知是道家用以達到最高境界的方法。此所謂知,是指普通所謂知識的知,這種知的主要工作,是對于事物作分別。知某物是某物,即是對于某物作分別,有分別即非渾然。一切分別盡忘,則所餘只是渾然底心。(《新原道》第四章《老莊》)

按馮先生的解釋,此道家之"忘分別"即是站在一較高的"道樞"的觀點:"可乎可,不可乎不可","惡乎然,然于然,惡乎不然,不然于不然。物固有所然,物固有所可。無物不然,無物不可。故爲是舉莛與楹,厲與西施,恢詭譎怪,道通爲一。"(同上)也就是説以徹底的相對主義觀點看待分別,即可忘分別。故莊子道家達到天地境界的根本方法是一徹底的相對主義。顯然,這與莊子所提倡的人格、精神,也是毫無共同之處的。

先秦,儒家講天人或天地境界,形式上與《莊子》類似,但精神內容與氣質則完全不同。

孔子描述自己境界成長、提高的過程,説:

> 吾十有五而至于學,三十而立,四十而不惑,五十而知天命,六十而耳順,七十而從心所欲不逾矩。(《論語·爲政》)

"矩"是"客觀",是"天",包括種種客觀規律、社會法則等等。一般人在某一時期、某一矩上,由于學習、研究、掌握了客觀規律、法則而獲得行動自由,亦可"不逾矩",但不可能"從心所欲不逾矩"。"從心所欲",主體的精神已達于完全的自由,可以説是欲而無所欲。"不逾矩",矩與欲完全融合爲一,有矩而不知有矩。如同《莊子》所説"相忘于矩"。這時主客、天人的對立、矛盾,完全被消解,如胡安國所説:"其日用之間,本心瑩然,隨所意欲,莫非至理,蓋心即體,欲即用,體即道,用即義,聲爲律而身爲度矣。"(轉引自《論語集注》)這一境界的達到,有"覺解"的提高,如"不惑"、"知天命", 但基礎是立志、立于禮、成于學、六十而耳順等修養、踐履。故以後宋明理學家強調境界的提高是一去人欲、存天理的過程。朱熹注曾點言志章説:

> 曾點之學, 蓋有以見夫人欲盡處, 天理流行, 隨處充滿, 無少欠闕, 故其動静之際, 從容如此, 而其言志, 則又不過即其所居之位, 樂其日用之常, 初無捨己爲人之意, 而其胸次悠然, 直與天地萬物上下同流, 各得其所之妙, 隱然自見于言外, 視三子之規規于事爲之末者, 其氣象不侔矣, 故夫子嘆息與深許之。(《論語集注》)

認爲, 這一境界只能是孔子的境界。曾點實際上是相去甚遠的。"某嘗説曾皙據不可學, 他是偶然見得如此, 夫子也是一時被他説得恁地也快活人, 故與之, 今人若要學他, 便會狂妄了。"(《語類》卷四十)也就是説, 進入天地境界, 必須與人欲、物欲、私欲決裂。儒家強調對社會、國家、修齊治平"知天地之化育"的責任, 故不講方内方外的對立。但在馮先生筆下, 由于強調覺解、哲學的反思是達到天地境界的根本途徑, 孔子的"境界"竟被講成"不入流"的宗教迷信了。馮先生説:

> 孔子從心所欲不逾矩, 有似于樂天。我們説"有似于", 因爲孔子所謂天, 似乎是主宰之天, 不是宇宙大全。若果如此, 孔子最後所得的境界, 亦是"有似于"天地境界。(《新原道》第一章《孔孟》)

> 孔子所説的天是主宰的天。他似乎未脱離宗教的色彩。他的意思, 似乎還有點是圖畫式底。(同上)

> 孔子是早期儒家的代表。儒家于實行道德中, 求高底境界。這個方向是後來道學的方向。不過他們所以未能分清道德境界與天地境界, 其故亦由此。以"極高明而道中庸"的標準説, 他們于高明方面, 尚未達到最高標準。用向秀、郭象的説法, 他們尚未能"徑虚涉曠"。(同上)

也就是説, 在馮先生看來, 只有經過道家式的徑虚涉曠、《齊物論》式的相對主義、與道爲一,《新理學》式的純邏輯的"大全"、"理世界"、"道體", 才能真正進入天地境界。因而不僅把孔子、儒家的"天地境界"混同于宗教, 而且也把儒家從哲學上排斥出了天地境界。

對"徑虛涉曠"的喜好與偏愛, 實際上也把馮先生自己哲學的源頭、傾向——名家、公孫龍;《齊物論》; 郭象《莊子注》——清清楚楚地展現了出來。故馮先生説:

> 中國哲學精神的進展, 在漢朝受了逆轉, 經過三四百年, 到玄學始入了正路。中國哲學的精神的進展, 在清朝又受了逆轉, 又經過了二三百年, 到現在始又入了正路。(《新原道》第十章《新統》)

這正路就是馮先生的"新理學"。但這正路不是別的, 就是道家、玄學之路。

> 新的形上學, 須是對于實際, 無所肯定底, 須是對于實際, 雖説了些話, 而實際是没有積極地説什麼底。不過在西洋哲學史裏, 没有這一種底形而上學的傳統。西洋哲學家, 不容易了解, 雖説而没有説什麼底"廢話", 怎樣能構成形上學。在中國哲學史中, 先秦的道家, 魏晉的玄學, 唐代的禪宗, 恰好造成了這一種傳統。新理學就是受這種傳統的啓示, 利用現代新邏輯學對于形上學底批評, 以成立一個完全"不著實際"底形上學。(同上)

儒學完全被排除了。

作者簡介　金春峰, 1935 年生, 湖南邵陽人。北京大學哲學系畢業, 哲學碩士。主要著作有《漢代思想史》、《周官之成書及其反映的文化與時代新考》。

馮友蘭道家觀舉隅

羅　熾

内容提要：　本文對馮友蘭先生的道家觀進行了評析。作者認爲,在馮先生的體系中,看來首推儒學,但馮先生的學術論文,却以道家(包括馮先生所謂漢晉"新道家")主題爲最。這一方面説明,道家學説還有待于更深入的探究;同時也可以説明馮先生道家之學的價值觀。

在中國哲學思想發展史上,道家曾以其獨特的道論標柄于世。對于道家之學的興衰隆替及其價值評估,一直是中國哲學和文化思想史學界研究的一個大課題。馮友蘭先生以其淵博的學識、豐富的治學經驗和數十年的辛勤勞動,鈎沉稽古,探賾發隱,對道家之學進行了系統研究,並將所得成果納入他所鍛造的"中國哲學"體系之中,對我們反思中國哲學的邏輯發展,提供了有重要價值的參考資料。他所得出的許多結論,在今天看來,仍然是不可動摇的。當然,有的結論直到今天仍在討論之中。本文對此試舉例、剖析如下:

一、道家源于隱士論

道家源于隱士,創于楊朱,這是馮友蘭先生的一貫觀點。諸如他説:

……有一般人抱有技藝才能,然而不願意責與他人,這便是隱士。道家即出隱士。①

隱者正是這樣的"欲潔其身"的個人主義者。在某種意義上,他們還是敗北主義者。他們認爲這個世界太壞了,不可救藥。……這些人大都離群索居,遁迹山林,道家可能就是出于這種人。……可是道家也不是普通的隱者,只圖"避世"而"欲潔其身",不想在理論上爲自己的隱退行爲辯護。道家是這樣的人,他們退隱了,還要提出一個思想體系,賦與他們的行爲以意義。他們中間,最早的著名的代表人物看來是楊朱。②

在孔子時已有一種"避世"之人。此等人有知識學問,但見時亂之難于挽救,遂皆持消極態度,不肯干預世事。……正是此等消極的"隱者",獨善其身之人,……即楊朱之徒之前驅也。③

這些"逸民"、"隱者"之流,是道家的前驅。他們還只是各自隨時地發泄一些牢騷,發表一些對新社會不滿的言論。他們的思想還沒形成爲一貫的學說。他們的行動也基本是個人的,還沒有成爲一個學派。……首先爲他們創立一種學説、一個學派的人是楊朱。④

道家源于隱士;隱士出自一部分有文化和技能然而却又破落了、因而對新興地主階級不滿的奴隸主貴族知識分子。馮先生這個觀點無疑是正確的。

春秋末期,我國奴隸制的生產關係已經由興盛進入到衰朽階段,新興的封建生產關係破土而出,社會處于新舊交替的轉折關頭。與此相一致,奴隸制的上層建築、政治制度面臨着深刻的危機。作爲統治階級思想的意識形態系統也急劇地分崩離析。學派開始陸續出現了。

學派是一定的政治鬥爭的産物。從來也沒有脫離政治的純粹的學派和學派之爭。譬如孔子,正是在社會變革面前,以一種"是可忍,孰不可忍"的心態授徒講學,營建儒學體系的。孔子的綱領

---

① 《先秦諸子之起源》,載《三松堂學術文集》第 372 頁(1936 年)。
② 《中國哲學簡史》第 74—75 頁(1947 年)。
③ 《中國哲學史》第 171—172 頁(1961 年)。
④ 《中國哲學史新編》第一冊第 243 頁(1984 年)。

很明確,"克己復禮,天下歸仁";目標也很明確:變齊、變魯,以至于道。爲了實現這個目標,他要求弟子們針對各自的不足,以"仁"爲最高境界,修養自己;他本人則是以身作則,孜孜不倦,"發憤忘食,樂以忘憂,不知老之將至"地追求和奮鬥。

當時的另一種人則不然。在他們看來,世間沒有恒常不變之事,一切處于自然的周流運化之中。"金玉滿堂,莫之能守"的現實使他們自卑(《老子》第九章)。"滔滔者天下皆是也,而誰以易之?"這是他們的心態;"且而與其從辟人之士也,豈若從避世之士哉!"這是他們的方針。正因爲如此,他們才勸告孔子"往者不可諫,來者猶可追",要懂得"深則厲,淺則揭"的道理,不可以僵化。正因爲如此,他們才譏笑孔子是缺乏自知之明("莫己知")的"知其不可而爲之者"。正是在這種避世之士群團中,孕育出了在奠定中華民族文化心理素質方面起過重要作用的道家。

馮先生認爲,首創道家學説、學派的代表人物是楊朱。關于楊朱,馮先生斷定是墨子與孟子之間的人。"因爲墨子從來未提到他,而在孟子的時代他已經具有與墨家同等的影響"[1]。爲什麼楊朱一定在老子之先?馮先生沒有作過比較論證,似乎本來應該如此,不容置疑。但事實卻恰恰值得懷疑。

斷定楊朱在孟子之前無疑是正確的,但不一定在墨子之後。孟子説:"楊朱墨翟之言盈天下,天下之言不歸楊,則歸墨。"《孟子·滕文公下》。依孟子的排列,楊朱確然在墨子之前,起碼應理解爲同時期人,總不能因《墨子》中無而否定《孟子》中有,此其一。其次,就老子言,馮先生也承認,與孔子同時有老聃其人,而且也做過史官,但不承認《老子》是他所著。馮先生論證的結論是:"著《老子》書的老子當在孔墨以後;《老子》一書的形成當在孟子以後,莊子以前。[2]"如此,便有了一個叫老聃的老子和一個叫李耳的老子。前者未著書,後者著了書。這就把問題弄複雜了。當然,稱老子的

①　《中國哲學簡史》第79頁。
②　《中國哲學史新編》第一册,第255頁。

人可能不只一個,但創立道家的老子只能是一個。凡創立學派必
有學說,《老子》便是道家學說的代表作。至于它的損益、整理,形
成今本《老子》,亦不必爲一人,但它的原始稿本必然出自老子。老
聃李耳,史遷並未分成二人。關于這一點,今人李邦國同志已有詳
證①,兹不贅述。我們只有立足于老聃初創道家,著述《老子》的史
實,才可以理解戰國時人莊、荀、韓諸子對老子的論述,才可以理解
秦漢時《吕氏春秋》、《禮記》、《孔子家語》以及鄭玄、劉向、史遷等人
對孔老關係的論述。故朱熹説"楊朱之學出于老子"(《朱子語類》
卷一二五)是正確的。道家並非晚出,孔老當在同時。如果説,對
于春秋末期的社會變革,孔子的態度是"知其不可而爲之"的話,老
子則是知其不可而待之,"萬物並作,吾以觀其復"(《老子》第十六
章),訴諸于自然之道。他們代表了當時"有爲"與"無爲"兩條思想
路線。

二、道家"爲我"中心論

道家以"爲我"爲共同特徵,這也是馮先生的一貫觀點。諸如
他説:

> 道家哲學的出發點是全生避害……我們可以説,先秦道家都是
> 爲我的。②
> 道家哲學是没落的奴隸主貴族意識的集中反映。"爲我"的思
> 想貫穿于道家各派之中……③
> 先秦道家雖然有許多派别,但也有一個一貫的中心思想:"爲
> 我。""我"的主要東西,就是"我"的生命。④

所謂道家"爲我"中心論,是立足于楊朱首創道家及學說的觀
點。馮先生説,把先秦及漢有關論及楊朱的資料合在一起,"就

---

① 《司馬遷筆下的老子》,載《湖北師院學報》1987 年第三期。
② 《中國哲學簡史》第 80 頁、82 頁。
③ 《中國哲學史新編》第一册,第 160 頁。
④ 《中國哲學史論文二集》第 171 頁。

可以得出楊朱的兩個基本觀念: ‘爲我’, ‘輕物重生’。……兩者可以説是一個學説的兩個方面”①。他認爲, 這種思想爲老、莊所繼承, 貫穿于《老子》、《莊子》之中。

誠然, 道家哲學的出發點是全生避害, 養生葆真。《老》、《莊》的宗旨就是養生。《老子》之“致虚”、“守静”、“塞兑”、“閉門”、“静觀”、“玄覽”、“和塵”、“同光”,《莊子》之“逍遥游”、“養生主”、“心齋”、“坐忘”、“熊經鳥伸”、“踵息”等等, 都是指養生境界與方法。這在時人眼裏已經是明確的。《莊子・天下》篇概括老學説, “以本爲精, 以物爲粗, 以有積爲不足, 澹然獨與神明居”, 概括莊學説, “獨與天地精神往來, 而不敖倪于萬物, ……上與造物者游, 而下與外生死, 無終始者爲友”。在漢人眼裏也是清楚的。觀乎《老子河上公章句》便是一例。正如史遷所説, 老子的修道在于隱出世間, 滌除物欲, “無爲自化, 清静自正”, 長生養壽, 以觀天地之復。可見馬王堆漢墓主人把《老子》與《周易》、《導引圖卷》、《五十二病方》以及其他養生之書隨葬一處, 並非偶然, 它表明了秦漢時人的《老子》觀。至于楊朱, 只能説是由老而莊的一個中間環節, 亦可謂老學之一支。楊朱“不以天下大利易其脛之一毛”(《韓非子・顯學》), 表明他是一個極端的爲我主義者。莊子正是沿着楊朱的思維路數由貴己養生而走向達生、齊生死、外生死的。在莊子看來, 人“一受其成形, 不亡以待盡, 與物相刃相靡, 其形盡如馳而莫之能止, 不亦悲乎? 終身役役而不見其成功; 苶然疲役而不知其所歸, 可不哀耶? 人謂之不死, 奚益? 其形化, 其心與之然, 可不謂大哀乎?”(《莊子・齊物論》)。因此, 他追求一種永恒的、絶對的精神自由, 亦即讓人性復歸于自然, 他把這稱之爲“與道爲一”。馮先生説:“莊子講 ‘齊生死, 同人我’, 在主觀上不以害爲害, 就認爲害真不能傷了。……其實他們所謂 ‘無我’, 正是 ‘爲我’ 之極至。‘爲我’ 之極, 就向其對立面轉化, 以至于 ‘無我’。”②這種分析是有説服力的。

---

① 《中國哲學簡史》第76頁。

② 《中國哲學史新編》第一册, 第160頁。

三、老、莊、稷下黃老異道論

誠如馮先生所説: "道家之名, 乃漢人所立。"[①]老子並未自覺授徒講學, 創立道家; 莊子亦未自覺承繼老子。他還説:

> 大約漢人所謂道家, 實即老學也。老學述應世之方法, 莊學則超人事而上之。"漢興, 黃老之學盛行", 主以清靜無爲爲治, 此老學也。[②]

這實際上肯定了老學在道家學説中的基礎和主幹地位。同時也肯定了老、莊、稷下黃老是道家發展的三大主要代表, 以及它們的聯繫和區別。道家以論"道"著稱, 其特質是以"道"爲其學説的最高範疇。清靜、自然、無爲是道家者流的宗旨。此外, 它還貫穿了"貴己重生"這一中心思想。關于道家哲學的發展階段問題, 馮先生的看法有過幾次改變。在《中國哲學簡史》中, 馮先生分爲楊朱——老子——莊子三個階段; 在《中國哲學史新編》(1962年版第六章第一節)中, 馮先生説: "楊朱、彭蒙、田駢、慎到、老子、莊子, 代表道家哲學思想發展的四個階段; 在《中國哲學史新編》(1984年版)中, 馮先生又將道家哲學分爲新的三個階段, 即"道家哲學體系的形成和發展"階段(《老子》的客觀唯心主義體系); "道家哲學向唯心主義的進一步發展"階段(莊周的主觀唯心主義體系); "道家向唯物主義的發展階段"(稷下黃老之學的精氣説)。至于楊朱是否仍應作爲前期道家的代表, 還是可以備爲一説。我覺得這新的三個階段劃分, 是馮先生道家哲學研究的新成果。它表明一個哲學史家對真理的孜孜追求。

由老而莊而稷下黃老, 反映了老子道學在先秦的否定之否定發展過程。

老子作爲道家哲學的奠基人, 對中國思想文化史的巨大理論

---

①② 《中國哲學史》第216頁。

貢獻是：突破了"道"概念的本然含義及其所受的政治和倫理等方面的局限性,將其上升爲哲學範疇,從而奠定了道家之學的理論基石。馮先生曾認爲,老子之"道"有五大特徵,即它是"無形"、"無名"之"無";是永遠存在之"常";是"其大無外,其小無内"之"至貴";是循環不已之"周行";是"無"和"有"的統一。這五者共同體現了"道"是一種最細微的"精氣",從而説明老子道論是一種"原始的、自發的唯物主義"①。這個結論馮先生也有了改變。他通過對《老子》宇宙觀的辨認,認定《老子》之"道"實際是"以一種主觀的虚構作爲天地萬物的來源",亦即虚構了一個超絶時空、超絶言象、派生和主宰天地萬物的精神本體。因而"《老子》所建立的道家哲學體系是客觀唯心主義的體系"②。

　　莊子抓住了老子的天道自然無爲論,並將其發展到極至,從而成爲戰國中期道家發展的重要否定環節。馮先生指出:

　　　　從老子到莊子是一種轉化。是從唯物主義向唯心主義轉化呢?
　　或是從客觀唯心主義向主觀唯心主義轉化? 這牽涉對于老子哲學
　　的性質的看法。③

這個問題已經如前解決了。馮先生認爲,莊子之道的最本質特徵是一個"抽象的'全'"④。這種"'全'是一種主觀的意境和邏輯的虚構"⑤。馮先生説:莊子"所謂'道'又是萬物的根本,所謂'物物者'"。而"這個'物物者'實際上是他的主觀意境;這是莊子的唯心主義之所以爲主觀唯心主義"⑥。他還説:莊子對"道"的體認,"是用'無己'的方法得到的;因爲有這樣意境(與道同體)的人,最後必須取消我和非我的分别。可是照莊周所説,這個同體還是以'我'爲主,……這是他的唯心主義之所以爲主觀唯心主義的一

---

① 　參見《中國哲學史論文二集》第 196—200 頁。
② 　參見《中國哲學史新編》(1984 年版)第二册第 44—52 頁。
③④ 　《中國哲學史論文二集》第 293 頁、300 頁。
⑤ 　《中國哲學史論文二集》第 334 頁。
⑥ 　《中國哲學史論文二集》第 334 頁。

個特徵"①。這種分析無疑是合理的。如果説,老子之道還只是一個生成萬物,但又無形無象,不可感知的神秘的精神本體的話,莊子則徹底打破了它的神秘性。他通過"心齋"、"坐忘"等方法,把道移入了人心中,認爲只要"徇耳目之欲而外于心知",便可以"朝徹"而"見獨(道)","同于大通",實現道、心(客體與主體)的絶對同一,從而超邁于天地萬物之上、之外,"物物而不物于物",進而"命物之化",創造和主宰萬物之運化。這種將客觀的絶對精神本體,通過"我"的主觀精神的無限膨脹而變成抽象的主觀精神本體的思維路數,正是對老子道學的否定。

馮先生説:"莊周哲學是隱士思想的總結"②,確乎如此。由春秋末而戰國中,中國社會終于順乎自然之道艱難地實現了奴隸制和封建制兩種社會制度的大轉變。退隱山林是難以"觀其復"的;精神上的逍遥畢竟離不開物質的需求。道家中自然分化出一批面對現實、尊重現實的新政權的合作者。繼莊學而後,以先前之稷下道家爲先聲,出現了黄老學派③。

何謂黄老之學? 馮先生有獨到的見地。他説:

> 道家講保全身體、性命的道理。這是道家的一個主題。黄老之學以此爲"内",又把保全身體、性命的道理推廣到"治國",以此爲"外"。它所講的"治國"的道理,也就是法家的道理。這樣就改造了道家思想,使之向法家轉化。……大概可以説,黄老之學是道家和法家的統一。④

> 它(《黄帝内經》)認爲"養生"和"治國"是一個道理,這就是黄老之學的要點⑤。

> 前者以黄帝爲目標,後者以桓、文爲目標。其所以稱"老"者,因爲《老子》中講"常生久視"之道,也有"君人南面"之術。⑥

> 從老聃到莊周,是道家向唯心主義的發展。……黄老與老莊,在哲學上説,是唯物主義和唯心主義兩大派別的對立,在政治上説,是革新前進和保守、倒退兩條道路的鬥争。⑦

①②③　《中國哲學史新編》(1984年版)第122—123、139、186頁。
④⑤　《中國哲學史新編》(1984年版)第195頁)。
⑥⑦　同上書第198頁。

從某種意義上説,黄老之學是通過對莊學的否定在更高一個層面向老學的復歸。《老子》作爲"衛生之經",也多載用兵爲政之論。即是説,其術足以衛生,亦可佐人君南面。如果説儒家有爲,提倡"修齊"而至"治平"的話,老學則是提倡"修身——家——鄉——邦——天下"而至無爲之治。前者修養人的品性,後者修養人的精神,二者實是異尚而同歸。

莊學不然。莊子主張純任自然,根本反對"治"。他提出通過"絶聖棄智"、"白玉毀珠"、"焚符破璽"、"剖斗析衡"以至"殫殘天下之聖法"而回到"同與禽獸居,族與萬物並",同乎無知、無欲的原始社會,他把這個稱爲"至德之世"①。這種政治主張,反映了處于完全絶望境地的没落貴族的一種反祖心態。無怪乎班固貶稱其爲"放者",即玩世不恭的浪漫派。

黄老之學又不然。它是托名黄帝"正身共己垂衣裳而治"的治國之術與老子的衛生之道相結合的一種學説。王充説:"黄老之操,身中恬淡,其治無爲,正身共己而陰陽之和,無心于爲而物自化,無意于生而物自成。"(《論衡・自然》)它以《黄帝帛書》和《老子》爲經典,以"恬淡"、"無爲"爲綱領,以"長治"、"久生"爲目標,以"陰陽之和"爲原則,將治身的目的落實到治國方面來。《史記・太史公自序》説:"凡人之所生者精也,所托者形也。神大用則竭,形大勞則敝,形神離則死。……故聖人重之。由是觀之,神者生之本也,形者生之具也,不先定其神[形],而曰'我有以治天下',何由哉?"原來漢人所概括的道家要旨,實是指戰國後期在"因陰陽"、"採儒墨"、"撮名法"之優點的基礎上形成的黄老道家學派而言。

馮先生認爲,黄老之學以"精"、"氣"釋道,屬于唯物主義。他説:

　　　稷下黄老之學開始用"氣"以説明"道",認爲"道"就是"氣"或精氣。萬物都是從"氣"生出來的。……總之,從物質現象到精神現象

---

①　參《莊子》:《胠篋》、《馬蹄》。

都是"氣"構成的,一切事物都是氣的變化的結果。①

氣在中國古代有兩種意義。一種意義指"天氣"。……一種意義指人呼吸的氣息。……天氣對農業生産是十分重要的;氣息對人的生命也是十分重要的。稷下黃老之學正是從對氣的這種認識中,建立起以氣爲基礎的唯物主義的自然觀。②

關于"氣"範疇,老子、莊子都有論及。老子説:"萬物負陰而抱陽,冲氣以爲和。"(《老子》第四十二章)莊子説:"通天下一氣耳。"(《莊子・知北游》)然而老莊之"氣",都被視作"道"本體的派生物。而黃老之學則認爲"道"在"氣"中,"道"、"氣"是合一的。如説:"恒無之初,迥同大虛。虛同爲一,恒一而止。濕濕夢夢,未有明晦。神微周盈,精神不熙。"③從道原來説,自然界和人類社會産生以前,唯一存在的就是濕濕夢夢,明晦不分的"氣",它與"道"是同爲一體的,這就是萬有世界的本質。而且,"道"還是萬物之所以是自己的、"人皆以之"、"人皆用之"的普遍的規律性。將精神的道本體論改造成爲物質性的氣本體論,這是道家哲學的革命。馮先生對此作了高度評價,指出它在哲學史上有兩大貢獻:其一是"奠定了中國哲學中唯物主義的基礎";其二是"第一次對形神關係的唯物主義解決作了嘗試"④。這個評價是公允的。

此外,在道家學術方面,馮先生還就道家與儒家、法家,道家與道教、佛教,道家與楚人精神等諸方面的内在聯繫進行了研究,都有專節論述。如他提出道家乃楚文化的代表的觀點⑤;戰國秦漢時儒學、《易傳》頗受道家哲學影響的觀點⑥;道家與法家既對立又統一的觀點⑦,道家與陰陽學説相結合産生了道教的觀點⑧,道家與佛教中道宗相結合産生了禪宗的觀點⑨,魏晉玄學爲新道家的

---

①② 《中國哲學史新編》(1984 年版)第二册,第 203、204 頁。

③ 《黃老帛書・經法・道原》。

④ 《中國哲學史新編》(1984 年版)第二册,第 210 頁。

⑤ 《中國哲學史》第 216 頁。

⑥ 參上書,第 451—464 頁。

⑦⑧⑨ 參《中國哲學簡史》第 195—196、246、247、281 頁。

觀點等等①。這些都是頗爲新致的一家言,是我們研究批判和繼續道家文化的寶貴思想資料。

在中國的大文化系統裏,道家之學無論在政治、經濟、哲學、自然科學(包括人體性命科學)、文學、藝術等諸多方面都曾經發生過無以替代的重要影響,對于形成我們優秀的民族文化傳統也曾經起過無以替代的重要作用。它與儒家之學相黜相補,相得益彰,在文化史上享有共同的地位。對于它的價值評估,魯迅先生、英國學者李約瑟博士都有過意見。在馮先生的體系中,看來是首推儒學,但馮先生的學術論文,却以道家(包括馮先生所謂漢晉"新道家")主題爲最,這一方面説明道家之學還有待于更深入地探究;同時也大概可以説明馮先生的道家之學的價值觀。

作者簡介　羅熾,1940 年生,湖北武漢新洲人。現任湖北大學教授,中國哲學史學會理事。主要著作有《中國哲學簡史》、《易文化傳統與中國哲學》、《衆妙之門》(主編)等。

---

① 　參《中國哲學簡史》第 253—277 頁。

略論道家思想在日本的傳播

徐水生

内容提要 本文以日本的文獻資料爲基礎,簡略地勾畫了道家思想在日本傳播的歷程,認爲這一歷程大致可分爲三個階段:即公元 6 至 16 世紀的傳入和引用;江户時代的研究和普及;明治維新以後的滲透和影響。尤其在第三階段,道家思想與蜂擁而至的西方近、現代文化相結合,成了日本新文化的有機成分之一。本文還特別指出,道家思想在東瀛傳播的史實,對于我們今天重新評價道家思想的歷史地位和思考道家思想的文化價值,無疑具有特殊的啓迪作用。

道家思想雖産生于中國,但它也在日本得到了長期傳播並有廣泛的影響。探討道家思想東傳日本之軌迹,對于我們從更廣闊的視野來研究道家,不無裨益。

一

早在 6 世紀中葉,老莊思想就間接地和漢譯的佛教經論一起傳入日本,但在文字上最早的明確記載是 7 世紀中葉日本聖德太子制定的"17 條憲法"。"17 條憲法"並非今日所説的法律,而是對當時官吏的道德訓誡,其内容採納了儒、道、佛等諸家學説,其中第10 條曰:"人皆有心,心各有執,彼是則我非,我是則彼非。我必非聖,彼必非愚,共是凡夫耳! 是非之理,詎能安定? 相共賢愚,如環無端。"①顯然,這裏借用了莊子的思想。莊子在《齊物論》中説,"夫隨其成心而師之,誰獨且無師乎?""是亦彼也,彼亦是也。彼亦一是非,此亦一是非,果且有彼是乎哉? 果且無彼是乎哉? 彼是莫得其偶,謂之道樞。樞如得其環中,以應無窮"。二者不僅字句相似,而且思想也十分接近,顯然,"17條憲法"的有關條目是對莊子思想的運用。

公元 712 年,日本最早的著作《古事記》産生,該書是研究日本古代神話傳説、歷史和哲學思想萌芽的重要文獻資料,其卷首説:"夫混元既凝,氣象末效; 無名,無爲,誰知其無形? 然乾坤初分,叁神作造化之首,陰陽斯開,二靈爲群品之祖。"②古代的日本是一個文化後進國,其深奧的理論和抽象的概念均來自中國,《古事記》一書反映了這種情況。《老子》第 25 章説:"有物混成,先天地生,寂兮寥兮。"第 1 章説:"無名天地之始,有名萬物之母。"第 2 章説:"聖人處無爲之事,行不言之教,萬物作焉而不爲始。"第 40 章説:"萬物負陰而抱陽,冲氣以爲和。"由此可見,《古事記》卷首語的叙述方式及"無名"、"無爲"、"陰陽"等重要概念均來自《老子》。

與《古事記》相比,成書于 720 年的編年體書《日本書紀》在此方面表現得更爲明顯。《日本書紀》開卷即曰:"古天地未剖,陰陽不分,渾沌如鷄子,溟涬而含芽,及其清陽者薄靡而爲天,重濁者淹滯而爲地,精妙之合博易,重濁之凝竭難,故天先成而地後定,然後神聖生其中焉。"③而這段文字幾乎是照搬了中國漢代的道家著作《淮南子》的思想和語句,如《淮南子·天文訓》指出:"宇宙生氣,氣有涯根,清陽者薄靡而爲天,重濁者凝滯而爲地。清妙之合專易,重濁之凝竭難,故天先成而地後定。"《淮南子·三五歷紀》指出:"天地渾沌如鷄子,盤古生其中,萬八千歲,天地開闢,陽清爲天,陰

---

① 《日本書紀》下,第 185 頁。日本岩波書店昭和四十年 7 月版。
② 《古事記·祝詞》第 42 頁。日本岩波書店 1958 年 6 月版。
③ 《日本書紀》上,第 77 頁。

濁爲地。"此時, 由于日語假名尚未産生, 日本早期著作寫作必以中國古籍爲摹本, 更由于日本尚未形成系統的宇宙天地的理論, 而《淮南子》關于氣→陰陽→天地的宇宙生成論適應了日本理論上的需要, 故出現了這種"直接拿來"的狀況。

　　産生于公元 751 年的日本最早的漢詩集《懷風藻》, 表明日本人關于老莊的知識變得更加明確和豐富。如"大友皇子的傳記"之詩中, 有"天道無親, 惟是善輔之"①。古麻呂的"望雪"之詩中, 有"無爲聖德重寸陰, 有道神功輕球琳"②。山前王的"侍宴"之詩中, 有"至德洽乾坤, 清化朗嘉辰。四海既無爲, 九域正清淳"③。道公首名的"秋宴"之詩中, 有"昔聞濠梁論, 今辨游魚情"④。越智直廣江的"述懷"之詩中, 有"文藻我所難, 莊老我所好。行年已過半, 今更爲何勞"⑤。蟲麻呂的"秋日于長王宅宴新羅客"之詩中, 有"言笑縱橫, 物我兩忘"⑥。藤原總前的"侍宴"之詩中, 有"無爲自無事, 垂拱勿勞塵"⑦。這裏運用了大量的老、莊的哲學範疇(如"無事"、"無爲"、"至德")、哲學命題(如"物我兩忘")、及包含深刻哲理的典故(如莊周與惠施的"濠梁之論"), 而《懷風藻》的作者主要是天皇、皇子、官僚公卿、僧侶等人, 這説明道家的思想已引起了當時日本社會上層人士的較大興趣。

　　由此看來, 道家思想在日本的早期傳播有兩大特點: 一是簡單地引用老、莊著作的原文較多; 二是流傳範圍主要在日本社會上層, 還未深入到一般民衆。前者表現了外來思想傳入日本之初的共同規律, 後者符合當時的日本文化實際情況即識漢字的人極少。

　　雖在 8 世紀之後, 也有一些著作涉及到道家思想, 如最早的和歌集《萬葉集》卷 16 中有"無何有之鄉, 心神置其方; 藐姑射之山, 或可近端詳"。14 世紀的日本隨筆文學代表作——《徒然草》38 節中有"智慧出有大僞……, 真人無智無德, 無功無名", 167 節中有

---

　　①②③④⑤⑥⑦　《日本古典文學大系》第 69 卷, 第 70、92、109、115、123、130、147 頁。

"不誇善,不争物爲德"等等字句,但從整體上仍未超出早期傳播的
水平。

二

在江户時代(1603—1867),儒學開始興盛,隨着日本社會各階
層對中國古代思想文化的學習熱潮,道家思想也在日本得到了空
前的發展。這一階段主要有以下幾個特點:

第一,產生了一批有關道家思想的研究家及研究成果。如江
户時代的著名學者海保青陵(1755—1817)著有《老子國字解》,此
書以王弼的注釋本爲基礎,同時吸收了其他各家注釋的成果,提出
了自己的獨到見解。他認爲,老子並非生于孔子之前,而是生于孔
子之後;老子看到孔子的仁義道德不行于世,于是從側面進行了思
考;老子提出"欲取天下而爲之",應該做到"將欲奪之,必固予之",
這在一定程度上反證了孔子的學說,與孔子思想有一致之處。他
的見解當時引來不少贊同者。還有一位叫葛西因是(1764—1823)
的學者,著有《老子輯注》、《老子神解》等。他認爲,視老莊之教爲
異端者,是由于拘泥文字而不解其意,于是逢人就談老莊,辯舌頗
巧,多有獨到見解,每每令人驚嘆。此外,還有大田晴軒,他著有
《老子全解》,將《莊子》,《列子》等先秦古籍同《老子》對照,試圖求
得正解。他認爲,莊子的繕性、復初等思想雖源于《老子》,但二者
有差異,並細緻地說明了《老》、《莊》的同異之處。他指出,《老子》
學說淵博、精邃,不易理解,故後人從各自角度領會,形成不同學
派。在江户時代,日益增多的道家思想研究家帶來了豐富的研究
成果。據日本著名學者武内義雄統計,徂徠學派(日本儒學三大派
之一的古學派的一個分支)17至18世紀關于老莊之書的注釋就
有29種之多,其中的《老子特解》、《老子愚讀》、《老子、莊子類說》、
《老子考》、《莊子考》、《老子考注》、《老子解》、《莊子解》、《莊子瑣
說》、《老子摘解》、《校刻王注老子》、《讀老子正訓》、《老子考文》、

《老子古解》、《冢注老子》等。由此可想而知,當時整個日本學術界關于道家研究的著作更多。而這些成果的出現,説明日本學者關于道家思想的研究日益加深。

第二,出版了一批有關道家思想的通俗讀物。如1727年,江户(今東京)松壽堂出版了佚齋樗山編著的《莊子田園》,此書是由上、中、下、附錄等4卷組成的莊子哲學通俗解説本。上卷有"雀蝶之變化"、"木兔之自得"等6篇故事;中卷有"萊瓜之夢魂"、"蟬蜕之至樂"等5篇故事;下卷有"莊子之大意"、"莊子傳"等3篇文章。"莊子之大意"概括了莊子哲學的要旨,它指出:"以自然造化爲大父母,死生禍福,動静語默,唯任大父母而安其命,其間不容一毫之意,此乃《莊子》之主旨。"該書雖是通俗讀物,但它表現出對莊子哲學較準確的把握和較深刻的理解。

1743年,大阪又出版了田中甚助的同類著作《莊子風貌》4卷。該書每卷各16篇(有"蟻鯨的情量"、"粉蝶不辨色"等16個故事),其内容形式與《莊子田園》有異曲同工之妙。該書卷末附有"莊子的旨意",它把莊子的哲學歸結爲"自然"二字,含蓄地批判了把氣歸結爲太極,把太極又歸結爲理的朱子學。它還强調,用氣説明萬化之源的莊子哲學和用心來説明萬化之源的佛教根本不同。

1753年,大阪又出版了信更生著的《都莊子》4卷。它由"朝三暮四"、"上知下知"等16個故事所組成,沿用了《莊子田園》的形式。但它把莊子的哲學定爲"虚的哲學",並在此基礎上試圖把儒學、神道、佛教的思想一體化。此外,還有《都老子》(犁春)、《夢中老子》(燕志堂)、《老子形氣》(新井祐登)、《造化問答》(安居齋宗伯)等關于老莊哲學的通俗讀物出版,這類書對道家思想在日本民衆中的廣泛傳播無疑起到了重要作用。

第三,一些思想家將道家哲學溶于自己理論體系之中。如江户時代興起的試圖從日本古典中尋求日本民族精神的學派——國學,就是以老莊哲學作爲其思想内容之一。如賀茂真淵(1697——1769)在其著作《國意考》中説:"老子只言順天地自然,故能得天下之道。"而儒學主張人爲的禮,使人們喪失了樸素的"真心",失去了符合"天地自然"的古代生活。所以,日本著名的哲學史家永田廣治指出:"賀茂真淵的反儒論有着顯著的老莊傾向,是同'絕聖棄智,民利百倍;絕仁棄義,民復孝慈'以及'智慧出,有大僞'的老子式的見解相一致的。"①國學派的另一位大師——本居宣長(1730—1801)年輕時著有《莊子摘腴》一書,他後來批判儒學的重要思想武器也是老莊的"自然無爲"論。故日本著名學者福永光司指出,在一定程度上説,"國學和老莊哲學具有共通性"②。

　　被稱爲日本古代重要思想家的安藤昌益(1703—1762)與道家哲學也有密切的關係。他將其著作取名爲《自然真營道》,其中的"自然"、"真"、"道"三範疇均取自于老莊之學,該書的最大特點是對日本封建社會進行了猛烈地批判,但其理論依據主要來自道家。如他説:"故隨日月運行之度而進行春生發、夏盛育、秋實收、冬枯藏之耕織時,則五行自然而然之小大進退之妙用之常,在人倫世中,無上無下,無貴無賤,無富無貧,唯自然常安也。"③因此,"隨日月運行之度而進行"的"耕織",是人類的自然生活,是他的社會理想。安藤昌益強調,天地和日月本來是二而一,雖然它們包含着差別,但不可分割,故他對于儒、佛兩家根據天地、陰陽的差別而推出人類社會的尊卑、上下的思想進行了抨擊,指出:儒、佛"妄自建立天地、日月、男女、君民、佛衆、上下、尊卑、善惡等一切二別的教門,盜取二而之一真氣之真理,迷惑天下。知自然之道而爲之乎?"④

　　總之,在江户時代,道家思想從日本社會上層普及到廣大民衆,由一般的復述、摹仿,深入到日本思想家的理論體系之中。它經過一定改造,以至成了日本傳統文化中的重要因素。

---

① 永田廣治著《日本哲學史》第 154 頁,商務印書館 1983 年 12 月版。
② 福永光司著《道教與日本文化》第 122 頁,日本人文書院 1982 年版。
③④ 《自然真營道》,轉引自永田廣治著《日本哲學史》第 173、174 頁。

三

　　1868 年, 日本拉開了近代化的序幕。但作爲日本傳統文化中有機成分的道家思想並未被徹底拋棄, 而是與大量湧入的西方哲學思想及近、現代自然科學相結合, 爲日本新文化的誕生起了不可忽視的作用。

　　道家思想是日本近、現代哲學家的重要理論來源之一。如明治時代的哲學大師———中江兆民(1837—1901) 曾赴法國留學三年, 回國後積極宣傳西方近代哲學和自由民權論, 故被稱爲"東方的盧梭"。與此同時, 他又拜日本著名漢學家岡松甕谷爲師, 通過岡松之著《莊子注釋》理解了十分晦澀的莊子哲學, 並將《莊子》作爲自己伏案工作的座右之書。對中江兆民讀書生活頗爲瞭解的小島佑馬曾回憶道,《莊子》是兆民最愛讀的書之一, 並對他以後的文章和思想產生了頗大的影響[①]。《莊子》中的"秋水"篇通過幾組寓言表現了莊子超脱世俗、藐視權貴、向往自由的思想, 兆民對此非常喜愛, 先將篇名作爲自己的雅號, 後將此號轉贈于其得意門生幸德傳次郎, 使其改名爲幸德秋水[②]。此外, 被稱爲"日本近代名著"的兆民所寫的《三醉人經綸問答》一書中, "藐姑射之山"、"無何有之鄉"、"太虛"、"機心"、"大塊"等閃爍着莊子哲學智慧的語句隨處可見。尤其是在中江兆民被診斷患有癌症的人生最後日子裏, 他從莊子哲學中得到不少的有益啓示和精神力量。《莊子·大宗師》説: "孰能以無爲首, 以生爲脊, 以死爲尻, 孰知生死存亡之一體者, 吾與之友矣!"莊子認爲, 人的生命是大自然所賦予的, 最後仍要回歸于大自然, 因而, 人的生命實際上是以無爲始, 又是以無爲終。這裏表現了一種"視死如歸"的超然達觀態度。莊子還指出, 人們

————————

①　參見桑原武夫編《中江兆民的研究》第 39 頁, 日本岩波書店 1966 年版。
②　幸德秋水(1871—1911), 日本早期社會主義思想家。

談起長壽，往往以八百歲的彭祖爲例，但彭祖如和"以八千歲爲春"的大椿樹相比，只能算夭折。故壽與夭是相對的，而不是絕對的。中江兆民吸取了莊子以上合理思想，他指出："一年半，各位也許要說是短促的，然而我却説是漫長的。""我認爲至多只能活五、六個月，如果能活一年，那麼對我來說，已經是壽命上的豐年。這本書所以題爲《一年有半》，就是由于這個緣故。""一個人假使七、八十歲後才死，可以説是長壽。然而死亡以後，却是永遠無限的劫數。假使以七、八十年去和無限作比較，那是多麼短促啊！于是乎不能不把彭祖看成夭折。"①中江兆民揚棄了莊子的生死觀，認爲壽與夭的標準關鍵在于是否活得有意義，是否爲社會作出了積極貢獻，所以他在極有限的時間裏，爲日本文化留下了寶貴的精神遺產——《一年有半、續一年有半》。

　　將日本近代哲學發展到頂峰的西田幾多郎與道家思想也結下了不解之緣。他在金澤第四高等學校學習期間，就對老莊哲學產生了濃厚的興趣，正如他在一首漢詩中所寫；"除去功名榮利心，獨尋閑處解塵襟。窗前好讀道家册，明月清風拂俗塵。"②他所在高中一些同學當時自發組織起"尊我會"，會員之間用各自寫作的詩歌、遊記、論文進行交流。西田爲此取一筆名"有羽生"，同學不解其意，提出疑問，西田在文章中答曰："予獨知鳥有翼，而不知人也有翼。予曾聞昔者莊周夢爲蝴蝶栩栩然戲花之事乎？"③由此可見，他從青少年起就閱讀了大量的道家著作，這些並對他以後哲學體系的形成產生了深遠的影響。"純粹經驗"的思想是西田哲學體系中的核心，這一思想的形成雖然大量吸收了西方近、現代哲學文化，但其中也包含有道家哲學的營養。莊子有一著名命題，即："天地與我並生，而萬物與我爲一。"西田加以了吸收和改造，他説："本來物和我就是没有區別的，我們既可以説客觀世界是自我的反映，同樣地也可以説自我是客觀世界的反映。離開我所看到的世界便

———————
　　①　中江兆民著《一年有半、續一年有半》第 6、22 頁。商務印書館 1979 年版。
　　②③　《西田幾多郎全集》第 16 卷第 604、607 頁。日本岩波書店 1966 年版。

沒有我。這是天地同根,萬物一體。"①他在另一處又説:"在上述狀態下,天地僅有一指之隔,萬物與我成爲一體。"②莊子的"物我一體論"原是從方法論角度反對絶對主義,强調世界的整體性,主體與客體的聯繫性及認識的相對性。西田將這一思想與西方的經驗論哲學、心理學理論相結合,用以説明自己的"純粹經驗論"內部的主、客體的整體性和不可分性。莊子在《大宗師》篇提出:"墮肢體、黜聰明、離形去知,同于大通,此謂坐忘。"所謂"坐忘"是指,只要端正修養,摒棄一切知識和感覺,通過直覺便能達到遺忘一切、消除是非、泯滅物我,進入與天地萬物渾然一體的境界。西田在莊子"坐忘"思想的基礎上,提出了"知的直覺"論。他説:"真正的知的直觀是純粹經驗上的統一作用本身,……從純粹經驗論的立場來看,這實在是主客觀合一、知意融合的狀態。這時物我相忘,既不是物推動我,也不是我推動物。只有一個世界、一個光景。一談起知的直觀,聽起來似乎是一種主觀作用,但其實是超越了主客觀的狀態。"③西田"知的直觀(直覺)論"的産生也受到西方近現代哲學中直覺思想的啓發。叔本華認爲,依靠理性或邏輯思維不能認識世界的本質,只有直覺才是認識世界的唯一途徑。但它的直覺是以意志爲動力,也以意志(世界本質)爲目的。相比之下,莊子那種依靠静心修養,達到主客合一、萬物一體的東方直覺思想,更爲具有深厚老莊之學功底的西田幾多郎所重視,成了他直覺思想的主要來源。不過在運用過程中,西田用西方近代哲學理論和方法對莊子"坐忘"的直覺思想進行了改造,使其成爲"重知"的"知的直觀"。

　　"日本近代文學的巨匠"——夏目漱石(1867—1916)一生寫過15 部中、長篇小説,2 部文學理論著作,此外還有大量的詩歌。魯迅對他的文學成就也給與過高度評價④。夏目曾赴英國留學三

---

　　①②③　西田幾多郎著《善的研究》第 117、145、32 頁。商務印書館 1965 年 8 月版。

　　④　參見《魯迅全集·現代日本小説集》附録。

年,但長期保持了對道家思想的興趣。他在讀大學期間,曾專門寫有《老子的哲學》一文,該文用三幅圖解(修身;政治;道;)展示了老子的整個哲學體系,表現了他對這一問題的整體把握和深刻理解。在夏目的文學作品中,多處出現"無爲而化"(《我是猫》11)、"天網恢恢,疏而不漏"(《少爺》11)、"言而不知"(《虞美人草》5)、"老子曾說過……"之類的語句,可見他將老子哲學與文學作品已融爲一體。夏目的漢文詩則説明他與莊子哲學的密切關係,如"洗盡塵懷忘我物,只看窗外古松鬱,乾坤深夜聞無聲,默坐空房如古佛"[①];"往來暫逍遥,出處唯隨緣"[②];"寸心何窈窕,縹緲忘是非,三十我欲老,韶光猶依依,逍遥隨物化,悠然對芬菲"[③]。這裏的"忘我物"、"忘是非"、"逍遥"、"物化"等均是莊子《齊物論》和《逍遥游》的思想。尤其是他針對日本近代化中倫理喪失、人心墮落的嚴重社會問題,將老子的"去甚、去奢、去泰"和莊子的"無以人滅天,無以故滅命"的觀點與西方近代啓蒙思想相結合,經過揚棄,創造性地提出了"則天去私"(即保持人的自然本質、抛棄虛僞之心)的文學創作思想,據此寫出了以《明暗》爲代表的一系列抨擊資産階級利己主義的小説,並産生了較大的文學和社會效應。

尤其令人驚奇的是,道家思想對日本現代的物理學研究也産生了積極影響。這裏以日本首位諾貝爾獎金獲得者——湯川秀樹(1907—1981)爲例。湯川 1929 年畢業于京都帝大理學部物理學科,1935 年提出一種核力理論,正確地預言了介子的存在,1949 年因介子理論而獲諾貝爾物理學獎。受父輩影響,他從小就對老莊思想産生了濃厚的興趣。在回顧自己漫長的現代物理學研究生涯時,湯川指出:"和其他物理學家不同,對我來説,長年累月吸引我,給人影響最深的是老莊等人的思想,它雖是一種東方思想,但在我思考有關物理學問題時,它仍不知不覺地進入其中。"[④]根據湯川秀樹的回憶,這裏可以舉出三個事例。第一個是"基元域"概念的

---

① ② ③ 《漱石全集》第 12 卷第 458、404、401 頁。日本岩波書店 1975 年版。

④ 《湯川秀樹著作集》第 7 卷第 20、65 頁。日本岩波書店 1985 年版。

形成。1950 年湯川發表了非局域場的理論,想將它作爲和實體論、本質論進行綜合統一的第一步,此後進行着"惡戰苦鬥"和多年研究。"其中,我想起了種種東西,成此契機的一個是在基本粒子研究上用新形式恢復的一般相對論精神,還有一個是想起了長期被遺忘的莊子。……于是在 1966 年某日,終于將我的苦心思索結晶爲基元域的概念。"①可見,這一概念是在相對論和莊子哲學的啓發下而創造出來的。第二個是粒子物理學的"混沌説"的産生。湯川秀樹研究基本粒子多年,發現了 30 多種不同的基本粒子,每種基本粒子都帶來某種謎一樣的問題,于是不得不深入一步考慮在這些粒子的背後到底有什麼東西。"它可能是有着分化爲一切種類基本粒子的可能性,但事實上還未分化的某種東西。用所習用的話來説,這種東西也許就是一種'混沌'。正是當我按這樣的思路考慮問題時,我想起了莊子的寓言。"②這個寓言就是《莊子·應帝王》中"與忽時相與遇于混沌之地"的故事,它樸素地表現了要尊重事物本身的客觀性和整體性的思想。第三個是他對"看不見的鑄型"的物理法則的確信。湯川説,他曾將物理法則比喻爲"看不見的鑄型"。例如電子,不論在何處、何時形成的電子都具有完全相同的質量和電荷,這是自然界法則性最基本形態的一種體現。他在反覆讀《莊子》時,發現了《大宗師》篇中"大冶鑄金"的比喻,認爲莊子"將此比喻成生死没有什麼大的差別,以超越死亡。與其作人類來看,倒不如説將此看成是基本粒子的生死問題。儘管這是古代莊子的思考,但與我的思考極其相似"③。"湯川現象"在西方現代科學家中引起了極大震動,如德國物理學家海森伯開始只承認現代物理學與古希臘哲學有着密切的聯繫,後來糾正性地指出:"日本科學研究對于理論物理的巨大貢獻可能是一種迹象,它表明在東方傳統中的哲學思想與量子力學的哲學本質之間有着某種確

① 《湯川秀樹著作集》第 7 卷第 65 頁。日本岩波書店 1985 年版。
② 湯川秀樹著《創造力和直覺》第 49,50 頁,復旦大學出版社 1987 年版。
③ 《湯川秀樹自選集》第 3 卷第 369 頁。日本朝日新聞社 1971 年版。

定的聯繫。"①這種"東方傳統中哲學思想"主要是指道家的哲學。

　　即使在今天的日本,《老子》、《莊子》的各種版本的日譯本仍是日本書店中的暢銷書,《老》、《莊》並與亞里士多德、康德、黑格爾等西方著名思想家的著作一道被編入大型叢書——《世界名著》,成爲其中的一册。直至最近,日本道家思想研究專家福永光司先生仍深刻指出:"在現代文明社會原樣實現老莊所説的'至德之世',已是不可能的了。但它包含了對現代文明的辛辣諷刺和嚴厲的警告,至少在提示真正的文明將人的生命看成具有至上價值,在作爲人類真正的幸福是什麽的深刻反思諸方面,老莊哲學在今天仍具現代意義。"②

　　以上簡單地勾畫了中國道家思想在日本的傳播和影響的發展軌迹。它説明,歷史形成的傳統思想只要其內部存在合理因素,就會不斷被揚棄、繼承和轉換,焕發出新的生命力。這一中國古典思想在海外"插隊落户"的現象,對于我們今天評價和思考道家思想的地位與價值,也應具有深刻的啓示。

　　作者簡介　徐水生,男,1954 年生,湖北黄石人。武漢大學哲學系博士、副教授。1990 年 10 月至 1991 年 9 月在日本同志社大學進行合作研究。

---

①　灌耕編譯《現代物理學與東方神秘主義》第 5 頁,四川人民出版社 1984 年版。
②　福永光司著《中國的哲學‧宗教‧藝術》第 56 頁,日本人文書院 1988 年 9 月版。

《道家文化研究》十輯編後

1. 古人云：數始于一，而終于十。對于任何事物來說，十這個數字似都具有特殊的、階段性的意義。本刊于十輯之後，將由上海古籍出版社轉到北京三聯書店出版。我們感謝上海古籍出版社過去五年的支持與合作。本刊之北上，只是爲了編輯的方便。

2. 以道家文化爲主題的刊物，本刊是第一家。俗話説，萬事開頭難。可是由于有香港道教學院及侯寶垣院長等的大力資助，有海内外研究道家文化方面學者的熱心扶持，本刊辦得非常順利。我們知道，這不是幾個人的刊物，這實際上是所有對道家文化有興趣的人共同主辦的刊物。這正是本刊從問世起就不斷受到學界朋友鼓勵的主要理由。

3. 本刊主編陳鼓應在創辦緣起中，曾提出幾方面的問題迫切需要研究，如道家著作的辨僞，考古發現對于道家思想史的意義，作爲戰國中後期顯學的稷下學派，《易傳》的學派歸屬，道家在中國哲學史上的主幹地位以及中國唯一的本土宗教——道教的哲學及影響等。現在看來，在前十輯中，這些問題是都涉及到了，而且隨着研究的進行，由這些問題又帶出了其他的問題。本刊對于這諸多問題，並不期待着馬上就有確定的答案。能通過這些討論爲學界提供另外一種視角，開闢另外一種思路，我們就感到滿足了。

4. 十一輯之後，我們會繼續討論前十輯中提到的各種問題。本刊會密切注意新材料的發布及舊材料的整理與研究。我們十分關心道家文化與易學的關係，第十一輯就將是這方面的一個專輯。十二輯是敦煌道教文獻研究專題。從考古、文學、哲學等不同的角度研究道教，也將是本刊的一個重點。同時，宋明理學深受道家、道教的影響，我們希望學界能在這方面的課題上作深入探討。此外，從近代以來，很多著名學者如嚴復、章太炎、王國維、金岳霖、馮友蘭的思想都與道家思想有關，我們歡迎這方面的稿件。

《道家文化研究》編輯部

一九九五年十二月

編者説明　本刊第八輯所刊湯用彤先生遺稿《貴無之學——王弼》，係馮契先生根據聽課筆記整理而成。特此説明。